Bubbels

Vertaald door Marion Drolsbach

Katie Agnew

Bubbels

EERLIJKE BOEKEN MET LEF

Oorspronkelijke titel: *Wives and Girlfriends*
Oorspronkelijke uitgave © 2009 Katie Agnew
First published in 2009 by Orion, an imprint of Orion Publishing Group Ltd.,
Orion House, Great Britain.
Nederlandse vertaling © 2009 Marion Drolsbach en
Truth & Dare / FMB uitgevers, Amsterdam

Truth & Dare *is een imprint van FMB uitgevers,*
onderdeel van Foreign Media Group

Omslagontwerp: Mariska Cock
Omslagfoto: Getty Images
Typografie en zetwerk: Peter de Lange, FMB uitgevers
ISBN 978 90 499 9875 2
NUR 302

www.truthanddare.nl
www.fmbuitgevers.nl

1

Het meisje zit met haar rug tegen de koude, klamme muur, slaat haar armen om haar opgetrokken blote knieën en drukt haar betraande gezicht tegen haar gekneusde, bloederige benen. Ze rilt in haar dunne zomerjurkje. In het vertrek is het bijna helemaal donker, maar toen haar ogen eenmaal aan de duisternis waren gewend, had ze in de hoeken een paar gemeen uitziende metalen werktuigen zien liggen: messen, bijlen en een soort klem met scherpe tanden. Opeens had ze de forse gestalte van de man bespeurd. Met het wit van zijn ogen blikkerend in het donker kwam hij op haar af. Zijn warme, ranzige adem stonk naar whisky en tabak.

Ze heeft geen flauw benul waar ze is. Hij had haar geblinddoekt zodra hij haar de auto in had gewerkt. Maar ze weet dat het koud is in het gebouw, veel kouder dan de zomerse dag die ze achter zich had gelaten. Ze was een steile trap af gelopen en was gestruikeld toen hij haar had geduwd, waarbij ze haar hoofd tegen een stenen muur had gestoten. De muren waren ruw en vochtig. Ook de handen van haar ontvoerder waren ruw. Net schuurpapier op haar zachte huid.

Nu is ze alleen. Haar ontvoerder is vertrokken, maar ze weet dat hij terugkomt. Hij had gezegd dat hij zou terugkomen. Nadat hij de zware metalen deur met een klap achter zich had dichtgetrokken, had ze het knarsen van een slot gehoord en daarna nog een slot. In het vertrek zijn geen ramen. Enkel rond het deurkozijn schijnt een straaltje licht.

Ze krult zich zo klein mogelijk op en wiegt zich, terwijl ze hartverscheurend snikt met haar laatste restje energie. 'Charlie,' jammert ze. 'Charlie, waar ben je? Help me toch!'

2

'Over een halfuur moet je in Marbella zijn.'

'Wat?' mompelde Grace Melrose in haar mobieltje. Moeizaam krabbelde ze uit haar ligstoel. Haar zonnebril en iPod vielen op de grond toen ze rondtastte naar haar horloge.

Ai! Het zonlicht deed pijn aan haar ogen. Het was halftwaalf in Andalusië.

Ze had precies één uur van haar vakantie kunnen genieten; de eerste echte vakantie sinds drie jaar waarin ze niet hoefde te werken.

'Ik zei dat je voor twaalven in Marbella moest zijn,' hoorde ze de stem blaffen. 'Je klinkt alsof je nog half slaapt, mens.'

Jezus, ze was in slaap gevallen! Vanochtend om vijf uur was ze vanuit haar hofje in Highgate naar Gatwick vertrokken, nadat ze gisteravond nog tot middernacht had gewerkt. Zodra ze in deze prachtboerderij in de bergen was aangekomen, had ze haar koffer neergesmeten en haar bikini eruit gegrist. Ze was op een ligstoel bij het zwembad neergeploft en prompt in slaap gesukkeld. En nu had ze die verdomde Miles aan de lijn. Nú al. Dat haar baas in de loop van de week zou bellen, had ze half en half verwacht, maar zó snel niet. Dit was belachelijk. Grace ging weer zitten en ademde diep in.

'Prima, Miles. Wat wil je eigenlijk van me?' Uiteraard zou ze het doen, wat het ook was. Tegenspreken had geen zin. Tegen Miles Blackwood ingaan was verspilde moeite.

Hij klonk een beetje geïrriteerd. 'Nogmaals: je moet zo snel mogelijk naar Marbella komen. Een of andere smakeloze villa in Puerto Banus, neem ik aan. Ik mail je het adres en je instructies.'

Een bedankje kon er niet af. Zo ging het altijd. Miles had de sociale vaardigheden van een kleuter met ADHD. Hoeveel prijzen ze ook won, het was nooit goed genoeg. Haar mening over haar baas wisselde van grondige afkeer tot ontzag voor zijn talent. Op dit moment, terwijl ze verlangend naar het zwembad met turkooizen water en de schitterende bergen op de achtergrond keek, had ze onmiskenbaar een hekel aan hem.

'Ik zit op een uur rijden van Marbella,' wierp ze tegen.

Miles sputterde alsof Grace degene was die onredelijk deed. 'Ik hou ze wel aan het lijntje. Je hebt drie kwartier. Meer niet. Bel me wanneer de klus is geklaard.'

Hij wilde al ophangen toen ze snel zei: 'Miles, nog één vraag.'

'Nou?' blafte hij.

'Wie moet ik deze keer doen?'

'O ja. Jimmy Jones en Jasmine Watts.'

Verdomme! Als haar vakantie zo ruw onderbroken moest worden, hoopte ze dat het tenminste de moeite waard zou zijn. Op zich had ze er niets op tegen om celebrity's te interviewen. Ze wist dat ze haar razendsnelle carrière van verslaggeefster bij het plaatselijke sufferdje tot zwaargewicht bij de serieuze pers te danken had aan haar gave om beroemdheden uit de school te

6

laten klappen. Inmiddels was ze de lieveling van de roddelbladen geworden. Maar Jimmy Jones de voetballer en Jasmine Watts de glamourgirl? Jimmy Jones stond erom bekend dat hij niet al te snugger was tegenover de pers en zijn verloofde Jasmine Watts was de 'it-girl' van de blingblinggeneratie. Jimmy had in elk geval talent, moest ze met tegenzin toegeven, maar Jasmine Watts was nauwelijks beter dan een wandelende opblaaspop. Die griet had borsten als meloenen, benen tot aan haar oksels, een voetballer in haar bed en zaagsel in haar o zo mooie hoofd. Moest ze dáár een dag bruinen aan verspillen? Niet dat Grace haar ooit had ontmoet, maar die meiden waren toch allemaal hetzelfde. Snoepjes van de week, gemaakt voor en door de steeds grotere honger van het publiek naar nieuwe celebrity's. Echt talent hadden ze niet. Eigenlijk blonken ze nergens in uit, afgezien van shoppen en vermoedelijk seks. Meiden als Jasmine Watts maakten de journalistiek tot een aanfluiting. Jasmine zou niets interessants te vertellen hebben. Dat had Grace intussen wel geleerd.

Natuurlijk wilde ze niet alle beroemdheden over één kam scheren. In de loop der jaren had ze heel wat intrigerende, mysterieuze en intelligente sterren ontmoet, maar glamourgirls en voetballers? Per slot van rekening had ze voor de serieuze pers gewerkt. Ze had nota bene ministers, presidenten en terroristen geïnterviewd. Dat ze zich door het geld en de publiciteit van de roddelbladen had laten verleiden, wilde niet zeggen dat haar hersens waren verweekt. Ze nam zich voor Miles na afloop van de klus haarfijn uit te leggen tot welk niveau ze bereid was zich te verlagen. Niet dat hij zou luisteren...

Grace staarde naar de inhoud van haar Mulberry-koffer en zuchtte moedeloos. Meestal zag ze er tot in de puntjes verzorgd uit, maar nu was er geen tijd om iets te strijken. Ze moest het maar doen met haar witte Ghost-zonnejurk, het minst gekreukte kledingstuk in haar koffer. In combinatie met haar gouden Jimmy Choo-sandaaltjes en haar nieuwe diamanten De Beers-collier (een goedmakertje van haar vriend McKenzie) kon die er wel mee door. Ze kamde haar korte, sluike blonde haren, deed wat lipgloss op, en toen was ze klaar.

Ze keek op haar BlackBerry naar de instructies van Miles. Casa Amoura. Ja, zoiets zat er dik in. Het zou vast niet lang duren om meneer Jones en zijn voetbalvrouw aan de tand te voelen. Veel diepgang viel er van hen niet te verwachten. Ze betwijfelde zelfs of ze hun middelbare school hadden afgemaakt. Met een beetje mazzel zou ze nog net op tijd terug zijn om op haar ligstoel van de laatste zonnestraaltjes te kunnen genieten. Met haar Gucci-zonnebril stevig op haar neus sprong ze in haar huurauto, liet de White Stripes uit de speakers knallen, draaide de airco op zijn hoogste stand en reed over de kronkelige bergweg naar Marbella.

Jasmine Watts wilde juist gaan douchen toen de deur van de badkamer openging en haar verloofde verscheen.

'Ik dacht dat je nog sliep, ventje,' zei ze met een lachje.

Hij zag er slaperig uit, met zijn warrige blonde haar en die sexy groenblauwe ogen. Maar hij schudde zijn hoofd.

'Ik ben klaarwakker en ik wil dat je weer in bed komt,' zei hij grijnzend.

Hij was naakt. Gebronsd, gespierd en glad als een beeld van een adonis. Ze zag dat in elk geval één deel van zijn lichaam al helemaal paraat stond. Hij greep haar hand vast en trok haar mee naar de deur, maar ze gaf niet toe.

'Jimmy,' giechelde ze. 'Het is al laat en we hebben een heleboel te doen vandaag. We moeten opschieten.'

Hij schudde plagerig zijn hoofd en sjorde aan haar arm.

'Jimmy,' bracht ze lachend uit. 'Hou op.'

Maar eigenlijk wilde ze helemaal niet dat hij ophield. Hij was ook zo verdomde sexy. Alleen de aanraking van zijn hand op haar arm was al genoeg.

'Kom hier, schoonheid,' zei hij, en hij trok haar naar zich toe.

Vlak onder haar oor kuste hij haar, waarna er een huivering van genot door haar heen voer. Hij streek over haar rug en streelde haar billen. Daarna legde hij zijn handen rond haar middel en tilde haar moeiteloos op de marmeren plaat naast de wasbak.

'Daar hebben we echt geen tijd voor, Jimmy,' protesteerde ze, maar zijn kus bracht haar tot zwijgen. Het was het soort kus dat haar tintelingen tot in haar tenen bezorgde.

Wat Jimmy Jones aanging, was Jasmine een zwakkeling. Ze smolt onder zijn liefkozingen toen hij met zijn mond omlaag gleed, over haar sleutelbeen, rond haar pronte tepels, haar navel en – ahhh, heerlijk! – naar haar poesje. Zacht kreunend van verrukking wachtte ze op wat er komen zou. Jimmy vrijde zoals hij voetbalde: instinctief, heerlijk, perfect. Hij duwde haar dijen uit elkaar om haar gevoelige huid daar met zijn tong te kunnen strelen, telkens vlak bij de plekjes die naar hem hunkerden zonder ze echt aan te raken. Ze hapte naar adem.

'O god, Jimmy,' smeekte ze. 'Kus me dáár, alsjeblieft. O ja, goed zo, schat.'

Onwillekeurig welfde ze haar rug toen hij haar clitoris vond, en met haar

handen greep ze naar zijn hoofd om zijn haar te strelen en zijn tong nog dieper in zich te duwen.

'Ja, daar,' hijgde ze. 'Precies daar. O god!'

Ze sloeg haar armen uit, waarop er een flesje parfum op de tegelvloer kletterde en in miljoenen scherven uiteenspatte. De geur van vanille en rozen
verspreidde zich door de badkamer toen Jasmine luidruchtig haar hoogtepunt bereikte.

Jimmy keek op en lachte. 'Maak je niet druk, schat. Ik koop wel nieuwe
voor je.'

'Die parfum kan me geen moer schelen,' bracht ze moeizaam uit. 'Ik wil je
alleen maar in me voelen!'

Toen tilde hij haar op en droeg haar naar de slaapkamer, waar hij haar op
het hemelbed liet vallen en voorzichtig bij haar naar binnen gleed. Met zijn
zachte handen liefkoosde hij haar borsten, terwijl hij haar recht in haar ogen
keek en almaar dieper bij haar naar binnen drong. Soepel sloeg ze haar benen
om zijn rug en gaf zich helemaal aan hem over, verdrinkend in zijn ogen,
overweldigd door liefde en begeerte voor hem. Daarna bewogen ze zich
samen in een steeds sneller ritme, steeds woester, wanhopiger. Hongerig
zochten hun monden elkaar. Het was alsof haar lichaam met het zijne ver-
smolt.

Plotseling werd ze meegevoerd door bruisende golven van genot, en ze
merkte dat ze nog een keer klaarkwam. O god, wat heerlijk, hoorde ze zichzelf veel te luid kreunen. Ze boorde haar nagels in zijn rug, klemde haar dijen
tegen hem aan en voelde dat Jimmy ook klaarkwam, heel diep in haar, en o...

Telkens als ze vrijden wist Jasmine dat ze de juiste keuze had gemaakt door
met Jimmy te willen trouwen. De chemie tussen hen was ongelofelijk. Ze had
nog nooit zulke gevoelens voor een man gekoesterd, en nu Jimmy haar zo vol
liefde aankeek, was ze ervan overtuigd dat ze samen de hele wereld aankon-
den.

Na afloop staarde Jasmine bewonderend naar de beeldschone jongen die
naast haar lag te slapen. Hij viel altijd in slaap na de seks, maar zij niet. Zij
was klaarwakker. Klaarwakker en tintelend van geluk omdat ze leefde en jong
en verliefd was. Verliefd op Jimmy Jones. En het mooiste was dat hij ook verliefd was op haar. Dat was nog eens mazzel hebben. Ze was gewoon Jasmine
Watts uit Dagenham, maar toch maar mooi verloofd met de aantrekkelijkste
en meest getalenteerde voetballer van zijn generatie. Ze was niet de enige die
dat vond, want dat had ze ook ergens gelezen. Jawel, in *The Sun* of misschien

in *The Mirror*. 'De meest getalenteerde voetballer van zijn generatie,' stond er. 'De reïncarnatie van George Best voor het nieuwe millennium.'

Soms wilde ze zichzelf in haar arm knijpen om zich ervan te overtuigen dat ze niet droomde. Af en toe wilde ze hém in zijn arm knijpen om te controleren of hij wel echt was. Maar dat zou hij vast niet op prijs stellen. Jimmy kon niet zo goed tegen pijn. Ze herinnerde zich nog de ophef die hij had gemaakt toen hij het vorige seizoen zijn middenvoetsbeentje had gekneusd, de arme schat. Hij was ook nog maar een jonkie: pas eenentwintig, drie jaar jonger dan zij. Zodoende streelde ze dus teder over zijn gladde, gebronsde borst en bleef geduldig naar hem kijken, totdat haar vingers ongedurig werden en omlaag gleden. Daar werd hij wakker van. Hij ging meteen op haar liggen en gleed naar binnen.

'Shit, liefje,' zei Jimmy toen het voorbij was. Hij was klam van het zweet, hoewel de airco op volle toeren draaide. 'Je laat me harder werken dan de baas.'

Hij had zo'n zwoele stem. Op zijn dertiende was hij gescout en naar het zuiden verkast, maar toch kon je nog altijd horen dat hij uit Glasgow kwam. Jasmine was dol op zijn Schotse accent. Complimentjes klonken veel beter uit Jimmy's fraaie mond dan uit die van de jongens met wie ze in Essex was opgegroeid. En hij gaf haar voortdurend complimentjes. Ze bofte verschrikkelijk dat ze een verloofde had die haar met respect behandelde. Ze wist maar al te goed dat lang niet alle mannen hun vrouwen fatsoenlijk behandelden.

Glimlachend streek ze het klamme blonde haar uit zijn gezicht. Het afgelopen jaar had hij zijn haar lang laten groeien en dat stond hem goed. Hij zag er een beetje rock-'n-roll uit. Ook de adverteerders waren weg van Jimmy's nieuwe look. Dit nieuwe optrekje in Puerto Banus was bijvoorbeeld betaald van de drie miljoen pond die hij voor een campagne voor een designerzonnebril had opgestreken.

'Ik zorg alleen dat je uithoudingsvermogen op peil blijft voor het volgende seizoen, schat.'

Jasmine gaf hem nog een laatste knuffel voordat ze met tegenzin haar blote benen van de zijne af haalde. Hoe graag ze ook met hem in bed wilde blijven liggen, er was werk aan de winkel. Ze stond op, rekte zich uit en liep naar de badkamer. Haar lange haar voelde vochtig en klitterig aan. Ze was bang dat er niet genoeg tijd zou zijn om het te wassen en te föhnen. Dat was min of meer haar handelsmerk: haar lange haar, maar het vergde wel erg veel onderhoud. Nu was het zelfs langer dan anders. Onder het lopen voelde ze het over haar blote billen strijken.

'Waar ga je heen?' wilde hij weten.

'Douchen, weet je nog? Straks komt die journaliste, en ik kan haar moeilijk zo ontvangen!'

Jimmy's gezicht betrok. 'Moet dat?' vroeg hij op klagerige toon.

'Ja, het moet. Het is werk, Jimmy.'

Je kon van Jasmine Watts zeggen wat je wilde – en dat deed men dan ook vaak – maar ze was er trots op dat ze zich uit de naad werkte. Ze vergat nooit haar afkomst en hoe fortuinlijk ze was dat ze het zo ver had geschopt. Wanneer ze terugdacht aan het paaldansen in die ruige tent in Dagenham kon ze nauwelijks geloven dat dat pas drie jaar geleden was. Nu stond ze op de cover van mannenbladen en werd ze door bekroonde journalisten voor landelijke dagbladen geïnterviewd.

Er werd geklopt en Blaine, hun manager, riep: 'Nog tien minuten, jongens.'

'In vijf minuten ben ik klaar,' beloofde Jasmine. En dat was ze ook.

Jasmine had haar weelderige boezem juist in een minuscule bikini met zebraprint gewurmd toen ze buiten een auto over het grind van de oprijlaan hoorde aankomen. Jimmy, die nog maar net uit bed was gerold, stapte met één voet op het balkon en rekte zich uit om de nieuwkomer ongemerkt te bekijken.

'Hoe ziet ze eruit?' vroeg Jasmine, die doodsbenauwd was voor journalisten, vooral voor vrouwelijke. Die konden zo bitchy zijn!

'Best gaaf eigenlijk,' antwoordde Jimmy. 'Wel wat oud, in de dertig. Hoewel dat niks zegt tegenwoordig. Misschien is ze wel stukken ouder. Maar het is best een lekker wijf, vind ik.'

'Ik bedoel of ze er áárdig uitziet.'

Jimmy stapte de kamer weer in en haalde zijn schouders op. 'Ja. Een klein blondje. Natuurlijk kan ze niet aan jou tippen, schat. Ik bedoel, tieten heeft ze niet...' Hij sloeg van achteren zijn armen om haar heen en kneep speels in haar beroemde borsten. Toen voegde hij er grijnzend aan toe: 'Maar met een borstvergroting is dat zo te verhelpen.'

Met haar handdoek gaf Jasmine hem zachtjes een mep op zijn hoofd. Ze was niet jaloers aangelegd en het kon haar niet schelen dat Jimmy naar aantrekkelijke vrouwen keek. Ze had genoeg ervaring met mannen om te weten dat ze dat allemaal deden. Maar hij had nog steeds geen antwoord gegeven op haar vraag.

'Ik bedoel of ze eruitziet als een aardig mens.'

Hij keek verbluft. 'Weet ik veel. Aan het uiterlijk kun je toch niet zien of iemand aardig is?'

'Tuurlijk wel,' zei Jasmine, terwijl ze snel haar muiltjes met naaldhakken aantrok. 'Dat staat op hun gezicht geschreven.'

3

Charlie 'de Klusjesman' Palmer glimlachte naar zijn spiegelbeeld terwijl hij zijn pasgeschoren wangen met aftershave besprenkelde. Hij had de tand des tijds behoorlijk goed doorstaan en was op zijn tweeënveertigste nog altijd een knappe vent, vond hij zelf. Met een ondeugende twinkeling in zijn lichtblauwe ogen bekeek hij zijn olijfkleurige huid, zijn brede kaken en klassieke neus. Het was een aardig gezicht. Een vriendelijk gezicht. Een eerlijk gezicht. Had zijn oude moeder hem dat niet steeds verteld, zelfs toen anderen eraan twijfelden? En ze had altijd gelijk gekregen, God hebbe haar ziel. Zijn donkere haar begon al iets te dunnen, maar gisteren had hij alles eraf geschoren en nu zag het er veel beter uit. Charlie Palmer kon met gemak voor vijfendertig doorgaan. Jawel, hij had het nog steeds. Hij telde nog steeds mee, dat wist hij zeker.

Uit zijn inloopkast koos hij een donkergrijs Armani-pak, een smetteloos wit T-shirt en zwarte Prada-loafers. Er was nog één klusje dat hij moest afhandelen voor zijn vlucht, en hij voelde zich altijd prettiger – machtiger – als hij erop gekleed was.

De mooie vrouw in zijn bed bewoog zich toen hij zijn leren reistas en zijn aktetas pakte.

'Wat ga je doen, *dahling*?' mompelde ze slaperig.

'Werken, mop,' antwoordde hij, waarna hij haar zachte blonde haar kuste en nog een laatste keer haar muskusachtige geur opsnoof. Het was niet eens gelogen.

Hij zou haar missen. Nadia was een lekker ding. Ze kon pijpen als de beste en nog een behoorlijke martini mixen ook. En ze was de dochter van een Russische oligarch, dus schatrijk. Ze had haar eigen penthouse in het dure Mayfair, maar sinds het voorjaar was ze in zijn appartement in Butler's Wharf blijven plakken. Omdat hij graag licht reisde, betekende Nadia, hoe aantrekkelijk ze ook was, te veel bagage. Bovendien had haar vader hem laatst terzijde genomen en toen bleek dat meneer Dimitrov helemaal niet zo blij was met de slaapplek van zijn dochter. En meneer Dimitrov kon erg overredend zijn.

Nadia kroop weer terug onder het dekbed. 'Tot straks, *dahling*,' bromde ze. 'Ja schatje,' antwoordde hij. 'Tot zo.'

Zonder ook maar één blik achterom te werpen naar de plek die de afgelopen vijf jaar zijn thuis was geweest of naar de vrouw die hij de afgelopen drie maanden schatje had genoemd, trok Charlie Palmer de deur achter zich dicht, nam de lift naar beneden en liep de keienstraat op. Het was warm in Londen. Veel te warm. De Theems stonk. De lucht was eerder grijs dan blauw en het was benauwd. Er was storm op til. Het was een goede dag om ertussenuit te knijpen.

Gary zat zoals afgesproken op hem te wachten in de zwarte Range Rover. 'Alles kits, baas?'

Gary was de zoon van een kroegbaas die hij nog van vroeger uit Chingford kende. Hij was zeventien en had zich problemen met de smerissen op de hals gehaald, dus zijn ouweheer dacht dat Charlie hem wel even op het rechte pad kon krijgen. Die reputatie had hij thuis, en dat beviel hem. Het maakte hem trots, omdat hij het op Gary's leeftijd zelf met de politie aan de stok had gehad. Iedereen dacht dat hij het niet ver zou schoppen. Ze zouden hem nu eens moeten zien. Op zijn tweeënveertigste stond hij op het punt zich als zeer rijk man terug te trekken.

In het begin had hij zo zijn twijfels over Gary gehad. De knul zag eruit als een malloot met zijn laaghangende spijkerbroek, waarvan de riem ver beneden zijn boxershort hing, en met zijn honkbalpet scheef op zijn kop. Hij was een magere rooie met sproeten die in een keurig huis in Chigwell was opgegroeid, en blijkbaar dacht dat hij een of andere coole zwarte *dude* uit de Bronx was. Maar tot zijn grote verbazing viel de knul hem reuze mee. Hij was enthousiast en deed zonder morren wat hem werd gevraagd. Charlie mocht Gary wel. Misschien kon hij op zijn nieuwe stek een baantje voor hem versieren. Eerst maar eens afwachten hoe alles uitpakte.

'Naar Heathrow zeker, baas?' vroeg Gary.

Charlie knikte. 'Maar onderweg moet ik even iets doen in Hammersmith.'

'Komt voor elkaar, baas.'

Vanachter het raam op de derde verdieping keek Nadia Dimitrova haar geliefde na en zuchtte verdrietig. Toen de Range Rover uit het zicht verdween, trok ze Charlies zachte witte badjas strakker om haar slanke lichaam en snoof de muskusgeur van zijn aftershave op. Ze zou hem missen, zeker weten. Malle vent. Hij dacht dat ze niet doorhad dat hij ertussenuit kneep, maar ze was niet gek. Waarom dachten mannen altijd dat ze niets doorhad? Haar vader was precies hetzelfde. Maar ze wist meer dan beide mannen zich ooit konden voorstellen. Ze was niet het onschuldige meisje waar ze haar voor hielden.

Ze veegde een traan van haar wang en wendde zich van het raam af. Niet getreurd. Het was een heerlijke liefdesverhouding geweest, echt een feest zolang het had geduurd, en Charlie was zo'n knappe vent... Maar niet de enige knappe vent in Londen. Ze liet zich op het bed vallen en pakte haar mobieltje. Snel scrolde ze door haar contactpersonen, totdat ze een naam zag die haar belangstelling wekte. Aha, ja! Dat zou weleens leuk kunnen worden. Niet iets wat haar vader zou goedkeuren natuurlijk, maar dat maakte het juist zo aantrekkelijk. Met een stoute grijns op haar gezicht drukte ze op het groene knopje.

Zwijgend zaten Charlie en Gary in de Range Rover, die door het drukke Londense ochtendverkeer kroop. De vrijdagen waren altijd het ergst. Toch zou Charlie de drukte niet missen. Zeker weten. Hij dacht aan de klus die hij moest doen. In zijn hoofd had hij alles al honderd keer doorgenomen, en hij wist precies wat er moest gebeuren.

Gary sloeg een rustige doodlopende straat in en parkeerde de auto.

'Vijf minuten,' zei Charlie, en hij pakte zijn aktetas.

Gary knikte en zette de radio aan. Onder het wachten zou hij gewoon op Xfm naar muziek luisteren. Vijf minuten of vijf uur, dat deed er niet toe, want de knul bleef wel wachten. Geen gezeur. Ja, hij verdiende beslist een baantje op zijn nieuwe stek.

Het bouwterrein lag om de hoek. Op de plek van een oude bandenfabriek aan de rivier schoten de luxeappartementen uit de grond in verband met een of ander renovatieproject. Er werd de laatste tijd zoveel gebouwd in Londen dat Charlie zich weleens afvroeg of hij het verkeerde beroep had gekozen. Zijn vrienden die in de bouw waren gaan werken, waren nu allemaal schatrijke projectontwikkelaars. Niet dat dat er ook maar iets toe deed. Per slot van rekening had hij zelf ook goed geboerd.

Opgelucht stelde hij vast dat het terrein spookachtig verlaten was. Dat had McGregor hem ook beloofd, maar je wist maar nooit. Er hing een troosteloze sfeer die hem aan de Mary Celeste deed denken: gereedschappen waren halverwege een klus neergesmeten en op een half afgebouwde muur stond een half leeggedronken beker thee op zijn eigenaar te wachten. Het zag eruit alsof iedereen er halsoverkop vandoor was gegaan.

Aan de rand van het water zag hij Donohue zitten, die in zijn mobieltje zat te praten. Zijn zonnebril zat stevig op zijn neus, ondanks de donkere wolken die zich dreigend boven hen samenpakten, en hij droeg een fout pak, een goedkope uitvoering van Charlies kostuum. Dat was het probleem met Donohue. Hij dácht dat hij erbij hoorde en vond zichzelf een snelle jongen, maar in feite was hij gewoon een zielige, laffe klootzak. Een kleine vis in een enorme vijver vol haaien. Dat zou hem nog duur komen te staan.

'Chaz, ouwe rakker!' Donohue klapte zijn mobieltje dicht en liet het in zijn jaszak glijden.

Charlie rilde. Niemand noemde hem Chaz. Wie dacht die kleine hufter wel dat hij was?

'Goed dat je er bent. McGregor zei dat je iets voor me had.'

Charlie plooide zijn gezicht tot een glimlach en greep Donohue's kleine hand stevig genoeg vast om hem te laten merken wie er de baas was. Donohue's handpalm voelde klam aan en Charlie vroeg zich af of het ventje nerveus was of het alleen maar te warm had in zijn nylonpak.

Agent Dave Donohue was zevenendertig jaar, klein van stuk, tenger en kalend.

'Doe die zonnebril af,' zei Charlie.

'Waarom?'

'Omdat ik graag zie met wie ik zakendoe.'

Hij kreeg spierpijn van de valse glimlach op zijn gezicht.

Donohue schoof zijn zonnebril omhoog op zijn hoofd. Zijn grijze ogen waren klein en sluw, en zijn blik schoot telkens heen en weer, speurend naar actie. Nu keek hij om zich heen, maar niet naar Charlies gezicht. Was dat schaamte? Te veel coke? Of gewoon een gebrek aan respect? Dat wist hij niet zeker, maar hij werd kotsmisselijk van die vent. Hij was alles wat Charlie verachtte: een smeris bij de zedenpolitie die de baas speelde over de pooiers en dealers die hij had opgepakt, terwijl hij hun cocaïne snoof en hun meisjes naaide als een soort extraatje. Charlie gebruikte geen drugs, dat had hij nooit gedaan, en hij betaalde ook niet voor seks. Daarvoor respecteerde hij zichzelf en het andere geslacht te veel. Natuurlijk was Donohue niet de enige bij de zedenpolitie die misbruik maakte van zijn macht, maar de laatste tijd was hij veel te ver gegaan en nu had McGregor er schoon genoeg van.

'Ja, ik heb iets voor je.'

Charlie hurkte neer en zette zijn aktetas voorzichtig op het gruis. Heel langzaam maakte hij hem open en kwam daarna weer overeind. Het pistool lag zwaar en koud in zijn hand, maar voor hem was het even comfortabel als een hamer voor een timmerman. Het wapen was gewoon zijn gereedschap. Het was zo'n vertrouwd gevoel – het koele metaal op zijn warme huid – dat Charlie zich heel even afvroeg of hij het zou missen.

Charlie was bijna een kop groter dan Donohue en toen hij ten slotte zijn pistool trok, kwam dat bijna precies op ooghoogte van de kleinere man.

'Jezus christus! Charlie, wat doe je nou, man?'

Donohue's gluiperige ogen werden groot. Hij sprong achteruit, maar realiseerde zich opeens dat de rivier vlakbij was en dat er geen ontsnapping mogelijk was. Zijn mond ging wijd open en dicht, open en dicht, maar er kwamen geen woorden meer uit, enkel pruttelende sputtergeluiden. De verwarring in zijn ogen sloeg om in schrik en daarna in pure ontzetting toen de ernst van de situatie in zijn door drugs benevelde brein doorsijpelde.

Charlie bleef glimlachen, maar zei niets. Hoe langer hij bleef zwijgen, hoe harder Donohue moest nadenken over wat hij hier kwam doen.

'Wa... wa... wat is er aan de hand, Charlie?' stamelde hij. 'Ik heb niks gedaan. Ik snap er niks van.'

Charlie bleef Donohue strak aankijken en probeerde tot in het diepst van zijn ziel door te dringen, voor zover hij die had, om hem te dwingen zich op de een of andere manier te verantwoorden. Vertel gewoon de waarheid, man, dacht hij. Zeg het gewoon hardop. Maar Donohue was iemand die je een handje moest helpen. En nog steeds ontweek hij Charlies blik.

'Ik... ik... ik heb verdomme geen flauw idee waarom je zo... zo... zo...' Dave gluurde naar het pistool en keek toen weer snel weg. 'Zo laaiend op me bent, Charlie. Echt niet.' Hij schudde zijn hoofd. 'Eerlijk waar. Ik snap het echt niet. Ik heb niks gedaan. Helemaal niks.'

Eindelijk sprak Charlie.

'Waar denk je dat dit over gaat, Donohue?' vroeg hij kalm. 'Welke smerige geheimpjes die je eropna houdt zouden er misschien boven water zijn gekomen?'

Donohue haalde bijna nors zijn schouders op en keek naar zijn voeten. Charlie zette zijn pistool op het voorhoofd van de kleine man, duwde zijn hoofd omhoog en kwam een stap dichterbij. Het zweet druppelde langs Donohue's gezicht naar beneden en zijn adem rook naar angst.

'Ik zal je een hint geven,' vervolgde Charlie. 'Ze heette Clara.'

'O kut. O shit,' stamelde Donohue. 'De... de... de... dat...' Toen leek hij ineen te krimpen, in elkaar te zakken, alsof zijn ergste vermoedens waren bevestigd. Dat was natuurlijk ook zo.

'Wat heb je met haar gedaan?' wilde Charlie weten.

'We hadden een soort... een soort... een beetje onenigheid...' bazelde Donohue.

'O, een beetje onenigheid? Noem je dat zo? Clara en jij hadden een beetje onenigheid en opeens is ze dood.'

Donohue stak zijn handen voor zich uit met zijn palmen naar Charlie toe.

'Ik wilde haar niet doodmaken,' zei hij. 'Dat zweer ik. De zaak liep uit de hand.'

Charlie duwde nog harder met het pistool tegen Donohue's voorhoofd. Hij kon zijn gemaakte glimlach niet langer volhouden, en toen hij op gebiedende toon zei: 'Vertel nou eindelijk eens wat er precies is gebeurd, klootzak die je bent,' spuugde hij de woorden min of meer in Donohue's gezicht.

Donohue deed zijn ogen dicht. Hij beefde als een rietje.

'Ze wilde hem smeren. Ze had verdomme mijn identiteitskaart gejat. Ik heb haar alleen geslagen om te zorgen dat ze er niet vandoor kon gaan. Ik dacht niet dat het zo'n harde klap was. Ik wilde haar niet koud maken. Jezus, meneer Palmer, u zou precies hetzelfde hebben gedaan.'

Charlie geloofde zijn oren niet. Hoe waagde die hufter te suggereren dat hij een onschuldig meisje om zeep zou hebben gebracht? Nog nooit van zijn leven had hij een vrouw ook maar met een vinger aangeraakt, laat staan een kind.

Hij draaide het pistool zodat de loop hard tegen Donohue's voorhoofd drukte. Een straaltje bloed vermengde zich met het zweet dat langs het gezicht van de vent omlaag liep en drupte op zijn goedkope nylonpak.

'Hoe oud was Clara?' vroeg Charlie.

'Geen idee. Jong.'

'Dertien,' zei Charlie kwaad. 'Ze was dertien, Donohue. Ze was van huis weggelopen. Haar arme moeder zat thuis op haar te wachten. Je had haar moeten beschermen, klootzak. Jij had haar naar huis moeten brengen.'

'Shit, ik wist niet dat ze dertien was,' mompelde Donohue. 'Ik wist echt niet dat ze pas dertien was.'

'En wat deed je met Clara?' vervolgde Charlie. 'Wat deed je in je eentje met Clara, daar in die steeg in Dalston, Donohue? Nou? Leg dat eens uit.'

'Ik... ik heb haar opgepakt omdat ze liep te tippelen.'

'Probeer het nog eens,' schreeuwde Charlie, die nu zijn geduld begon te verliezen. Hij kende de waarheid, maar wilde die van Donohue zelf horen. 'Wat deed je met Clara?'

'We waren aan het vrijen,' fluisterde Donohue zo zachtjes dat Charlie de woorden amper kon verstaan.

'Een beetje harder, Dave. Ik verstond het niet helemaal.'

'We waren aan het vrijen,' herhaalde Donohue iets duidelijker.

'Nee,' snauwde Charlie. 'Je hebt haar verkracht. Vrijen is niet gedwongen.'

Eindelijk keek Donohue hem aan, met ogen vol wanhoop.

'Toe nou, Charlie, doe het alsjeblieft niet. Het was een ongeluk. Ik wilde haar geen pijn doen.' Nu klonk hij smekend. 'Hoe moet het met mijn vrouw? Hoe moet het met mijn meisjes?'

'Je vrouw is beter af zonder jou. En jouw meisjes? Die zijn maar een paar jaar jonger dan het kind dat je hebt afgemaakt.'

'Het was gewoon zo'n hoertje. Die zijn er bij de vleet. Dat weet je best.'

'Het was nog maar een kind. Het kind van iemand anders. En jij weet best wat je dan bent, vriend.' Er klonk walging door in zijn stem. 'Dan ben jij een pedo. En we weten allemaal wat er met pedo's gebeurt, nietwaar?'

Charlie rook de stank van urine toen er een grote natte plek op Donohue's broek ontstond. Walgelijke smeerlap. Met een harde klik maakte hij de veiligheidspal los.

'Alstublieft, meneer Palmer, ik smeek u. Doe het alstublieft niet. Ik ben een smeris. U kunt toch niet zomaar een smeris doodschieten? En McGregor dan? Hij zal u hier nooit mee laten wegkomen.'

Dat was nou typisch Donohue, om zich achter zijn politiepenning te verschuilen. Charlie herinnerde zich wat McGregor hem had verteld en liet langzaam zijn pistool zakken.

'Je hebt gelijk, Donohue. Ik moet inderdaad aan McGregor denken.'

Donohue barstte van opluchting in snikken uit en viel voor Charlie op zijn knieën. Met een blik van pure dankbaarheid keek hij naar Charlie op. 'Godverdomme zeg, je had me goed te pakken. Ik dacht echt dat ik er was geweest. Zeg, het spijt me verschrikkelijk van dat grietje. Het zal niet meer gebeuren. McGregor weet niet...'

Charlie kapte hem af. 'McGregor weet het wel. Waarom dacht je dat ik hier ben?'

Even keek Donohue verward, maar toen stond de paniek weer in zijn ogen. Charlie tilde het pistool iets op en schoot agent Dave Donohue kalm in zijn lies. Bloed en weefsel spatten op de stoffige grond. Donohue zakte door zijn knieën en staarde Charlie met zijn grijze ogen niet-begrijpend aan. Onaangedaan keek Charlie toe, terwijl het ventje een paar seconden lang zijn gezicht verwrong van pijn. Omdat hij graag tot de orde van de dag wilde overgaan, bracht hij het pistool omhoog naar Donohue's hoofd en maakte de klus af. Pang. Die weerzinwekkende schoft was er niet meer.

Charlie liet het pistool in zijn aktetas glijden en klikte hem dicht. Zonder achterom te kijken liep hij naar het bouwterrein en gooide de aktetas met inhoud in de vochtige betonfundering. Hij keek toe terwijl het bewijsmateriaal voorgoed werd opgeslorpt. Heel gaaf. Heel netjes. Precies zoals hij het graag zag. Trouwens, waar hij naartoe ging, had hij toch geen pistool nodig. Toen belde hij McGregor.

'Inspecteur McGregor,' zei de barse stem.

'De klus is geklaard.'

'Mooi zo. Ik sta bij je in het krijt. Die kleine toeslag waar we het over hadden is waarschijnlijk begin volgende week door de boekhouding goedgekeurd.'

'Bedankt, baas.'

'Ga je er nu vandoor?'

Charlie keek op zijn horloge. 'Het vliegtuig vertrekt om één uur.'

'Nou, goede reis. O ja, zeg Char... De vrouw en ik komen in augustus jouw kant op, als je zin hebt in een potje golf?'

'Daar kijk ik naar uit, baas.'

En dat was dat. De klus was geklaard. McGregor zou een paar agenten in burger langs sturen om het lijk te 'ontdekken' en agent Dave Donohue zou bij de uitoefening van zijn functie als een held zijn gestorven. Zijn vrouw zou een flinke schadeloosstelling krijgen en Donohue zou postuum een onderscheiding wegens betoonde moed ontvangen. De moord zou worden afgeschoven op een schimmige onderwereldfiguur van wie de juten al een poos af wilden en al met al zou het zaakje prima voor elkaar zijn. Niemand zou ooit vermoeden dat zijn eigen inspecteur hem had laten ombrengen om een politieschandaal te voorkomen. Niemand behalve Charlie. En Charlie, die nu eenmaal Charlie was, zou die kennis meenemen tot in het graf.

Het was alweer een tijdje geleden sinds hij zijn handen vuil had moeten maken. In de begindagen van zijn carrière had hij zijn sporen verdiend en dat was hem steeds goed van pas gekomen. Hij werd door iedereen in het vak gerespecteerd, en de meeste mensen wisten dat ze hem beter niet konden dwarsbomen. Als je aardig was voor Charlie Palmer, zou Charlie Palmer aardig zijn voor jou. Naarmate de jaren verstreken had hij gemerkt dat zijn reputatie op zich al genoeg was. Een dreigement van Charlie was vaak voldoende om dingen gedaan te krijgen zonder dat hij al te zeer hoefde in te grijpen. En eigenlijk vond hij dat best. Hij hield er niet van om mensen te doden. Het was een smerige zaak. Maar sommige rotzakken moest je nu eenmaal een lesje leren en jammer genoeg was Donohue er zo een geweest. En vanwege die kleine smeerlap moest hij er nu vandoor.

'Dat was snel,' zei Gary toen Charlie weer op de passagiersplaats van de Range Rover neerplofte.

'Ach, het was ook niet zo belangrijk.'

'Meteen door naar Heathrow dan maar?'

'Meteen door naar Heathrow,' bevestigde Charlie.

Ja, in Londen werd het hem te heet onder de voeten. Het werd tijd om 'm te smeren.

4

'Oké, dit gaat absoluut lukken,' zei Maxine de la Fallaise hardop tegen zichzelf, terwijl ze loensde naar het kookboek dat op het granieten werkblad opengeslagen lag. Ze streek haar lange, goudblonde lokken uit haar gezicht en veegde haar handen af aan haar schort. Daarna las ze het ingrediëntenlijstje nog een keer door.

12-18 plakjes prosciutto: check!

3 teentjes knoflook, gepeld: check!

1 royale handvol gedroogde porcini: huh?

'Isabel!' riep ze. 'Isabel! Wat is een porcini? Ik heb een porcini nodig!'

Maxines dienstmeisje kwam van het terras de keuken in drentelen. Ze droeg een hoog uitgesneden zwart badpak en had de *Hola!* in haar hand. Met haar hoofd schuin en een gezicht van 'nou, wat zei ik je?' leunde ze tegen het kookeiland. Maxine had haar een paar uur vrij gegeven terwijl ze een speciale lunch voor Carlos ging klaarmaken. Hoewel Isabel blij was met haar onverwachte vrije tijd, was ze sceptisch over Maxines kookkunst.

'Hebt u weleens eerder een maaltijd bereid, miss Maxine?' had ze in haar verontrustend vloeiende Engels gevraagd.

'Tuurlijk wel,' had Maxine spottend geantwoord, terugdenkend aan een rampzalig voorval met een gebraden kip tijdens de les huishoudkunde op de kostschool. De plaatselijke brandweer was een beetje nijdig geweest, maar de andere meisjes waren dolblij dat de lessen 's middags uitvielen. 'Ik moet er alleen weer even inkomen, dat is alles.'

Zo moeilijk kon het toch niet zijn om een goddelijke huisvrouw te worden? Haar huishouden leek in elk geval te denken van wel. Haar vaste minnaar Carlos had zich kapot gelachen toen ze aanbood voor hem te koken.

'*Chica! Chica!*' had hij geroepen, tussen enorme lachbuien door. 'Je hebt heel veel speciale talenten, maar je bent geen, hoe heet ze ook alweer? Nigelica.'

'Nigella,' had ze hem verbeterd. 'Ik ben geen Nigella.'

'*Dahling*, er is een goede reden waarom het hier barst van de sterrenrestaurants. Glamourvrouwen zoals jij hebben het namelijk veel te druk met mooi zijn om zich met koken te bemoeien, niet? En we hebben Isabel. Isabel kan geweldig koken. Ze komt uit Sevilla. Alle vrouwen uit Sevilla kunnen geweldig koken.'

Soms had Maxine het idee dat Carlos en het personeel tegen haar samenspanden omdat zij de enige niet-Spaanse was. Ook al was ze geboren in New York, opgegroeid in LA, naar school gegaan in Groot-Brittannië en was Londen nog altijd haar officiële thuishaven, ze had de afgelopen twee jaar zo'n beetje onafgebroken hier doorgebracht, en dat beviel haar prima. Zagen ze dan niet dat ze een ere-señorita was? Soms was het alsof ze zomaar zonder reden tegen haar samenspanden. Ze lachten haar altijd uit. Het was aardig bedoeld, dat wist ze heus wel, maar toch zat het haar weleens dwars. Waarom werd ze door niemand serieus genomen? Ze was heus geen kind meer, maar een rijpe vrouw die het klappen van de zweep kende. Wat maakte het uit dat ze niet wist hoe ze de afzuigkap moest aanzetten? Dat leerde ze nog wel. Ze was vastbesloten om Carlos te laten zien dat ze voor 'echtgenote' in de wieg was gelegd.

Het was tijdens een van hun vele gesprekken over zijn vrouw, Esther, dat ze op het idee kwam om voor hem te koken. Carlos en Esther waren al bijna dertig jaar getrouwd, maar de laatste vijftien jaar hadden ze ieder hun eigen leven geleid. Terwijl Esther zich in haar kapitale villa in Beverley Hills had verschanst, zat Carlos hier met Maxine aan de Costa del Sol. De Russo's waren enkel op papier getrouwd. Het was alleen maar een formaliteit. Esther weigerde botweg om van Carlos te scheiden omdat ze een vrome katholiek was en hij zag er het nut niet van in om erop aan te dringen. Maar Maxine wel. Tenslotte was ze al eeuwen samen met Carlos en ze hield zielsveel van hem. Ze wilde mevrouw Russo zijn.

'*Dahling*, je bent niet het type van een echtgenote,' had Carlos geduldig glimlachend uitgelegd toen ze er weer over was begonnen.

'Jawel,' had Maxi verontwaardigd volgehouden. 'Ik ben al drie keer getrouwd geweest!'

Daar had Carlos hard om moeten lachen. 'En hoe lang hebben die huwelijken eigenlijk geduurd?'

'Eentje bijna een jaar,' had ze ernstig geantwoord.

'Precies, *chica*!' had hij nog altijd lachend gezegd. 'Je bent niet het type van een echtgenote!'

'En wat is dan wél het type van een echtgenote?' had ze gesnauwd. Wat snakte ze ernaar om zo'n mens te zijn.

Carlos had zijn schouders opgehaald. 'Een vrouw die kan koken. Een vrouw die er lang genoeg tegen kan dat ze te dik is om moeder te worden. Een vrouw die het huis kan verlaten zonder dat ze drie uur nodig heeft om zich op te tutten.'

Onopgemaakt het huis verlaten? Nou, zo ver zou het nooit komen. En zwanger worden? Daar was ze nog steeds als de dood voor (hoewel ze de laatste tijd minder tegen dat idee gekant was). Maar koken kon ze misschien onder de knie krijgen. En zodoende ging ze hem vandaag verrassen met een... Ze wierp weer een blik in het kookboek. Met in kruiden gerolde en daarna in prosciutto gewikkelde en gebakken tournedos met porcini. Maar over een uur zou hij al terug zijn van de golfbaan, en het vlees zat nog niet eens in de oven. Erger nog: ze had geen flauw idee wat een verdomde porcini was.

'Miss Maxine,' zei Isabel geduldig. 'Dat heb ik al gezegd. Gisteren heb ik alle ingrediënten al voor u gekocht.' Ze trok de provisiekast open en gaf Maxine een zakje gedroogde porcini.

'O, paddenstoelen,' zei Maxine opgelucht. 'Kunnen ze dat verdomme niet gewoon zo noemen in dat boek?'

Isabel grinnikte. 'Zal ik u helpen?' vroeg ze.

'Nee hoor,' hield Maxine vol. Met een luchtig gebaar stuurde ze Isabel weer naar het terras. 'Het lukt wel. Ik moet dit zelf doen.'

Maxine deed wat ze van Jamie Oliver moest doen. Ze weekte de porcini in water en bakte ze daarna met knoflook. Wat inkoken precies betekende, wist ze niet, maar ze ging gewoon stug door. Het mengsel bleef aan de pan plakken en zag er een beetje korrelig uit, maar dat deed er niet toe. Ze schepte het klonterige grijze prutje op de prosciutto. Het zag er nog niet echt smakelijk uit, maar dat zou vast in orde komen zodra het in de oven was geweest. Ze

bedekte de runderfilets die Isabel op de boerenmarkt had gekocht met kruiden en probeerde daarna het mengsel van ham en paddenstoelen om de filets
te wikkelen. Een ramp. Hoe hard ze ook haar best deed, het leek voor geen
meter op de keurige vleespakketjes op de foto. Kut. Verwoed grabbelde ze in
de onbekende keukenla's totdat ze wat bindgaren vond. Daar moest ze het
maar mee doen. Ze bond het garen om de runderfilets en stopte ze in de
oven. Het ovenklokje gaf 12.30 aan. O shit! Over een halfuur zou Carlos al
thuiskomen en er stond dat het vlees veertig minuten nodig had. Ze draaide
het knopje van 200 graden naar 300. Ziezo, op die manier zou het vast sneller gaar worden. Klaar is Kees! Dit kookgedoe was lang niet zo moeilijk als het
eruitzag.

Maxine wierp een blik in de spiegel. Overal in huis hingen spiegels. Dat was
niet omdat Maxi ijdel was. Ze had de spiegels juist nodig omdat ze niét ijdel
was. Ze wist dat ze er niet uitzag in haar natuurlijke staat en gebruikte de spiegels om te controleren of haar haar en make-up steeds piekfijn in orde waren,
voor het geval de 'echte' Maxine de la Fallaise ooit haar lelijke gezicht zou vertonen. Jezus, hoe lukte het die tv-koks toch om er in de keuken zo aantrekkelijk uit te zien? Zelf had ze een verhitte kop, zweetoksels en mascaravegen
onder haar ogen. Getver! Haar karakteristieke golvende krullen waren in een
kroeskop veranderd. En, jezus, waren dat grijze wortels die onder de peroxide
te zien waren? Ze nam zich voor nog diezelfde middag een spoedafspraak met
de kapper te maken. Snel rende ze naar de dichtstbijzijnde badkamer om zich
toonbaar te maken, trok haar schort af (waar ze alleen een goudkleurige
stringbikini onder droeg) en voegde zich bij Isabel op het terras met nog twintig minuten over.

'Is alles in orde?' vroeg Isabel aarzelend.

'Alles is prima!' verklaarde Maxine zelfverzekerd. Ze pakte de *OK!* op om
naar foto's van zichzelf en haar vele showbizzvrienden te zoeken. De spreads
van Cannes zouden in dit nummer moeten staan. Yes! Daar stond ze, naast Liz
Hurley. Hm, die witte spijkerbroek was niet erg flatterend voor haar dijen. In
gedachten maakte ze een aantekening dat ze hem niet meer moest dragen.

Pas een kwartier later rook Isabel de brandgeur.

'O god!' riep Maxine uit, terwijl ze door de rookwalm de oven in tuurde.
'Horen ze zwart te zijn?'

'Nee, miss Maxine, ik geloof het niet,' antwoordde Isabel geduldig. 'Ik maak
wel iets anders voor señor Carlos.'

'Kut!' riep Maxine. 'Zie je nou, Isabel? Nog iets waar ik waardeloos in ben.'

Isabel glimlachte naar haar bazin. 'U bent veel te hard voor uzelf, miss Maxine,' zei ze vriendelijk. 'U bent niet waardeloos. U bent een geslaagde zakenvrouw. Nu hebt u ook een nachtclub, nietwaar? Bovendien bent u de aardigste werkgever die ik ooit heb gehad.'

Toen Carlos van de golfclub terugkwam, had Isabel een heerlijke frittata voor hem gemaakt, terwijl Maxines shih-tzu Britney zich enthousiast op een portie verkoold rundvlees stortte. Maxine zat onschuldig op een barkruk haar nagels te vijlen en door haar tijdschrift te bladeren.

'Hoi knappe vent van me,' zei ze opgewekt. Ze gleed van de kruk af en gaf haar minnaar een dikke smakkerd op zijn wang.

Was hij niet knap? Met zijn een meter negentig, charme, brede schouders en ravenzwarte haren (met wat hulp van zijn kapper) leek Carlos sprekend op Cary Grant. Zijn lichtblauwe golfshirt deed zijn bronskleurtje en zijn donkerbruine ogen goed uitkomen. Ze had al een oogje op Carlos Russo gehad toen zijn melodieuze ballads in de jaren tachtig hoog in de hitlijsten stonden. En nu vond ze hem nog steeds leuk. Alleen mocht ze tegenwoordig met hem samenwonen. Ja, Maxine was een bofkont.

'Wat is dat voor een brandgeur?' vroeg Carlos, voorzichtig snuivend. 'Hebben we brand gehad?'

'Doe niet zo mal, señor,' zei Isabel spottend. 'Ik heb alleen de frittata een beetje laten aanbranden.'

'Weet je dat zeker?' vroeg Carlos argwanend.

'Ja,' loog Isabel.

Maxine keek haar dankbaar aan.

'O goeie genade,' riep Carlos opeens. 'Wat is er met Britney aan de hand?'

Iedereen draaide zich om en keek naar het beestje, dat op dramatische wijze in een hoekje stond te kokhalzen en het duidelijk benauwd had.

'Doe toch iets!' gilde Maxine, terwijl ze haar kleine lievelingetje zag kronkelen van pijn. 'Carlos, red haar!' Ze barstte in tranen uit en sloeg haar handen voor haar gezicht. 'Ik kan het niet aanzien!' jammerde ze.

Als een ware held greep Carlos het hondje, trok met geweld haar kaken van elkaar en graaide naar de oorzaak van het probleem.

'Wat is dit in vredesnaam?' vroeg hij verbluft, toen hij een stuk verbrand garen uit het hondenstrotje trok.

Maxine pakte haar dierbare hondje op, dat na haar beproeving onbedwingbaar trilde, drukte haar tegen zich aan en kuste haar hartstochtelijk op haar donzige kopje. 'Arme kleine Britney! Ik had je bijna vermoord,' zei ze tegen het hondje.

'Jij?' vroeg Carlos verwonderd.

'Ik wilde voor je koken,' legde Maxine schaapachtig uit. 'Het ging mis. Britney was het bewijs aan het opeten.'

Carlos' aantrekkelijke gezicht plooide zich tot een geamuseerde glimlach. 'Ach, nou ja, het is goed afgelopen.' Hij lachte hartelijk, gaf Maxine een speels tikje op haar billen en ging zitten om zijn frittata op te eten.

Maxine kromp ineen. Ze had er een hekel aan als Carlos zo neerbuigend tegen haar deed en haar als een dom gansje behandelde. Hmf! Ze was bijzonder eerzuchtig, altijd al geweest. Dat ze op keukengebied had gefaald wilde niet zeggen dat ze een mislukkeling was. Deze slag had ze misschien verloren, maar de oorlog zou ze nooit verliezen. Voortaan zou ze de goddelijke huisvrouwelijkheid aan Isabel overlaten en een andere manier bedenken om Carlos van haar huwelijkskwaliteiten te overtuigen. Ze was vastbesloten om te winnen, en als ze iets in haar hoofd had, was ze als een hond die een bot had gevonden. Of misschien als een hond met een stuk verbrand vlees. Net als Britney was ze niet van plan om het op te geven zonder een scène te maken. Het werd tijd om een plan B te verzinnen.

Terwijl Gary door het West-Londense verkeer kroop, kleedde Charlie zich uit. Hij trok snel zijn pak, T-shirt en loafers uit en stopte alles in een lege sporttas. Gary vertrok geen spier toen zijn baas zich tot op zijn Calvin Klein uitkleedde. Hij had alles al eens meegemaakt. Een paar dure wijven in een Audi TT-cabrio zagen Charlies naakte lichaam echter voor het eerst. Toeterend en joelend reden ze voorbij op de afrit van de M4. Charlie knipoogde naar hen. Daarna pakte hij uit zijn reistas zijn netjes opgevouwen marineblauwe shorts en een witlinnen overhemd, waar hij zich met moeite in wurmde. Hij hield zijn nieuwe bruine leren Mui Mui-sandalen omhoog, die hij de vorige dag met Nadia had gekocht.

'Zijn deze niet een beetje nichterig?' vroeg hij aan Gary.

'Nee, baas. Ze zijn klasse. Iets wat Beckham zou dragen, hè?'

Charlie knikte tevreden en trok ze aan. De sporttas gooide hij op de achterbank.

'Raak die maar ergens kwijt zodra je me hebt afgezet.'

Gary knikte. Als het donker was, zou hij hem verbranden.

Toen Charlie op de luchthaven uit de Range Rover stapte, gooide hij Gary een sleutelbos toe. 'Van mijn flat,' zei hij. 'Doe maar alsof je thuis bent. Ik ga een poosje weg.'

'Huh?' Gary keek verbijsterd.

'En hou de auto voor me aan de praat. Haal je geen moeilijkheden op de hals, bemoei je nergens mee en je hoort nog van me.'

Gary krabde zich op zijn hoofd, waardoor zijn honkbalpet nog schever kwam te staan dan anders.

'En bel me alleen als het echt een noodgeval is, begrepen?'

'Goed, baas,' antwoordde hij onzeker.

'Stuur Nadia maar terug naar haar vader,' hernam Charlie. 'O, en zeg dat het me spijt dat ik hem ben gesmeerd. Even goede vrienden en zo. Koop op de terugweg maar een bos bloemen voor haar. Dure, niet van het benzinestation, oké? Hier.'

Charlie gooide een enorm pak biljetten van vijftig pond op de passagiersstoel. 'Dat moet genoeg zijn. De rest mag je houden. Bedankt, Gary. Je bent een beste knul. Ik zie je wel weer een keer.'

Gary staarde nog altijd met open mond naar de enorme bundel bankbiljetten toen Charlie door de draaideur naar de vertrekhal verdween.

5

'Hoezo, je komt niet? Je had verdomme allang in dat vliegtuig moeten zitten! Ze houden de vlucht voor jou tegen!'

Te laat besefte Lila Rose dat ze schreeuwde. Vanuit haar ooghoek kon ze haar zogenaamd trouwe personeel zien grijnzen en elkaar aanstoten. Aasgieren waren het. Ze deden net alsof ze haar aardig vonden, maar daar werden ze voor betaald. Ze wist dat ze allemaal zaten te wachten totdat ze haar te pakken konden nemen. En daarna zouden ze er een slaatje uit slaan door haar aan de roddelbladen te verkopen... of voor vijftig pond op eBay. Ze draaide zich om, liet haar stem dalen en ging verder.

'Ik snap het niet, Brett. Je móét komen. Dat heb je beloofd.'

Knetterend klonk de stem van haar man vanaf de andere kant van de Atlantische Oceaan.

'Weet ik, liefje, maar ik heb er niets over te zeggen. Het gaat om een ontzettend belangrijke vergadering over een heel grote rol. De regisseur begint maandag in Montreal met filmen, dus het kan alleen maar dit weekend.'

Zuchtend streek Lila met haar hand door haar glanzende bruine haar. Brett loog natuurlijk. Zijn hele leven was één grote leugen. Hij was al zo lang acteur dat hij niet eens meer wist hoe hij de waarheid moest vertellen. Drie Oscarnominaties leverden het bewijs dat haar man een van de grootste filmsterren van zijn generatie was, maar zijn vrouw had hem nog altijd meteen door. Het was gewoon een feit dat elke regisseur hemel en aarde zou bewegen om Brett Rose als zijn hoofdrolspeler te strikken. Die vergadering – als die er überhaupt was – had makkelijk kunnen wachten totdat Brett uit Europa terug was.

'Wat ben je toch een klootzak, Brett. Een grote, eersteklas klootzak. Wat moet ik mijn ouders vertellen? Hoe moet ik dit aan de kinderen uitleggen? Ze hebben zich allemaal al maanden op dit weekend verheugd.'

En ik ook! Ze merkte dat haar wangen begonnen te gloeien en dat de tranen in haar ogen opwelden.

'Och, toe nou, schat. Wees nou niet kwaad. Ik ben zelf ook teleurgesteld, maar je weet hoe het hier gaat. Alles gebeurt zo snel. Je ouders zullen het vast wel begrijpen en ik zal het goedmaken met de kinderen. Hé, ik kom nog steeds, alleen een paar dagen later, meer niet.'

'Mijn vader is zondag jarig,' merkte ze koeltjes op.

'Huh? Het is een slechte verbinding, schat.'

De verbinding was inderdaad slecht, maar Lila kon horen dat hij in een rumoerige omgeving was. Op de achtergrond klonken muziek en stemmen – opgewonden, schelle stemmen. In Los Angeles was het vier uur 's ochtends en haar man was zoals gewoonlijk aan het feesten als de jonge vrijgezel die hij was geweest voordat ze elkaar hadden leren kennen.

'Maar goed, lieveling, ik moet weer ophangen. Het spijt me, hoor. Morgen bel ik je om mijn plannen door te geven. Nu moet ik nodig naar bed.'

Zonder afscheid te nemen hing ze op. De arme schat moest nodig naar bed. De vraag was: met wie? Lindsay Lohan? Paris Hilton? Ongetwijfeld met een jonge, aantrekkelijke meid die een fractie van Lila's leeftijd was.

Ze verontschuldigde zich en ging naar het damestoilet, waar ze zich in een hokje opsloot en in tranen uitbarstte. Waarom was ze eigenlijk verbaasd? Tenslotte liet hij haar altijd stikken. Toch had ze zo gehoopt dat ze hun huwelijk deze week weer op de rails konden zetten. Haar vader werd vijfenzestig en de hele familie zou komen. Ze was zo opgewonden geweest bij het vooruitzicht dat ze iedereen om wie ze gaf bij elkaar zou hebben: haar ouders, haar kinderen en niet te vergeten haar man. Nadat ze zich jarenlang eenzaam had gevoeld, was het een heerlijk idee om haar hele familie om zich heen te hebben.

Ze ademde diep in en deed de deur van het slot. Met afgrijzen staarde ze naar haar spiegelbeeld. Zelfs hartzeer had er pijnlijk mooi uitgezien in haar jeugd: het had goed gestaan bij haar grote, fletse blauwe ogen en trillende volle lippen. Nu zag ze in de spiegel alleen maar een zielige, gebroken vrouw die onelegant naar de middelbare leeftijd afgleed. Wanhoop voelde verdomme precies hetzelfde als op haar achttiende, maar op haar zesendertigste zag het er zonder meer een stuk erger uit. Ze zag dat haar mascara in de lachrimpeltjes rond haar ogen was uitgelopen. Moeder Natuur was een bitch. Het was niet alsof ze de laatste tijd niets te lachen had gehad. In haar rood behuilde gezicht waren de gesprongen adertjes in haar wangen duidelijk te zien. Misschien was het tijd voor een chemische peeling. Of misschien waren er drastischer middelen nodig. Van plastische chirurgie had ze nooit iets moeten hebben, iets wat ze al vaak in het openbaar had verkondigd, maar dat was voordat de rimpels waren verschenen. Ironisch genoeg werd ze door vrouwenbladen nog steeds als een grote Britse schoonheid opgehemeld. Als ze haar nu eens konden zien... Het enige wat er tussen Lila Rose' bewonderende publiek en de grimmige waarheid stond, waren getalenteerde visagisten en geweldige fotografen. En de waarheid was, althans naar Lila's mening, dat haar beroemde schoonheid niet meer dan een vervagende herinnering was. Totaal verwoest, net zoals haar acteercarrière. Ze snakte ernaar om weer te gaan werken nu de kinderen wat ouder werden, maar wie zou haar nog willen casten? Ze was te oud voor rolletjes als minnares en te jong om voor karakterrollen in aanmerking te komen. Bovendien had ze geen greintje zelfvertrouwen over. Ze was niets. Een grote nul.

Er werd zachtjes op de deur geklopt.

'Is alles in orde, lieverd?'

Dat was Peter, Lila's personal assistant en afgezien van haar vader de enige man die ze echt vertrouwde. Hij was géén aasgier. Het sprak vanzelf dat hij homo was. Peter had te veel inlevingsvermogen en was veel te gevoelig om hetero te zijn. Om nog maar te zwijgen van welverzorgd, geestig, begripvol en aanhalig. Hij was alles wat haar man niet was en veel meer dan gewoon een personal assistant. Brett noemde Peter haar 'designer-janjurk', maar hij was niet zomaar een droomcreatie. In de afgelopen tien jaar was Peter haar rots in de branding geweest: haar personal assistant, haar stylist, haar vertrouweling, haar schouder om op uit te huilen, de peetvader van haar zoon en vooral haar beste vriend. Na één blik op Lila's mismoedige gezicht en uitgelopen mascara sloeg hij zijn armen om haar heen. Ze verborg haar gezicht in zijn kasjmieren trui en barstte in snikken uit. Peter wiegde haar als een kleuter en leek het niet erg te vinden dat zijn lichtblauwe trui onder de mascaravlekken kwam te zitten.

'Brett de Smeerlap heeft zeker weer toegeslagen, hè?' mompelde hij, meer in zichzelf dan tegen Lila.

Ze knikte, maar was te overstuur om een woord te kunnen uitbrengen. Teder streelde hij haar donkere haar en kuste haar op haar kruin. Toen de tranen waren opgedroogd bracht hij zorgvuldig haar make-up opnieuw aan.

'Ziezo,' zei hij toen hij klaar was. 'Beeldschoon.'

Ze keek in de spiegel. Zelfs zij moest toegeven dat ze er met genoeg make-up op nog altijd mocht zijn. Maar het was alleen een masker: oplichtende foundation zodat haar huid er dauwachtig uitzag, glinsterende oogschaduw om haar ogen helderder te maken, lippenstift om haar pruilmondje te benadrukken en rozerode blusher om een jeugdig blosje op haar wangen aan te brengen. Het was allemaal vals.

'Er ontbreekt maar één ding,' zei Peter.

'Wat dan?'

'Een glimlach.'

Lila knikte, ademde diep in en toverde haar beroemde innemende glimlach tevoorschijn. Het masker was compleet. Ze was klaar om haar publiek tegemoet te treden. Het verbaasde haar nog altijd dat iedereen zich liet inpakken door de schijnvertoning en het idee van het perfecte celebrityhuwelijk van de Roses voor zoete koek slikte. Peter kende uiteraard de waarheid, en ook haar moeder Eve. Zij keek door de valse glimlach en de onberispelijke make-up heen naar het gedesillusioneerde meisje erachter. De enige die ook door het masker heen had gezien, was de verslaggeefster Grace Melrose, die haar vorige maand had geïnterviewd.

Wat had ze ook alweer geschreven? O ja, nu wist ze het weer. 'De sprookjesachtige liefdesgeschiedenis van de Roses maakt deel uit van de illusie van Hollywood. Een gelukzalige verbintenis van tien jaar is vrijwel ongehoord in een schijnwereld waar spoedscheidingen aan de orde van de dag zijn. Helaas vermoed ik dat het niet meer is dan dat: schijn. Het is duidelijk geen koek en ei met de Roses. Bij Lila is het verdriet zelfs in elke rimpel op haar mooie gezicht gegrift.'

Bretts pr-mensen waren razend geworden toen het artikel was verschenen. Ze hadden gedreigd naar de rechter te stappen en gewaarschuwd dat ze de krant nooit meer toegang tot de Roses zouden geven. En ergens kon Lila Grace

Melrose ook niet uitstaan. Om te beginnen omdat ze haar ziel had blootge-legd, maar vooral omdat ze haar rimpels had opgemerkt! Het viel niet mee om met een Hollywoodmegaster getrouwd te zijn. Brett was even oud als Lila, maar hoewel zesendertig nog jeugdig is voor een man, wordt een vrouw van in de dertig al bijna als bejaard beschouwd, althans in Hollywood. Ondanks Grace Melrose' harde woorden had Lila ook respect voor de vrouw, omdat ze achter het masker en in haar ogen had gekeken. Het was zo lang geleden sinds iemand de moeite had genomen haar als een levend, ademend menselijk wezen met gevoelens te zien, en niet alleen als echtgenote van een filmster. Lila vermoedde dat, als ze in de gewone wereld had mogen leven, een vrouw als Grace Melrose een goede vriendin zou kunnen worden. Maar vriendinnen waren een luxe die Lila zich niet kon veroorloven. Ze had uit bittere ervaring ondervonden dat haar seksegenoten de eersten waren om haar een dolkstoot in de rug te geven. En heteromannen waren al geen haar beter. Vandaar dat ze Peter had.

'Hoe laat is het?' fluisterde ze tegen Peter toen ze zij aan zij weer de viploun-ge binnenstapten.

'Bijna twee uur.'

'Jemig! Het vliegtuig had een uur geleden moeten vertrekken.'

'O, maak je daar maar niet druk om,' zei Peter spottend. 'Ze hebben de vlucht voor jou tegengehouden.'

'Weet ik, maar de andere passagiers zullen me een vreselijke diva vinden.'

'Ach, doe niet zo mal. Ze zullen zielsgelukkig zijn dat ze met Lila Rose in het vliegtuig zitten. Hun vakantie kan al niet meer stuk.'

Lila zuchtte. Haar vakantie zou alleen niet meer stuk kunnen als Brett Rose aan boord was.

Charlie begon nerveus te worden. Het vliegtuig stond veel te lang op de start-baan. Hij was geen stevige drinker, maar in zijn gemakkelijke leren stoel bij het raam had hij al twee gratis glazen Jack Daniel's op. Meestal was hij dol op vlie-gen, vooral nu hij het zich kon veroorloven om eersteklas te reizen. Het gaf hem een kick als hij bedacht dat hij, Charlie Palmer, het zich kon veroorloven de dure meneer te spelen tegenover de 'gewone' mensen die als haringen in een ton in de economyclass zaten. Wanneer het gordijn tussen hem en de meute achter hem werd dichtgetrokken, was het alsof er een streep onder zijn verleden werd gezet. Op zijn vlucht hoefde hij gelukkig geen kibbelende gezin-nen en krijsende kinderen te verduren. Trouwens, die kinderen mochten blij zijn dat ze überhaupt naar het buitenland gingen. Zelf was hij op die leeftijd nooit verder dan Margate geweest.

Buiten goot het nu. Misschien zorgde het weer voor vertraging. Maar waarom greep die vliegende serveerster telkens naar de telefoon om te smoezen? En waarom waren de deuren nog niet dicht? Charlie was een bedreven mensenkijker. Dat kon niet anders in zijn branche. Het cabinepersoneel keek elkaar telkens veelbetekenend aan en hij kon merken dat ze allemaal ergens opgewonden over waren. In het vliegtuig heerste een geladen stemming. Er stond iets belangrijks te gebeuren en hij was bang dat het misschien met hem te maken had. Hij keek naar de open cabinedeur en verwachtte half en half een gewapende politie-inval. Zou McGregor te vertrouwen zijn? Eerst dacht hij van wel. Hij was ervan overtuigd geweest. Maar hoe langer hij daar zat, hoe minder overtuigd hij werd.

Opeens gebeurde het. Omringd door een stoet volgelingen in designerkleding schreed Lila Rose het vliegtuig binnen. Op de lege stoel vlak voor Charlie nam ze plaats, zo dichtbij dat hij haar parfum kon ruiken. Hij gniffelde opgelucht. Wat een mazzel. Die Lila Rose was echt een klassewijf: mooi, slim en getalenteerd. Ze was praktisch zijn ideale vrouw. Lang was ze niet, tenminste niet naar zijn maatstaven, maar zelf was hij dan ook een meter drieënnegentig. Daarentegen was ze beter gevormd dan de meeste actrices tegenwoordig. Zo mocht hij zijn vrouwen graag zien: met wat vlees op hun botten. Niet dik, maar gewoon zoals de natuur het had bedoeld in plaats van half verhongerd. Haar haar was donker en glanzend als in een shampooreclame, en haar gezicht... tja, voor hem was dat altijd al het gezicht van een engel geweest.

Hij had haar ook altijd al een geweldige actrice gevonden. Toen ze nog in die domme soap speelde en haar personage in het kraambed stierf, had hij zelfs gehuild. Niet dat hij dat ooit zou toegeven. O ja, en dan was er nog die keer dat hij haar in die meidenfilm had gezien. Zijn toenmalige vriendin had hem meegetroond, ook al was het helemaal niks voor hem. Geen seks en geen geweld! Het was een of ander drakerig historisch drama. Maar het staren naar Lila Rose op het witte doek, naar haar zwoegende, lelieblanke boezem in een strak korset, naar de tranen die uit haar grote blauwe ogen biggelden om een onbeantwoorde liefde en naar haar volle lippen die vochtig trilden was allemaal je reinste filmische viagra geweest. Ja, ze was me een vrouw. Hij kon zich met de beste wil van de wereld niet meer herinneren met welke vriendin hij een date had gehad, maar die beelden van Lila Rose was hij nooit vergeten. En nu zat ze hier, vlak voor hem. Als hij zijn arm uitstak, kon hij dat perfecte donkere haar zelfs aanraken.

Hij zuchtte. Jammer dat ze getrouwd was met de knapste man op aarde. Charlie kende zijn goede eigenschappen, maar ook zijn plaats in het leven. Twee uur achter Lila Rose zitten was het dichtste wat hij ooit bij een Hollywoodroyalty in de buurt zou komen.

Binnen enkele minuten werden de cabinedeuren gesloten en de motoren gestart, waarna het toestel over de startbaan taxiede. Zodra ze waren opgestegen, klonk de stem van de gezagvoerder via de intercom om de passagiers te verwelkomen tijdens de vlucht.

'In Málaga heerst een aangename temperatuur van achtentwintig graden, de lucht boven Spanje is onbewolkt en we verwachten verder geen vertragingen, dus gaat u rustig zitten en geniet van de vlucht.'

Nou, reken maar, dacht Charlie, terwijl hij naar het achterhoofd van Lila Rose keek, dat zal ik zeker.

6

Terwijl Grace in de schaduw van een prieeltje met uitzicht op het zwembad zat te wachten op Jimmy Jones en Jasmine Watts, las ze snel Miles' mailtje op haar BlackBerry. Onwillekeurig giechelde ze om zijn aantekeningen. *Jimmy Jones, goede voetballer, maar het IQ van een amoebe. Volgende week bruiloft –* Scoop! *heeft exclusieve rechten, maar kijk maar wat je kunt versieren. Details van het schuimgebak? Voetbalbabes als bruidsmeisjes? Beckhamachtige tronen? Is ze zwanger? Jasmines achtergrond (prima materiaal) – komt uit Dagenham, was vroeger paaldanseres in de Exotica, asofamilie, moeder ex-hoer, broers vaak in de bak, jonger zusje op haar vijftiende een baby. Vader overleden. Jasmine beweert dat ze geadopteerd is (zou ik ook doen). Het belangrijkste: zijn haar tieten echt? Moet toegeven dat ze geweldig zijn.*

'Wat is er zo grappig, Grace?'

Ze keek op en tuurde door half dichtgeknepen ogen tegen de felle zon naar de opdoemende gestalte in een kanariegeel hawaïhemd. Toen lachte ze weer, maar nu vol berusting. Blaine Edwards. Ze had kunnen weten dat hij hierachter zat.

'Blaine, ouwe smeerlap, ik had moeten weten dat jij hier ergens zou rondsnuffelen.'

'Rondsnuffelen?' Blaine deed alsof hij beledigd was. 'Mag ik je erop wijzen dat het merk JimJazz de laatste loot aan de Edwardsdynastie is? De enige reden dat jij hier bent, is omdat ík zei dat het in orde was.'

Inwendig kreunde Grace. Hij was de laatste die ze tijdens haar vakantie tegen het lijf had willen lopen. Blaine Edwards, pr-goeroe, was een dikke, bazige Australiër, die zich kleedde als iemand uit *Miami Vice* en zich gedroeg als een kwijlende sint-bernard in de paartijd. In de afgelopen vijf jaar had hij zich op de een of andere manier van paparazzo tot celebrityregelneef weten op te werken. Nu beheerde Edwards zo ongeveer de helft van alle smakeloze popgroepen, glamourgirls en realitysoapsterren in Engeland, en elke roddeljournalist wist dat hij hem te vriend moest houden.

Hij was uiteraard walgelijk: vol opgeblazen eigenwaan en geneigd tot vreselijke woede-uitbarstingen. Zelf was hij een grotere diva dan de meiden die bij hem stonden ingeschreven. Het was overduidelijk, althans voor Grace, dat hij alleen op seks uit was. Een man die zo lelijk was als Blaine zou in de gewone wereld geen schijn van kans maken bij het andere geslacht, maar met de roem die hij hun voorspiegelde lukte het hem altijd om met een achttienjarige wannabe aan zijn zij de rode loper te betreden. Haar maag draaide ervan om, maar omwille van haar carrière deed ze net alsof ze hem charmant vond.

Ze stond op en liet zich door Blaine op beide wangen kussen. Getver! Zoals altijd hield hij haar veel te lang veel te dicht tegen zich aan en plantte hij zijn natte lippen veel te dicht bij haar mond. Hij zweette en rook naar zonnebrandcrème en sigaretten.

'Je ziet er zoals altijd stralend uit, Grace.'

Hij plofte op een houten ligstoel naast haar neer, vouwde zijn mollige armen achter zijn hoofd en grinnikte naar haar. De ligstoel kraakte onder zijn gewicht.

'Je ziet er, eh, anders uit,' waagde ze het erop.

'Aha, het haar? Hoe vind je het?' Hij liet haar niet antwoorden. 'Geweldig, niet? Je weet hoe ik ben: de modemeute altijd een stapje voor.'

Zijn haar was blauw geverfd en tot een hanenkam gevormd. Overbodig te zeggen dat hij er bespottelijk uitzag.

'Maar goed, nu ter zake. Wat doe jij hier? Ik stond er wel even van te kijken toen Miles zei dat je in de buurt was. Marbella leek me niets voor jou. Ik had jou eerder als een cultuursnob ingeschat. Ik bedoel, je bent toch veel te bekakt voor Spanje?'

'Eerlijk gezegd ben ik dol op Spanje, Blaine, maar je hebt gelijk dat Marbella niets voor mij is. Ik heb een boerderij gehuurd in een van de witte dorpjes in de bergen. Eigenlijk ben ik hier op vakantie, maar van dat begrip is Miles kennelijk niet op de hoogte. Ik wilde een poosje weg van het celebritygedoe om me te ontspannen.'

'Aha, je hebt daar zeker een vent zitten, hè?'

Ai! Ze kromp ineen. Hij had de spijker op zijn kop geslagen.

'Nee, Blaine. Ik ben in mijn eentje. Dat bevalt me prima.'

'In je eentje! Ik kan me niets tragischers voorstellen dan zeven dagen met mezelf opgescheept te moeten zitten.'

Ik kan me ook niets tragischers voorstellen dan zeven dagen met jou opgescheept te moeten zitten, dacht ze. Maar ze beet op haar tong en haalde onverschillig haar schouders op. 'We kunnen niet allemaal feestbeesten zijn zoals jij.'

In werkelijkheid zou ze op vakantie moeten zijn met McKenzie – als in: McKenzie Munroe, directeur van Global Media Incorporated. McKenzie was niet alleen de eigenaar van Grace' krant, maar van de helft van alle kranten, tijdschriften en tv-zenders in de westerse wereld. Ze had al twee jaar lang een verhouding met hem, zonder dat iemand er iets van wist. Vooral zijn vrouw niet. Toch had het mens op de een of andere manier telepathische krachten. Telkens wanneer Grace en McKenzie iets hadden gepland, kreeg mevrouw McKenzie een of andere crisis. Meestal ging het om een migraineaanval wanneer ze juist wilden gaan dineren. Deze keer was het dramatischer. McKenzie had haar de vorige middag op kantoor gebeld.

'We hebben een probleem,' had hij onheilspellend gezegd.

'Wat is het nu weer?' had ze op hoge toon gevraagd. 'Jean weer?'

'Eh, ja, ze heeft een auto-ongeluk gehad.'

'O god! Wat vreselijk. Is ze in orde?'

'Ja, ze is in orde. Ze heeft haar sleutelbeen gebroken en een lichte hersenschudding. Niets levensbedreigends, maar uiteraard zal ik onze reis moeten afzeggen...'

'Uiteraard,' had ze bits gereageerd.

Een uur later werd er door een koerier het De Beers-collier bezorgd met een briefje waarop stond: 'Sorry schat. Volgende keer beter, xxx'. Het was geschreven in het handschrift van zijn secretaresse. En zodoende zou Grace de week in haar eentje in de bergen doorbrengen, terwijl McKenzie aan het ziekenhuisbed voor plichtsgetrouwe echtgenoot speelde.

Blaine was nog steeds aan het woord. 'In elk geval wil ik je heel graag aan Jasmine voorstellen. Je zult weg van haar zijn!'

Grace trok sceptisch een wenkbrauw op. Het vorige sterretje van wie ze volgens Blaine weg zou zijn, had zich als een zwijgzaam, leeghoofdig blondje ontpopt.

'Ach, toe nou, Grace, gun haar tenminste een kans. Het is echt een leuke meid. En wees een beetje lief voor haar. Zij is maar een puppy en jij bent een volwassen rottweiler. Ik heb Miles al gewaarschuwd dat ik geen genoegen neem met die giftige stukjes van je, oké?'

'Ik schrijf wat ik ervan vind, meer niet.' Ze glimlachte vriendelijk.

'Ja, ik heb gelezen wat je over Lila Rose schreef.' Sissend zoog hij tussen zijn tanden lucht naar binnen. 'Dat zullen haar mensen vast niet leuk hebben gevonden.'

Grace haalde haar schouders op. 'Ik doe gewoon zo goed mogelijk mijn werk. Als iemand niet de kranten wil vullen, moet hij niet in de schijnwerpers gaan staan.'

'Precies,' knikte Blaine enthousiast. 'Zonder die gevulde kranten zouden we allebei op straat staan, nietwaar?' Met zijn dikke vingers knipte hij in de richting van het dienstmeisje. 'Señorita! Drankjes! Pina colada voor mij en...' Hij draaide zich naar Grace.

'Spa rood, graag.'

Blaine krulde minachtend zijn bovenlip en aapte Grace' deftige accent na. '"Spa rood, graag." Verdomme, mens. Je moet je een beetje ontspannen. We zijn hier aan de Costa del Sol. Laat je eens gaan.'

'Later misschien,' antwoordde Grace. 'Als ik klaar ben met werken.'

Ze droomde juist van het glas ijskoude rosé dat ze zou inschenken zodra ze haar kopij had ingeleverd toen ze de vrouw zag. Heel behoedzaam kwam ze vanuit het huis de brede marmeren trap af lopen in een minuscule bikini en op belachelijk hoge hakken, met in haar armen iets wat op een kleine puppy leek. Ze was lang, amazoneachtig zelfs, en veel atletischer dan de broodmagere stakkerdjes die Grace meestal moest interviewen. Haar lange haar was bijna zwart en golfde in vochtige krulletjes over haar gebronsde schouders tot aan haar smalle middel. Zelfs van een afstand was Jasmine Watts beeldschoon. Grace had veel tijd doorgebracht in het gezelschap van mooie (en verdoemde) vrouwen, en ze herkende schoonheid wanneer ze die voor zich zag. Het viel haar op dat Jasmine er on-Brits uitzag. Daarvoor was ze veel te gebruind en te relaxed in haar bikini. Ze was zo'n volmaakt wezen dat je op het strand ziet, zo iemand die ervoor zorgt dat je zelf de hele vakantie je kaftan wilt aanhouden.

Meestal had Grace mensen onmiddellijk door, maar deze vrouw was verwarrend. Haar amandelvormige bruine ogen stonden onzeker, bijna angstig, als een hert dat naar het geweer van een jager kijkt, maar toch had ze het lef om slechts gekleed in een piepkleine bikini op een wildvreemde af te stappen. De meeste vrouwen, zelfs de allermooiste, voelen zich het kwetsbaarst wanneer ze naakt zijn. Grace' hersens draaiden op volle toeren terwijl Jasmine dichterbij kwam. Ze probeerde hoogte te krijgen van haar prooi. Haar uiterlijk is haar pantser en haar geweldige lichaam is haar wapen, maar van haar denkvermogen is ze niet zeker... Ze wil me met haar volmaakte lijf intimideren voordat ik haar met mijn vragen intimideer. En het werkt. Ik kan geen openingszin bedenken, omdat ik door haar schoonheid als verlamd en stikjaloers ben. Wat een genetische loterij heeft die meid gewonnen. Waarom zie ik er verdomme niet zo uit?

Blaines brede grijns trok zijn wangen strak en zijn ogen waren zo wijd open dat hij vergat te knipperen. Wat een geile bok, dacht Grace.

'Godverdomme, die mag er wezen!' zei hij, zonder ook maar een seconde zijn blik van Jasmine af te wenden.

Voor deze ene keer moest Grace hem gelijk geven.

'Hoi,' zei Jasmine stralend. 'Jij bent zeker Grace. Wat enig om kennis met je te maken.'

Jasmines uiterlijk was zuiver Hollywood, maar haar stem was nog altijd onvervalst Dagenham, en ze had de houding van iemand die haar plaats kende – een arbeidersmeid met eerbied voor mensen die ouder en wijzer waren dan zij. Toen Grace opstond en haar de hand schudde, had ze kunnen zweren dat ze bijna een reverence maakte. Ze deed Grace sterk aan iemand denken, maar ze kon niet precies zeggen wie.

'Ik heb alles van u gelezen, en ik vind u geweldig,' zei Jasmine geestdriftig. 'U moet zoveel interessante mensen hebben ontmoet, en Blaine zegt dat u ook boeken hebt geschreven. Wat fantastisch. Dat zou ik nooit kunnen. Al die woorden! Wilt u misschien iets drinken of zo? Hebt u honger?'

Grace was van haar stuk gebracht. Ze was het niet gewend om door een celebrity als gast te worden behandeld. Verbluft schudde ze haar hoofd en wees naar het water dat het dienstmeisje haar zojuist had gegeven.

'Eigenlijk heb ik zelf een beetje trek. Maria, zou je me alsjeblieft een kop thee en een koekje kunnen brengen of zo? O, en voor Jimmy een biertje, graag.'

Het dienstmeisje haastte zich terug naar binnen.

'Waar is Jimmy?' vroeg Blaine ongeduldig, terwijl hij achterom naar het huis keek. 'Miss Melrose wil graag met jullie allebei spreken.'

Grace zag dat Jasmine een kleur kreeg. 'Het spijt me ontzettend, miss Melrose. Jimmy komt er zo aan, echt waar.'

Grace haalde haar schouders op. 'Dat is prima. Ik heb geen haast. O, en zeg maar Grace. Als ik miss Melrose word genoemd, voel ik me net een schooljuffrouw.'

Ze keek oplettend toe toen Jasmine verlegen glimlachte en onbehaaglijk in haar stoel bewoog. Af en toe kuste de puppy – een onooglijk geelbruin mormel – haar bazinnetje bewonderend op de lippen.

'En wie is dit?' vroeg Grace, terwijl ze de puppy aaide.

Op Jasmines gezicht verscheen een brede glimlach. 'O, dat is Annie – Weesje Annie. Ik heb haar in de oude binnenstad gevonden. Ze was een zwerfhondje. We zaten in een restaurant te eten, en de obers schopten haar telkens weg. Ik moest haar gewoon redden.'

'Jasmine zou een hondenasiel openen als het van Jimmy mocht,' zei Blaine met een vertwijfelde blik. 'Ze heeft een zwak voor daklozen en zwervers, hè Jazz?'

Jasmine knikte. 'Vind je niet dat dieren véél aardiger zijn dan mensen?' vroeg ze aan Grace, met een brutale grijns en een haast onmerkbaar hoofdknikje in de richting van Blaine.

Grace moest haar lachen inhouden. 'Ja,' beaamde ze. 'Ik heb al heel wat mensen ontmoet die ik graag had willen laten inslapen, maar geen honden. Toen ik opgroeide, heb ik altijd honden gehad. Zwarte labradors. Prachtbeesten.'

'Wat heb je een mooi accent,' zei Jasmine, en ze kreeg weer een kleur. 'Ik bedoel, je praat zo keurig. Het klinkt enig. Nietwaar, Blaine? Haar stem klinkt enig.'

'Ja, nou,' antwoordde Blaine met een uitgestreken gezicht. 'Haar stem klinkt aardig, maar haar pen schrijft vals.'

Grace kneep haar ogen tot spleetjes toen ze naar Blaine keek. 'Let maar niet op hem,' zei ze tegen Jasmine. 'Ik ben volkomen ongevaarlijk.'

'Heb je een huis in Marbella?' vroeg Jasmine, terwijl ze Annie op de grond neerzette.

Grace lachte. 'Nee, helaas niet. Ik ben toevallig op vakantie in de bergen.'

'O, wat heerlijk,' kirde Jasmine. 'Vorige week heb ik me door Jimmy naar Ronda laten rijden.'

'Echt waar?' Grace kon een verblufte ondertoon niet onderdrukken. Stel je voor: Jasmine Watts die zin had in een dagtochtje naar de Andalusische bergen.

'Het is schitterend buiten het bebouwde gedeelte, nietwaar?' hernam Jasmine. 'Ik ben dol op Spanje. Het is misschien gek, maar ik voel me hier helemaal thuis. Zelfs als het rotweer is. Vorige week stormde het en iedereen liep te klagen over het Spaanse weer, maar ik ben nog steeds dol op het land. Zelfs bij storm, en al was het een orkaan.'

En opeens kreeg Grace een ingeving. Toen Jasmine 'Spaanse' en 'orkaan' zei, klonk ze door haar platte uitspraak precies zoals Eliza Doolittle uit *My Fair Lady* voordat ze 'netjes' had leren praten. Het Spaanse graan heeft de orkaan doorstaan. Eliza Doolittle met borsten. Dat was pas een invalshoek voor haar artikel.

'Hèhè, eindelijk. Daar is Jimmy,' zei Jasmine.

Ze draaiden zich allemaal om. Jimmy Jones was zo aantrekkelijk als een mannelijk model, met krachtige kaken, uitstekende jukbeenderen en opvallende turkooizen ogen. Hij droeg een lichtgewicht wit hemd dat helemaal losgeknoopt was, een korte kaki camouflagebroek en groene Haviana-teenslippers. Zijn gladde, gebronsde huid glom van de zonnebrandolie en zijn wasbord golfde toen hij op hen af liep. Grace stelde vast dat hij er in levenden lijve net zo aantrekkelijk uitzag als op de billboards die ze thuis in Londen in de ondergrondse had gezien. Iets kleiner dan ze had verwacht misschien, maar een vrijwel volmaakt exemplaar. Het enige wat er aan het beeld van de reclamecampagne ontbrak, was de tandpastaglimlach. Nu glimlachte Jimmy niet. Hij pruilde zelfs min of meer onder die blonde pony van hem. De knul nam zichzelf blijkbaar zeer serieus, en Grace moest haar giechelen inhouden toen hij dichterbij kwam.

Tot Charlies teleurstelling mochten Lila Rose en haar gevolg nog voor alle andere passagiers van boord. Hij had gehoopt nog een laatste blik op haar te kunnen werpen en misschien zelfs oogcontact te maken voordat ze wegliep. Maar dat had niet zo mogen zijn. Nou ja, het maakte niet uit. Er bleef nog genoeg over om opgewonden over te zijn. Vandaag was het de eerste dag van de rest van zijn leven. En van nu af aan zou hij in rustiger vaarwater komen. Dat hoopte hij tenminste.

Toen hij uit het vliegtuig stapte, voelde hij de felle mediterrane zon op zijn huid en rook hij de zilte zeelucht. Vastberaden liep hij door de douane naar de vertrekhal zijn nieuwe leven tegemoet. In Londen werd hij 'de Klusjesman' genoemd, omdat hij altijd voor alle rotklussen opdraaide. Maar hier in Spanje zou alles anders zijn. De Klusjesman was met pensioen. En Charlie Palmer zou nooit meer voor iemand rotklussen opknappen.

Hij kende hier natuurlijk mensen. Door de jaren heen was de Costa del Sol veranderd in Essex aan Zee, en half Chingford had op een steenworp afstand van de luchthaven van Málaga een tweede huis. De meesten zaten in Marbella. Daar zou hij naartoe gaan. Maar waar zou hij eerst heen gaan? Zijn peetdochter was in de stad en hij verheugde zich erop het lieve kind te zien, maar dat moest waarschijnlijk wachten totdat hij zelf onderdak had geregeld. Vanavond wilde hij niet bij haar overnachten, hoe dol hij ook op haar was. Charlie had zijn eigen plekje nodig.

Ook zou hij binnenkort ouwe Frank een bezoekje moeten brengen. Hij had hem al in geen jaren meer gezien, maar Frankie wist dat hij zou komen. Frank zorgde ervoor dat hij altijd op de hoogte was van wat iedereen uitspookte – en hij zou op zijn minst een beleefdheidsbezoek verwachten. Anders zou hij zich beledigd voelen. En je kon Frankie maar beter niet op zijn pik trappen.

Maar nu nog niet. Charlie sprong in een taxi en gaf de chauffeur opdracht hem naar het Marbella Club Hotel te brengen. Eerst een uitgebreide douche, een koel drankje en een strandwandeling. Ja, een wandeling langs het strand zou hem goed doen.

7

Al een hele poos zit ze in het donker te wachten. Gewoon te wachten tot er iets gebeurt. Maar als ze zijn voetstappen en het knarsen van het slot hoort, verlangt ze weer naar de stilte. Wanneer de deur opengaat, verblindt het licht haar en is hij enkel een zwarte schaduw die dreigend op haar af komt.

'Hallo schat,' zegt hij.

Zijn stem is vertrouwd, maar tegelijkertijd angstaanjagend onwezenlijk. Opeens weet ze waarom ze hem nooit heeft gemogen en altijd op haar hoede was. Nu begrijpt ze waarom ze zich onbehaaglijk voelde als hij te dichtbij stond en waarom ze misselijk werd als hij haar met een kus begroette. Achteraf beseft ze dat er waarschuwingsbelletjes hadden gerinkeld. Maar dit had ze zich in haar wildste dromen nooit kunnen voorstellen.

Het licht stroomt naar binnen, zijn schaduw verplaatst zich, verandert in een man, maar zonder kleuren. Alles is zwart en wit. Ze vertikt het om naar zijn gezicht te kijken, ze kan hem niet in zijn ogen zien. En nu streelt hij haar wang, haar blote arm en haar lichaam door haar dunne zomerjurk heen. Ze heeft haar ogen stijf dichtgeknepen, hete tranen biggelen over haar gezicht, maar nog altijd betast hij haar. Zorg dat hij weggaat, Charlie! Laat hem weggaan.

8

Al halverwege de straat zag Lila de fotografen bij de oprijlaan van haar ouders.

'Wat doen die hier, verdomme?' riep ze vol afschuw uit. 'Hoe wisten ze dat ik zou komen? En hoe weten ze eigenlijk dat mijn ouders hier wonen? O god, Peter, dit is vreselijk. Mijn arme vader en moeder.'

Peter haalde zijn schouders op, kennelijk net zo verbijsterd als zij. Lila was gewend dat haar team haar publiciteit stevig in de hand had. De Roses waren invloedrijke mensen die zich de allerbeste pr-machine konden veroorloven. Lila was gewend dat alles op rolletjes liep. Ze werd alleen gefotografeerd als dat noodzakelijk was: bij filmpremières of prijsuitreikingen. Ze was niet zo'n derderangssterretje dat door de paparazzi gekiekt werd wanneer ze onopgemaakt naar buiten glipte om een pak melk te kopen. Bovendien wist zelfs haar personeel het adres niet. Afgezien van Peter en de chauffeur had ze iedereen naar een boetiekhotel in de oude binnenstad gestuurd.

Haastig belde Peter naar het huis, zodat de poorten openzwaaiden zodra ze kwamen aanrijden. De ruiten van de Mercedes waren geblindeerd, maar voor de zekerheid boog Lila zich voorover en verborg ze haar hoofd in haar armen.

'Dat was gek,' zei Peter, toen de auto de hoek om vloog en abrupt tot stilstand kwam.

'Wat?' Lila ging rechtop zitten.

'Ze keken niet eens naar de auto,' legde hij uit. 'Ze leken het huis ernaast in de gaten te houden.'

'O,' zei Lila. 'Dat is heel vreemd.'

Maar ze had geen tijd om erbij stil te staan. Zodra ze het portier opendeed, stormden twee kleintjes op haar af onder het roepen van: 'Mammie! Mammie!' Meteen raakte haar lichaam verstrengeld met hun armpjes en beentjes, werd haar gezicht nat van hun kussen en werd ze door een golf van pure gelukzalige liefde overspoeld.

Sinds vorige week de schoolvakantie was begonnen, hadden Sebastian, zeven, en Louisa, net vijf, bij hun grootouders gelogeerd. Lila had hen vreselijk gemist. Ze zagen er gebruind en gezond uit, en Sebby's blonde haar was bijna wit geworden in de zon. Daarna richtten de kinderen hun aandacht op hun geliefde Peter en kon Lila haar ouders omhelzen.

'Dag wijfie,' zei haar vader, terwijl hij haar stevig omarmde. 'Hoe was je vlucht?'

'Prima,' antwoordde ze. 'We hadden vertraging, maar we zijn heelhuids aangekomen. Dag mam.'

Lila kuste haar moeder hartelijk en gaf een kneepje in haar hand. 'Wat zie je er goed uit,' zei ze, en ze meende het ook. Sinds ze vorig jaar in Spanje waren gaan wonen, waren de jaren van hen afgegleden. Eerst had ze met afgrijzen gereageerd toen ze met alle geweld naar Marbella wilden verhuizen. Marbella nota bene, had ze gedacht. Wat vreselijk nouveau riche! Ze had aangeboden een huis voor hen te kopen waar ze maar wilden. Letterlijk overal op de wereld waar ze maar wilden. En ze hadden dit uitgekozen. Getver! Maar het feit was dat de ene helft van hun vrienden van de golfclub uit Cheshire naar Zuid-Spanje was vertrokken en de andere helft bleek een timeshare in de buurt te hebben, dus had ze met tegenzin moeten toegeven dat het eigenlijk een logische keus was. Ze moesten rekening houden met haar vaders jicht, en het klimaat hier leek hem goed te doen. Nu golfde hij weer elke dag en haar moeder was zo ongeveer aan haar tweede jeugd begonnen. Ze ging enthousiast winkelen in de designerboetieks en maakte om de haverklap afspraken bij de manicure en de pedicure. Vol trots verkondigde ze dat zij en 'de meisjes' (stuk voor stuk boven de zestig) nu 'lunchende dames' waren.

En de villa zelf was schitterend. Daar had Lila wel voor gezorgd, door hem persoonlijk uit te kiezen. Hij was door een architect ontworpen, lag aan een van de meest exclusieve lanen van de stad en beschikte over een privéstrand. Lila was blij dat haar ouders van hun nieuwe renteniersleven genoten. Ze hadden er dan ook jarenlang hard genoeg voor moeten ploeteren, haar vader als accountant en haar moeder als verpleegster. Ze hadden dit verdiend. En het allerbeste was dat ze hier niet de ouders van Lila Rose waren. Niet zoals thuis, waar iedereen Lila's carrière van Britse soapie tot Hollywoodechtgenote had gevolgd. In Marbella waren ze gewoon Eve en Brian Brown uit Knutsford, en dat was precies wat ze wilden. Lila zou zich op de achtergrond houden tijdens haar bezoek. Ze wilde niet dat de ware identiteit van haar ouders zou worden ontdekt.

Eve rekte haar nek naar de Mercedes alsof ze verwachtte dat er nog iemand zou uitstappen.

'Brett komt niet, mam,' legde Lila kalm uit. 'Nog niet in elk geval. Er kwam iets tussen.'

41

'Waar is papa?' vroeg Louisa op dwingende toon. 'Je zei dat papa zou komen, mammie.'

Sebby fronste zijn voorhoofd. 'Papa komt niet, Lulu.'

'Maar hij heeft het belóófd!' Louisa barstte in tranen uit. 'Hij zei dat hij zou komen!'

'Wat maakt dat nou uit?' reageerde Sebastian, iets te wijs voor een zevenjarige.

'Het geeft niet, jongens,' zei hun opa, iets te opgewekt. 'Laten we maar naar binnengaan, zodat mama en Peter kunnen bijkomen. Daarna kunnen we ze al onze nieuwtjes vertellen.'

Toen de kinderen het huis in gingen, gaf Eve een kneepje in haar dochters hand en glimlachte triest naar haar. Even keken ze elkaar aan, en Lila wist dat haar moeder wist dat haar hart alweer was gebroken.

'Zullen we ze nu maar ons grootste nieuws vertellen?' vroeg Brian. Met een glinstering in zijn ogen bleef hij bij de voordeur staan.

'Nou, vertel maar,' zei Lila. Ze verwachtte een verslag van een overwinning bij het gemengd dubbel op de club.

'We hebben nieuwe buren.' Met zijn hoofd gebaarde hij naar de ruim drie meter hoge heg achter het huis.

'O ja?' vroeg Lila, die gepast opgewonden probeerde te klinken. 'Wat is er met die Duitser gebeurd? Ik dacht dat jullie goed met hem konden opschieten.'

'Ja, dat was ook zo,' zei Eve enthousiast. 'Dieter was een fijne vent.'

'Maar hij is uitgeweken,' verklaarde Brian.

'Uitgeweken?' vroeg Peter.

'Naar de Algarve,' legde Brian uit. 'Hij zegt dat het klimaat daar beter is – minder heet in augustus – en dat er daar een betere klasse mensen woont.'

'Maar,' vervolgde Eve opgewonden, 'dat is het nieuws niet. Het nieuws is wíé Dieters huis heeft gekocht.'

'Je raadt het nooit,' plaagde Brian.

Grinnikend keken Eve en Brian elkaar aan en ze wisselden een veelbetekenende blik uit. Lila had durven zweren dat haar moeder haast stond te springen van opwinding.

'Wie dan?' vroeg Peter, die zijn handen in elkaar sloeg en warmliep voor het spelletje.

'O, toe nou, mam,' zei Lila. 'Als je het nu niet vertelt, spat je uit elkaar.'

'Jimmy Jones en Jasmine Watts!' riep Eve uit. 'Is dat niet geweldig?'

Lila stond versteld. Haar ouders hadden een paar van de beste acteurs van de wereld ontmoet. Hun schoonzoon was een Oscarwinnaar, maar ze raakten helemaal door het dolle heen vanwege een of andere voetballer die met zijn glamourvriendin in het huis ernaast zou komen wonen. Ze keek naar Peter, in de hoop een gekwelde blik uit te wisselen van 'snap je mijn ouders nou?' en zag tot haar afschuw dat ook haar beste vriend in alle staten was.

'Hoe bestáát het?' gilde hij. 'Wat énig! Da's nog beter dan de Beckhams als buren.'

Nou ja, dacht Lila, dat verklaarde in elk geval de paparazzi op straat. Zolang ze zich gedeisd hield, zou ze de privacy van haar ouders niet hoeven te verstoren.

In de loop van het interview ontspande Jasmine zich en nu praatte ze honderduit over hoe het stel elkaar had leren kennen (in de Exotica, de 'exclusieve' club in Leicester Square waar ze had gedanst), hun eerste date (een glamourbruiloft van een voetballer in een Frans kasteel), het aanzoek (champagne, diamanten en vuurwerk op een privéstrand op de Malediven) en hun eerste huis (een landhuis in Hertfordshire met zestien slaapkamers – en een slotgracht).

Grace was blij dat ze niet op haar steno hoefde te vertrouwen om alles te noteren en hoopte dat de batterijen van haar dictafoon niet leeg zouden raken. Het was vrij goed materiaal, en Jasmine leek nog lang niet uitgepraat te zijn. Jimmy daarentegen had nog amper een woord gezegd. De meeste tijd staarde hij wezenloos voor zich uit, schijnbaar niet geïnteresseerd in Grace' vragen of Jasmines geanimeerde antwoorden. Af en toe, wanneer zijn verloofde hem aanspoorde, mompelde hij iets als: 'Ja, klopt, Jazz.' Of: 'Weet ik niet meer, schat.' Op een paar specifieke voetbalvragen antwoordde hij weliswaar met ja of nee, maar over het algemeen zweeg hij. Althans, totdat Grace over Jasmines carrière begon.

'Dus hoe denk je dat je carrière gaat verlopen?' vroeg Grace.

Jasmine deed haar mond open om iets te zeggen, maar nog voordat ze kon antwoorden, sprong Jimmy erbovenop.

'Als ze eenmaal mevrouw Jones is, gaat ze niet meer uit de kleren,' verklaarde hij met een beschermend klopje op Jasmines blote dijbeen.

Jasmine keek een beetje verbaasd. 'Nou, ik blijf nog wel mijn modellenwerk doen,' zei ze.

'Maar geen blote tieten,' zei Jimmy fel.

'Nou, daar hebben we het nog niet zo over gehad, hè schat?' Jasmine leek een beetje verbouwereerd.

'Wat valt er te bepraten?' vroeg Jimmy. Hij haalde zijn hand van haar been af en sloeg zijn armen over elkaar. 'Een getrouwde vrouw hoort haar tieten niet te laten zien. Zoiets doe je gewoon niet. Ik wil niet hebben dat de kerels in de kleedkamer naar mijn vrouw zitten te lonken, laat staan de fans!'

Grace zag Blaine een waarschuwende 'JimJazzmerk'-blik geven en glimlachte in zichzelf. Het begon interessant te worden. Er heerste spanning in het kamp.

'Dat is wat ik doe, Jimmy. Toch? Ik ben glamourmodel. Wat moet ik beginnen als ik dat niet meer kan?'

Jimmy haalde zijn schouders op. 'Wat doen de anderen?'

Grace nam aan dat hij de andere voetbalvrouwen bedoelde.

'Die gaan winkelen, lunchen en laten hun nagels doen,' antwoordde Jasmine. 'Ik zou me gaan vervelen. Ik ben gewend om te werken.' Jasmine glimlachte lief naar haar verloofde, maar haar toon was opstandig. Die meid liet niet met zich sollen.

Grace bekeek de woordenwisseling met de geestdrift van een toeschouwer op het Centre Court van Wimbledon.

'Schrijf een boek, ontwerp wat kleding, doe wat Colleen doet,' stelde Jimmy voor. 'Maar je laat niet meer je tieten zien, hoor je?'

'Toe nou, jongens,' lachte Blaine nerveus. Hij probeerde net te doen alsof het allemaal een grapje was. 'Laten we maar weer verdergaan met het gesprek, hè?'

Maar Grace was niet van plan zich door Blaine de sappigste details te laten ontzeggen. Haar reputatie als een van de meest genadeloze interviewers van Fleet Street had ze niet verworven door moeilijke vragen te ontwijken. Ze keek Jimmy strak aan.

'Is dat niet aan Jasmine om te beslissen? Het is toch haar carrière? Zou ze niet zelf moeten uitmaken wat ze al dan niet graag wil doen?'

In Jimmy's ogen vlamde woede op. 'Dat gaat jou niks aan,' snauwde hij. 'Dat is iets tussen mijn aanstaande vrouw en mij.'

Grace haalde haar schouders op en wendde zich tot Jasmine, die haar met een zweem van een glimlach aankeek. Daarna zei ze: 'We praten er later nog wel over, Jim.' Maar toen ze Grace' blik beantwoordde, was het duidelijk dat ze haar steun op prijs had gesteld.

'Ach, ik heb er genoeg van,' zei Jimmy, terwijl hij plotseling opstond. 'Het is veel te warm. Ik moet nodig afkoelen. Ik ga even een duik nemen.'

'Goed idee!' riep Blaine, terwijl Jimmy zich tot op zijn Speedo-zwembroek uitkleedde, naar het zwembad rende en met een soepele duik onder het turkooizen water verdween.

'Sorry,' zei Jasmine zachtjes. 'Hij is gewoon verlegen. Hij bedoelt het niet zo...'

'Afwerend?' opperde Grace.

Blaine wierp haar een waarschuwende blik toe. Gemaakt onschuldig glimlachte ze hem toe.

'Hij is niet afwerend,' antwoordde Jasmine. 'Hij is alleen niet zo goed met woorden, meer niet.'

'Niet over doorgaan, Grace,' waarschuwde Blaine. Grace kende hem goed genoeg om te weten dat hij het interview zou beëindigen als hij dat gepast vond, dus bracht ze het gesprek snel terug op Jasmines opvoeding.

9

Frank Angelis woonde aan de meest exclusieve *alameda* in het duurste gedeelte van Puerto Banus. Toen Charlie langzaam door de met palmbomen geflankeerde laan reed, was het alsof hij in een ansichtkaart was terechtgekomen. De hemel was volmaakt, wolkeloos blauw en de hoge muren aan weerszijden van de straat waren zuiver, helder wit en er hingen knalroze bougainvilles overheen. Turend naar de oprijlanen zag hij dat de ene villa nog weelderiger was dan de andere. Elk huis was anders en ze leken allemaal een bepaald thema te hebben: er was een Marokkaans paleis, een Mexicaanse haciënda, een jugendstilhuis in de vorm van een oceaanstomer, een Chinese pagode en zelfs een piramide nota bene! Aan het eind van de laan vond hij The Gables, een reusachtig, wanstaltig Engels herenhuis in pseudo-*georgian* stijl met een gebogen oprijlaan, een glooiend gazon, in figuren gesnoeide heggen en aan de voorkant een indrukwekkende fontein. Het zag eruit als een poppenhuis op steroïden. Hier woonde Frankie.

Hij drukte op de zoemer en toen hij door het veiligheidshek werd binnengelaten, reed hij naar het huis en parkeerde onder aan een imposante trap. Bovenaan op het stenen terras, voor zijn portaal en geflankeerd door kolossale zuilen, stond Frankie Angelis. Hij droeg een rode zijden kamerjas en zwarte leren sloffen. Zijn dikke bos wit haar wuifde zachtjes in het zeebriesje, waaronder een grote kale plek te zien was. Zoals altijd lurkte hij zelfingenomen aan een bovenmaatse sigaar. Twee aantrekkelijke blondines in bikini torenden aan weerszijden boven de bejaarde man uit. De meisjes hielden ieder een elleboog vast en glimlachten onnozel tegen hun baas op een bespottelijk onderdanige manier. Charlie moest zijn lachen inhouden toen hij uit de jeep stapte. Hij had al gehoord dat Frankie zich als de Hugh Heffner van Marbella had ontpopt, maar om het met eigen ogen te zien, was iets heel anders.

'Charlie, jongen!' riep Frankie vanaf zijn verheven positie als heer en meester van zijn kasteel. 'Je bent oud geworden.'

Charlie grinnikte. 'Tja Frank, dat overkomt ons allemaal, helaas. Maar jij ziet er goed uit.'

Met twee treden tegelijk holde hij de trap op en stak Frankie zijn hand toe. Frankie schudde de meisjes van zijn armen en omhelsde Charlie stevig. De oude man voelde sterker dan hij eruitzag. Door de jaren heen was hij een beetje gekrompen, maar onder zijn zijden gewaad was hij nog steeds gebouwd als een huis. Een ijzeren vuist in een fluwelen handschoen, herinnerde hij zich. Zo had zijn ouweheer Frank Angelis jaren geleden beschreven toen hij Charlie had gewaarschuwd hem nooit te dwarsbomen.

Frank Angelis – of 'de Engel' zoals hij in het vak bekendstond – was een gangster van de oude school. In de jaren zestig had hij in Londen een enorm rijk van nachtclubs, bars en bordelen opgebouwd. Toen Charlie in het East End opgroeide, leek iedereen die hij kende op de een of andere manier voor hem te werken, zelfs zijn ouweheer. De Engel stond bekend als een schappelijke baas als je deed wat je werd opgedragen, en trouw werd door hem royaal beloond.

Zijn vader was de Engel altijd trouw gebleven en had zelfs een keer voor hem gezeten. Daar had hij zijn ouders over horen ruziën. Zijn moeder snapte niet waarom zijn vader voor Frankie moest opdraaien. Zijn vader had alleen gezegd dat het nu eenmaal zo was. Charlie zag zijn ouweheer nog voor zich, gekleed in zijn beste pak om naar de rechtbank de Old Bailey te gaan. Zijn moeder had haar favoriete roze hoed gedragen. Angelis had een taxi gestuurd en toen ze in al hun glorie waren ingestapt, had het Charlie toegeschenen alsof zijn ouders naar een tuinfeest op Buckingham Palace gingen. Hij zou zijn vader drie jaar niet zien.

Hij herinnerde zich nog altijd zijn schaamte omdat zijn vader in de gevangenis zat. De medelijdende blikken van leraren en de manier waarop de ouders van de 'nette' kinderen hun jongens niet met hem lieten spelen. Elke dinsdag nam zijn moeder de bus naar de gevangenis Wormwood Scrubs. Ze zei dat hij te jong was om mee te gaan. Toen zijn vader eindelijk vrijkwam, wachtte er in een groene buitenwijk in Essex een nieuw huis op de Palmers. Het had drie slaapkamers, een blinkende nieuwe keuken en een leuk tuintje. Het was een bedankje van de Engel. Dat was heel wat beter dan hun gore flat in Bethnal Green. 'Zie je nou wel?' had zijn vader tegen zijn moeder gezegd. 'Frankie zorgt altijd goed voor zijn mensen.'

'Hm,' had zijn moeder geantwoord. Ze was nooit dol op Frank Angelis geweest.

Later, toen hij op zijn zestiende van school af ging, ging hij zelf ook voor Frankie werken. Het was 1982, en hoewel de City bloeide, door yuppen die er met geld smeten, kampte de rest van Londen – het echte Londen – met een recessie. Nog nooit was de werkloosheid zo hoog geweest. Voor mensen als Charlie was er geen werk. Maar Frankie Angelis had hem een baantje aangeboden als boodschappenjongen. Hij reed Frank overal naartoe, stond op wacht bij de ingang van zijn clubs en waarschuwde herrieschoppers dat ze weg moesten blijven. Charlie merkte dat hij goed was in zijn werk. Hij was een potige vent geworden die de mensen angst inboezemde. Frank gaf hem meer verantwoordelijkheden en betaalde goed. Algauw had Charlie mooie kleren, een leuke Golf GTI en een flat in de trendy wijk Docklands. Maar er hing wel een prijskaartje aan. De eerste keer dat hij een man had gedood, hadden zijn handen zo getrild dat hij nauwelijks de trekker kon overhalen. Het slachtoffer – een Chinees die geld van Frankie had gestolen – was een klein ventje en dat vond Charlie oneerlijk. Maar Frankie had achter hem gestaan en hem bevolen het te doen, dus er zat niets anders op. Na afloop had hij zijn longen uit zijn lijf gebraakt en dagen niet kunnen slapen. Maar na die eerste keer werd het makkelijker.

Na verloop van tijd was Charlie voor zichzelf begonnen. Hij had aandelen in zijn eigen clubs en restaurants gekocht en bezat zelfs een paar windhonden die meededen aan windhondenrennen in het Walthamstowstadion. Maar totdat Angelis een jaar of tien geleden naar Spanje was verhuisd om van zijn 'pensioen' te genieten (kort na de geheimzinnige dood van een jonge markies in een van zijn clubs), was hij zo nu en dan voor hem blijven werken. Hij had het altijd moeilijk gevonden om nee te zeggen tegen de Engel.

Volgens geruchten beheerde Frankie nog steeds een paar kleine bordelen in Soho, maar tegenwoordig was zijn invloed lang niet meer zo groot als in zijn bloeitijd. Iedereen wist dat Frankie Angelis nooit meer een voet op Britse bodem zou zetten, dus waren er grenzen aan wat hij kon doen. Hij was nu een oude man. Een uitstervend ras. Toch voelde Charlie zich nog altijd verplicht om bij de Engel een beleefdheidsbezoek af te leggen. Al was het alleen maar als herinnering aan vroeger.

Natuurlijk wist Charlie best dat er niets engelachtigs aan Angelis was. In zijn jeugd was hij bevriend geweest met de gangstertweeling Reggie en Ronnie Kray, en hij hield er hetzelfde werkethos op na. Het enige engelachtige aan hem was dat als je hem benadeelde, zijn gezicht waarschijnlijk het laatste zou zijn wat je zou zien voordat je de Schepper zou ontmoeten. Maar omdat de Palmers Frankie nooit hadden benadeeld, werd Charlie als een verloren zoon binnengehaald. Frankie hield Charlie op armlengte van zich af en bekeek hem van top tot teen.

'Je bent gebouwd zoals je vader, maar je lijkt op je moeder, jongen. Dat is maar goed ook, want je ouweheer is nooit een schoonheid geweest.' Frankie lachte en hijgde tegelijk, terwijl hij de rook van zijn sigaar in Charlies gezicht blies. 'Hoe hij ooit je moeder aan de haak heeft geslagen is me nog altijd een raadsel. Zo'n mooie meid, die moeder van jou. Ik was er kapot van toen ik hoorde dat ze was heengegaan. Helemaal kapot. Ik zou graag voor de begrafenis zijn overgekomen, maar je weet hoe de zaken ervoor staan, jongen. Ik leef hier in ballingschap.' Hij liet Charlies armen los en zwaaide theatraal met zijn hand door de lucht. Een joekel van een gouden muntring fonkelde in de zon. 'Dit, mijn jongen, is mijn gevangenis, en het zal ook mijn laatste rustplaats zijn. Het breekt mijn hart dat ik de groene weiden van Engeland nooit meer zal zien.'

'Nou, het is in elk geval beter dan Wormwood Scrubs,' grinnikte Charlie met een blik naar Frankies herenhuis.

'Dat is zo, knul. Dat is inderdaad zo. Kom nu maar binnen. We hebben heel wat in te halen.'

Charlie liep achter Frank en zijn meiden aan door een enorme vestibule met een marmeren vloer en muren behangen met oude zwaarden, antieke pistolen en zelfs een magnifiek gouden kapmes. Ze kwamen langs een staatsietrap die in *Gejaagd door de wind* niet zou hebben misstaan en gingen een weelderige zitkamer binnen met zware mahoniehouten meubels, oosterse tapijten en een enorme, rijkelijk versierde open haard. Aan de schoorsteen hing een levensgroot portret van Frankie gekleed in groot tenue voor de vossenjacht. Ongelovig staarde hij naar het schilderij. Frank Angelis was nog nooit van zijn leven op vossenjacht geweest!

Door openslaande deuren kwamen ze uit bij nog een reusachtig stenen terras met een schitterend uitzicht over de boomtoppen heen naar de zee in de diepte. Onder het terras lag een prachtig zwembad dat als *eternity pool* was ontworpen, zodat het eruitzag als een echt meertje. Het water kabbelde over de randen van het plankier en er waren verschillende houten platforms die midden in het water uitstaken. Overal waar hij keek, zag hij welgevormde blonde babes die lagen te zonnebaden, zaten te babbelen of op hun rug aan het zwemmen waren, zodat hun blote borsten in de lucht staken.

'Wow! Dat is nog eens een zwembad,' zei Charlie, die niet precies wist hoe hij op het tafereel moest reageren.

'Ja, ik wilde het laten lijken op de mannenvijver in Hampstead Heath. In dat park heb ik in mijn jeugd heel wat leuke dagen doorgebracht voordat die verdomde flikkers de boel overnamen.'

'En zoveel, eh, meiden!' zei Charlie. Hij kon niet voorbijgaan aan het feit dat er wel tien jongedames her en der door de tuin verspreid lagen, maar wist niet goed hoe hij ze moest noemen.

Frankie stootte weer zijn kortademige lach uit en grijnsde als een waanzinnige. 'Ja, zijn ze niet mooi? Wie zei ook alweer dat geld niet gelukkig maakt? Een achterlijke sukkel, wie het ook was. Deze verrukkelijke wezens zijn mijn personeel. Ze koken, doen het huishouden, baden en troosten me. De slimsten doen zelfs mijn boekhouding. Ze spreken niet veel Engels. Oost-Europeanen, snap je. Niet zo'n grote bek als Engelse meiden, heb ik gemerkt. En nog goedkoper ook! Mijn vrienden zijn intussen allemaal dood of liggen op sterven, maar ik heb jong bloed om me heen nodig. Hier ben ik nog steeds achttien.'

Frankie klopte even op zijn borst en klapte daarna hard in zijn handen. Alle meisjes draaiden zich om en keken naar hun baas.

'Zeg eens hallo tegen mijn vriend Charlie, meiden,' beval hij.

'Hallo Charlie!' groetten ze hem enthousiast met een zwaar accent.

Charlie kon zijn ogen haast niet geloven. Elk meisje leek bijna als twee druppels water op haar buurvrouw: lang blond haar, blauwe ogen, zongebruind, met lange benen en grote blote borsten. Er was er niet één bij die een dag ouder dan vijfentwintig leek. Een paar zagen er zelfs uit alsof ze hooguit vijftien waren. Eén meisje zat op de rand van het zwembad en smeerde langzaam zonnebrandcrème op haar naakte borsten. Terwijl ze daarmee bezig was, staarde ze naar Charlie met haar mond wijdopen en bevochtigde ze haar voortanden met haar tong. Hij merkte dat hij bloosde en wendde zijn blik af, maar werd onmiddellijk geconfronteerd met een spiernaakte schoonheid die vlak voor hem druipend uit het water verrees. 'Oeps,' giechelde ze, waarna ze zich vooroverboog en hem een goed uitzicht op haar blote billen gunde. Ze raapte een minuscuul bikinibroekje uit het zwembad op en trok het langzaam aan.

Het was duidelijk dat ze hier waren als Frankies seksslavinnen – zijn harem – maar toch leken ze dolblij met hun situatie te zijn. Dit waren vast de gelukkigen, dacht hij. Frankie moest vanwege zijn betrokkenheid bij bordelen thuis in Engeland enige zeggenschap hebben over de invoer van meisjes uit Oost-Europa. Charlie keek naar de mooie wezens voor hem, met hun volmaakte lichamen en hun fijne Slavische trekken, en vermoedde dat deze meisjes voor de baas waren afgeroomd. Hun minder aantrekkelijke vriendinnen en zussen zaten waarschijnlijk opgesloten in een of andere ellendige hoerenkast in Londen.

Zijn maag draaide om bij die gedachte. Hij had alles al eens gezien – moord, marteling, afpersing – maar het enige waar hij niet tegen kon was de seksindustrie. Jonge meisjes die werden verhandeld voor seks? Nee, dat was volkomen verkeerd.

Achter het zwembad stond een houten tuinhuis, wit geschilderd en met een duiventil op het dak. Frankie voerde Charlie er langs het zwembad heen naartoe. Binnen stonden een goed voorziene bar en een paar ouderwetse rieten tuinmeubels.

'Drankjes graag, Yana,' beval Frankie. 'We nemen Pimm's, denk ik.'

Charlie was verbijsterd door Frankies bedoening aan de Costa del Sol. Het leek net een pretpark in Florida dat als 'Engeland' was ingericht. Maar niet het Engeland dat Charlie kende. Welnee. Of het Engeland waartoe Frank zelf had behoord. Ze waren allebei stedelingen, opgegroeid om bijdehand en goed met hun vuisten te zijn, niet om cricket te spelen op de dorpsweide. Ze reisden per bus, metro en taxi, niet te paard door de velden. Ze kenden elk steegje van Camden Town tot Camberwell, maar geen van beiden had ooit een voet in een echt landhuis gezet. Dit kleine stukje Engeland kwam regelrecht uit Frankies verbeelding. Blijkbaar had hij zijn eigen maatschappelijke positie opgebouwd omdat hij vond dat hij die thuis ergens had gemist.

'Nou, vertel eens, Charlie,' zei Frankie, toen Yana hun een drankje kwam brengen en een ander meisje, Ekaterina, Frankies sigaar met een gouden Zippo-aansteker opnieuw aanstak. 'Wat kom jij eigenlijk doen in Marbella?'

Charlie haalde zijn schouders op. 'Londen is veranderd, Frank,' legde hij uit. 'Dat hoef ik je vast niet te vertellen. Gewapende agenten die in de metro patrouilleren, Russen die hele straten in Belgravia opkopen, kinderen die met wapens naar school gaan, Jamaicaanse dealers die het gebied ten zuiden van de rivier hebben overgenomen. Alles heeft tegenwoordig alleen nog maar met drugs te maken. In drugs ben ik nooit geïnteresseerd geweest, Frank, dat weet jij ook. Londen voelt niet meer als thuis. Er zijn geen echte Londenaren meer over.'

'Hoe zit het met Essex? Je ouders hebben hard gewerkt om je daar te krijgen,' bracht Frankie hem in herinnering.

Charlie wist dat de oude man dankbaarheid verwachtte en was op zijn hoede om hem niet te beledigen.

'Weet ik, Frank. En ik stel je hulp erg op prijs. Mijn vader en moeder waren veel gelukkiger toen ze eenmaal uit het East End weg waren. Maar voor mij is het niks. Misschien zou ik me er thuis kunnen voelen als ik een vrouw en kinderen had. In Buckhurst Hill misschien of in Wanstead. Maar ik heb alleen mezelf om voor te zorgen en bovendien was de vorige klus die ik deed een beetje, eh, lastig. Het leek me verstandiger om er maar helemaal tussenuit te knijpen, als je snapt wat ik bedoel.'

Frankie knikte ernstig en rookte zijn sigaar. 'En nu, mijn jongen?'

Charlie haalde zijn schouders op, hief zijn glas en zei: 'Zon, zee en een beetje van dattum, als ik mazzel heb!'

Hij keek uit over de zee en stelde zich voor dat hij elke ochtend met zo'n uitzicht wakker werd. Hij snakte ernaar zijn eigen plekje te hebben. Tegen de helderblauwe Middellandse Zee kon die stinkende grijze Theems niet op.

'Je bent toch niet van plan om met pensioen te gaan?' vroeg Frankie. Het klonk eerder als een waarschuwing dan als vraag en ondanks de brandende hitte voelde Charlie een koude rilling over zijn rug lopen.

'Je bent veel te jong om ermee op te houden, Charlie. Je moet een vinger aan de pols houden. Zonder doel in zijn leven is een man nergens.'

Charlie keek naar de oude man met zijn dure prostituees aan zijn zij, en vroeg zich af wat het doel in Frankies leven tegenwoordig was. Familie had hij niet. Geen vrouw om zijn mooie huis mee te delen, geen kinderen om zijn fortuin aan na te laten en geen kleinkinderen om te verwennen. En een echte carrière had hij ook niet meer. Bij de grote jongens hoorde hij niet meer. Thuis beschouwde iedereen hem als een dinosaurus. Oké, hij had nog een paar vingers in de pap, maar dat was alleen omdat de echte grote jongens dat toelieten uit een soort eerbied voor zijn leeftijd en zijn aanzien in het verleden. Eerlijk gezegd was hij het mikpunt van spot geworden. Frankie Angelis en zijn soort waren precies de reden waarom Charlie eruit wilde stappen. Zelf wilde hij zijn oude dag niet op deze manier slijten. Hij wilde helemaal kappen. Hij wilde een aardig meisje leren kennen, zich ergens settelen, een paar kinderen krijgen en voor de verandering misschien zelfs een echte baan proberen. Maar hij wist dat Frankie dat niet zou begrijpen.

'Ik weet niet wat de toekomst zal brengen, Frankie,' zei Charlie peinzend. 'Maar voorlopig heb ik gewoon behoefte om er even tussenuit te zijn.'

Frankie zoog zo hard aan zijn sigaar dat de gebronsde huid boven zijn dunne bovenlip zich plooide als oud leer. Met zijn linkerhand streek hij over zijn hals, waar Charlie een grote wijnvlek in de vorm van een hart ontdekte. Frankie keek Charlie met fletse grijze ogen aan en zei grimmig: 'Da's jammer. Ik had je om een gunst willen vragen.'

O nee, dacht Charlie, met een wee gevoel. Daar zullen we het hebben. Frankie stond op het punt hem een klus aan te bieden. En hij wist wat dat betekende. Hij had altijd op zijn instinct vertrouwd en zijn instinct waarschuwde hem nu dat hij moest vluchten. Maar dat kon natuurlijk niet.

'Ik werk niet, Frankie,' zei Charlie. Hij probeerde eerbiedig te blijven tegenover de oude man, maar hield niettemin voet bij stuk.

'O, het is maar een klein klusje, Charlie, jongen,' hield Frankie vol. 'Het is zo gepiept. Ik zorg dat het de moeite loont. Als je wilt, zou ik hier in de buurt een leuk huisje voor je kunnen versieren.'

Charlie wist niet hoe hij het had. Een pand in deze buurt kostte een paar miljoen. Het zou beslist niet om een klein klusje gaan. Toch zou hij zich zelfs door de verleiding van een luxevilla niet van gedachten laten veranderen. Hij had zijn eigen geld en hij zou zelf wel een aardig appartementje kopen.

'Nee, heus Frankie. Ik ben niet beschikbaar voor klussen, zelfs niet voor kleintjes.'

'Toe nou, Charlie. Je wilt me toch niet beledigen, of wel soms? Wat zou je arme dode vader daarvan zeggen?'

Hij zou zeggen: wees voorzichtig, jongen. IJzeren vuist in een fluwelen handschoen, goed onthouden... Charlie vervloekte zichzelf omdat hij was gekomen. Wat had hij dan gedacht dat er zou gebeuren?

'Nee, echt Frank. Het spijt me, maar ik heb ik geen belangstelling.'

Frankies blik bleef nog een paar tellen strak op hem gericht. Charlie schuifelde onbehaaglijk heen en weer en nam een slokje van zijn drankje. Eindelijk leek Frankie zich te ontspannen.

'Ach, het geeft niet,' zei hij opgewekt. 'Ik heb nog alle tijd om je om te praten. Je zult je vast gauw gaan vervelen.'

Hij stootte zijn kortademige lach uit, sloeg Charlie op zijn rug en grijnsde. Een gouden tand glinsterde in een straal zonlicht die door de ramen van het tuinhuis naar binnen scheen. Charlie voelde zich enigszins opgelucht, maar wist dat de zaak nog lang niet achter de rug was. Dit probleem zou binnenkort weer de kop opsteken en de volgende keer moest hij voorbereid zijn.

'Dus wat zijn je plannen, Charlie?' vroeg Frankie.

'Nou, eerst ga ik mijn peetdochter opzoeken...'

'Ach, ja. Die doet het goed, merk ik,' zei Frankie met een fonkeling in zijn ogen. 'Knappe meid om te zien, nietwaar?'

Charlie knikte, maar kreeg een onbehaaglijk gevoel bij de gedachte dat Angelis zijn peetdochter bewonderde.

'Ze heeft me nooit kunnen uitstaan,' vervolgde Frank. 'Haar vader heeft haar al op jonge leeftijd tegen me opgestookt.'

Glimlachend dacht Charlie aan zijn beste vriend en zijn verheven morele waarden. 'Tja, Kenny was altijd een brave jongen, Frankie. Van ons wetsovertreders moest hij niets hebben.'

'Ik heb nooit begrepen waarom je je tijd met hem hebt verspild, Charlie. Een jongen met talent die zich met die laffe pooier inlaat.'

'Hij was als een grote broer voor me,' legde Charlie uit. 'Hij nam me al in bescherming toen ik de luiers nog niet ontgroeid was.'

'Toch jammer wat er met hem is gebeurd, hè?' hernam Frankie, zonder dat hij er rouwig uitzag. 'Kanker was het toch?'

Charlie knikte, onwillig om met iemand als Frankie Angelis verder uit te weiden over zijn arme overleden beste vriend. Zelfs nu deed het nog pijn als hij er alleen maar aan dacht.

'En wat is er in godsnaam met die zus van hem gebeurd?' wilde Frankie weten, op geanimeerde toon. 'Ze was een lekker mokkel, herinner ik me, en opeens was ze helemaal de weg kwijt, hè?'

Charlie haalde zijn schouders op. 'Het gaat goed met haar,' zei hij zachtjes. 'Hoe dan ook...' Hij stond op en dronk zijn glas leeg. 'Ik moet er weer vandoor.'

'Nu al?' vroeg Frankie. Hij zag er oprecht teleurgesteld uit, en onwillekeurig vroeg Charlie zich af of hij veel bezoek kreeg, afgezien van zijn meisjes uiteraard.

Terwijl hij wegreed van het gekkenhuis van Angelis keek hij in zijn achteruitkijkspiegel. Frankie Angelis stond op zijn trap statig te zwaaien geflankeerd door Yana en Ekaterina. Het was een beeld dat Charlie nooit meer wilde zien.

10

Jasmine was nu goed op dreef. Ze leek Grace dankbaar te zijn geweest voor haar steun toen Jimmy zich kwaad had gemaakt omdat ze in een striptent werkte. Sinds Jimmy er niet meer bij zat, was Jasmine maar al te bereid om Grace' indringende vragen te beantwoorden. Nog beter was dat Blaine overhaast was verdwenen om een 'zeer belangrijk zakelijk gesprek' aan te nemen en het interview aan de vrouwen had overgelaten.

'Waarschijnlijk over *Big Brother*,' legde Jasmine uit met een vertwijfelde blik. 'Hij wil de controle over de deelnemers krijgen als ze uit het huis komen. Als dat lukt, wordt het een goudmijntje.'

Dat zit er dik in, dacht Grace. Daarna richtte ze haar aandacht weer op het glamourmodel. 'Vertel eens, Jasmine, is het waar dat je moeder prostituee was?'

Jasmine knikte een beetje schaapachtig en bloosde onder haar bruine kleur. 'Nou, dat is toch geen geheim?' reageerde ze op zachte toon. 'Het heeft in alle kranten gestaan dat mijn moeder in het leven zat.'

'En dat ze aan de drugs was?'

Jasmine beet op haar lip en staarde naar een punt boven Grace' hoofd. Haar kaken hield ze stevig op elkaar geklemd, maar haar ogen waren vochtig. Grace kon merken dat het onderwerp het meisje van haar stuk bracht.

'Ja, ze is een poosje aan de drugs geweest. Heroïne en crack. Maar dat was niet echt haar schuld – de pooiers zorgen dat hun hoeren verslaafd raken om hen in hun macht te krijgen. In ieder geval is ze nu clean. We hebben haar naar The Priory gestuurd om af te kicken.' Jasmine hief haar blik op naar Grace. 'Dat heeft Jimmy betaald. Zulke dingen doet hij nu eenmaal. Hij geeft om zijn familie.'

'Het moet vreselijk voor je zijn geweest om in die omstandigheden te moeten opgroeien...' suggereerde Grace.

'Tja, nou...' beaamde Jasmine onzeker. 'We hadden geen geld en ik denk dat wij het eenvoudigste gezin in het hele flatgebouw waren, weet je wel. Op school zeiden ze dat ik stonk. Dat was waarschijnlijk ook zo, want mijn moeder stopte ons nooit in bad of zo. Pas toen ik wat ouder was – een jaar of twaalf – begon ik me er druk om te maken.' Ze boog zich naar voren en fluisterde op samenzweerderige toon: 'Ik ben er niet trots op, maar vroeger jatte ik Impul-

54

se bij de drogist, zodat ik lekker zou ruiken. Ik vind het nu nog fijn om lekker te ruiken.' Ze hield haar ranke pols onder Grace' neus. 'Vind je dat lekker?' vroeg ze ernstig.

Grace knikte. Gek genoeg rook Jasmine naar jasmijn.

'Dat heb ik trouwens niet gejat,' zei ze grinnikend. 'Nu kan ik het zelf kopen.'

'Maar hoe ben je aan die situatie ontsnapt? Dat zal niet makkelijk zijn geweest,' vervolgde Grace.

'Nou, het enige wat in mijn voordeel was – en dat bedoel ik niet verwaand of zo – maar het enige wat ik had was mijn uiterlijk. De mannen vielen altijd op me, weet je. Dus wat had ik voor keuzes? Ik was echt niet van plan om net als mijn moeder voor hoer te gaan spelen, dus toen mijn stiefvader een striptent voorstelde, dacht ik: waarom niet?'

'Je stiefvader?' riep Grace ontzet uit. Haar eigen vader was diep teleurgesteld geweest toen ze besloot om niet rechten te gaan studeren. Hij vond de boulevardjournalistiek al ranzig, laat staan strippen!

Jasmine knikte. 'Ja... nou, nee. Eigenlijk is hij niet mijn stiefvader, want hij is nooit met mijn moeder getrouwd, maar ze zijn al jaren samen en hij heeft altijd bij ons gewoond. Uiteraard heeft mijn moeder dat nooit aan de sociale dienst verteld... Als die erachter was gekomen dat Terry bij ons woonde, zouden we de flat zijn kwijtgeraakt.'

Grace had haar research goed gedaan en wist dat dit een nieuwe invalshoek was. Over de rol die haar familie bij haar carrière had gespeeld, had Jasmine nog nooit eerder gesproken. Over die Terry had ze het ook nog nooit gehad. Wie was die vriend die een schoolmeisje een striptent in dwong? Het werd tijd om te gaan vissen.

'Vond je dat niet een beetje raar?' vroeg Grace voorzichtig. 'De meeste vaders proberen juist te voorkomen dat hun dochters uit de kleren gaan.'

Jasmine was afgeleid. De puppy was op haar schoot gesprongen en likte haar enthousiast in haar gezicht. 'Af, Annie!' gilde ze half lachend. 'Je nagels zijn scherp! Sorry Grace, wat zei je?'

'De vriend van je moeder,' vervolgde Grace. 'Terry. Hij klinkt nogal onconventioneel als vaderfiguur.'

'Annie!' proestte Jasmine, tussen de hondenkussen door. 'Ik ben met Grace aan het praten. Sorry Grace, eh, ja, Terry. Nee, niet bepaald conventioneel inderdaad. Er is niets conventioneels aan Terry Hillma...'

Plotseling zweeg ze. Ze sperde haar grote ogen nog wijder open en beet hard op haar lip. Grace constateerde dat ze te veel had losgelaten. Het woord zweefde zwaar in de lucht. Hillman. Dat had ze willen zeggen. Terry Hillman. Grace voelde haar hart als een razende tekeergaan. Dit was kostelijk. Jasmines 'stief-vader' was Terry Hillman nota bene!

'Terry Hillman, als in: Sean en Terry Hillman?' vroeg ze, terwijl ze haar opwinding probeerde te verbergen. 'Als in: de broers Hillman?'

Jasmine zette de puppy weer op de grond en staarde naar haar voeten.

'Ja, niet iets waar ik erg trots op ben,' mompelde ze.

O god, dacht Grace. De beruchte broers Hillman stonden bij de plaatselij-ke pers bekend als zware jongens uit Essex toen Grace als jonge verslaggeef-ster bij een Londense krant werkte. Ze hadden vaak de voorpagina's gehaald, vooral toen Sean een jaar of tien geleden opeens vermoord bleek te zijn. Zelfs de landelijke kranten hadden daar aandacht aan besteed. Ze probeerde zich de details te herinneren. Het lichaam was in Epping Forest achtergelaten, een enkele schotwond in de borst, en niemand was ooit vanwege het incident aangehouden. Sindsdien was Terry Hillman veel rustiger geworden. Dit was groot nieuws. Waarom had niemand Jasmine Watts en de Hillmans met elkaar in verband gebracht? Grace zag haar krantenkop op de voorpagina al voor zich. Wat een primeur!

'Eigenlijk heb ik liever dat je daar helemaal niets over in de krant zet,' zei Jas-mine. Met smekende ogen keek ze op naar Grace.

Grace knikte, maar haar hart bonsde nog steeds. Dit was zo'n geweldige invalshoek. Ze kon het gewoon niet laten gaan.

'Terry is helemaal geen aardige man,' voegde Jasmine er zachtjes aan toe. 'Hij heeft mijn moeder heel slecht behandeld en mij heeft hij nooit om zich heen willen hebben.'

'Omdat je niet zijn biologische dochter bent?' vroeg Grace.

Jasmine haalde haar schouders op. 'Misschien. Maar in feite ben ik van hen allebei geen familie. Ik ben geadopteerd. Mijn vader en moeder konden zelf geen kinderen krijgen en mijn vader was dol op kinderen en snakte naar een baby. Mijn moeder zegt dat het haar niet zoveel kon schelen, maar dat de gemeente altijd de beste flats aan gezinnen met kinderen toewees, en zodoen-de kwamen ze bij mij terecht. Toen ik nog heel klein was, kreeg mijn moeder een verhouding met Terry en heeft ze mijn arme vader het huis uit geschopt.'

'Hoe oud was je?' vroeg Grace vriendelijk.

Jasmine haalde haar schouders op. 'Een jaar of twee, geloof ik. Dat kan ik me niet goed herinneren. Daarna kregen mijn moeder en Terry zelf kinde-ren. Bradley is eenentwintig, Jason is negentien en Alisha is zestien. Maar

Alisha is niet van Terry, want zij is zwart. Ik denk dat Junior, mijn moeders vroegere pooier, haar vader is, maar daar is mijn moeder een beetje vaag over. Zoals ik al zei, hebben mijn moeder en Terry nogal een knipperlicht-relatie. Terry heeft een heleboel kinderen bij verschillende vrouwen.' Ze nam een slokje thee en keek Grace strak aan. 'Jouw familie is vast netter dan de mijne,' plaagde ze.

Grace grinnikte. 'Klopt. Mijn vader en moeder, mijn grote broer en ik, de honden en de pony's. Het leven is keihard op straat in Godalming! Afgrijselijk burgerlijk, helaas.'

Op Jasmines aantrekkelijke gezicht verscheen een brede grijns. 'Nee, dat is juist goed. Dat zou ik voor mijn kinderen ook willen. Ik bedoel, neem mijn kleine zusje nou. Alisha is nog maar net van haar beugel af en heeft nu al een baby. Een meisje. Ze heet Ebony. Het is een schatje, maar eigenlijk hoort het toch niet? Wat voor toekomst heeft ze?'

'Misschien is jouw succes een stimulans voor Alisha,' opperde Grace.

'Misschien,' zei Jasmine. 'Ik bedoel, ik heb voor mijn moeder een huis gekocht ver weg van die wijk. Maar alle vrienden van Alisha wonen daar nog, dus gaat ze telkens terug. Nu zegt ze dat zij ook een glamourmodel wil wor-den, maar ik weet niet of ze er wel het juiste uiterlijk voor heeft.' Ze zuchtte. 'In elk geval zijn we nogal een allegaartje.'

Grace knikte. Opnieuw dacht ze aan haar eigen welvarende burgerlijke ach-tergrond – kostschool, skivakanties en pony's – en opeens voelde ze zich schuldig. 'Zei je dat Terry Hillman je heeft aangemoedigd om te gaan, eh, strippen?' vroeg ze.

'Ja, hij heeft me eigenlijk een dienst bewezen. Toen ik zestien was, kreeg ik een baantje bij een club waarvan zijn baas de eigenaar was. Achteraf gezien was het er erg goor, maar je moet ergens beginnen.'

'En daarna is je carrière pas goed gaan lopen?'

'Ja, ik werd ontdekt door een vertegenwoordiger van de Exotica. Dat is een chique club, waar alleen de beste meiden werken en een heleboel celebrity's komen.'

'Ooo, welke dan? Dat zou ik best willen weten...' bedelde Grace.

Jasmine giechelde ondeugend. 'Nou, alle voetballers uiteraard. Zo heb ik Jimmy leren kennen. Maar ook Hollywoodacteurs. Ik heb een keer privé gedanst voor Brett Rose, eerlijk waar!'

'Meen je dat? Mag ik dat in de krant zetten?' vroeg Grace, die zich afvroeg wat Lila Rose van dat roddeltje zou vinden.

'Ik denk van wel,' antwoordde Jasmine. 'Zo belangrijk is het toch niet? Het gaat alleen maar om een man die een vrouw bewondert. Dat doen ze allemaal.'

'O ja?' vroeg Grace. In gedachten probeerde ze McKenzie in een striptent te zien. Hij toch zeker niet?

'Nou, ze gaan misschien niet allemaal naar tenten zoals de Exotica, maar mannen lonken elke dag constant naar vrouwen. Kijk maar eens als je de volgende keer op het strand bent. Als er een mooie meid in een piepkleine bikini voorbijkomt, moeten alle mannen zich op hun buik draaien. Het is gewoon de menselijke natuur.'

'Dus je gelooft niet in de ware liefde?' vroeg Grace. 'Ik dacht altijd dat je moest trouwen met een man die alleen oog voor jou heeft.'

'Doe me een lol,' antwoordde Jasmine spottend. 'Wel in de ware liefde, maar er is geen man die niet meer op andere vrouwen geilt.'

Grace lachte. Eigenlijk had Jasmine een flinke dosis mensenkennis. Ze was helemaal niet de bimbo die ze had verwacht.

'Zelfs Jimmy niet?' vroeg Grace nieuwsgierig.

'Zelfs Jimmy niet. Hij zat naar jou te gluren toen je aankwam.'

'O ja?' Grace merkte dat ze een kleur kreeg, maar onwillekeurig vond ze het ook leuk. Jimmy was een sukkel, maar een bijzonder aantrekkelijke sukkel. Ze probeerde haar kalmte te herwinnen. 'Maar jij staat erom bekend dat zowat elke man in Engeland op je geilt. Het moet je toch een zekere mate van vertrouwen geven dat elke vrouw naar wie Jimmy kijkt niet aan jou kan tippen.'

Blozend haalde Jasmine haar schouders op. 'Dat weet ik niet. Er lopen een heleboel mooie meiden rond. Zo bijzonder ben ik niet. Bovendien is schoonheid ook niet alles. Daar kun je ook mee in de problemen raken. Door de verkeerde soort mannen aan te trekken, weet je wel? Natuurlijk weet je dat, want zelf ben je ook niet bepaald lelijk.'

Grace dacht aan McKenzie. Ja, ze was prima in staat om de verkeerde soort mannen aan te trekken: getrouwde.

'Zeg, ben je eigenlijk getrouwd?' vroeg Jasmine opeens, alsof ze Grace' gedachten had gelezen.

Grace schudde haar hoofd.

'Ben je nooit de juiste man tegengekomen?'

Grace grinnikte. 'O, dat is het niet, hoor. Ik heb al een paar keer de juiste man ontmoet, maar tot nu toe was hij altijd getrouwd met een ander.'

Daar moest Jasmine om lachen. 'Neem me niet kwalijk, het is helemaal niet om te lachen,' zei ze. 'Het lijkt me vreselijk om altijd het vriendinnetje te zijn, nooit eens de bruid.'

'Nee!' zei Grace, en ze keek Jasmine ongelovig aan. 'Soms is het juist goed om de vriendin te zijn. Ik krijg altijd de beste dingen: de romantische dinertjes, de weekends in Parijs, de geweldige seks. De vrouw krijgt de vuile sokken, de belastingaangiften en de rotbuien. En als hij alleen maar een vriendje is, kun je altijd van gedachten veranderen. Als je eenmaal met een man getrouwd bent, raak je hem niet zo makkelijk kwijt.'

'Ik zou mijn Jimmy nooit kwijt willen,' zei Jasmine met klem.

'Hoe weet je dat? Hoe kun je er zo zeker van zijn dat hij "de ware" is?'

In Jasmines neus verscheen een rimpel. 'Dat weet ik gewoon. Hij heeft alles waarvan ik heb gedroomd. En als ik niet met Jimmy trouw, pikt een andere vrouw hem in. Als ik één ding in het leven heb geleerd, is het dat je moet zorgen dat je die ring om je vinger krijgt. Een vriendin wordt door niemand serieus genomen, maar een vrouw? Een vrouw heeft macht.'

'Geloof je dat echt?' vroeg Grace. 'Maar jij hebt geld en je eigen carrière. Geeft dat je geen macht?'

Jasmine haalde haar schouders op. 'Een beetje wel, waarschijnlijk. Maar dat heb ik allemaal aan Jimmy te danken. Ik ben alleen beroemd geworden omdat ik de vriendin van Jimmy Jones was. Als ik hem niet had leren kennen, zou ik nu nog strippen in de Exotica. Zonder hem zou ik niets zijn.'

'Daar geloof ik niets van,' zei Grace. 'Ik vind dat je jezelf tekortdoet.'

'Meen je dat?' Jasmine keek verbaasd.

'Ja, dat meen ik echt. Dat bedoel ik als compliment, van de ene professionele vrouw tegen de andere, maar je bent gewoon een hartelijke, interessante, aardige jonge vrouw, om het maar eens zo te zeggen,' zei Grace. 'Ik weet zeker dat je het ver zult schoppen in elke carrière waar je je zinnen op hebt gezet, ongeacht wie je vriend is. Je hebt helemaal geen man nodig. Een aardige vent hoort gewoon een extraatje in het leven te zijn.'

Jasmine glimlachte en bloosde tegelijk. 'Bedankt,' zei ze. 'Zoiets heeft nog nooit iemand tegen me gezegd.' Toen lachte ze weer en voegde eraan toe: 'Maar ik wil nog steeds met Jimmy trouwen.'

'Nou ja, hij is ook een lekker ding,' moest Grace toegeven.

'En ook al zeg je dat je dat niet wilt, ik hoop echt dat je op een dag je ideale man tegenkomt. Je ideale ongetrouwde man. Elke vrouw verdient het om een keer de bruid te zijn.'

Grace grinnikte. 'Dat zal ik onthouden,' zei ze, hoewel ze er geen woord van meende. Daarna ging ze weer verder met het interview.

Toen Blaine terugkwam, zag hij er nog verwaander en zelfvoldaner uit dan anders. Hij ging weer bij de vrouwen zitten.

'Wat zou je hebben gedaan als je geen glamourmodel was geworden?' vroeg Grace, nu oprecht geïnteresseerd.

'Ach, met mijn achtergrond zou er weinig van me terecht zijn gekomen,' antwoordde ze spottend. 'Ik kon altijd goed leren, maar mijn moeder wilde me van school halen zo gauw het kon, zodat ik geld kon gaan verdienen. Er moest brood op de plank komen en, laten we eerlijk zijn, de universiteit van Oxford zou voor mij veel te hoog gegrepen zijn geweest, nietwaar?' Ze lachte bij het idee.

Maar Grace was wel naar Oxford gegaan, en daar had ze heel wat meisjes ontmoet die lang niet zo slim waren als Jasmine Watts.

Jasmine gniffelde om een dierbare herinnering. 'Toen ik klein was, zei mijn vader altijd dat ik zo bij het toneel kon. Maar hij bedoelde vast niet met een paal tussen mijn benen! De arme schat zou helemaal van streek zijn als hij wist wat er van me terecht is gekomen.'

'Dat denk ik niet,' zei Grace. 'Hij zou vast heel trots op je zijn geweest.'

Op Jasmines gezicht verscheen een brede glimlach. 'Misschien wel. Mijn vader was een moordvent, weet je. Een echte heer. Heel anders dan de meeste kerels, een man uit duizenden. Dat zul je altijd zien, hè? De goeden gaan veel te jong dood. Ik heb geboft dat ik hem heb meegemaakt, ook al duurde het niet lang.'

Grace kreeg spijt dat ze eerst zo spottend had gereageerd. Ze had nog nooit iemand ontmoet met zo'n moeilijke jeugd, maar toch kwam Jasmine over als een opgewekte, hartelijke en zelfs optimistische jonge vrouw. 'Hoe is hij gestorven?' vroeg ze.

'Kanker. Gelukkig ging het heel snel. In de zomer werd het geconstateerd en voor de kerst was hij al dood. Zo gaat het nu eenmaal. Ik was dertien. Dat was de verschrikkelijkste Kerstmis van mijn leven.'

'Dat kan ik me voorstellen,' zei Grace zachtjes. 'Je zei dat je niet zo'n goede band met je moeder had, dus moet het extra moeilijk zijn geweest toen je je vader verloor.'

'Ja, ik was er helemaal kapot van. Dat waren we allemaal, vooral mijn tante Juju. Dat is de zus van mijn vader. Eigenlijk heet ze Julie, maar we noemen haar Juju. Ze is een beetje...' Jasmine vertrok haar gezicht.

'Een beetje wat?' drong Grace voorzichtig aan, want ze voelde aan dat er meer achter zat.

'O, niets. Ze heeft alleen last van haar zenuwen, meer niet. Mijn vader zorg-de voor haar, dus na zijn dood was ze een beetje van slag. Hij was haar grote broer. Ze vindt dat ze heeft geboft met hem. Hij zorgt nu nog steeds voor haar, beweert ze. Vaak voert ze hele gesprekken met hem en zo.' Ze lachte, maar haar ogen stonden triest.

'Kun je goed opschieten met je broers en je zusje?' vroeg Grace.

'Mijn broers zijn vervelende klieren. Ze zitten altijd in de problemen, maar toch ben ik dol op ze,' antwoordde Jasmine. 'En mijn zusje... Dat is me d'r een-tje! Alisha gaat vaker uit de kleren dan ik, en zij wordt er niet eens voor betaald! Ik maak me echt ongerust over hoe mijn familieleden zich op de bruiloft zullen gedragen. Victoria en David zouden komen en ik moet er niet aan denken dat Bradley en Jason het met Posh gaan aanleggen.' Ze kneep even haar ogen dicht en grinnikte. 'Ik heb overwogen om ze niet uit te nodigen, maar kun je je indenken wat mijn moeder zou zeggen als ze de foto's in de krant zag?'

Lachend voegde ze er snel aan toe: 'Maar dat mag je niet in het interview zet-ten. Ik wil ze niet voor het hoofd stoten. Bovendien zouden ze me verrot slaan!'

Daar twijfelde Grace geen moment aan.

'Wie begeleidt je naar het altaar?' vroeg Grace. 'Terry?'

'Ben je gek, nee zeg!' antwoordde Jasmine spottend. 'Ik wilde Terry helemaal niet uitnodigen, maar ik moest van mijn moeder. Nee, dat doet Charlie, mijn peetvader. Hij was mijn vaders beste vriend, en sinds mijn vader dood is, heeft hij me onder zijn hoede genomen. Hij is een geslaagde zakenman. En nog knap om te zien ook. Hij zal me niet voor schut zetten op de bruiloft.'

'Wat zijn je plannen eigenlijk voor de bruiloft?' Grace begon te vissen.

'Nou, daar kan ik niet veel over zeggen, omdat we een exclusief contract hebben getekend, maar ik kan je wel beloven dat er nog nooit zo'n grote brui-loft met meer glitter en glamour is geweest. Het wordt een echte sprookjes-bruiloft.' Jasmine glimlachte vriendelijk naar Grace. 'Jij moet ook komen!' riep ze uit. 'Naar de bruiloft.'

'Ik?' antwoordde Grace, volkomen overdonderd.

'Zij?' sputterde Blaine, die zich in zijn cocktail verslikte.

Grace schonk geen aandacht aan hem. 'Maar ik dacht dat het tijdschrift de exclusieve rechten had.'

'Nee, ik bedoel niet als journalist,' zei Jasmine. 'Ik bedoel als gast. Je kunt je dictafoon thuis laten.'

'Zeg dat wel, verdomme,' mompelde Blaine.

Precies op het juiste moment kwam de droomprins druipend uit het zwembad. 'Zijn we klaar?'

Het was eerder een constatering dan een vraag. En toen Blaine knikte, wist Grace dat haar tijd erop zat. Ze zette haar dictafoon uit. Dat was geen probleem, want ze had al voldoende materiaal van Jasmine, en hoewel Jimmy niet veel had gezegd, had zijn gedrag haar meer munitie gegeven dan hij had beseft.

'Ik denk dat ik ook even een duik ga nemen,' zei Blaine. 'Neem me niet kwalijk, dames.' Hij waggelde naar het huis, en Jimmy dook weer het water in.

Grace keek naar de jongeman in het zwembad. Het was haar duidelijk dat hij nog lang niet volwassen was.

'Gaan jullie meteen aan kinderen beginnen?' vroeg ze aan Jasmine.

Jasmine deed haar mond open om te antwoorden, maar werd afgeleid door een woeste kreet en het geklets van blote voeten die over natte tegels holden. Direct daarna stoof Blaine Edwards voorbij in een knalroze string. Zijn harige bierbuik lilde toen hij een bommetje maakte en de vrouwen nat spatte.

'Hé vetzak, wat doe jij nou, verdomme!' brulde Jimmy, die zich boven op Blaines hoofd stortte en hem onder water duwde.

'Wat zei je?' vroeg Jasmine.

'Kinderen. Wil je later kinderen hebben?'

Jasmine staarde naar de volwassen kerels die in het zwembad met elkaar in de clinch gingen en schudde haar hoofd. 'Nee, voorlopig niet. Ik denk dat ik wel genoeg kinderen om me heen heb.'

Toen ze haar spullen bij elkaar zocht om te vertrekken zei Jasmine zachtjes tegen Grace: 'Er is één ding dat ik dolgraag zou willen.'

'O, wat dan?'

'Ik zing,' fluisterde Jasmine. 'Ik zou ooit een wereldberoemde zangeres willen zijn. Maar ik wil niet dat Blaine het weet. Ik zing graag in de stijl van Billie Holliday en Eva Cassidy. Niet van die stomme popnummers waar hij van houdt. Maar dat mag je niet in de krant zetten. Alsjeblieft niet. Voorlopig is het zingen alleen iets voor mezelf. Ik wil het in mijn eigen tempo en op mijn eigen manier doen. Ik wilde je alleen laten weten dat ik meer ben dan een paar tieten.'

'Dat zie ik,' zei Grace. Toen ze zich naar voren boog om de kroonprinses van Marbella een afscheidskus te geven, hoopte ze dat Jasmines dromen allemaal uit zouden komen.

'Tot ziens op de bruiloft!' riep Jasmine haar achterna toen ze in haar auto stapte.

Wow. Het was dus geen grapje. Ze mocht de bruiloft van het jaar bijwonen! Alleen al bij het vooruitzicht werd ze opgewonden. Toen ze bij het elektrische hek wachtte totdat ze de villa van Jimmy Jones mocht verlaten, zag ze een groepje paparazzi op de stoep aan de overkant van de straat. Ongetwijfeld na een tip van Blaine, dacht ze. Opeens kreeg ze medelijden met Jasmine. Wat vreselijk om in een glazen huis te moeten wonen, je hele hebben en houden aan journalisten te moeten onthullen en voortdurend te worden gefotografeerd. Zelf verdiende ze de kost door de geheimen van anderen te onthullen, maar over haar eigen leven was ze erg gesloten.

Terwijl ze door het hek van Casa Amoura reed, zag ze een zwarte jeep die stond te wachten om naar binnen te mogen. Het dak was omlaag en daarom was de chauffeur goed te zien. Het was een lange man van achter in de dertig met heel kort donker haar, een stevig postuur en brede schouders. Hij was aantrekkelijk om te zien. Heel aantrekkelijk zelfs, op een ouderwetse manier, zoals Charlton Heston. Hij was beslist niet haar type. Meestal viel ze op charismatische mediamannen die mager en intellectueel waren in plaats van klassiek aantrekkelijk (om nog maar te zwijgen van getrouwd). Deze vent was juist een en al spierbundel. Toch merkte ze dat ze haar blik niet van hem kon afwenden, en toen het hek uiteindelijk openging, reed ze met enige tegenzin weg.

11

Frank Angelis zat aan zijn bureau en staarde naar de cijfers op de papieren die voor hem lagen. Hoe goed hij ook keek, ze klopten domweg niet. Hij had geld nodig en wel onmiddellijk. Die Rus wilde niet langer wachten. Yana kwam de studeerkamer binnen met de whisky waar hij om had gevraagd. Ze zette de kristallen tumbler voor hem neer en begon met soepele vingers over zijn schouders te wrijven. Hij schudde haar van zich af.

'Rot op, Yana,' gromde hij. 'Ik ben niet in de stemming. Flikker nu maar op en laat me met rust.'

Yana zette een pruillip op als een klein meisje dat van haar geliefde opa een standje had gekregen, sloop de kamer uit en trok de deur achter zich dicht.

Toen was Frankie weer alleen met zijn probleem. Een verdomd groot probleem... Als Charlie de klus niet voor hem wou opknappen, was het met hem gedaan. Hij zou hem moeten bewerken. Hij wist zeker dat hij hem kon ompraten. De Palmers waren altijd een stelletje slappelingen geweest. Veel te aardig voor dat wereldje, dat was de makke met die lui.

En als Charlie het verdomde? Ach, er waren altijd manieren om snel geld te verdienen. Frankie had zich nog nooit klein laten krijgen. En deze keer zou hij niet opgeven zonder weerstand te bieden.

'Er staat een meneer Palmer bij het hek,' zei Maria aarzelend. 'Hij zegt dat hij familie is.'

'Nee! Wat enig! Het is Charlie!' gilde Jasmine terwijl ze in volle vaart naar de oprijlaan vloog. Als Jasmine iémand graag zag, was het haar peetvader wel.

Hij kreeg amper de gelegenheid om uit de jeep te stappen voordat ze haar armen om zijn hals had geslagen en een natte zoen op zijn gladde wang had geplant. Zijn lichaam voelde nog even stevig, warm en troostend aan als toen ze een klein meisje was.

'Wat een fantastische verrassing. Ik kan haast niet geloven dat je er echt bent. Jezus, wat fijn om je te zien, Char.'

Opgetogen keek Jasmine om zich heen of ze Jimmy zag. Hij zat aan de rand van het zwembad.

'Jimmy! Jimmy! Kijk eens wie er is? Charlie! Wat een verrassing!'

'Ja nou,' antwoordde Jimmy, maar erg verrast keek hij niet. Jasmine fronste haar wenkbrauwen. Wat was Jimmy vandaag in een rare bui. Eerst had hij vervelend tegen haar gedaan tijdens het interview en nu deed hij stroef tegen Charlie. Wat mankeerde hem? Zonder haast liep hij naar Jasmine en Charlie toe. Jasmine omhelsde Charlie opnieuw. Ze voelde zich altijd zo veilig met hem in de buurt.

'Rustig maar, Jazz,' waarschuwde Jimmy. 'De man krijgt haast geen lucht.'

'Alles kits, Jim?' vroeg Charlie opgewekt, terwijl hij zijn grote knuist uitstak. Als hij Jimmy's stroefheid had gemerkt, liet hij daar niets van blijken.

'Kan niet beter,' antwoordde Jimmy. 'Wat doe jij hier zo ver uit de buurt van Londen?'

'Eigenlijk zit ik erover te denken om me hier terug te trekken.'

'Echt waar?' Jimmy keek verbaasd.

'Echt waar?' vroeg Jasmine. 'Wow. Fantastisch! Dan kunnen we je altijd zien wanneer we hier zijn en we zijn er deze hele zomer... Afgezien van de bruiloft en de huwelijksreis uiteraard en... Jemig, wat fantastisch. Kom je bij ons logeren?' vroeg ze, vurig hopend dat hij ja zou zeggen.

'Nee, schat. Voorlopig heb ik een kamer in het Marbella Club Hotel geboekt,' legde Charlie uit. 'Ik dacht dat jullie tortelduifjes wel wat privacy kunnen gebruiken totdat de grote dag is aangebroken. Morgen ga ik waarschijnlijk op zoek naar een huurappartement. Ik wilde alleen even langswippen om te zien hoe het met mijn favoriete meisje gaat.'

'Met mij gaat het prima,' grinnikte ze. 'Kom, Charlie, dan geef ik je een rondleiding. Jimmy, schenk jij even iets te drinken in voor Charlie?'

'Martini graag, Jim,' zei Charlie.

Jasmine hoorde Jimmy mompelen: 'Wie denkt hij verdomme dat hij is? James Bond?' Ze hoopte dat Charlie het niet had gehoord. Later zou ze Jimmy eens apart nemen. Er zat hem kennelijk iets dwars.

'Leuk optrekje,' zei Charlie enthousiast. 'Je hebt het ver geschopt, kind. Ik ben trots op je.'

Jasmine kreeg een warm gevoel vanbinnen. Het betekende veel voor haar dat Charlie trots op haar was. Door de jaren heen was hij als een tweede vader voor haar geweest. Haar eigen vader, Kenny, was de liefste en aardigste man van de wereld geweest en toen hij er niet meer was, had Charlie zijn rol overgenomen door altijd voor haar te zorgen als ze het moeilijk had. Charlie was haar rots in de branding. Hij kon alles aan.

'Kom, Charlie, dan stel ik je voor aan Blaine. Hij is onze nieuwe manager.' Jasmine voerde hem aan zijn hand mee naar het mahoniehouten plankier dat zich over de hele breedte achter de villa uitstrekte. Blaine lag languit op een terrasstoel met een cocktailglas boven op zijn harige dikke buik.

De twee mannen schudden elkaar vriendschappelijk de hand en waren het erover eens dat het uitzicht werkelijk schitterend was. Jasmine keek over het terras naar de glinsterende blauwe zee erachter en grinnikte in zichzelf. Soms kon ze zelf niet geloven dat ze zo geboft had.

'Bedankt, schattebout,' zei Jasmine, toen Jimmy met de drankjes terugkwam. 'Is er iets?'

'Met mij?' reageerde Jimmy een beetje bits. 'Met mij is alles in orde.'

Maar Jasmine kon duidelijk merken dat er wel iets was. Wat was er gebeurd waardoor zijn bui zo was omgeslagen? Had hij weer een van die telefoontjes gehad? De laatste tijd voerde hij vaak stiekeme gesprekjes op zijn mobieltje. Het was telkens hetzelfde: hij zonderde zich af en ze kon alleen flarden van gefluisterde gesprekken opvangen. Na afloop was hij altijd gespannen en terughoudend, maar als ze vroeg met wie hij had gesproken, wilde hij alleen kwijt dat het om zaken ging. Daarna was hij weggelopen. Maar met welke zaken kon hij zich bezighouden? Zijn contract zou pas over twee seizoenen aflopen.

'Zeg Jasmine,' vroeg Charlie, 'wie was dat die ik daarnet zag vertrekken?'

Met moeite keerde ze terug naar de werkelijkheid. 'O, dat was Grace Melrose, een journaliste.'

'Wat een kakmadam,' vond Jimmy.

'Ach, ze was best aardig,' zei Jasmine. 'Jij kunt journalisten gewoon niet uitstaan.'

Jimmy trok een nors gezicht.

'Ik kan journalisten ook niet uitstaan,' verklaarde Charlie. 'Ze willen veel te graag alles tot op de bodem uitspitten. De kunst van geheimen bewaren is aan hen niet besteed.'

'Zeg Char,' zei Jasmine, die snel een ander onderwerp aansneed, 'voel je iets voor een feest?'

Charlie haalde zijn schouders op. 'Wat heb je te bieden?'

'We krijgen een paar vrienden op bezoek en daarna gaan we naar de opening van een nieuwe club. Op een schip in de jachthaven. Maxine de la Fallaise organiseert het!'

'O ja?' Hij keek opeens geïnteresseerd. 'Ik heb haar in de krant gezien. Ken je haar?'

Jasmine knikte trots. 'Ik heb haar een paar keer ontmoet op feesten en zo. Je kunt enorm met haar lachen. Het wordt vast heel gaaf.'

'Ach, waarom niet? Ik kan wel een verzetje gebruiken en als ik niet ga, krijg ik waarschijnlijk spijt als haren op mijn kop.'

Grinnikend keek ze naar Charlies pas kaalgeschoren hoofd.

'Je hebt helemaal geen haren op je kop!'

Op dat moment ging Charlies mobieltje. Fronsend keek hij naar het nummer en zei: 'Neem me niet kwalijk. Dit kan ik beter aannemen.' Hij liep weg.

Jasmine zag hem bij het zwembad staan en kon aan hem zien dat het slecht nieuws was. Ze had het afschuwelijke voorgevoel dat Charlie die avond toch niet met hen mee zou gaan.

'Is er iets tussen gekomen?' vroeg ze toen hij terugkwam.

Hij knikte. 'Sorry, lieverd, maar ik moet een paar telefoontjes plegen. Een paar onafgemaakte zaken thuis in Londen. Ik denk dat ik beter terug kan gaan naar het hotel om het af te handelen. Morgenochtend bel ik je. Misschien kunnen we samen gaan lunchen.'

'Dat zou leuk zijn,' zei Jasmine, die haar teleurstelling omdat hij zo snel alweer wegging probeerde te verbergen. Zo ging het nou altijd. Hij kwam opdagen, vrolijkte haar op en dan ontstond er een of andere crisis waarop hij weer verdween. Eén keer was hij twee jaar lang weggebleven. Hij had haar verteld dat hij in Amerika was voor zaken, maar achteraf dacht ze dat hij waarschijnlijk gewoon had gezeten. Ze was er nooit echt achter gekomen wat Charlie precies voor de kost deed, maar ze vermoedde dat het niet helemaal door de beugel kon. Dat kon Jasmine niet schelen, want ze wist dat hij geen vlieg kwaad zou doen, ongeacht wat de wet zei.

Shit! Shit! Shit! Charlie was in alle staten. Zijn eerste paar uren in Spanje verliepen niet bepaald volgens plan. Eerst had Frankie Angelis hem een voorstel gedaan en nu kreeg hij Gary aan de lijn met het bericht dat Nadia weg was. Weg? Hoe kon ze verdomme sinds de lunch verdwenen zijn? Dat is wat hij van Gary wilde weten.

'Ik, ik, ik heb geen idee, baas,' had Gary gestameld, duidelijk van zijn stuk gebracht door de gebeurtenissen van die middag. 'Toen ik terugging naar de flat kwam ze juist naar buiten. Ik kreeg niet eens de kans om haar te vertellen dat u verdomme niet meer in het land was! Ze riep alleen maar "Ciao!" en sprong in een taxi.'

Toen kreeg Charlie het pas goed benauwd. Nadia nam nooit een taxi. Ze had haar eigen limo met chauffeur. Daar had haar vader op gestaan.

'Had ze iemand bij zich?' had hij wanhopig aan Gary gevraagd.

'Er zat al een vent in de taxi. Ik kon zijn gezicht niet zien, alleen zijn achterhoofd. Hij had donker haar. Dat is het enige wat me opviel.'

'Was ze overstuur?' had Charlie aangedrongen, in de hoop een verklaring voor Nadia's verdwijning te vinden.

'Nee, baas. Ze was heel vrolijk en had zich helemaal opgetut net als anders. Ik had er verder niet bij nagedacht, maar een paar uur later wilde ik de wagen in stappen, toen ik door twee bomen van Russen werd besprongen,' had Gary vervolgd. 'Ze hebben me helemaal verrot geslagen, Char. Ik scheet bagger. Ze bleven maar vragen waar Nadia was en waar u was en wat we met haar hadden gedaan. Ze zeiden dat ze haar mobieltje niet opnam. Ze zeiden dat meneer Dimitrov laaiend is. Ik ben bang, Char. Ik ben echt verdomde bang. Die Russen zijn zware jongens. Ze denken dat we iets met Nadia hebben gedaan. We moeten ze niet besodemieteren.'

'Dat doen we ook niet, Gary,' had Charlie de jongen proberen gerust te stellen. 'Het is gewoon een misverstand. Ik maak het wel in orde.'

Hij had Gary naar zijn moeder teruggestuurd. Tenslotte was hij nog maar een jongen en dit was niet zijn probleem. Eigenlijk was het ook niet zijn probleem, dacht Charlie. Nadia had niet eens geweten dat hij het land zou verlaten. Maar dat zou haar vader ondertussen al weten en welke indruk zou dat maken? Zijn dochter verdwijnt en Charlie smeert hem naar Spanje. Hoe kon zoiets verdomme gebeuren?

Charlie stond op zijn balkon te luisteren naar het geluid van de golven beneden. De wind was opgestoken en de zee was ruwer dan eerst. Het was nu bijna donker en het strand was nagenoeg verlaten. Hij dacht aan Nadia's ondeugende glimlach en haar trouwhartige ogen en hoopte vurig dat er niets vreselijks met haar was gebeurd. Meneer Dimitrov was echter een zeer welvarend man en zijn dochter had een hoge prijs op haar hoofd. Charlie zou haar nooit kwaad hebben gedaan, maar er waren zat mensen die dat wel zouden doen.

Koortsachtig dacht hij na. Hoe kon hij dit oplossen? Hoe kon hij zorgen dat Gary niets overkwam? Hoe kon hij Dimitrov laten weten dat hij hier niets mee te maken had? Hoe kon hij Nadia helpen opsporen?

Shit! Met zijn vuist sloeg hij hard op de balustrade. Waarom was het leven ook zo verrekte ingewikkeld? Hij staarde naar de schemering. De golven sloegen op het strand en slokten de zandkastelen van de afgelopen dag op. Een hele poos stond hij toe te kijken, vol ontzag voor de kracht van de zee. Hij zou deze warboel oplossen. Hoe dan ook. Hij wist nog niet precies hoe, maar op de een of andere manier zou hij alles in orde maken. Dat was tenslotte zijn werk.

Hij ademde diep in en belde McGregor. Dat deed hij niet graag, want hij hield er niet van om hulp te vragen, maar McGregor wist altijd precies wat er in Londen gebeurde. Misschien had hij iets over Nadia gehoord.

'McGregor,' zei Charlie toen de inspecteur opnam. 'Met Char.'

'O, o ja,' zei McGregor. Hij klonk op zijn hoede.

'Luister eens, McGregor, ik heb je hulp ergens bij nodig. Er wordt iemand vermist en...'

Nog voordat hij kon uitspreken, viel McGregor hem in de rede.

'Het komt nu erg slecht uit,' reageerde hij bruusk. 'Ik kan op dit moment niet met je praten.'

Toen werd er opgehangen. Zomaar opeens. Ongelovig staarde Charlie naar zijn mobieltje. Dit was een man voor wie hij zojuist een moord had gepleegd. 'Klootzak,' mompelde hij in zichzelf. Het was niet de eerste keer dat hij erachter kwam dat hij op zichzelf was aangewezen als de pleuris uitbrak.

In haar glinsterende paleis boven de Middellandse Zee zit de beeldschone prinses Jasmine te wachten totdat ze tot koningin van de voetbalvrouwen wordt gekroond. Dit is echt een sprookje, compleet met een echte boze stiefvader. Wij kunnen als eerste exclusief melden dat Cynthia Watts, de moeder van Jasmine Watts, de levenspartner is van Terry Hillman, de beruchte gangster uit Essex...

In de afnemende middagzon zat Grace op het terras van haar villa in de bergen van een royaal glas rosé te genieten terwijl ze aan haar kopij schaafde voordat ze die naar Miles mailde. Ze las haar artikel nog een laatste keer door.

Ze staarde naar de woorden en herinnerde zich wat ze Jasmine had beloofd. Meestal had ze er geen enkele moeite mee om iets te publiceren wat een celebrity had gezegd, dus waarom voelde ze zich opeens zo schuldig? Haar vinger zweefde boven het knopje 'verzenden', maar ze kon het niet over haar hart verkrijgen erop te klikken.

'Ach, laat maar zitten,' zei ze bij zichzelf. Ze selecteerde de alinea over Terry Hillman en wiste hem. Wat maakte het ook uit als ze dat stukje wegliet? Niemand zou kunnen vermoeden dat ze zojuist een van de grootste primeurs van haar loopbaan had laten schieten. Ze hield zich gewoon aan haar belofte aan een jonge vrouw met een droom. Een jonge vrouw die zo aardig was geweest om haar voor haar bruiloft uit te nodigen. En die bruiloft wilde ze niet missen. Er was geen schijn van kans dat er een uitnodiging met gouden letters bij haar in de bus zou vallen als ze dat over Hillman zou publiceren. Bovendien zou de bruiloft een goede gelegenheid zijn om te netwerken. Ze dacht alleen maar aan haar baan. Het was niet alsof ze begon af te takelen. Grace Melrose had zich heus niet laten paaien.

12

Lila was altijd een goede zwemmer geweest. Als kind werd ze door haar ouders 'kleine zeemeermin' genoemd, omdat ze zo vaak in het plaatselijke zwembad te vinden was. Als tiener had ze zelfs voor het graafschap gezwommen. Vanzelfsprekend had ze nu een privézwembad in Londen, en daar maakte ze dagelijks gebruik van, maar er ging niets boven zwemmen in zee. Dat miste ze het meest van het strandhuis in Malibu: de nabijheid van de oceaan. Zodoende liep ze nadat ze haar koffer had uitgepakt de steile trap af naar het privéstrand van haar ouders en stortte ze zich in de glinsterende turkooizen zee. Het koude water had haar aanvankelijk de adem benomen, maar algauw hadden de golven haar gekalmeerd.

Lila keek niet om zich heen naar het uitzicht en dobberde ook niet lui op haar rug, maar wierp zich enthousiast op een krachtige borstcrawl. Onder het zwemmen begon ze zich verkwikt, sterk en levendig te voelen. Haar hart bonsde terwijl haar armen door het water ploegden en in haar hoofd de gedachten aan haar man gonsden. Hoe langer ze zwom, hoe optimistischer ze werd. Misschien vertelde hij toch de waarheid. Misschien was er wel een belangrijke vergadering. Lila wist dat het niet meeviel om Brett Rose de megaster te zijn. Iedereen wilde beslag op hem leggen en het was niet eenvoudig om iedereen tevreden te stellen. Goed, hij beschouwde haar als vanzelfsprekend en soms leek het alsof zij op de laatste plaats kwam, maar wat wilde dat zeggen? Dat je het alleen sommige mensen maar af en toe naar de zin kon maken, maar niet iedereen de hele tijd? Het was een kwestie van buigen of barsten. Brett wist dat Lila en de kinderen er altijd voor hem zouden zijn, omdat ze van hem hielden. En daarom liet hij hen wachten. Regisseurs en producenten hielden alleen van hem zolang hij geld in het laatje bracht, en daarom moest hij hen te vriend houden om te zorgen dat hij zijn volgende grote rol in de wacht sleepte. Er waren genoeg veelbelovende jonge acteurs die stonden te trappelen om zijn plaats in te nemen.

Bovendien was het moeilijk voor hem om uit Los Angeles weg te komen. Ze zeggen dat een week erg lang is in de politiek, maar in Hollywood is het een eeuwigheid. Misschien was het te veel gevraagd om van Brett te verlangen dat hij alles liet vallen om voor haar vaders verjaardag naar Spanje over te vliegen. En eigenlijk was het niet echt zijn schuld dat ze zo weinig van elkaar zagen. Tenslotte was zij degene geweest die per se uit Los Angeles weg wilde, die vond dat de kinderen 'normaal' en 'Brits' moesten opgroeien, zo ver mogelijk bij de waanzin van Hollywood vandaan. Het was haar eigen schuld dat ze de meeste tijd in haar eentje in Londen doorbracht. Daar kon Brett niets aan doen. En het was niet dat hij haar wreed behandelde. Aan de telefoon zei hij nog altijd de schattigste dingen. Laatst had hij nog gezegd dat ze zijn rots in de branding was: altijd stond ze voor hem klaar, een sterke kracht op de achtergrond, terwijl de wereld voorbijraasde. Deze keer zou ze het hem vergeven, net als anders... Tegen de tijd dat ze even stopte om te rusten en naar het strand keek, leek de villa van haar ouders een ontzettend eind weg.

Na een lang bad en een heerlijke knuffelpartij met de kinderen op haar bed voelde Lila zich uitgerust en opgevrolijkt. Ze voegde zich bij haar familie op het terras. Op tafel stonden brood en olijven en een karaf met wijn, en haar moeder kwam juist de keuken uit lopen met een reusachtige schaal hete paella.

'Ik ben op de Spaanse toer gegaan,' verkondigde Eve trots. 'Waar hangt Peter uit?'

Lila keek om zich heen en zag hem lui uitgestrekt in een hangmat liggen onder een palmboom in de tuin. Hij kletste geanimeerd in zijn mobieltje en rookte een sigaret. Leerde hij die smerige gewoonte maar af, vooral waar de kinderen bij waren, dacht ze. Ze zwaaide naar hem en wees naar het eten op tafel. Op zijn gemak kwam hij aanlopen.

'Raad eens wie weet dat je er bent,' vroeg hij toen hij naast haar ging zitten.

'Wie?' vroeg Lila.

'Maxi,' antwoordde hij met een opgetogen grijns. 'Ze geeft vanavond een feest in de haven en ze zou het werkelijk enig vinden als jij zou komen. Je moet haar terugbellen.'

Lila zuchtte. 'Ach Peter, je weet toch dat ik een hekel heb aan feesten.'

Peter trok een pruillip. 'Toe nou,' smeekte hij. 'Kom op, Lila. Het wordt vast heel leuk.'

'Maar ik wil helemaal niet dat iemand weet dat ik hier ben,' zei ze, zich bewust van haar klaagstemmetje.

'Maar Maxine is toch je beste vriendin, lieverd?' vroeg Eve. 'Misschien is het fijn om haar te zien.'

Lila haalde haar schouders op. Maxi was een oude vriendin. Min of meer, of in elk geval de enige die ze als een oude vriendin beschouwde. Ze was aardig en was haar altijd trouw gebleven. In de jaren negentig, toen ze zelf nog in een soap had geacteerd en Maxi nog getrouwd was met... Wie was het die keer ook alweer? O ja, Riley O'Grady, de indiezanger. Of misschien ging ze in die tijd enkel met hem uit. Ja, zo was het. Maxi was er alleen bij geweest als 'de vriendin', maar toch had ze op slinkse wijze kans gezien op de foto te komen. Ze slaagde er altijd in om in het middelpunt van de belangstelling te komen, zelfs wanneer de aandacht voor iemand anders was bedoeld. Glimlachend herinnerde Lila zich haar eerste indruk van Maxi: een grote bos haar, grote borsten, een grote glimlach, een grote persoonlijkheid en een groot hart.

Voor Lila was het hele wereldje van modebladen toen nog nieuw geweest, en ze vond de fotoshoot behoorlijk eng. Maar Maxi had haar onder haar hoede genomen en er een lolletje van gemaakt. Ze had zich uitgesloofd om haar in de belachelijk kleine jurk te helpen wurmen die ze van de styliste moest aandoen. En hoewel Riley zich die dag afschuwelijk had gedragen (hij had de hele dag om een supermodel heen gehangen), was Maxi vriendelijk en opgewekt gebleven.

Riley O'Grady bleek achteraf uiteraard een grote hufter te zijn, maar Maxi viel meestal op waardeloze kerels. Vergeleken bij haar drie exen was Brett de ideale echtgenoot. En nu woonde ze samen met een getrouwde man die oud genoeg was om haar vader te kunnen zijn!

Een tijdlang waren Lila en Maxine close geweest. Heel close. Lila had de wildste periode van haar jeugd in Maxines gezelschap doorgebracht. Maxine had altijd een slechte invloed op haar gehad, maar wat hadden ze samen veel gelachen. Lila moest opeens denken aan het Glastonbury Festival in 1997. Maxi en zij hadden de hele dag bier gedronken (iets wat Lila nooit deed) en toen Maxi haar daarna een joint aanbood, leek haar dat een goed idee (nog iets wat ze anders nooit deed!). Lila was zo stoned geworden dat ze de dichtstbijzijnde bus in het vipgedeelte in was gekropen, zich had opgerold en in slaap was gevallen. Toen ze de volgende morgen wakker werd, bleek ze zich in de tourneebus van de jongens van Oasis te bevinden. Ze hadden heel sympathiek gereageerd, en als ze zich niet vergiste, had Noel Gallagher zelfs een kop koffie voor haar gezet. Ze giechelde in zichzelf.

'Wat is er?' vroeg Peter.

'O, niks,' antwoordde Lila. En dat was ook zo. Alleen een kort ogenblik van waanzin in haar jeugd, meer niet.

Toen ze naar Los Angeles was verhuisd en Brett had leren kennen, was alles veranderd. Eerst was het allemaal overweldigend geweest. Ze had zich door Brett laten meeslepen, die haar met diamanten overlaadde en haar aan Hollywoodlegenden voorstelde. Als ze iets wilde – wat dan ook – kon ze het zo krijgen. Ze hoefde er alleen maar om te vragen. Een nieuwe auto? Geen probleem. Zou een Aston Martin-cabrio in de smaak vallen? Een huis aan het strand? Tuurlijk. Leek Malibu haar wat? Maar naarmate hun relatie zich had verdiept, was Bretts publiciteitsmachine zich met haar gaan bemoeien. Plotseling had ze een legertje 'mensen' die van alles voor haar deden. Er was een meisje dat haar make-up deed, een styliste om haar kleren te kiezen en pr-managers om te zeggen met wie ze wel en niet mocht omgaan. Maxine de la Fallaise werd als veel te vierderangs beschouwd voor de aanstaande mevrouw Rose. In Engeland was ze vrij bekend, maar in Los Angeles was ze niemand. Lila herinnerde zich dat ze een lijst had opgesteld voor haar verjaardagsfeest (waarschijnlijk toen ze zesentwintig werd) en een daverende ruzie kreeg met de partyplanner toen hij botweg weigerde Maxi op te nemen. Ze had uitgelegd dat Maxi haar vriendin was, maar de partyplanner had alleen maar gezegd: 'Dit is LA. Je moet zorgen dat je nieuwe vrienden maakt, en snel.' Tot haar schande had ze dat gedaan, en sindsdien had ze Maxine nog maar heel zelden gezien.

Door de jaren heen hadden ze wel sporadisch contact gehouden. Maxi belde en mailde regelmatig, maar Lila hield meestal de boot af. Vorig jaar was ze met Carlos wel naar hun nieuwjaarsfeest in Los Angeles geweest. (Nu ze met Carlos Russo samenwoonde, was ze tot B-ster gepromoveerd en had ze er dankzij haar vriendje nog net een uitnodiging uit weten te slepen.) Maar Maxine had veel te veel champagne gedronken en met haar naaldhakken op de blote voeten van Salma Hayek getrapt. Salma had heel aardig op het incident gereageerd, maar Lila had wel door de grond kunnen zinken. Maxi was een echt feestbeest. Ze stond altijd in alle kranten gekleed in een bespottelijk korte rok terwijl ze ladderzat uit de een of andere nachtclub strompelde. Het was geweldig dat ze nu haar eigen nachtclub was begonnen. Ze was een slimme meid, en Lila was ervan overtuigd dat de tent een succes zou worden. Toch kon Lila zich niet in dat soort gezelschap vertonen. Niet erg vaak tenminste, en zeker niet vanavond.

'Ik weet niet of ik wel zin heb om me helemaal op te tutten en gezellig te doen,' legde ze uit aan Peter en haar familie. 'Bovendien ben ik hier om bij jullie te zijn.'

'Je hebt nog de hele week om ons te zien,' vond Brian. 'En de kinderen gaan zo naar bed, nietwaar rakkers?'

Sebastian knikte en Louisa schudde haar hoofd.

'Ach, toe nou, Lila,' vleide Peter. 'We zijn op vakantie. Als Brett hier was, zou hij geen seconde aarzelen.'

Dat was waar. Voor een feest was Brett altijd te porren. Bovendien was hij gek op Maxi. Hij vond haar ontzettend grappig en noemde Lila 'verkrampt' als ze zich geneerde om Maxi's schaamteloze gedrag. Maar Brett was er niet...

'Ik weet het niet, hoor,' zei Lila.

'Je zou dat beeldschone jurkje kunnen aantrekken dat Chanel je heeft gestuurd,' zei Peter. 'En die Louboutin-schoenen. Die gouden.'

Ze dacht aan het witte hemdjurkje dat nog steeds in de doos zat. Het was prachtig en ze had nog geen gelegenheid gehad het te dragen. Eigenlijk konden ze best voor een uurtje gaan.

'Nou, ik denk dat het je goed zal doen om er even uit te zijn,' voegde Eve eraan toe.

'Ik wil ook naar een feest,' zei Louisa hoopvol.

'Zondag hebben we een feest voor opa, lieverd,' legde Eve uit. 'Dit is een grotemensenfeest. Mama zal het leuk vinden.'

'Nou, goed dan,' gaf Lila toe. 'Heel eventjes. Maar zodra ik er genoeg van heb, gaan we weer naar huis, Peter. Afgesproken?'

'Afgesproken,' grinnikte Peter, en hij gaf haar het mobieltje. 'Bel nu Maxi maar snel voordat je van gedachten verandert.'

Zodra ze Maxi's stem hoorde, besefte ze dat ze de juiste beslissing had genomen.

'Jezus, Lila!' gilde Maxi. 'Wat enig om je stem te horen. Da's véél te lang geleden, schat. Zeg, je komt vanavond toch wel, hè? Ik bedoel, ik sta erop dat je komt.'

Lila wilde ja zeggen, maar ze kon er geen speld tussen krijgen. Een telefoongesprek met Maxi was altijd al een vrij eenzijdige zaak geweest.

Maxi vervolgde: 'Dit wordt mijn allergrootste avond ooit, want Carlos heeft die club voor me gekocht en vanavond is de opening. De hele pers komt, en de voetballers en de Spaanse *glitterati* en... O god, ik weet me geen raad van opwinding en van de zenuwen en het gaat allemaal véél beter als jij erbij bent. Bovendien gaan de journalisten helemaal uit hun bol als jij komt opdagen, dus ik heb je hoe dan ook nodig voor de fotosessie...'

Maxi giechelde om te laten merken dat ze het als grap bedoelde en zei daarna op goedhartige toon: 'Ik bedoel, ik heb je echt gemist, schat. Ik dacht dat je niet meer mijn vriendinnetje wilde zijn.'

'Doe niet zo mal, Maxi,' stelde Lila haar gerust. 'Tot straks. Dan kunnen we even fatsoenlijk bijpraten.'

Na het avondeten stopte Lila de kinderen in bad en bracht hen naar bed.

'Kom je nog even hier voordat je uitgaat?' vroeg Sebastian. 'We vinden het leuk om je in je mooie kleren te zien. Zo hebben we je al heel lang niet gezien.'

'O ja, toe mama,' zei Louisa. 'Ik wil je ook zien als je eruitziet als de koningin.'

Onwillekeurig glimlachte Lila. Ze vond zichzelf het mooist als ze zich in de ogen van haar kinderen weerspiegeld zag.

Als ze zichzelf naakt in de kleedspiegel zag, was het een ander verhaal. Ze keek naar de vreemdeling die terugstaarde. In Londen zag haar roomblanke huid er stralend uit, maar hier in het Spaanse licht maakte die alleen maar een bleke en ongezonde indruk. Met haar vingers streek ze over haar zwangerschapsstriemen en streelde daarna het zwembandje rond haar taille. Door het baren van haar kinderen was haar lichaam voorgoed veranderd. Ze had twee volmaakte wezentjes op de wereld gebracht, maar daarmee haar eigen volmaaktheid opgeofferd. Zuchtend draaide ze zich opzij en inspecteerde wat ooit een strak kontje was geweest. Nu was hij plat en breder dan ooit. Ze had nu het lichaam van een moeder. Haar borsten zagen er ook leeg uit. Ze had beide kinderen een jaar lang de borst gegeven en toen ze eenmaal haar zwangerschapskilo's kwijt was, had ze twee platte, hangende vleeszakken over. Haar tepels waren rood en stonden permanent rechtop, als een paar overrijpe frambozen. Met haar handen omvatte ze haar vermoeide borsten en omcirkelde ze haar tepels.

Ze zuchtte van verlangen om te worden geliefkoosd. Het was geen volmaakt lichaam meer, maar nog steeds een lichaam dat ernaar hunkerde te worden aangeraakt. Wat was daar mis mee? De begeerte om te worden begeerd was met het verstrijken van de tijd niet verminderd. Was Brett er maar om haar vast te houden, te strelen en haar het gevoel te geven dat ze weer mooi was. Maar zoals altijd was ze alleen, en er was niemand die haar behoeften kon vervullen.

In elk geval was de Chanel-jurk om te zoenen, en toen ze hem aanhad voelde ze zich bijna aantrekkelijk. In de spiegel meende ze een glimp op te vangen van het meisje dat ze ooit was geweest – het mooie meisje dat haar hele leven nog voor zich had toen ze Cheshire had verlaten om Londen en het avontuur op te zoeken. Ze had de jurk bewaard om hem voor Brett aan te trekken. Hij was vrij kort voor haar doen – tot halverwege haar dij – en Brett had altijd een zwak voor haar benen gehad. Ze had al jaren geen korte rok meer gedragen, want voor formele evenementen gaf ze de voorkeur aan lange jurken en in haar vrije tijd droeg ze liever een nette spijkerbroek. Daarom wist ze dat hij aangenaam verrast zou zijn. Hij moedigde haar altijd aan zich avontuurlijker te kleden. Maar Brett was er niet en Lila voelde zich haast schuldig dat ze in zijn afwezigheid haar blote benen liet zien.

De kinderen sliepen al bijna toen ze haar hoofd om de deur stak om welterusten te zeggen.

'Wat ben je mooi, mama,' zei Louisa enthousiast. 'Net een tiener!'

Dat was een groot compliment van haar dochter. Louisa was vijf, maar gedroeg zich als een vijftienjarige.

'Je bent de mooiste mama van de hele wereld,' beaamde Sebastian. 'Zo zou papa je vast graag willen zien.'

Ze waren natuurlijk bevooroordeeld, maar toch nam Lila hun compliment-jes ter harte. Met een verende tred die ze de afgelopen maanden niet had kun-nen opbrengen, liep ze het huis uit.

Peter stond tegen de motorkap te leunen met een sigaret in zijn hand. Hij zag er ongelofelijk elegant uit helemaal in het zwart.

'Wow, schatje, een vent zou zo op de vuist gaan om jou!' verklaarde hij ter-wijl hij Lila van top tot teen opnam. 'Heel sexy. Kom, we gaan!'

'Eerst nog even Brett bellen,' zei Lila, die haar mobieltje uit haar avondtasje viste. 'Ik heb vanmiddag kwaad opgehangen en ik wil het weer goedmaken. Ik geloof dat ik een beetje te hard tegen hem ben geweest.'

Peter zuchtte vertwijfeld. 'Nou goed, als je dat per se wilt,' zei hij. 'Maar ver-tel hem in elk geval dat je naar een feest gaat. Zeg maar dat er een heleboel begerenswaardige jongemannen komen die je allemaal het slipje van je kont willen scheuren. Nee wacht, zeg maar dat je geen eens een slipje draagt! Het wordt tijd dat hij het voor de verandering eens benauwd krijgt.'

Lila barstte in lachen uit. Wat moest ze beginnen zonder Peter om haar op te vrolijken?

Shanna Lloyd glimlachte zelfvoldaan terwijl ze haar blote benen onder de koele lakens van Egyptisch katoen uitstrekte. Haar dijen voelden stevig aan, zoals na een training in het fitnesscentrum, maar deze keer hadden ze zojuist de naakte heupen van Brett Rose omklemd. Fantastisch! Dat was veel bevre-digender geweest dan een sessie met haar personal trainer. Brett Rose was offi-cieel de meest sexy man op aarde. De lezeressen van *Cosmopolitan* hadden hem nog vorige maand die titel verleend! Hij was ouder dan de meeste kerels met wie Shanna iets had gehad, maar hij had het strakste lichaam en de mooi-ste groene ogen die ze ooit had gezien. Bovendien was hij de man die elke aan-stormende actrice in Los Angeles in bed wilde krijgen, en zij was degene die daarin was geslaagd.

Shanna was dol op winnen. En aan dit gevecht was een maandenlange voor-bereiding voorafgegaan. Ze had een vrij klein rolletje in de film gehad en slechts een paar scènes met Brett, maar ze had er steeds voor gezorgd dat ze in de cateringtent aan de volgende tafel zat of op de barkruk naast hem in de hotelbar. Voordat de filmopnamen waren begonnen, had ze nog speciaal haar tieten laten doen en een extra lipobehandeling van haar dijen. Wat had Brett daarnet ook alweer gezegd? O ja, wat een prachtdijen! Dat was me nog eens een compliment. Als ze haar chirurg weer zag, moest ze hem dat beslist vertellen.

Haar haar was nog nooit zo lang of zo blond geweest (jezus, degene die haarextensies had uitgevonden verdiende een standbeeld) en het was haar eindelijk gelukt om zich in die kleine maat designerjeans te wurmen (op naar maatje zero!). Kortom, ze had zich nog nooit zo sexy gevoeld. En ze was altijd een lekker stuk geweest. Ze was pas eenentwintig en had het voordeel van goede Californische genen, maar hier kon iedereen alle extra hulp gebruiken. De naturel-look was voor losers en zij was echt geen loser. No way. Ze wist dat ze hem uiteindelijk zou krijgen. Oké, het had haar enkele flessen Cristal en een paar gram coke gekost tijdens de *wrap party*, maar nu lag ze dan toch maar triomfantelijk bij Brett Rose in bed!

Ze staarde naar de foto van Lila Rose op het nachtkastje. Stomme Engelse kakmadam. Wat zag Brett eigenlijk nog in die muts? Toen het mens nog jong was, had ze er best leuk uitgezien, dat moest ze haar met tegenzin nageven. Best leuk, als je op elegante, typisch Engelse brunettes viel. Maar nu? Ieuw! Ze was minstens veertig! Shanna dacht even na en maakte een berekening, iets wat op school nooit haar sterkste punt was geweest. Langzaam drong het tot haar door dat Lila Rose inderdaad bijna veertig moest zijn. Nou ja, ze zag er niet uit zoals een veertigjarige er in Los Angeles uitzag, tenminste niet met alle ingrepen die er beschikbaar waren. Lila Rose zag eruit zoals een veertigjarige van vroeger, uit de tijd voor botox. Daar was werkelijk geen enkel excuus voor. Geen wonder dat Brett snakte naar, even denken, wat had hij ook alweer gezegd? O ja, 'haar verrukkelijk jonge lichaam'. Hoor je dat, Lila Rose? Haar verrukkelijk jonge lichaam. Luister en huiver, loser.

Toen Brett met twee glazen vers granaatappelsap uit de keuken verscheen, praatte hij tegen zijn mobieltje.

'Wat ik aan het doen ben?' vroeg hij aan het mobieltje, maar ondertussen keek hij verlekkerd naar Shanna's blote tieten. 'Ik drink een glaasje sap en spring zo onder de douche, en daarna ga ik bellen om mijn vlucht naar jou te regelen, schatje.'

Hij zette zijn glas neer, ging schrijlings op Shanna zitten, met het mobieltje nog steeds tussen zijn oor en zijn schouder geklemd, en begon haar tepels te strelen. De witte handdoek rond zijn heupen viel open en het puntje van zijn stijve penis stak naar buiten, waarmee hij zachtjes haar blote navel kietelde. Onwillekeurig snakte ze naar adem toen hij zijn penis naar haar clitje toe duwde. Jezus, wat verlangde ze naar hem. Ze wilde hem nu onmiddellijk weer in zich voelen, maar hij plaagde haar. Hij legde zijn vinger op haar lippen, sst, terwijl hij met zijn penis in zijn andere hand kringetjes rond haar vochtige kutje draaide. Hij praatte nog steeds tegen zijn vrouw.

'Ja, schat,' zei hij doodkalm. 'Ik heb een cadeautje voor de kids.'

Jezus, wat kon hij goed acteren. Hij was zo stijf als wat, maar zijn stem klonk volkomen kalm. Shanna kon zijn geplaag haast niet meer verdragen. Hij wreef nu steeds harder tegen haar aan en ze hield het bijna niet meer uit. Ze wilde hem in zich voelen, móést hem in zich hebben, maar het was al bijna te laat. Ze beet in zijn vinger om het niet uit te schreeuwen, kromde haar rug en kwam klaar in een hemelse golf van extase waar geen eind aan leek te komen.

'Momentje schat, er staat iemand voor de deur,' zei Brett tegen Lila.

Hij schoof het mobieltje onder een kussen, spreidde Shanna's benen en drong met een machtige stoot diep bij haar naar binnen zonder zijn blik van haar tieten af te wenden. Hij neukte haar hard totdat hij nog geen minuut later zijn hoogtepunt bereikte, zo diep binnen in haar dat het een beetje pijn deed. Toen rolde hij zich van haar af, nam een slok van zijn sap, viste het mobieltje tevoorschijn en zette het gesprek met zijn vrouw voort.

Het duurde even voordat Shanna op adem was gekomen. Hijgend lag ze op bed en probeerde haar zelfbeheersing te hervinden. Brett had zijn rug naar haar toe gedraaid en was in gesprek.

'Wow, schat. Dat is nog warmer dan hier. Ik denk dat ik beter mijn zonnebrandcrème kan inpakken,' zei hij.

Shanna trok het laken weer over haar naakte lichaam heen, want ze voelde zich plotseling kwetsbaar en eenzaam, en misschien zelfs een beetje dwaas.

'Ga je uit, liefje? Wat leuk. Doe Maxi de groeten van me. Veel plezier, maar niet té veel, oké?'

Hij lachte om een onhoorbare opmerking vanaf de andere kant van de wereld.

'Wát heb je aan? Jezus, wat zou ik je graag even lekker willen pakken, kleine sekspoes van me,' bromde hij tegen zijn mobieltje. 'Ik hou van je, schat, dat weet je best. Jij bent mijn meid en jij komt altijd op de eerste plaats.'

Langzaam drong het tot Shanna door dat ze misschien was gebruikt. Weer keek ze naar de foto van Bretts vrouw. Om Lila's mond speelde een spottend lachje dat haar nog niet eerder was opgevallen. Shanna voelde zich plotseling niet meer zo triomfantelijk.

13

'Niet op je nagels bijten!' beval Sandrine, de Franse schoonheidsspecialiste, terwijl ze een bovenlaag op Maxines teennagels aanbracht. 'Ze zijn perfect. Als je ze beschadigt, vermoord ik je. Ziezo, klaar! Mooie teentjes!'

'Prachtig,' zei Maxine met een bewonderende blik op haar teennagels, die nu precies bij haar knalrode vingernagels pasten. 'Bedankt.'

'Wat trek je aan?' wilde Sandrine weten.

Sandrine was een imposante vrouw van achter in de veertig met geblondeerd haar en een enorme boezem die veel te zwaar leek voor haar tengere gestalte. Ze droeg haar haar altijd glad naar achteren geborsteld in een strakke knot, rode lippenstift, naaldhakken en een nauwsluitende witte laboratoriumjas over haar kokerrok. Ze vatte haar taak uiterst serieus op ('schoonheid is een wetenschap, Maxine!') en na acht jaar ervaring had Maxine geleerd haar met eerbied te behandelen.

'Ik dacht Dolce en Gabbana,' antwoordde Maxine met een peinzende blik. 'Mijn mini-jurk met het luipaardpatroon, denk ik.'

Misprijzend trok Sandrine haar bovenlip op. 'Dat ligt een beetje voor de hand, vind ik. Waarom niet iets Frans? Een klassieke Chanel-jurk staat een vrouw zo geraffineerd.'

Maxine moest lachen. 'Dat ben ik met je eens, Sandrine. Maar ik ben toch helemaal geen geraffineerd type?'

Vanonder haar zware valse wimpers keek ze op naar haar schoonheidsspecialiste. Sandrine nam haar kritisch op zoals ze languit op haar knalroze fluwelen chaise longue lag, enkel gekleed in een zwarte kanten string en een bijpassende balconnetbeha.

'Nee, lieverd. Zo'n type ben jij niet.'

Maxine was niet beledigd. Ze kende haar sterke punten en raffinement viel daar evenmin onder als koken. Haar hele leven was gebaseerd op haar carrière als glamourpoes, en haar onthullende jurken waren net zozeer haar handelsmerk als haar blonde haar en haar lange benen.

'Ik denk dat Lila wel Chanel zal dragen,' verzuchtte Sandrine, terwijl ze haar middeltjes en poedertjes bijeen zocht. 'Zo'n elegante vrouw. Zo statig...'

'Lila draagt altijd Chanel,' merkte Maxi op.

Jezus, wat wilde ze Lila graag zien. Ze had haar vriendin al in geen maanden meer gezien, sinds het feest op oudejaarsavond van de Roses in Los Angeles. Ze kenden elkaar al jaren, en hoewel de twee vrouwen verschilden als dag en nacht, was Maxine dol op Lila. Zelfs hun achtergrond was totaal verschillend: Lila had een nette, burgerlijke opvoeding gehad in Cheshire, terwijl Maxine een waanzinnige, verklote jetsetjeugd had gehad te midden van stonede rocksterren en drugsfeesten. Lila's vader was accountant – fatsoenlijker bestaat haast niet – en Maxi's vader was een Franse formule 1-coureur met een voorliefde voor snelle vrouwen en snelle auto's. Lila's moeder was verpleegster. Die van Maxi was een Amerikaanse erfgename.

Terwijl Lila als tiener hard voor haar eindexamen studeerde, werd Maxi van haar exclusieve kostscholen getrapt omdat ze jongens uit de buurt haar slaapzaal in smokkelde. Roedean, Cheltenham Ladies College en Benenden School hadden allemaal genoeg van haar tegen de tijd dat ze zestien was. Toen Lila een plaats op de toneelschool RADA had bemachtigd, was Maxi al door de boulevardpers tot losgeslagen meid bestempeld. Meestal kon ze in de chique nachtclub Annabel's worden aangetroffen, ofwel topless dansend op een tafel ofwel stomdronken languit eronder.

Op haar achttiende trouwde Maxine de la Fallaise met de twintigjarige popster Davie Donovan, die een watje bleek te zijn. Het huwelijk hield drie maanden stand, totdat Maxine tijdens een polowedstrijd een dekstoel op zijn hoofd kapotsloeg. Ze wilde hem alleen wakker maken nadat hij dronken en bewusteloos in de Veuve Cliquot-tent in elkaar was gezakt, maar hij had het persoonlijk opgevat. Uiteindelijk trok hij zijn aanklacht wegens mishandeling in en vroeg hij op grond van haar onredelijke gedrag een scheiding aan.

Echtgenoot nummer twee verging het niet veel beter. Alberto was een lager lid van een Europees koningshuis die getrouwd was om een eind te maken aan de voortdurende speculatie in de pers dat hij homo was. Helaas had Maxine hem na zes maanden huwelijk in bed betrapt met zijn (mannelijke) tennisleraar, waarop ze had beseft dat ze nooit Alberto's grote liefde zou worden. 'Het spijt me, Maxine,' had hij haar achterna geroepen toen ze uit het chateau was weggevlucht. 'Als jij een man was, zou je mijn ideale vrouw zijn geweest!'

Toen ze uitging met echtgenoot nummer drie, de indierockgod Riley O'Grady, had ze Lila leren kennen bij een fotoshoot voor *Vogue*. Dat was in 1997, midden in de Cool Britanniaperiode waar het blad aandacht aan schonk. Zowel Riley als Lila was uitgekozen om in de reportage te verschijnen. Lila had nog maar net een zeer succesvolle soap verlaten en stond aan het begin van haar carrière in Hollywood. Maxi was er alleen bij als aanhanger. 'Ik hoor bij de band,' had ze waarschijnlijk gezegd, zoals ze in die tijd wel vaker deed. Als ze het zich goed herinnerde, was Riley die dag extra onaangenaam geweest. Vrijwel de hele tijd had hij geprobeerd het supermodel Amy Dury te versieren.

In elk geval was Lila in haar pre-Hollywoodtijd een stuk rondborstiger geweest, en daarom ging de jurk die de styliste voor haar had uitgekozen van achteren niet dicht. Maxine had aangeboden om achter haar neer te hurken en de jurk tijdens de shoot op zijn plaats te houden. Vier uur lang had ze op haar knieën achter Lila's rug doorgebracht, zodat de tieten van het filmsterretje niet uit haar jurk zouden puilen. Lila geneerde zich dood om het voorval en bleef Maxine maar toefluisteren: 'Dankjewel.' Op een gegeven moment had Lila haar evenwicht verloren en was ze boven op Maxi gevallen. Toen de twee vrouwen opstonden, klampten ze zich aan elkaar vast, terwijl Maxi nog altijd Lila's jurk beethad. Slap van de lach wierpen ze allebei hun hoofd in hun nek van pret. Hun haren zwiepten door de lucht en hun ogen schitterden van jeugdige uitgelatenheid. De slimme fotograaf greep zijn kans. Het was deze foto die in het blad werd gebruikt. Maxi zou eigenlijk helemaal niet aan de fotoshoot meedoen, maar de publiciteit bevestigde haar reputatie als 'bekende persoonlijkheid' in het feestcircuit, waarop algauw aanbiedingen voor modellenwerk en een paar klusjes als tv-presentatrice waren gevolgd.

Lila was zo aardig en beschaafd dat Maxine direct dol op haar was. Ze wist gewoon dat Lila een grote ster zou worden. Die zomer had iedereen hooggespannen verwachtingen van haar, net zoals voorheen van Kate Winslet en Catherine Zeta Jones. Het was doodzonde dat het voor Lila heel anders had uitgepakt. Ze was zo'n geweldige actrice geweest; het was onvoorstelbaar dat ze in het vorige millennium niet in een film had meegespeeld. Maar in feite had ze het zeker niet slecht gedaan. Brett Rose aan de haak slaan was heel wat Oscarnominaties waard.

Vanaf die dag was er een vriendschap ontstaan tussen de twee vrouwen. Een paar maanden later was Lila bruidsmeisje op de bruiloft van Maxine en Riley, en een jaar later was ze er weer voor Maxi, toen Riley Amy Dury zwanger had gemaakt. Die twee bleken sinds de dag van de Cool Britanniafotoshoot een verhouding met elkaar te hebben. Maxi kon nog steeds nauwelijks geloven dat Riley en Amy nu met hun vier kinderen en een kudde biologisch melkvee op een boerderij in Gloucestershire woonden.

Maxine had de naam een wild feestbeest te zijn, maar al snel kwam ze erachter dat Lila zelf ook niet zo onschuldig was als ze leek. Ze zag er weliswaar altijd uit om door een ringetje te halen, maar sprong moeiteloos uit de band en je kon enorm met haar lachen. Een jaar of twee waren ze onafscheidelijk geweest. Steeds stonden ze samen in de bladen afgebeeld, terwijl ze met stralende ogen arm in arm op hun hoge hakken het ene celebrityfeest na het andere afstruinden. Lila haalde keer op keer de artikelen over 'best geklede personen', maar Maxine viel eerder in de categorie 'slechtst geklede vrouw'. Dat kon haar niet schelen, want trots was ze niet. Iets aan Lila's 'anders-zijn' voorzag in een leemte voor Maxine. Waar Lila yin was, was Maxi yang.

Maxi wist niet wat ze in die periode zonder Lila had moeten beginnen. Jemig, hoe vaak Lila haar al niet uit de moeilijkheden had gered! Zoals die keer op dat jacht in Cannes, tijdens het filmfestival, toen ze met een zeer bekende acteur in bed lag. Lila was degene geweest die in de gaten had dat zijn al even beroemde vrouw onverwacht met een raceboot vanaf het vasteland op bezoek kwam. Ze had op de deur gebonsd, Maxi bevolen zich te verstoppen en was net op tijd het dek op gerend om aan de echtgenote uit te leggen dat de filmster opeens buikpijn had gekregen en lag te rusten. Het was geen pretje geweest om de volgende drie uur verkrampt onder het bed te moeten doorbrengen, maar beter dan door de echtgenote te worden betrapt!

Ook in donkere tijden stond Lila steeds klaar om haar te helpen. Maxi gebruikte al jaren af en toe softdrugs, maar één keer was ze een poosje verslaafd geweest aan cocaïne. Voordat het probleem uit de hand was gelopen, had Lila haar van de rand van de afgrond weggetrokken. Lila was degene geweest die haar om vier uur 's nachts uit een club had gehaald en haar naar een afkickcentrum had gebracht. De meeste van haar andere zogenaamde vrienden hadden op haar toenemende verslaving gereageerd door haar nog meer drugs aan te bieden, maar Lila bleef bij haar toen ze cold turkey ging afkicken. Nadien, toen ze zich al wat sterker voelde, had Lila haar meegenomen naar Italië. Ze gingen winkelen in Rome, bezochten galerieën in Florence en daarna brachten ze een hemelse week door met slapen, lezen en zonnebaden in de glooiende heuvels van Toscane. Ja, Lila had altijd een goede invloed op haar gehad.

Maar toen was ze met Brett getrouwd en opeens was alles veranderd. Binnen de kortste keren was ze tot de hoogste regionen van Hollywood doorgedrongen. Brett had zijn eigen vrienden en die waren pas echt beroemd. Het was alsof er een deur tussen de twee vriendinnen was dichtgesmeten, en met het verstrijken van de jaren waren hun levens weer uiteen gaan lopen. Lila werd moeder en een heuse volwassene, maar Maxi's relaties gingen telkens uit, dus bleef ze gewoon doorfeesten. Tenslotte had ze geen verantwoordelijk-heden, geen eigen kinderen en geen echt doel in haar leven, en terwijl Lila Rose zich tot een mondaine Hollywoodvrouw ontwikkelde, bleef Maxi een Londens feestbeest. Dwaas misschien, frivool zeer zeker, maar altijd dolle pret. En nu was ze hier in Spanje met Carlos. Nog steeds de vriendin, dank-zij Esther. Niet getrouwd, geen kinderen en geen bruiloft in het verschiet. Hm!

Het deed haar verdriet dat Lila tegenwoordig zo weinig van zich liet horen, maar Maxine was het gewend om in de steek te worden gelaten. Dat hadden haar ouders voortdurend gedaan. Zelfs toen ze nog amper een week oud was, hadden ze haar al bij een kindermeisje achtergelaten zodat ze Monte Carlo konden doen. Ze was altijd zo dankbaar wanneer ze wel aan haar dachten, dat ze onmiddellijk haar boosheid vergat en het hen vergaf. Als volwassene rea-geerde ze precies zo: eeuwig dankbaar voor het kleinste kruimeltje aandacht dat haar werd toegeworpen. Misschien was dat de reden waarom ze altijd veel mensen om zich heen wilde hebben. Als klein meisje had ze even makkelijk vrienden verloren als gemaakt. Ze moest constant verhuizen en van school veranderen, en later, toen ze ouder en wilder was, waren er de vriendinnen die van hun ouders niet met haar mochten omgaan.

Maxine werd altijd gebrandmerkt als een slechte invloed, maar ze wist dat ze geen slecht mens was. Haar hart zat op de juiste plaats. Ze was geen kreng en ze was trouw aan haar vriendinnen. Zocht Lila maar weer toenadering, dan zou ze haar eens laten zien dat ze een goede vriendin kon zijn. Zelfs Lila zover krijgen dat ze naar het feest ging, was een doorbraak. En het feit dat ze allebei tegelijkertijd in Marbella waren, was op zich al een klein wonder. Vanavond zou het weer net zo zijn als vroeger. Ze begon een oude song van Carly Simon te zingen: '*Two hot girls on a hot summer night, they were looking for love...*'

'Je stem is niet je sterkste kant, schat,' zei Sandrine bestraffend. 'Hou alsje-blieft je mond. Ik krijg er hoofdpijn van!'

Op dat moment kwam Carlos de kamer binnenzeilen. 'Je moet je aankle-den, *chica*.' Maxi's naaktheid leek hem van zijn stuk te brengen. 'De gasten komen al over...' Hij keek op zijn Rolex. '... een halfuur. Jij bent de gastvrouw. Je mag niet te laat komen.'

'Hé, rustig maar, papa beer,' zei Maxine sussend. 'Ik ben in twee tellen klaar.'

Carlos gedroeg zich bij haar graag als vaderfiguur. Hij was dan ook al drieënvijftig en stond qua leeftijd dichter bij haar vader dan bij haar. Maar in tegenstelling tot haar afwezige vader was Carlos liefdevol, verantwoordelijk en een constante bondgenoot. Als zijn verdomde vrouw er niet was geweest zou hij zelfs helemaal volmaakt zijn.

Maxine moest lachen als ze eraan dacht dat ze in haar slaapzaal op kostschool een poster van Carlos aan de muur had hangen. Ze moest een jaar of twaalf zijn geweest. Terwijl de andere meisjes plaatjes van pony's hadden opgehangen, kuste Maxi elke avond Carlos welterusten en zwoer ze dat ze ooit met hem zou gaan trouwen. Die ring zat weliswaar nog steeds niet om haar vinger, maar daar werd aan gewerkt.

In de jaren tachtig was Carlos een superster geweest: een beeldschone, donkere Spaanse kanjer van een zanger, met slechts een zweem van een accent wanneer hij zijn aangrijpende liefdesliedjes zong. Goed, achteraf gezien was het allemaal een beetje sentimenteel, maar het was per slot van rekening de jaren tachtig: de tijd van de wansmaak. Carlos kon nu nog steeds een stadion vullen. Hoofdzakelijk met vrouwen van middelbare leeftijd, dat moest ze toegeven, maar op het podium werden er nog steeds slipjes naar hem gegooid (en heus niet allemaal corrigerende slips).

Theoretisch woonden Carlos en zijn vrouw Esther in Los Angeles, terwijl Maxine Londen nog steeds als haar woonplaats beschouwde. Maar Carlos miste zijn geboorteland Spanje en daarom hadden ze de laatste tijd steeds meer tijd samen hier doorgebracht in hun afgelegen strandhuis enkele kilometers ten oosten van Marbella. Nu had Carlos in de jachthaven een boot voor Maxine gekocht die hij tot nachtclub had laten verbouwen.

'Je bent zo geweldig als gastvrouw, *chica*,' had hij uitgelegd. 'Ik dacht dat je wel graag je eigen nachtclub zou willen hebben.'

Maxine inspecteerde haar uiterlijk nog één keer in de spiegel, bracht nog een laatste laag knalrode lippenstift op en greep toen naar haar anticonceptiepillen. Ze wilde er juist een in haar mond stoppen toen ze opeens een ingeving kreeg. 'Dat is het!' Zonder er verder over na te denken (ze was altijd al impulsief geweest) liet ze de pil in de wasbak vallen, draaide de kraan open en keek toen hij door het afvoergat wegspoelde. Ze knipoogde naar zichzelf in de spiegel. 'Zeg maar dag, Esther Russo, hier komt Maxine Russo!' zei ze met een brutale grijns tegen zichzelf.

'Tada!' riep Maxine, terwijl ze in haar minuscule jurk met het dierenpatroon en op met diamanten bezette naaldhakken uit haar kleedkamer verscheen.

'Magnifiek, *chica*!' verklaarde Carlos trots.

'Ts ts,' mopperde Sandrine. 'Hoe vaak moet ik je nog zeggen dat blote benen en een bloot decolleté ordinair zijn?'

'Sandrine,' zei Carlos vermanend. 'Mijn Maxi is nooit ordinair. Ze is een volmaakt voorbeeld van vrouwelijkheid. Ze is Venus in hoogsteigen persoon!'

Sandrine trok een perfect geëpileerde wenkbrauw op en fluisterde in Maxines oor: 'Ik neem aan dat hij je nog steeds niet onopgemaakt heeft gezien.'

14

Als het meisje haar ogen opendoet, weet ze eerst niet waar ze is. Ze ligt op haar rug op een harde, vlakke ondergrond en boven haar hoofd flikkert en zoemt een felle tl-buis. Bromvliegen en nachtvlinders storten zich op het licht en plegen zelfmoord. Ze kijkt toe terwijl ze doodgaan. Naarmate ze bijkomt brandt de pijn langzamerhand door haar lichaam en speelt de nachtmerrie van het gebeurde weer door haar hoofd. En opeens is hij terug. Grijnzend kijkt hij op haar neer.

Ze heeft hem nooit gemogen, was altijd op haar hoede voor hem. Maar dit? Nee, dit had ze niet zien aankomen.

'Dag schat,' zegt hij wellustig. 'Voel je je al wat beter na je dutje? Je leek de Schone Slaapster wel.'

Met alle energie die ze in zich heeft beukt ze met haar vuisten op zijn borst. 'Laat me gaan!' gilt ze. 'Laat me gaan!'

Hij lacht. Dan grijpt hij haar smalle polsen beet en legt haar armen voorzichtig weer langs haar zij.

'Doe niet zo mal,' zegt hij op geamuseerde toon. 'We zijn toch nog niet klaar met plezier maken?'

Het meisje heeft geen idee hoeveel tijd er is verstreken. Uren? Dagen? En waar is ze in vredesnaam? Dit is niet dezelfde ruimte waar ze eerst in was opgesloten. Ze tilt haar hoofd een beetje op. Bewegen is moeilijk. Haar hele lichaam doet pijn. Het lijkt wel of ze in een verlaten fabriek of pakhuis is. De vloer is van beton en smerig. De muren zijn bedekt met ouderwetse baksteenvormige tegels die je in openbare toiletten ziet. Ooit moeten ze wit zijn geweest, maar nu zijn ze grijs en besmeurd met... wat is dat? Het ziet eruit als bloed.

De uitgestrekte ruimte is vrijwel leeg, afgezien van een paar metalen rekken waaraan enorme haken hangen. Het meisje ligt zelf op een soort tafel met een dik houten bovenblad. En er slingeren nog meer gruwelijk uitziende werktuigen rond, zoals ze die eerder ook in het kleinere vertrek heeft gezien. Bij nader inzien lijken het eerder wapens dan werktuigen te zijn. De ruimte stinkt naar iets mufs, iets goors en weerzinwekkends, maar ze kan niet precies zeggen wat het voor een stank is.

'Het is een oude vleesmarkt,' grijnst de man. 'Dit was het abattoir.'

Aha, beseft het meisje met een huivering van afgrijzen, het is de geur van bloed en rauw vlees. De stank van de dood. Wat toepasselijk. Gaat zij hier ook dood? Nee! Ze gaat niet dood. Ze is veel te jong. Ze heeft nog te veel om voor te leven.

'Ik heb je een beetje opgeknapt,' zegt de man. 'We gaan een feestje bouwen.'

'W-wat?' Het meisje tilt haar hand naar haar gezicht en voelt een dikke laag make-up die er eerst niet was geweest. Ze merkt dat haar lippen plakken van de lippenstift en haar haar, dat eerst los had gehangen, nu in een paardenstaart zit. Wat heeft hij allemaal gedaan terwijl ze bewusteloos was? Met haar gespeeld als met een pop? De gal brandt in haar keel. Ze realiseert zich dat ze andere kleren aan heeft. Om de een of andere afgrijselijke reden draagt ze het uniform van een schoolmeisje. Het rokje is belachelijk kort en de witte bloes is tot ver beneden haar decolleté losgeknoopt. Hij heeft haar borsten in een akelige rode push-upbeha geduwd die enkele maten te klein is. Terwijl ze worstelt om rechtop te zitten voelt ze de beugels in haar gebroken rib steken. Plotseling kokhalst ze en braakt ze op de smerige grond.

'Zorg dat je je mooie nieuwe kleren niet vies maakt,' zegt de man bestraffend.

Ze slaagt erin van de tafel af te glijden – onmiskenbaar een slagersblok – en gaat op wankele benen staan. De kamer draait en haar hoofd bonkt.

'Laat me gaan,' eist ze opnieuw. Wanhopig zoekt ze naar een ontsnappingsweg. Die is er niet. De enige deur zit op slot.

'Waarom? Zodat jij regelrecht naar de politie kunt gaan? Ik dacht het niet, schat,' lacht de man.

'Als je me nu laat gaan, zal ik het tegen niemand zeggen,' belooft ze met een trilstemmetje. 'Alsjeblieft, laat me nou gaan.'

'Doe niet zo mal,' zegt hij. 'Ik zei toch dat we een feestje gaan bouwen?'

Het beeld vervaagt, het gezicht van de man vervormt, maar ergens in haar bewustzijn ziet ze dat er met een pistool voor haar gezicht wordt gezwaaid. En dan zakt ze steeds dieper weg, en haar hoofd smakt tegen de grond, maar ze voelt niets behalve de koude vloer tegen haar betraande wang. Daarna wordt alles stil.

15

Door de jaren heen had Charlie ogen in zijn achterhoofd gekregen. Hij liet zich zelden, nee, nooit door iemand overrompelen. Maar hier, op een verlaten strand mijlenver van huis, had hij zijn gedachten de vrije loop gelaten. Dat was stom geweest. Hij was onvoorzichtig geworden. En pas nu, veel te laat, besefte hij hoe groot zijn vergissing was geweest.

Na een eenzame maaltijd op zijn kamer terwijl hij op Sky Sports naar het golfen had gekeken, had hij besloten dat een wandeling langs het strand hem misschien zou helpen de gebeurtenissen van die dag op een rijtje te zetten. Hij was naar de rand van het water gewandeld en gaan zitten, vlak bij de plek waar de golven over het strand spoelden. Zijn nieuwe sandalen had hij uitgetrokken, en onder zijn tenen had hij het koele, vochtige zand gevoeld.

Het was een heldere nacht. Hij had naar de jachthaven gestaard, een paar kilometers naar het westen, en een schip gezien dat daar afgemeerd lag. Het vaartuig was helemaal met feestlichtjes versierd en het fonkelde in de haven als miljoenen sterren. Daar zou vanavond het feest wel plaatsvinden, had hij vermoed. Maar Charlie was niet meer in een feeststemming. Gary's telefoontje had hem van zijn stuk gebracht. In feite werd hij zo in beslag genomen door wat er toch met Nadia kon zijn gebeurd dat hij pas merkte dat hij gezelschap had toen het zand vlak achter hem knarste.

'Prachtige avond voor zoiets,' zei een bekende, zware, hijgende stem.

Charlie ademde diep in en hervond zijn evenwicht. Wat deed hij hier, verdomme?

'Goeienavond, Frank,' zei Charlie. Zijn stem klonk kalm, maar zijn hart bonkte en zijn gedachten raasden door zijn hoofd. 'Hoe wist je dat ik hier zou zijn?'

Frank ging met zijn oude lijf naast Charlie op het zand zitten en klopte hem op zijn rug.

'Je zei dat je in het Club Hotel zou overnachten, je auto staat op de parkeerplaats en ik vermoedde dat je niet ver weg zou zijn. Toen zag ik een of andere zielige niemandsvriend op het strand zitten en dacht: kan niet missen. Daar hebben we Charlie.'

Charlie lachte zuur, maar voelde zich allesbehalve vrolijk. Dat Frankie Angelis zich uit zijn *Playboy*-villa had gewaagd, kon maar één ding betekenen: zaken.

'Ik vond dat we ons gesprek vanmiddag een beetje te vroeg hebben beëindigd, Char,' zei Frank. Zijn toon was vriendelijk, maar alleen al het feit dat hij zich naar Charlies oor toe boog, zo dichtbij dat Charlie zijn warme sigaaradem op zijn huid kon voelen, maakte duidelijk dat dit geen gezelligheidsbezoekje was.

'Vond je dat echt, Frank?' vroeg Charlie. Hij staarde voor zich uit naar de zee.

'Ik weet niet of ik duidelijk genoeg was over die klus waar ik het over had,' vervolgde Frank.

Even deed Charlie zijn ogen dicht. Hij had opeens een droge mond, en zijn stem klonk schor en zwak toen hij antwoordde: 'Ik heb geen interesse, Frankie. Ik wil je niet voor het hoofd stoten, maar dit is gewoon niet het juiste moment.' Hij voelde zich verdomme ook zwak. Frank Angelis kon er in een mum van tijd voor zorgen dat hij zich weer als die zestienjarige boodschappenjongen voelde.

Frankie ontspande zich weer en leunde op zijn handen. 'Charlie, Charlie, Charlie toch,' bromde hij. 'Ik heb je nog nooit om een gunst gevraagd, maar deze keer heb ik echt je hulp nodig. Na alles wat ik de afgelopen jaren voor jou en je familie heb gedaan, had ik wel enig begrip van je verwacht. Ik vind dat je me het een en ander schuldig bent, Charlie.'

Het was een nauwelijks verholen dreigement, en dat wist Charlie. Als het om een kleine klus ging, zou het misschien de moeite waard zijn om van die ouwe af te komen.

'Wat voor klus?' vroeg hij vertwijfeld.

'Ik wil iemand uit de weg laten ruimen. Iemand die op mijn tenen heeft getrapt,' antwoordde Frank.

'Waar?'

'Londen.'

Charlie schudde zijn hoofd. 'Nee Frank. Daar ga ik voorlopig niet naartoe. Ik kom er net vandaan. Op het ogenblik ben ik in Londen nergens veilig.'

'Ach Charlie, je kent me toch langer dan vandaag. Als je je druk maakt om dat geval met Donohue...'

'Jezus christus!' zei Charlie, en hij beukte met zijn vuist op het zand. 'Jij weet ook alles!'

De tanden van de oude man fonkelden in het maanlicht toen hij grinnikte. 'Tuurlijk weet ik alles, knul, en knoop dat maar goed in je oren. McGregor, Donohue, dat grietje Clara: ik zorg dat ik altijd weet wat er aan de hand is.

Maar goed, maak je daar maar niet druk om. Ik kan je in een mum van tijd Londen in- en uitsmokkelen. Niemand zal weten dat je er bent. Een vriendje van me vliegt over een paar dagen naar de city. Particulier toestel. Geen haan die ernaar kraait. Je bent er hooguit een paar uur, meer niet.'

Charlie greep een handvol koel zand en liet het langzaam tussen zijn vingers door sijpelen. Als Frankie over Donohue wist, kon hij het Charlie flink lastig maken.

'Waarom moet ik het per se doen?' vroeg hij. 'Thuis heb je vast een stuk of vijf kerels die je uit de brand kunnen helpen.'

Frank haalde sissend adem. 'Het ligt nogal ingewikkeld. De zaken zijn een beetje...' Hij kneep zijn ogen tot spleetjes en keek peinzend. 'Laten we het er maar op houden dat ik niet meer weet wie ik nog kan vertrouwen. Daarom wil ik dat jij dit klusje voor me klaart. Wij kennen elkaar al zo lang, Charlie. Ik weet dat jij me niet in de steek zult laten.'

Charlies hoofd bonkte. Hij wilde helemaal geen klus doen. Voor Frankie niet, voor niemand niet. Hij wilde gewoon met rust worden gelaten.

'Wie is het?'

'Geen namen,' mompelde Frank, om zich heen kijkend om te controleren of het strand nog steeds verlaten was.

Charlie zuchtte. 'Ik moet een naam hebben, Frankie. Ik moet een naam hebben voordat ik ergens mee akkoord ga.'

Misschien ging het om een eenvoudige afrekening, om een of andere smeerlap die Charlie zelf graag naar de andere wereld zou willen helpen. Als het eenvoudig was, zou het misschien de moeite waard zijn alleen om van Frankie af te zijn. Misschien...

'Dus je doet het?' zei Frankie. Het was geen echte vraag.

'Misschien als je me vertelt om wie het gaat.'

'Goed, goed. Het gaat om een Rus. Ene Dimitrov.'

Charlie voelde het bloed wegtrekken uit zijn gezicht en ondanks de warme avond rilde hij in zijn dunne hemd. Verbeeldde hij het zich of werd de wereld echt schrikbarend snel kleiner?

'Ik kan het niet doen, Frank,' zei hij vastberaden. 'Geen sprake van.'

'Waarom niet?' brulde Frankie en hij keek toen weer om zich heen. Hij liet zijn stem dalen en vroeg opnieuw: 'Waarom niet, verdomme?'

'Omdat Dimitrov een grote jongen is, Frankie. Hij is niet zomaar een crimineeltje, hij is verdomme een biljonair met legale ondernemingen. Hij heeft invloedrijke vrienden. En hij is verdomme een Rus. Ik heb weinig trek om aan stralingsziekte te creperen. Bovendien heb ik andere redenen...'

'Wat voor andere redenen,' vroeg Frank, die zich zichtbaar kwaad maakte.

'Nou, hoofdzakelijk het feit dat ik al het hele jaar met zijn dochter heb geneukt. Het is te persoonlijk. Dimitrov is taboe. Hem raak ik met geen vinger aan.'

'En daar blijf je bij?' riep Frankie kwaad. Het leek hem opeens niet meer te kunnen schelen of er iemand meeluisterde.

'Ja,' antwoordde Charlie halsstarrig. 'Daar blijf ik bij. Dimitrov is taboe. Punt uit.'

Zwaar hijgend kwam Frank overeind. 'Daarmee is het nog niet afgelopen, vriend,' waarschuwde hij. 'Je weet te veel. Nu ben je verdomme een blok aan mijn been.'

'Frank, Frank!' Charlie sprong op en wilde kalmerend zijn hand op de onderarm van de oude man leggen, maar Frankie rukte zijn arm los. 'Luister nou, Frank,' vervolgde Charlie zo beheerst mogelijk. 'Mij kun je vertrouwen. Ik zal er met niemand over spreken, op mijn erewoord.'

'O, je erewoord?' smaalde Frankie. 'En wat koop ik daarvoor, godverdomme? Na alles wat ik voor jou heb gedaan, vriend, is dit je dank!'

'Ik bedoel het niet oneerbiedig,' hield Charlie vol. 'Ik kan deze klus gewoon niet aannemen.'

'Je vertikt het gewoon, zul je bedoelen,' snauwde Frankie terwijl hij opzij stapte. 'Nou, let op mijn woorden, vriend. Niemand weigert Frankie Angelis iets, gesnopen? Niemand.'

Charlie luisterde naar de voetstappen van de oude man die langzaam wegstierven in het zand totdat enkel nog het geluid van de golven te horen was. Wanhopig ging hij weer zitten, zijn verziekte leven vervloekend en wensend dat het lot hem langs een ander pad had gestuurd. Hij liet zijn gedachten afdwalen naar een droomwereld met een rustig leven, een mooie vrouw en lieve, onschuldige kinderen die nooit hoefden te zien wat hij allemaal had gezien. Het was een leven waarvan hij zeker wist dat hij het nooit zou kennen. Toen dwong hij zich weer terug naar de werkelijkheid, stond op en liep langzaam terug naar de rand van het water om naar zijn sandalen te zoeken. Uiteindelijk vond hij ze zachtjes meedrijvend op het opkomend tij. 'Kut!' zei hij tegen het verlaten strand. 'Die hebben me driehonderd pond gekost!' Maar zijn doorweekte designersandalen waren het laatste waar hij zich druk om maakte.

In gedachten verzonken liep hij terug naar zijn hotel toen zijn mobieltje ging. Op het scherm stond 'nummer onbekend'. Wat nu, verdomme? Eigenlijk was hij geneigd niet op te nemen, maar stel dat het Gary was die zijn hulp nodig had? Of zelfs Nadia? Met tegenzin nam hij op.

'Hallo?'

'Aha, Charlie Palmer,' zei een diepe stem met een zwaar accent. 'Met Vladimir Dimitrov. U bent niet makkelijk op te sporen.'

Charlie voelde zijn hart in zijn keel kloppen en hij vroeg zich af of Dimitrov het ook kon horen.

'Meneer Dimitrov,' zei hij zo kalm mogelijk. 'Ik hoor dat Nadia vermist wordt. Ik hoop dat u belt om te zeggen dat u haar hebt gevonden.'

'Ha, ha, ha.' Het was de minst vrolijke lach die Charlie ooit had gehoord. 'Ies goeie, meneer Palmer. Ies hele goeie. U weet ik mijn Nadia niet vinden. U hebt mijn Nadia. Wat wilt u? Mijn geld?'

'Meneer Dimitrov, ik heb Nadia niet,' antwoordde Charlie zo vastberaden mogelijk. 'Ik heb haar sinds vanochtend niet meer gezien. Toen ik wegging, was er niets aan de hand. U moet me geloven.'

'Waarom?' blafte Dimitrov. 'Waarom moet ik u geloven? Nadia woont met u. Ze houdt van u. Ze doet alles wat u zegt. Nu gaat u weg. U niet in Londen. Wat doet u met haar, hè?'

Dimitrov klonk angstaanjagend kalm. In zijn diepe stem met het zware accent klonk geen enkele paniek door. Hij sprak duidelijk. Absoluut. En de dreiging droop ervan af.

Charlie probeerde al zijn oprechtheid uit zijn strot te persen.

'Meneer Dimitrov,' zei hij, 'ik zweer op het graf van mijn moeder dat ik geen idee heb waar Nadia is. Ik heb haar met geen vinger aangeraakt en ik wil uw geld niet. Maar ik wil wel graag helpen om haar te zoeken, dus als ik iets kan doen...'

'U doet genoeg, Charlie Palmer,' beet Dimitrov hem toe. 'U doet al genoeg.' En toen werd er opgehangen.

'KUT!' schreeuwde Charlie over het verlaten strand.

Hij liet zich op zijn knieën vallen en verborg zijn gezicht in zijn handen. Er waren geen antwoorden. Alleen vragen. Zoveel verdomde vragen. Hij was uit Londen weggegaan om zijn problemen achter zich te laten, maar het begon erop te lijken dat ze hem waren gevolgd en onderweg nog groter waren geworden.

16

Casa Amoura was met feestlichtjes versierd en uit de geluidsinstallatie schalde Jasmines favoriete salsamuziek. Ze droeg haar nieuwe zilveren, met pailletten afgezette Prada-jurk – een cadeautje van Jimmy – en nipte van haar eerste mojito van de avond, terwijl ze wachtte tot haar vrienden kwamen. De villa zag er schitterend uit, sprookjesachtig zelfs, en ze was zo benieuwd wat iedereen ervan zou vinden. Vanavond was de eerste keer dat ze hun huis aan iemand lieten zien en Jasmine stond te stuiteren van opwinding.

'Rustig maar, liefje,' zei Jimmy, en hij kuste haar op haar blote schouder. 'Er komen alleen maar een paar vrienden voordat het feest begint.'

'Weet ik,' zei Jasmine. 'Maar ik ben hartstikke trots op deze villa. En op jou omdat je hem hebt verdiend!'

Ze sloeg haar armen om zijn hals en kuste hem vol op zijn mond. 'En het spijt me als je je aan me hebt geërgerd. Tijdens het interview.'

Hij maakte zich van haar los. 'Ik heb me niet aan je geërgerd,' zei hij. 'Ik heb alleen een gruwelijke hekel aan dat hele mediagedoe. Ik ben voetballer. Waarom moeten ze zo nodig weten wat mijn lievelingskleur is of wat ik verdomme voor mijn ontbijt heb gegeten? Daar word ik niet goed van, dat is alles.'

'Ik weet het, schatje,' zei Jasmine sussend. 'Maar dat hoort er nu eenmaal bij, nietwaar? Zij zijn de tegenstander. Je moet alleen weten hoe je ze in jouw voordeel kunt bespelen, dat is alles. Net als op het veld.'

'Moet je jou horen, Alex Ferguson,' lachte Jimmy.

Ze grinnikte. 'Dus het is weer goed tussen ons?'

Hij knikte. 'Het is weer goed, schat,' antwoordde hij, en hij gaf een kneepje in haar hand. 'En Jasmine?'

'Ja?'

'Ik hou van je. Dat weet je toch?'

Ze knikte dankbaar. En of ze dat wist. Ze wist ook dat ze een ontzettende geluksvogel was.

'Jeetje, daar zijn ze!' riep ze uit.

Ze wist altijd precies wanneer er iemand aankwam nog voordat hij het hek had bereikt, want dan begonnen de camera's aan de overkant van de straat opeens te flitsen. Vanavond waren de paparazzi duidelijk door het dolle heen, want de straat was verlicht alsof er een vuurwerk werd afgestoken. De pers wist dat de halve Premier League en hun stijlvolle wederhelften deze week in de stad waren. Het voetbalseizoen was pas afgelopen en veel belangrijke spelers hadden een huis in Marbella. Misschien vermoedden de paparazzi dat de andere spelers vanavond het nieuwe optrekje van Jimmy en Jasmine zouden bezichtigen. Of misschien waren ze door Blaine getipt.

Langzaam zwaaide het hek open, waarna er een zwarte Mercedes de oprijlaan op reed, gevolgd door een rode BMW 4x4 en een zilveren Porsche. Jasmine hoorde de journalisten vanaf de overkant van de straat de namen van haar vrienden roepen. Ze hadden zo lang achter de voetballers aan gezeten dat ze hun auto's herkenden.

'Wat enig dat jullie er zijn!' gilde ze toen haar vrienden uitstapten.

Crystal (die eigenlijk Christine heette) was Jasmines allerbeste vriendin van de hele wereld, en het tweetal omhelsde elkaar hartstochtelijk en kuste elkaar zoals het hoorde met gelipgloste 'mwahs!' op beide wangen.

'Je ziet er fantastisch uit, Chrissie!' zei Jasmine enthousiast, met een bewonderende blik op de veelkleurige lange Pucci-jurk van haar vriendin. 'Die jurk staat je beeldig.'

'Weet ik,' giechelde Crystal, terwijl ze zich snel ronddraaide. 'Ik heb nu een styliste. Ze is keigoed. Had ik jaren geleden moeten doen. Deze is vintage. Echt jaren zeventig. Hij is ouder dan ik!'

'Wow,' zei Jasmine. 'Wat gaaf, en hij staat geweldig bij je bruine kleurtje en je haar. O God, je nieuwe tieten! Wat zijn ze mooi!'

Crystal had zich pasgeleden laten blonderen en had een dikke, springerige pony boven haar stralende blauwe ogen laten knippen. Ze was ook weer afgevallen. Maar de grootste verandering waren de 75D-tieten die ze van Calvin voor haar verjaardag had gekregen. Ze zaten vlak onder haar sleutelbeen, waren volmaakt rond als sinaasappels en genoten vanavond van hun eerste openbare uitje. Ja, dacht Jasmine, ze ziet er tegenwoordig echt goed uit.

Met haar eenentwintig jaar was Crystal de jongste van de groep spelersvrouwen, maar ze draaide al vanaf haar tienerjaren in dat wereldje mee. Ze was sinds haar schooltijd bevriend met Calvin Brown en samen hadden ze de zware tocht van onbekendheid naar sterrendom gemaakt. De sensatiebladen waren door de jaren heen behoorlijk vals tegen Crystal geweest door de spot te drijven met haar rode haar en hun eeuwige commentaar op haar schommelende gewicht. In het openbaar had ze het altijd met een grapje afgedaan, maar Jasmine was er geweest om haar tranen te drogen nadat ze door de columnisten was afgemaakt. 'Ik heb verdomme nooit beweerd dat ik een supermodel ben,' had ze gesnikt. 'Ik ben gewoon Calvins vriendin. Wat geeft hun het recht om mij zo aan te vallen, alleen omdat mijn vent een bal achter in een net kan schoppen?'

Jasmine vond hen het eenvoudigste stel van de groep. Crystal en Calvin droegen weliswaar glamourkleding, reden in opzichtige auto's en woonden in een kast van een huis, maar op de een of andere manier hadden ze hun afkomst niet verloochend. Van die twee hoefde je geen kouwe kak te verwachten. Met Chrissie kon ze even vrolijk in een Juicy-joggingpak rondlummelen, popcorn eten en een film bekijken als in het trendy warenhuis Harvey Nichols rondslenteren om het geld van Jimmy en Calvin uit te geven. Ze had Crystal gevraagd of ze volgende week bij haar bruiloft haar bruidsmeisje wilde zijn en ze wist dat niemand haar beter kon kalmeren voordat ze in het huwelijksbootje stapte. Met een trotse glimlach keek ze naar haar vriendin in haar reïncarnatie als überbabe. Wat zouden de persmuskieten zeggen als ze haar vanavond zagen? Opeens kwam er een verontrustende gedachte bij haar op.

'Zeg, Chrissie?'

'Ja?'

'Hoeveel cupmaten ben je gegroeid?'

'Drie,' verklaarde ze trots. 'Ik was eerst zo plat als een strijkplank.'

'Ik ben alleen een beetje bang dat we je bruidsmeisjesjurk moeten vermaken,' giechelde Jasmine. 'En niet zo weinig ook.'

'Fuck, daar heb ik helemaal niet bij stilgestaan!' gilde Crystal. 'Sorry, Jazz.'

'Geen probleem, meis. Maandag laten we de designer hem naar je toe vliegen.'

'Eh, Jasmine,' zei Cookie McClean, haar op één na beste vriendin, 'ik denk dat mijn jurk ook moet worden vermaakt.'

'Hoezo?' vroeg Jasmine. Cookie had haar tieten lang voor het passen van de jurken laten doen.

Cookie deed een stapje naar achteren en streek haar Gucci-jurk glad over haar buik. Ze was maar een kleine opdonder, amper een meter vijftig en graatmager. Maar toen ze onder haar opbollende jurk haar silhouet toonde, was er onmiskenbaar een rond buikje te zien.

'Jezus, het is toch niet waar?' vroeg Jasmine geschokt.

'Jawel,' knikte haar man Paul trots. 'Ze is al vier maanden. Is het niet geweldig? We krijgen een kindje!'

'Nou, dat was het dan,' lachte Jimmy. 'Je zult de Porsche moeten inruilen voor een stationcar!'

Joelend van vreugde omhelsde iedereen de aanstaande ouders, feliciteerde hen en riep om champagne om het te vieren. Jasmine was echt blij voor haar vriendin. Cookie had haar voorliefde voor baby's nooit onder stoelen of banken gestoken en voordat ze Paul had leren kennen en met hem was getrouwd, had ze als kinderverzorgster gewerkt. Ze zou een fantastische moeder zijn. Maar of Paul zo'n geweldige vader zou zijn? Jasmine herinnerde zich dat hij een vaste klant was geweest in de Exotica: altijd de geilste van de voetballers, die briefjes van vijftig pond tussen de strings van de meiden stak en om lapdances vroeg. Hij betaalde ook grif voor de 'extraatjes'. Dat was eigenlijk tegen de regels, maar het gebeurde regelmatig in de chique hotels na de officiële sluitingstijd. Het zou niet zo erg zijn, als hij zijn leven intussen had gebeterd. Maar Jasmine wist van haar vriendin Roxy, die nog steeds in de Exotica werkte, dat Paul een vaste bezoeker van de Exotica was gebleven en een 'speciale band' had met Pamela, een van de nieuwe meisjes. Al weken zat ze erover in wat ze met die informatie moest doen. Zou ze het aan Cookie vertellen? Zou ze het er met Crystal over hebben? Tot dusver had ze er nog met niemand over gesproken. Zelfs niet met Jimmy. Hoewel ze vermoedde dat Jimmy waarschijnlijk al van Pronte Pammy op de hoogte was. Over dat soort dingen schepten mannen graag op tegenover hun vrienden. Jasmine zag dat Paul beschermend een klopje op Cookies buik gaf. Haar vriendin zag er dolgelukkig uit. Dan kon ze nu toch niets zeggen, of wel? Vanavond niet.

Een gevoel van mistroostigheid overviel Jasmine toen ze naar haar zielsgelukkige zwangere vriendin keek. Zou dat kindje opgroeien met een mama en een papa? Of zouden papa's uitspattingen alle voorpagina's halen? Zou de familie van dat kind al uiteengerukt zijn nog voordat het uit de luiers was? Soms dacht Jasmine dat mensen kinderen kregen zonder dat ze over de gevolgen hadden nagedacht. Waarom had haar echte moeder eigenlijk de moeite genomen haar ter wereld te brengen als ze toch niet van plan was haar op te voeden? Jasmine was van het kastje naar de muur gestuurd en had zich nooit ergens thuis gevoeld. Dat zou ze haar eigen kinderen nooit aandoen. Daarom was ze ook nog niet klaar voor een kind. Ze zou wachten totdat ze zich op een bepaalde plek had gesetteld en Jimmy een beetje volwassen was geworden voordat ze kinderen zou nemen. En ze zou hun alles geven wat ze zelf nooit had gehad: liefde, zekerheid en geld. Als het zover was, zou ze de beste moeder zijn die er ooit had bestaan, het soort moeder dat ze zelf nooit had gehad.

Plotseling verstomde het gezelschap en wendde iedereen zich naar de oprijlaan. Jasmine draaide zich snel om en zag Madeleine en Luke Parks arm in arm het terras op wandelen. De Parks waren de onbetwiste koning en koningin van het Britse voetbal. Luke glimlachte zelfvoldaan en knikte met zijn hoofd alsof hij wilde zeggen: ja mensen, ik weet het, jullie boffen toch maar dat we jullie met onze aanwezigheid vereren. Getver! Ze kon hem niet uitstaan. In haar hele leven was ze nog nooit zo'n slijmerige, egoïstische zak tegengekomen, en dat wilde wat zeggen, gezien de mannen die ze had ontmoet. Toegegeven, hij was absoluut de beste voetballer van het land (hoewel sommigen voorspelden dat Jimmy hem over een seizoen of twee van de troon zou stoten) en hij was aantrekkelijk op de gladde manier van een catalogusmodel. Hij was de aanvoerder, de bovenbaas, de oudste en meest gerespecteerde van het team. De mannen beschouwden hem als een halfgod, maar zelf had ze nooit begrepen wat er zo aantrekkelijk aan hem was. In feite had Luke Parks het charisma van een boom. Jasmine had al vaak geprobeerd een gesprek met hem aan te knopen, maar het enige waarover hij sprak was hoe briljant hij was. Nog nooit had hij naar haar geïnformeerd. Hij boog zich voorover en kuste haar op beide wangen, alsof hij haar een gunst bewees.

Maar Madeleine Parks joeg haar pas echt de stuipen op het lijf. Dat mens was gewoon eng. Ze was de oudste, langste, magerste, duurst geklede en meest gefotografeerde van de spelersvrouwen. Madeleine was zonder meer de opperbabe, en geen van de andere dames durfde tegen haar in te gaan. Er kon geen lachje af en ze zette zichzelf nooit voor schut. Ze was de ijskoningin: onmiskenbaar mooi met prachtig witblond haar, een gave blanke huid, glinsterende ijsblauwe ogen en een permanente hooghartige grijns. Jasmine was doodsbenauwd voor haar. Madeleine was een 'echt' model, geen glamourmodel zoals ze zelf was, en ze had in de pers volkomen duidelijk gemaakt dat ze van Jordan, Jodie en Jasmine en dat soort mensen niets moest hebben. Hoe had ze hen ook alweer genoemd? O ja, nu wist ze het weer: 'goedkope sletten'. Madeleine vond Jasmine een goedkope slet. Vandaar dat Jasmine wel door de grond kon zakken toen ze zag wat Madeleine aanhad. Ze droegen allebei precies dezelfde met pailletten afgezette Prada-jurk.

'O god, Madeleine, wat vreselijk,' verontschuldigde Jasmine zich, toen ze ergens in de nabijheid van Madeleines messcherpe jukbeenderen de lucht had gekust. 'Ik had geen idee dat jij deze jurk ook hebt.'

Langzaam nam Madeleine haar van top tot teen op, maar aan haar gezicht was niets af te lezen. Dat was altijd zo. 'Te veel botox,' had Crystal uitgelegd. 'Haar spieren zijn nu voorgoed verlamd.'

Eindelijk zei Madeleine iets. 'Eerlijk gezegd herkende ik hem niet als hetzelfde exemplaar,' zei ze misprijzend. 'In een grotere maat ziet hij er heel anders uit. Maar goed, geen nood. Je kunt je nog even omkleden. Hij staat je trouwens toch niet.'

'Staat hij me niet?' Als Madeleine haar een klap in haar gezicht had gegeven, zou ze haar niet erger hebben gekwetst. Zelf vond ze dat ze er best goed uitzag in haar glitterjurk. Jimmy had hem persoonlijk uitgekozen. Ze vond hem prachtig.

'Nee, absoluut niet,' bevestigde Madeleine. 'Hij is bedoeld voor een veel kleiner postuur dan het jouwe. En de kleur past niet bij je. Dit is een jurk voor een blondine. Als ik jou was, zou ik beslist iets anders aantrekken.'

Jasmine slikte de brok in haar keel weg, pinkte haar tranen weg en probeerde haar zelfbeheersing te hervinden.

'Je hebt gelijk, Madeleine, dat doe ik. Ik zal eerst een drankje voor je gaan halen.'

Jasmine forceerde een lief lachje naar Madeleine, alsof ze dankbaar was voor haar modeadvies, maar eigenlijk had ze haar wel de ogen kunnen uitkrabben. Ze wilde naar de bar op het terras lopen, maar Madeleine hield haar tegen met haar genaaldhakte voet.

'Nee, Jasmine,' zei ze kil. 'Ga je nu onmiddellijk omkleden. Voordat iemand het merkt.'

Madeleine glimlachte niet, maar de ondeugd straalde uit haar ogen en haar mondhoeken kropen omhoog alsof ze wilde grijnzen. Ze amuseerde zich.

Smekend keek Jasmine naar Crystal, maar Chrissie stond te giechelen met Calvin, Blaine en Jimmy en had niet gemerkt wat er was gebeurd.

Jasmine wilde schreeuwen: lazer op, arrogante teef! Ik kleed me om wanneer het mij uitkomt! Maar dat deed ze natuurlijk niet.

'Goed, Madeleine,' zei ze beleefd. 'Ik ben zo terug. Maria zal een drankje voor je halen en op het terras zijn canapés.'

Toen ze zich omdraaide om weg te lopen, voegde Madeleine eraan toe: 'En Jasmine...'

'Ja?' Ze draaide zich weer terug om de oudere vrouw aan te kijken. Met nauwelijks verholen minachting keek Madeleine haar aan terwijl ze haar glanzende, platinablonde haar over haar knokige schouders zwaaide.

'Ik heb een goede raad voor je. Maak niet de vergissing te denken dat je er met een designerlabel stijlvol uitziet. Stijl kun je niet kopen. Daar word je mee geboren.'

Jasmine voelde de tranen langs haar wangen biggelen toen ze zich abrupt omdraaide en naar de villa en haar veilige slaapkamer holde. Haar hele leven lang probeerde ze al uit het sociale moeras te klimmen, maar één gesprekje met Madeleine Parks was genoeg om haar weer diep te laten wegzinken. Daar stond ze dan in haar droomhuis van drie miljoen pond in Marbella en nog steeds voelde ze zich als het meisje dat deodorant had gejat om de stank van de armoede te verhullen.

Snel plensde ze koud water in haar gezicht en werkte haar make-up bij. Ze deed haar best om er niet sletterig uit te zien. Ze had zich niet zwaar opgemaakt, met alleen een beetje mascara en lipgloss. De Prada-jurk smeet ze op het bed en daarna haalde ze haar kleerkast overhoop op zoek naar iets eleganters.

'Ach, hier ben je, Jazz,' zei Jimmy, die de kamer binnenstormde. 'Iedereen vraagt waar je uithangt.' Onderzoekend keek hij naar haar naakte lichaam en vroeg: 'Wat doe je, schat?'

'Ik moet me omkleden,' legde ze uit. 'Ik had dezelfde jurk aan als Madeleine.'

'Nou en?' Hij leek het niet te snappen. 'Ik draag dezelfde spijkerbroek als Paul, maar daar maken we ons niet druk om. Wat is het probleem? Je hebt er toch niet om gejankt? Jezus, van vrouwen zal ik nooit iets begrijpen!'

'Ik voel me prima, Jim, maar ik kan alleen niet in dezelfde jurk als Madeleine worden gefotografeerd, dat is alles,' verduidelijkte ze. Ze wilde haar verloofde niet laten merken hoe overstuur ze was.

'Nou, schiet een beetje op,' zei hij. Toen keek hij haar verwonderd aan. 'Je hebt wél gehuild, Jazz. Ik ben niet achterlijk. Wat is er?'

Ze schudde haar hoofd. 'Niets, echt niet. Madeleine deed alleen een beetje rot tegen me, meer niet. Ze zei dat de jurk me niet stond.'

'Ach, ze is gewoon jaloers,' schimpte hij. 'Let er maar niet op. Jij zou er in een vuilniszak nog bloedmooi uitzien en dat weet ze best. Zelf is ze een strijkplank met tieten – en die zijn nog nep ook. Dat mens zou nodig eens een vette bek moeten halen. Hier, trek die roze maar aan. Die staat je fantastisch.'

Jasmine volgde Jimmy's raad op en trok snel haar trouwe knalroze Matthew Williamson aan. 'Kun je me even dichtritsen?' vroeg ze.

'Moet dat?' reageerde hij, terwijl hij met zijn hand onder de stof gleed en naar haar borsten tastte. 'Zoals ik al zei, zie je er fantastisch uit in die jurk, maar nog beter zonder.'

Ze lachte beleefd en haalde zijn hand weg. 'Toe nou, Jim, doe nou maar gewoon even mijn rits dicht.'

Hij schoof de spaghettibandjes van haar schouders omlaag en liet zijn hand weer in haar jurk glijden om haar ruw te betasten. 'Ach, toe nou, schatje. Even een vluggertje, oké? Daarnet was je zo heet als wat.'

'Jimmy,' zei Jasmine lichtelijk geïrriteerd. 'Al onze vrienden staan buiten op ons te wachten. Laten we nou maar gewoon verdergaan met de avond, goed?'

'Wat?' Hij keek verbaasd. 'Je bent toch niet opeens frigide geworden?'

'Hou toch op, Jimmy.' Ze voelde haar wangen branden van verontwaardiging. 'Je weet best dat ik het niet kan uitstaan als je zo tegen me praat.'

'Maar ik weet heus wel dat je naar me verlangt, schatje. Je hebt er altijd zin in.'

'Dat is niet waar,' waarschuwde Jasmine, die nu echt kwaad werd.

'Ach kom, je lust er wel pap van, Jazz. Als je me even een pijpbeurt geeft, laat ik je daarna met rust.'

'Lazer op,' reageerde ze terwijl ze worstelde om zelf haar rits dicht te doen.

'Wat?' Hij keek gepikeerd. 'Jezus, je bent echt woest, hè?'

'Ja,' antwoordde ze. 'Ik voel me goedkoop als je zoiets zegt, maar dat ben ik niet, hoor je?'

'Goed, liefje,' zei hij ten einde raad. 'Rustig nou maar. Ik snap niet waarom je je zo opwindt. Je bent verdomme moeder Teresa niet. Ik zeg alleen dat je een heet wijfie bent. Dat is geen belediging.'

'Oké,' gaf ze zich gewonnen. 'Laten we er maar over ophouden en weer naar onze vrienden gaan.'

Maar toen ze de slaapkamer uit liepen, verknalde hij het. Hij mompelde: 'Toch hou je er wel van, hè?'

Dat deed de deur dicht. Altijd moest hij het laatste woord hebben en altijd ging hij te ver. Ze voelde weer de tranen prikken. Hoe durfde hij haar zo te kwetsen! Ze wás niet goedkoop en ook geen heet wijfie. Jawel, ze genoot ervan om te vrijen met de man op wie ze dol was, maar seks was een serieuze zaak voor haar. Voordat ze Jimmy leerde kennen, had ze maar twee vriendjes gehad en ze was altijd volkomen monogaam geweest. Dat ze uit de kleren ging om de kost te verdienen wilde niet zeggen dat ze zich zomaar liet nemen. Ze was geen stuk vlees dat door iedereen kon worden betast en vastgepakt. Haar lichaam was van haar en van niemand anders. Ze bepaalde zelf of ze dat wilde delen, en Jimmy had geen enkel recht om het te nemen wanneer hij maar wilde. Als hij wist wat ze allemaal had meegemaakt, zou hij niet zo snel grappen maken.

'Jimmy,' zei ze zo kalm mogelijk, 'ga maar een koude douche nemen en denk na over wat je net tegen me hebt gezegd. Stel je eens voor hoe jij het zou vinden als iemand dat tegen je zus had gezegd.'

'Maar...' begon hij.

'Niks te maren, Jim,' zei ze grimmig. 'Laat me met rust. Ik ben op dit moment heel erg woest op je.'

Jimmy nam geen koude douche, maar ging een biertje drinken met zijn vrienden. Toen ze hem op het terras zag lachen en grapjes maken, leek hij zich niets aan te trekken van wat ze had gezegd. Hij begreep er niets van. Hoe kon hij het ook begrijpen?

'Ben je al helemaal klaar voor het volgende weekend?' vroeg Cookie. 'Je zult de mooiste bruid ooit zijn. Het klinkt allemaal echt perfect.'

Jasmine keerde terug naar de werkelijkheid en dacht aan haar aanstaande bruiloft. Ja, het zou een perfecte dag worden. Daar had ze al haar hele leven op gewacht en die dag zou ze niet laten verpesten. En al helemaal niet door Jimmy.

Een poosje praatte ze met Cookie en Crystal over wie waar zou moeten zitten.

'Wie heeft de pech om naast die heks te moeten zitten?' vroeg Chrissie, terwijl ze met haar hoofd naar Madeleine wees.

'Ik geef je vijftigduizend pond als je mij aan de andere kant van de zaal laat zitten,' bood Cookie met een huivering van afkeer aan.

'Ik zat erover te denken om mijn broers naast haar te laten zitten,' giechelde Jasmine. 'Dan kunnen ze haar amuseren met hun verhalen over de gevangenis!'

'Ja, dat moet je doen,' riep Crystal enthousiast uit. 'Dan trekt ze een nog zuurder gezicht dan anders.'

Juist op dat moment verscheen er een gestalte op de trap die vanaf de zee naar boven voerde. Via hun privéstrand zou niemand hun tuin moeten kunnen bereiken.

'Wie is dat?' vroeg Jasmine zich hardop af. Ze tuurde door haar wimpers naar de man die op hen afkwam.

Hij was lang, slank en enigszins onverzorgd. Zijn lange, donkere haar zwaaide voor zijn ogen. In zijn rechterhand hield hij een fles en dwars over zijn lichaam hing een tas.

'O, het is Louis,' grinnikte Chrissie. 'Hij mag graag een opvallende entree maken.'

De anderen beschouwden hem een beetje als een buitenbeentje, maar Jasmine merkte dat er een brede glimlach op haar gezicht verscheen toen hij dichterbij kwam. Ze was dol op hem. Soepel kuierde hij naar haar toe en grijnsde zijn scheve grijns.

'Jasmine.' Hij kuste haar zachtjes op beide wangen en kneep haar vriendschappelijk in haar arm. 'Ik 'oop dat je het niet erg vindt dat ik ben gekomen. Ik loop langs het strand van het 'otel. De 'ond van de buren beet bijna in mijn kont!'

Jasmine lachte. 'Welnee Louis, het is een fijne verrassing. Ik had je niet verwacht.'

'Dat had niemand,' mompelde Jimmy toen hij op weg naar de bar langsliep. Hij bleef niet staan om de nieuwkomer te begroeten.

Jimmy mocht Louis niet zo. Hij was anders dan de andere jongens. Om te beginnen was hij Portugees en veel – hoe moest ze het uitleggen? – nou ja, gevoeliger dan de rest. Met hun machogedrag deed hij niet mee. Hij reed niet in een sportwagen en hij had zelfs niet eens een auto. Hij werd nooit zo dronken dat hij uit een club werd gegooid, was nooit door de paparazzi betrapt bij het vrijen met de vriendin van een ander en in de Exotica kwam hij nooit. Hij kleedde zich ook niet zoals de anderen. Het onofficiële uniform van de voetballers bestond uit designerjeans, een losgeknoopt hemd waaronder hun wasbordje te zien was, een net colbertje, een gouden ketting, diamanten oorbellen en een tatoeage om een beetje stoerder te lijken. Hun haar was hun grote trots. Of het nu een hanenkam was, een skinhead, de woeste haardos van een rockgod of gewoon kort opgeschoren: altijd zat het onder een dikke laag 'product' en was het tot in de puntjes verzorgd. Hoe ze ooit op tijd het veld konden bereiken om een wedstrijd te spelen, was Jasmine een raadsel. Jimmy deed er langer over om zijn haar te stylen dan zij, terwijl zijn haar ruim een halve meter korter was dan het hare.

Maar Louis had overal lak aan. Eigenlijk was hij een beetje een nerd, dacht Jasmine, met zijn gescheurde spijkerbroek, afgetrapte sportschoenen en gekreukte T-shirt. Om zijn nek hing een kleine zilveren christoffel, maar afgezien daarvan droeg hij geen sieraden. Zijn haar was lang, donkerbruin en sluik en hij droeg een bril met een zwart montuur. Ondanks zijn miljoenen liep hij er altijd een beetje slonzig bij. Dat wilde niet zeggen dat hij onaantrekkelijk was, integendeel. Louis Ricardo was lang, donker en knap volgens het boekje. En als ze heel eerlijk was, had ze wel een beetje een oogje op hem. Soms wilde ze gewoon even zijn gave bruine huid strelen, die er zo glad en uitnodigend uitzag. En laatst had ze zelfs een keer van hem gedroomd, zo'n stoute droom dat ze Jimmy de volgende dag nauwelijks had durven aankijken. Nee, zeg! Wat dacht ze wel? Ze stond op het punt een getrouwde vrouw te worden.

'Moet je die spieren zien,' fluisterde Cookie toen Louis Chrissie met een kus begroette.

Jasmine deed haar best om niet te staren. Vanavond droeg Louis zijn oude trouwe spijkerbroek met een wit onderhemd. Er viel heel wat gebronsde huid te bewonderen en dat was aan de vrouwen wel besteed. Alle mannen waren in goede conditie, het was tenslotte hun werk om fit te blijven. Maar in tegenstelling tot de anderen, die eruitzagen alsof ze uren in hun eigen fitnessruimte hadden doorgebracht (wat natuurlijk ook zo was), wekte Louis de indruk dat hij precies zo was als de natuur had bedoeld. Bij hem was het allemaal zo ongedwongen, zonder dat hij zich mooi maakte of liep te pronken. Hij had geen idee hoe knap hij was en dat maakte hem nog aantrekkelijker. De man had gewoon goede genen. Zo eenvoudig was het.

'Jasmine,' zei hij een beetje buiten adem. 'Ik 'eb iets voor je...' Hij graaide in zijn leren mannentas.

Ingespannen keek Jasmine toe. Zijn bril gleed van zijn neus en onwillekeurig viel het haar op dat hij onmogelijk lange wimpers had. Jeetje! Wat mankeerde haar toch? Ze moest nodig iets doen aan die malle verliefdheid op Louis! Als ze niet ophield, zou hij merken dat ze hem aanstaarde. Hij was echt geen domme jongen. Hij had gestudeerd en zo. Jimmy had haar ooit zelfs verteld dat Louis zijn eerste interland had laten schieten, omdat hij zijn eindexamen moest halen. Dat had hij alleen verteld om te laten zien hoe stom Louis was, maar daardoor kreeg Jasmine juist nog meer bewondering voor hem. Met dezelfde hartstocht studeerde hij nu voetbal. De andere spelers klaagden altijd over de discussies die Louis met de coach had over tactiek en opstellingen.

'Hij denkt verdomme dat hij José Mourinho is,' had ze Luke Parks een keer horen snauwen. 'Hij aast op de baan van zijn coach.'

Jasmine was de enige die zijn naam goed uitsprak, op zijn Portugees. 'Je zegt het zo,' had hij een keer uitgelegd, waarna hij zijn volle lippen had geplooid. 'Loe-esj. Loe-esj.'

Jimmy kon het niet uitstaan dat Jasmine hem zo aardig vond. Hij snapte echt niet wat ze in Louis zag. Hij duldde de situatie alleen maar omdat hij er (net als de andere voetballers) van overtuigd was dat Louis homo was. Maar Jasmine wist wel beter. Goed, Louis was intelligent en diepzinnig. Jawel, hij was teder en aardig. Maar de man was beslist geen homo. Ze had misschien niet gestudeerd, maar als er één onderwerp was waarvan Jasmine alles wist, dan was het mannen. Louis Ricardo was net zo macho als de rest. Dat wist ze heel zeker. Niet dat ze dat tegen Jimmy had gezegd natuurlijk...

'Hier,' zei Louis, die iets uit zijn leren koerierstas viste.

'Hé, Louis!' riep Jimmy vanaf het terras. 'Is dat een handtas die je daar hebt?'

De anderen bulderden van het lachen en Jasmine keek fronsend naar haar verloofde. Af en toe kon Jimmy zo kinderachtig zijn. Herkende hij een Mulberry dan niet?

Louis glimlachte alleen maar naar zijn teamgenoten en haalde zijn schouders op. Daarna ging hij weer verder met zoeken naar wat hij Jasmine wilde geven.

'Aha, 'ier,' zei hij, en hij gaf haar een boek. 'Een gids over Andalusië. Is 'eel goed, vind ik. Met veel informatie over de geschiedenis en aardrijkskunde van het gebied.' Hij bloosde licht. 'Ik dacht dat je het wel leuk zou vinden. Je zei dat je die streek graag zou willen...' hij zocht naar het juiste woord, '... verkennen.'

'O Louis, wat ontzettend schattig van je,' zei ze oprecht dankbaar. Toen ze hem op zijn gladde bruine wang kuste, zag ze een blik van afschuw op Jimmy's gezicht. Hij zei iets tegen zijn vrienden, waarna de drie mannen naar Louis keken en gemeen begonnen te lachen. Voetballers waren in feite net zo vals als hun vrouwen en vriendinnen.

'Oké, tijd om te vertrekken!' kondigde Jimmy aan. Hij klapte in zijn handen en stuurde iedereen naar de stretched limo die hij had besteld en die nu op de oprijlaan stond te wachten. Het groepje griste hun designer enveloptasjes en halflege flessen champagne mee en stapte in. Toen de limo de straat op reed, begonnen de camera's weer te flitsen, en het groepje kon de fotografen hun namen horen gillen. Soms kwam het Jasmine voor alsof ze zich in een bijzonder woeste video voor een of ander trancenummer bevond – 'let op: dit fragment bevat flikkerlicht'. Het was maar goed dat ze geen epilepsie had. Cookie kromp ineen toen de lampen flitsten.

'Jezus, daar krijg ik zo'n koppijn van,' klaagde ze.

Jimmy draaide het raampje omlaag en terwijl ze snel wegreden staken Paul en hij hun middelvinger naar de paparazzi op.

'Wat volwassen, zeg,' mompelde Jasmine.

Bij de club stonden nog veel meer fotografen te wachten. Het waren er minstens vijftig, waaruit Jasmine opmaakte dat er bij Maxines evenement veel celebrity's werden verwacht.

'Wow, deze tent is echt onwijs!' verkondigde Blaine toen hij het verlichte schip in zich opnam. 'Cruise,' las hij voor van het blauwe neonbord boven het dek. 'Goeie naam. Die goeie ouwe Maxi, hè?'

Jasmine zag eerst de mannen uitstappen en wachtte daarna totdat Madeleine, Cookie en Chrissie elegant van hun leren stoel waren gegleden, terwijl ze erop letten dat hun slipje niet te zien was. Zelf stapte ze als laatste uit. Ze ademde diep in, streek haar jurk glad en gleed vanuit de auto de flitsende nacht in. Het felle licht verblindde haar, en zoals altijd bonsde haar hart van opwinding. Zag ze er wel goed uit? Er zat toch geen spinazie van de canapés tussen haar tanden? Was haar mascara uitgelopen? Op dat moment hoorde ze aan een stuk door haar naam roepen. In haar hoofd ging een knopje om en toen wist ze precies wat ze moest doen.

'Jasmine!' riepen de paparazzi vanaf de overkant van de straat, waar ze door een dranghek werden tegengehouden. 'Madeleine! Crystal! Cookie!'

Zoals altijd deden de vrouwen wat de camera's van hen verwachtten. Chrissie zwaaide enthousiast, Madeleine pruilde chagrijnig en Cookie glimlachte lief. Maar Jasmine haalde alles uit de kast. Hoewel de anderen zich over alle aandacht beklaagden, was zij blij dat ze er was. Zonder de pers was ze niets, wist ze, en daarom wilde ze graag een goede show neerzetten. Met stralende ogen en tanden glimlachte ze, waarbij ze haar tong stevig tegen haar boventanden gedrukt hield: die tip had ze een keer in een interview met Katie Price gelezen. Zorgvuldig zette ze haar rechtervoet vlak voor haar linker, met haar knie gebogen, haar blote schouder naar de camera's gericht en haar hand op haar heup. Dit was de meest flatterende houding, had ze gemerkt. Toen boog ze iets naar voren om hun de glimp van haar decolleté te gunnen waar ze op hadden gewacht. Jimmy verdroeg de fotografen omdat hij wist dat het moest, maar algauw kreeg hij er genoeg van. 'Kom op, moeder Teresa,' mopperde hij. 'Ik vind dat je ze nu wel genoeg hebt laten zien, hoor.'

17

Meestal had Grace er een hekel aan om 's avonds in haar eentje naar een feest te gaan, maar deze keer bleek het onverwacht heel leuk te zijn. Blaine had voorgesteld dat ze een uitnodiging voor zichzelf zou regelen. En hij had volkomen gelijk gehad: voor een celebrityjournalist had het heel wat interessants te bieden. Cruise was belachelijk extravagant met ontelbare feestlichtjes die de buitenkant verlichtten. Aan de overkant van de straat stond een legertje paparazzi opgesteld en achter de touwen verdrongen zich honderden vakantiegangers die hun mobieltjes in de lucht staken om wanhopig te proberen de aankomst van de celebrity's te fotograferen.

Binnen waren de muren fuchsiaroze versierd met handgeschilderde zwarte orchideeën. De verlichting bestond uit prachtige glazen kroonluchters, die eerder fonkelend dan helder waren, en de zitgelegenheid omvatte fluwelen chaises longues in glanzende kleuren en Lodewijk V-stoelen met dierenprints. De bar was halfrond en van goud. Het was vrij donker in de club, maar niet onaangenaam. Eigenlijk heerste er een bijna baarmoederachtige sfeer.

Het personeel (dat uit allemaal modellen leek te bestaan) droeg traditionele zwart-witte uniformen, maar met iets extra's. De meisjes hingen een beetje de Franse serveerster uit met zeer korte, uitdagende rokjes, laag uitgesneden witte bloezen en zwarte hoge hakken. De jongens, gekleed in een zwarte smoking, droegen hun vlinderdasje losgeknoopt en hun kraag open. Het totale effect, vond Grace, nippend aan een glas gratis champagne, was van ontspannen luxe. En sexy. Duur en sexy. Net zoals Maxine de la Fallaise zelf, vermoedde Grace.

Ze had Maxine al vaak ontmoet en voor een celebrity (nota bene een tweederangscelebrity) vond ze haar erg sympathiek. Ondanks haar reputatie als feestbeest bleek Maxine bijzonder media-ervaren te zijn, had Grace geconstateerd. Ze gaf altijd interviews als ze iets wereldkundig wilde maken en noemde dan meteen een paar sappige persoonlijke details, precies genoeg om de belangstelling van de lezer te prikkelen zonder veel over zichzelf los te laten. Ja, Maxine was slim en daar had Grace bewondering voor. En nu had ze deze fantastische nachtclub gecreëerd. Grace was bijzonder onder de indruk. De prinses van het feest had zich tot koningin van de nachtclub ontwikkeld. Mooi zo, daarmee had ze meteen haar invalshoek, dacht ze tevreden.

Ze leunde achterover op haar fluwelen chaise en keek naar de vips die binnenstroomden – Spaanse soapsterren, lagere leden van Europese koningshuizen, een handjevol Britse sterren die in Marbella op vakantie waren, de oudere expatbrigade, aha, en nu de voetballers met hun grappige voetbalbabes. Grace moest lachen. Ze deden haar denken aan kleine vijfjarige meisjes die opgewonden giechelend en hand in hand naar een verjaardagsfeestje gingen, allemaal verkleed in hun prinsessenjurkjes. Ze moest toegeven dat ze eigenlijk wel iets schattigs hadden. Behalve Madeleine Parks, uiteraard, die beslist niets schattigs had. Zelfs Grace was bang voor haar.

Maxi bewaakte de deur als een leeuwin die haar troep beschermde. Ze schudde haar gouden manen, terwijl ze iedere nieuwe gast kuste en complimenteerde en met hen poseerde voor foto's die door de officiële fotograaf werden genomen. Jezus, wat was ze goed. Intussen maakte Carlos Russo vriendelijk een praatje met zijn gasten. Af en toe keek hij even naar zijn vriendin en lachte haar bemoedigend toe, terwijl zij ondertussen haar wonderen verrichtte. Hij leek meer op een trotse vader dan op een minnaar, dacht Grace.

Ze zag de voetballers die zich door de menigte heen drongen en vastberaden naar achteren stevenden. Jasmine herkende haar in het voorbijgaan en zwaaide enthousiast, maar Jimmy keek haar kwaad aan. Waar gingen ze naartoe? Op een veilige afstand liep ze achter hen aan, in het besef dat ze op weg waren naar een geheime ruimte die voor de allerberoemdste gasten was bestemd. Ze liepen een trap af en Grace ging erachteraan. Onder aan de trap keek Jasmine achterom en zag Grace staan.

'Kom maar,' riep ze, en ze gebaarde dat ze zich bij hen moest voegen. 'Dit is de vipruimte.'

Grace draafde de trap af, maar toen ze het vertrek binnen wilde gaan, werd ze tegengehouden door een boom van een zwarte vent in een smoking.

'Terug naar boven, mop,' beval hij vriendelijk maar beslist. 'Deze ruimte is privé.'

'Ze hoort bij ons,' legde Jasmine uit, en ze lachte lief naar hem.

De portier haalde zijn schouders op en liet Grace door.

Fantastisch! Het heilige der heiligen. Voor een journalist was dat de hemel. Een kamer vol celebrity's waar de kopij van afdroop. Ze stapte naar binnen en keek om zich heen naar een geschikte prooi. Haar ogen raakten gewend aan het halfduister en bleven rusten op een vrouw in het wit. Het was Lila Rose, die netjes op een bank zat. Grace bleef pardoes staan. Shit. Ze kon die vrouw niet onder ogen komen na wat ze over haar had geschreven. Haastig excuseerde ze zich tegenover een verbaasde Jasmine en sloop weer naar boven, terwijl ze zich afvroeg waarom ze de laatste tijd zo'n last had van haar geweten.

Lila was met een raceboot naar de achterkant van het schip gebracht, zodat de pers haar niet had zien aankomen. Het was aardig geweest van Maxine om die speciale geheime binnenkomst te regelen, en Lila was ontroerd door het gebaar. Het weerzien met Maxine was veel prettiger verlopen dan Lila had verwacht. Maxi hing aan dek rond toen Lila aan boord klom, fraai uitgedost in een strakke luipaardprint met haar gouden manen wapperend in de wind en een oogverblindende glimlach om haar vuurrode lippen. Ze had Lila stevig omhelsd en uitgeroepen dat ze haar toch zó vreselijk had gemist! Toen ze door Maxi aan haar weelderige boezem werd gedrukt, werd Lila overspoeld door een golf van genegenheid voor haar oude vriendin. In Maxi's armen voelde ze zich veilig. Het was een warm, behaaglijk gevoel, zoals thuiskomen na een lange afwezigheid. Ja, het was fijn geweest om Maxi weer te zien.

Nu zaten Lila en Peter op een leren bank in de vipruimte onderuitgezakt aan hun cocktail te nippen, naar de livemuziek te luisteren (een of andere zeer hippe band uit Londen waarvan Lila nog nooit had gehoord) en fijn naar mensen te kijken.

'O god, daar heb je dat mens weer,' zei Lila geschokt bij het zien van Grace Melrose.

'Wat doet zij in vredesnaam hier?' sputterde Peter verontwaardigd. 'Zal ik zorgen dat ze ophoepelt?'

Maar juist toen hij wilde opstaan, maakte Grace Melrose rechtsomkeert en verdween.

'Van boord gegooid natuurlijk,' zei Peter.

'Mooi zo,' vond Lila. 'Wie denkt ze wel dat ze is door zich hier te vertonen?'

Alle gasten waren 'iemand', maar dit gedeelte van het benedendek was afgescheiden voor de ware elite. Nu concentreerden ze zich op de komst van de voetballers en hun partners. Maxine had uitgelegd dat er was beraadslaagd over de vraag of die groep wel of niet belangrijk genoeg was om tot de vipruimte te worden toegelaten. Luke en Madeleine Parks waren duidelijk eersterangsgasten en Jimmy Jones en Jasmine Watts waren twijfelgevallen. De anderen telden eigenlijk niet mee, maar uiteindelijk had een smekend telefoontje van Blaine Edwards de doorslag gegeven. Plus het feit dat Maxine doodsbenauwd was om Madeleine voor het hoofd te stoten. 'Dat mens is echt een heks,' had Maxi uitgelegd. 'En als ik haar niet toelaat, maakt ze vast een voodoopop van me en steekt ze botoxnaalden in mijn ogen.'

Peter stond met open mond toe te kijken. 'Die daar, prinses Lachebekje...'

'Madeleine Parks,' merkte Lila op.

'Ja, die. Ze draagt het vermogen van een oliestaat uit het Midden-Oosten om haar magere nek.'

'Ja, dat is inderdaad een flinke hoeveelheid blingbling,' beaamde Lila.

'Zeg dat wel. Naar mijn berekening,' fluisterde hij, 'hebben we alles bij elkaar een paar miljoen pond aan diamanten, drie meter hairextensions, veertig valse nagels, vijftig flessen nepkleur en minstens acht siliconenborsten.'

Lila giechelde. 'Doe niet zo vals, Peter!' schimpte ze, maar eigenlijk had hij wel een beetje gelijk. Die vrouwen waren beslist niet zoals de natuur hen had bedoeld, met uitzondering van Jasmine Watts misschien. De nieuwe buurvrouw van haar ouders was een natuurlijke schoonheid, moest Lila toegeven.

'Wie heeft volgens jou haar eigen borsten?' vroeg ze.

'O Jasmine, zonder meer,' antwoordde Peter. 'Kijk maar, die van haar zijn veel minder bolvormig dan die van de anderen en ze hangen ook lager. Het was nooit Gods bedoeling dat een vrouw haar borsten op haar sleutelbeen droeg! Ik ben er niet helemaal van overtuigd dat hun plastisch chirurg überhaupt anatomie heeft gestudeerd. Maar moet je Jasmine zien wiebelen... Kijk! Als ze zo rondhuppelt.'

'Voor een homo ben je wel erg goed op de hoogte van tieten,' zei Lila geamuseerd.

'O, maar is ze niet beeldschoon?' verzuchtte hij. 'Als ik ooit als vrouw kon worden gereïncarneerd, zou ik willen terugkomen als Jasmine Watts.' Snel voegde hij er iets te laat aan toe: 'Of als jou, schat. Dat spreekt vanzelf.'

Maar ze wist dat hij het meteen bij het rechte eind had gehad. Wie wilde er niet zo uitzien? Jasmine was jong en gaaf, met een gebruinde huid zo zacht als van een baby, en haar billen en dijen hadden een molligheid die Lila al jaren geleden was kwijtgeraakt. Het deed haar bijna lichamelijk pijn om naar zo'n jeugdigheid en volmaaktheid te kijken. Ze voelde zich zoals de boze stiefmoeder zich moest hebben gevoeld toen de spiegel haar vertelde dat Sneeuwwitje de mooiste van het land was geworden.

'En wie is dat prachtexemplaar?' wilde Peter plotseling weten. Met een ruk ging hij rechtop zitten en morste zijn woo woo over zijn schoot.

Ze volgde zijn blik naar een slanke, donkerharige jongen met een bril. Hij stond in zijn eentje aan de rand van de voetballersgroep voor zich uit te staren.

Lila haalde haar schouders op. 'Ik denk dat hij een van de voetballers is, maar je kent me toch, Peter? Ik zou een eredivisiespeler nog niet herkennen als ik er een in mijn gazpacho vond.'

'Nee, ik ook niet,' zei Peter, en hij stond op. 'Maar ik denk dat het tijd wordt dat ik mijn horizon eens ga verbreden. Neem me niet kwalijk, schat, maar ik voel dat er een seizoenkaart aan zit te komen.'

Gniffelend keek ze Peter na, die brutaalweg op het groepje voetballers afstapte en zich voorstelde. Ze stond op en keek om zich heen of ze Maxi zag.

Overal zocht ze naar haar vriendin, maar de gastvrouw leek te zijn verdwenen. Uiteindelijk bracht de barman haar naar het herentoilet, waar ze Maxi aantrof, die zich over een bewusteloze jongeman in een strakke leren broek heen boog. Ze leek een kop koffie voor zijn gezicht heen en weer te bewegen.

'O Lila, gelukkig dat je er bent,' zei Maxine paniekerig. 'Jij bent altijd zo goed in dit soort dingen.'

'Wat voor soort dingen?' vroeg Lila verbluft.

'Mensen ontnuchteren,' antwoordde Maxi. 'JJ is de leadzanger. Ze hebben pas de helft van hun set gedaan, en hij is al zo dronken of stoned of wat dan ook dat ik die stomme klootzak verdomme niet eens kan wakker krijgen!'

Ze schopte hem met haar naaldhak en schreeuwde: 'Kom op, JJ. Je moet zo weer zingen!'

'Laat mij het eens proberen,' zei Lila. Ze stapte over het lichaam heen en knielde naast hem neer. Voorzichtig streelde ze over de stoppelige wang van de zanger en blies in zijn gezicht.

'JJ,' zei ze zachtjes. 'Het is tijd om wakker te worden. Kom op, knul. Wakker worden.'

Ze streelde nog een paar keer over zijn gezicht en toen sloeg ze hem opeens – baf! – zo hard op zijn wang dat Maxine ervan opschrok.

'Huh? Wat moet dat, verdomme?' JJ deed zijn bloeddoorlopen ogen open en staarde Lila niet-begrijpend aan.

'Lila Rose,' zei hij ongelovig. 'Ben ik dood? Is dit de hemel?'

Tien minuten later hadden Maxine en Lila nog steeds de slappe lach, toen JJ met beschaamde kaken weer veilig op het podium stond.

'Ik kan niet geloven dat je hem echt zo hard hebt geslagen,' zei Maxine. 'Er staat een vuurrode handafdruk op zijn gezicht!'

'Weet ik,' giechelde Lila. 'Ik voel me wel een beetje schuldig.'

'Nee, hoor,' zei Maxi. 'Je hebt mijn feest gered. De dj is er nog niet. Ik moest zelf naar voren komen om te zingen en zoals je weet is karaoke niet bepaald mijn sterkste kant!'

De twee vrouwen zaten tegenover elkaar terwijl hun blote knieën elkaar raakten. Maxi grijnsde breeduit naar haar vriendin en verkondigde: 'Ik ben toch zo blij om je te zien, Lila. Je moest eens weten.'

Lila grijnsde terug. Misschien had ze er verkeerd aan gedaan om Maxine zo lang op een afstand te houden. Peter was geweldig, maar soms had een vrouw gewoon behoefte aan het gezelschap van een andere vrouw. Nu ze vanavond zo bij elkaar zaten, moest Lila denken aan hoe leuk ze het vroeger samen hadden gehad, en voor het eerst sinds tijden voelde ze zich helemaal niet eenzaam. Of oud. Of afgedankt. In feite ging haar hart als een razende tekeer en kon ze die stomme grijns niet van haar gezicht vegen.

'Ik snap het wel een beetje,' zei Lila. 'Want ik voel me precies zo, Maxi. Het spijt me dat het zo lang geleden is.'

'Laten we dan vanaf nu wat vaker afspreken,' stelde Maxine hoopvol voor.

'Ja, dat doen we,' stemde Lila in. En dat meende ze. Dat meende ze echt.

'Ik moet me weer even met mijn gasten gaan bemoeien,' zei Maxi, terwijl ze met tegenzin opstond. 'Maar straks praten we nog even bij, hè?'

'Nou en of,' beaamde Lila. 'Het lijkt me verstandig dat ik Peter tegen zichzelf in bescherming ga nemen. Hij valt de voetballers lastig.'

'Lila, Lila!' riep Peter, die haar zijn kant op zag komen. 'Kom, dan stel ik je aan mijn nieuwe vriendinnen voor. Dit is Jasmine, en Crystal – te gekke naam, vind je niet? En Cookie en haar buikje! Cookie krijgt een kindje. Is dat niet fantastisch?'

'Geweldig,' zei Lila verbluft. Ze knikte naar de mooie voetbalbabes, die als opgewonden hondjes om Peter heen dartelden.

'Jasmine heeft net de buitenspelregel uitgelegd. En ik snap hem! Ben je niet onder de indruk? Ik had nooit van mijn leven gedacht dat ik ooit de buiten-spelregel zou begrijpen. Toe maar, Jasmine, leg hem ook maar even aan Lila uit. Dan kan ze Brett eens wat laten zien... Als hij ooit komt opdagen.'

Lila keek hem waarschuwend aan en glimlachte daarna geduldig tegen de jonge glamourgirl.

Jasmine bloosde en was zichtbaar opgelaten. 'O, ik weet zeker dat mevrouw Rose niet in mijn malle verhaal is geïnteresseerd,' zei Jasmine.

'O jawel,' zei Lila met klem, aangenaam verrast door Jasmines bescheiden-heid. 'Ik zou dolgraag de buitenspelregel begrijpen. Mijn vader zal paf staan.' Ze lachte bemoedigend naar Jasmine.

'Toe maar,' drong Peter aan.

'Nou, vooruit dan,' begon Jasmine. 'Je staat in een schoenenwinkel als twee-de in de rij bij de kassa. Achter de verkoopster zie je een paar schoenen staan die je beslist wilt hebben. De vrouw die voor je in de rij staat heeft ze ook gezien en kijkt er begerig naar. Jullie zijn allebei je portemonnee vergeten. Het zou onbeleefd zijn om voor te dringen als je geen geld bij je had om de schoenen te betalen. De verkoopster blijft bij de kassa wachten. Achter in de winkel is je vriendin een paar andere schoenen aan het passen en ziet je dilemma. Ze wil haar portemonnee naar je toe gooien. Als ze dat doet, kun je hem vangen, langs de andere klant lopen en de schoenen kopen! Desnoods zou ze de portemonnee voor de andere klant uit kunnen gooien en dan zou jij terwijl hij zich nog in de lucht bevindt om de andere klant heen kunnen lopen, de portemonnee vangen en de schoenen kopen! Maar je moet goed onthouden dat je duidelijk in de fout gaat als je voor de andere klant staat zolang de portemonnee nog niet daadwerkelijk is geworpen, want dan zou je buitenspel staan!'

Peter barstte in lachen uit. 'Heb je ooit zoiets geweldigs gehoord?' vroeg hij.

Lila giechelde. 'Ja, dat is een goeie, Jasmine. Hoe kom je erop?'

'O, het is gewoon iets wat ik op internet heb gelezen.' Jasmine kreeg weer een kleur.

Plotseling kwam Maxi aanlopen, die de officiële fotograaf bij zijn arm meetrok. 'Hier moeten we een foto van hebben,' verklaarde ze. 'De twee meest geliefde pin-ups van Engeland bij elkaar. Nieuwe beste vriendinnen!'

Ze duwde Jasmine en Lila naar elkaar toe, ging achter hen staan en sloeg haar armen om hen heen. Alle drie glimlachten ze automatisch toen de camera flitste en daarna haalden ze snel hun armen uit de knoop. Lila en Jasmine deden allebei een stapje achteruit en glimlachten verlegen naar elkaar alsof ze elkaar amper kenden, en dat was natuurlijk ook zo.

Maxine ging er weer haastig vandoor. 'Zorg dat je over vijf minuten aan dek bent,' riep ze Lila toe. 'Dan moet ik even pauzeren.'

Lila ontdekte de reusachtige hartvormige diamanten verlovingsring aan Jasmines linkerringvinger. 'Wat een prachtige ring,' zei ze beleefd, hoewel hij naar haar smaak veel te opzichtig was. 'Is de bruiloft al gauw?'

Jasmine knikte. 'Volgende week.'

'Waar vindt de plechtigheid plaats?' vroeg Lila, bedreven in de kunst van de smalltalk.

'Tillydochrie Castle,' antwoordde ze. 'In de Schotse Hooglanden.'

'O wow, daar is het zo mooi,' riep Lila enthousiast uit. 'Daar heb ik een keer gefilmd. Het is een betoverende omgeving. Ik weet zeker dat het een schitterende trouwdag zal zijn.'

'Heb je zin om te komen?' flapte Jasmine eruit.

Lila was overdonderd. Ze had Jasmine nog maar net leren kennen. 'Nou, ik weet niet precies wat onze plannen zijn. Brett is nog steeds in Los Angeles, en ik weet niet wanneer hij komt.'

'O, we komen dolgraag!' bemoeide Peter zich ermee, ook al had Lila niet gehoord dat hij ook was uitgenodigd. 'Nietwaar, Lila?'

Jasmine glimlachte hoopvol. 'Ik zou het echt ontzettend leuk vinden als jullie erbij kunnen zijn,' drong ze aan. 'En Brett natuurlijk ook.'

'Ik zal zien wat ik kan regelen,' zei Lila, hoewel ze niet goed wist wat ze ervan vond. Tillydochrie Castle was werkelijk schitterend en ze had altijd gehoopt dat ze er nog eens naar terug zou kunnen gaan, maar de bruiloft van een voetballer? Hm. Daar moest ze eens goed over nadenken.

Lila zat op een bank naar de zee te staren tijdens het wachten, toen de deur openvloog en Maxine het dek op kwam.

'Hoi, lieverd!' riep ze uit, terwijl ze naast Lila neerplofte. 'Oef! Dat gast-vrouwgedoe is erg vermoeiend. Ik verga van de pijn in mijn voeten.' Ze trok haar ene naaldhak uit en wreef over haar voetzool.

'Waar is Carlos?' vroeg Lila. Het drong opeens tot haar door dat ze Maxi-nes minnaar de hele avond nog niet had gezien.

'Hij is al naar huis gegaan,' giechelde Maxi. 'Op zijn leeftijd kan hij er niet meer zo goed tegen.' Ze keek op haar horloge. 'Hij zal nu wel in zijn ochtend-jas naar de hoogtepunten van het golf zitten te kijken op Sky.'

'Vind je het niet vervelend, dat leeftijdsverschil?' vroeg Lila, die ervan uit-ging dat dat wel het geval zou zijn.

Maxine schudde haar hoofd. 'Nee hoor. Ik hou van Carlos. Hij is mijn soul-mate. Al was hij honderd, dan zou hij nog de man voor mij zijn.'

'Echt waar?' Dat kon Lila nauwelijks geloven. Eigenlijk was Maxine een groot kind.

'Echt waar,' Maxine knikte. 'Het enige wat me dwarszit aan Carlos is zijn verdomde ex-vrouw. Dat mens is een verschrikking!'

'Wil ze nog steeds niet scheiden?' vroeg Lila. Op oudejaarsavond hadden ze het over het probleem van zijn vrouw gehad voordat Maxine zo dronken was geworden dat ze alleen nog mar onzin had uitgekraamd.

'Nee. Dat is toch belachelijk, of niet? Iedereen weet dat Carlos en ik een koppeltje zijn, maar Esther weigert hem te laten gaan.'

Dat was waar. Zelfs in de pers werd Maxine als Carlos Russo's 'levenspart-ner' betiteld.

'Hun huwelijk is al vijftien jaar voorbij!' vervolgde Maxi. 'De hele toestand is bespottelijk. Heb je hun huis in Beverley Hills weleens gezien?'

Lila schudde haar hoofd.

'Het is krankzinnig! In wezen hebben ze het gebouw in tweeën gedeeld. Ze hebben ieder een aparte ingang en hun eigen personeel, maar ze hebben wel nog steeds hetzelfde adres. Alsof iemand daardoor zou denken dat ze nog altijd bij elkaar zijn! Esther is echt volkomen geschift. Ik kan niet eens in dezelfde stad zijn als mijn exen, laat staan onder één dak.'

'Waarom pikt Carlos dat allemaal?' vroeg Lila.

'Omdat Esther een goede Spaanse katholiek is en Carlos haar toewijding aan de kerk niet wil beledigen.' Maxine sloeg haar ogen ten hemel om aan te geven dat ze dit onzin vond.

'Maar kan het haar dan niet schelen dat haar man haar in het openbaar ontrouw is?' vroeg Lila, die dacht aan Brett en de nachtmerries die ze had over zijn verleidelijke jonge tegenspeelsters.

'Nee. En ik ben ook niet de eerste,' legde Maxine uit. 'Carlos heeft een heleboel vriendinnen gehad voor mij. Nou ja, volgens mij gebruikt ze haar geloof alleen maar als een excuus om hem aan zich te binden.'

'Maar ze heeft toch geen invloed op hem? Hij woont vrijwel de hele tijd bij jou.'

'Ja, dat is zo. Ik heb de man, maar Esther mag nog altijd de titel mevrouw Carlos Russo dragen. Daar is ze mee getrouwd, niet met de man zelf. Het prestige dat ze krijgt doordat ze een beroemde man heeft van wie ze houdt. Je weet toch hoe het gaat in Los Angeles, Lila. Je hebt hier lang genoeg gewoond. De status van celebrity verleent je macht in die stad. Dat zal Esther heus niet zonder slag of stoot opgeven. Maar ik ben helemaal klaar voor een knokpartij. Zeker weten.'

'Dus je wilt met hem trouwen?' Het verbaasde Lila dat Maxine nog niet genoeg had van het huwelijksbootje.

'Ja, nou. En hoe.' Maxine knikte enthousiast. 'Zoals ik daarnet zei: Carlos is "de ware". Esther weet ook dat ik met hem wil trouwen, en dat zit haar niet lekker.'

'O nee?' Lila werd geboeid door het onstuimige liefdesleven van haar vriendin. 'Heb je haar weleens ontmoet?'

'O ja,' giechelde Maxine. 'Heel vaak in Los Angeles. De vorige keer dat ik er was, hebben we zelfs samen als één groot gezin gegeten. Carlos, Esther en de twee jongsten, en ik. Het was ontzettend gezellig, dat kan ik je wel vertellen.'

'Dat kan ik me voorstellen,' zei Lila huiverend. 'Was ze beleefd tegen je?'

'Jawel, zolang Carlos en de kids erbij waren, was het een en al: "Wil je wat wijn, Maxine?" en: "Kun je even de room doorgeven, Maxine?" Maar toen de kinderen met hun PlayStation gingen spelen en Carlos even verdween om een telefoontje aan te nemen, veranderde ze meteen in het gestoorde wijf waarvan ik altijd wist dat ze dat zou zijn!'

'Echt waar? Wat is er gebeurd?'

'Ze zei: "Jij betekent nieks voorrr hem, slet! Jij trrrrouwt alleen met mijn Carrrlos overrr mijn lijk!"'

Lila moest lachen om Maxines vreselijke Spaanse accent.

'Toen kwam Carlos terug en vroeg ze weer zoetsappig: "Wil je een kopje koffie, Maxine?" Als het aan mij lag,' vervolgde Maxi opgewekt, 'zou ik haar met alle plezier vermoorden als ik zeker wist dat ik het ongestraft kon doen. Ik bedoel, ik heb misschien wel het voordeel dat ik jong ben, maar ik ben echt niet van plan om te wachten totdat zij van ouderdom sterft voordat ik die ring aan mijn vinger krijg. Verdomme, ik móet iets verzinnen om dat geschifte wijf te verslaan!'

'Nog altijd dezelfde Maxi als vroeger,' grinnikte Lila. 'Je wilt nog altijd per se winnen.'

'Nou, reken maar!'

'En weet je zeker dat Carlos de ware is?'

'Tuurlijk wel! Hoezo?'

'Nou, als je met alle geweld wilt winnen, verlies je soms de prijs uit het oog,' zei Lila peinzend.

Maxi schudde haar hoofd. 'Nee, Carlos is een goede partij. Ik bof dat ik hem heb. Eigenlijk had ik hem liever twintig jaar geleden gehad, maar ja, je kunt niet alles hebben, nietwaar?'

Lila grinnikte naar haar vriendin en herinnerde zich toen opeens iets wat ze al een hele poos ter sprake had willen brengen.

'Zeg Maxi, ik heb nog een appeltje met je te schillen.'

'O ja?' Maxine keek ongerust. 'Wat heb ik nu weer gedaan?'

'Nou,' antwoordde Lila, 'laatst las ik in een tijdschrift dat je onlangs je dertigste verjaardag had gevierd.'

Maxi grijnsde ondeugend, want ze wist wat er zou komen.

'En dat vond ik een beetje raar, aangezien jij maar twee jaar jonger bent dan ik en tenzij ik de tel kwijt ben geraakt, ben ik op mijn vorige verjaardag zesendertig geworden. Je hebt er vier jaar vanaf gehaald, bofkont!'

'Ja, ik weet het, maar dat doet toch iedereen?'

'Ik niet,' zei Lila.

'Nou, dan wordt het tijd dat je je manager ontslaat, meis,' plaagde Maxine, terwijl ze haar vriendin kietelde. 'Wat vond je van Jasmine Watts?' vroeg ze plotseling.

Lila haalde haar schouders op. 'Ze leek me wel aardig. Een leuke meid. Veel te aantrekkelijk om in het gezelschap van een stelletje ouwe taarten als wij te worden gezien, maar dat kunnen we haar niet kwalijk nemen.'

'Hé, niet jaloers worden op de jongeren die ons inhalen,' plaagde Maxine. 'Jij mag niet klagen. Jij bent door het mannenblad *GQ* tot meest sexy vrouw op aarde uitgeroepen!'

Lachend gaf Lila toe: 'Nou goed, ik geloof dat ik inderdaad niet mag klagen voor een vrouw van mijn leeftijd. Maar dat was in 2005. Ik heb zo'n vermoeden dat ik tegenwoordig ver achterblijf bij de charmante Jasmine.'

'Dat kan best,' zei Maxine. 'Maar ik zou er niets op tegen hebben als ik op een ochtend wakker werd in jouw lichaam! Maar goed, de reden waarom ik het vraag is dat Blaine Edwards – je weet wel, die Australische lul, haar manager?'

Lila knikte grimmig. Ze kende Blaine Edwards. Althans, ze had van hem gehoord.

'Hij vroeg of ik jou en Brett kon overhalen om volgende week naar Jasmines bruiloft te gaan. Het schijnt dat ze wel een paar extra celebs kunnen gebruiken.'

'Jezus, wat krijgen we nou weer?' verzuchtte Lila met een vertwijfelde blik. 'Celebrity's te huur?'

Maxine knikte. 'Zoiets, ja. De Beckhams gaan ook. Het wordt vast een gaaf feest.'

Lila haalde haar schouders op. 'Ik weet het niet, hoor,' zei ze. 'Ik zie wel wat Brett vindt.'

Toen ze lang na middernacht eindelijk thuis waren, verkeerde het huis in diepe rust. Het was zo'n heerlijke avond geweest dat Lila niet wilde dat het al afgelopen was. Peter en zij besloten nog een laatste glas wijn te drinken onder de sterrenhemel. Ze zaten naast elkaar op een houten schommel onder het koepeltje zachtjes heen en weer te wiegen en ondertussen luisterden ze naar de krekels en het geruis van de golven. Lila stond verbaasd van zichzelf. Ze had zowaar een leuke avond gehad en het was heerlijk om met Maxine te hebben bijgepraat. Het drong opeens tot haar door dat ze al de hele avond nauwelijks aan Brett had gedacht.

'Het was een gaaf feest, nietwaar?' vroeg ze aan Peter.

'Nou en of,' stemde hij in. 'Jammer dat ik niet mijn grote liefde ben tegengekomen, maar dat gebeurt eigenlijk nooit. Ik zal wel het eeuwige bruidsmeisje blijven...'

'Met die voetballer is het dus niks geworden?' vroeg Lila.

Hij schudde zijn hoofd. 'Mijn gaydar zal wel kapot zijn,' zei hij. 'Die is zo hetero als de pest. Helaas. Doodzonde. Hij had nog wel zulke mooie slanke vingers. Precies zoals een pianist die ik ooit in Wenen heb gekend...'

'Zeg Peter, je hebt jezelf toch niet aan een hetero voetballer opgedrongen?' vroeg Lila enigszins ongerust. 'Het zijn zeker neanderthalers? Het verbaast me dat ze je niet het dek op hebben gehesen en daarna overboord hebben gegooid.'

Op dat ogenblik werd de nachtelijke rust verstoord door geschreeuw aan de andere kant van de heg.

'Wat is er aan de hand?' vroeg Lila.

Peter haalde zijn schouders op.

Er klonk nog meer geschreeuw vanachter de heg, maar het was te ver weg om de woorden te kunnen verstaan.

'Denk je dat alles in orde is met ze?' vroeg Lila.

'Geen idee,' antwoordde Peter. 'Zal ik even gaan kijken?'

Hij trok Lila overeind, ging op de schommel staan en rekte zich uit om over de heg heen te kunnen kijken. 'Ik kan het niet goed zien,' klaagde hij, op zijn tenen staand.

Lila giechelde. 'Straks val je nog,' waarschuwde ze, vlak voordat hij voorover tuimelde en met zijn hoofd in de heg viel.

'Shit!' riep hij vanuit het gebladerte. 'Ik geloof dat ik een oog kwijt ben!'

'Sst,' suste Lila. Ze viste haar vriend uit de heg. 'Anders horen ze ons.'

Ze veegde de twijgjes en bladeren uit zijn haar en hield zijn gezicht schuin in de richting van het maanlicht.

'Je mankeert niets,' zei ze zachtjes. 'Alleen een schrammetje op je ooglid.'

'O nee!' gilde Peter. 'Denk je dat ik er een litteken aan overhoud?'

'Ik weet zeker dat je morgenochtend nog net zo aantrekkelijk bent als anders. En nu wegwezen! Laten we naar bed gaan voordat we de tuin van mijn ouders vernielen.'

Toen ze naar het huis liepen, hoorden ze weer geschreeuw. Deze keer veel harder.

'Jasmine, kom onmiddellijk hier, slettenbak!' klonk een boze kreet in een Schots accent. 'Ik meen het, Jazz. Je bent vanavond helemaal buiten je boekje gegaan! Waar zit je? Hier komen, nu meteen!'

'Jeetje, dat klinkt nogal akelig,' zei Lila opeens bezorgd.

'Ik vrees dat niet alles koek en ei is in glamourland,' zei Peter melodrama-tisch terwijl hij over het gazon naar het huis toe dartelde.

'Ja, dat denk ik ook,' vond Lila. 'Moeten we iets doen?'

Hij schudde zijn hoofd. 'Ik weet zeker dat er niets aan de hand is. Iedereen maakt toch weleens ruzie?'

'Tja...' peinsde Lila. 'Maar hij klonk wel erg kwaad.'

'Kom mee,' drong Peter aan. 'Dat zijn hun zaken, niet de onze.'

18

Jasmines rug werd tegen de muur gedrukt en Jimmy's woedende gezicht bevond zich vlak bij het hare. Zijn trekken waren verwrongen, in zijn ogen lag een bittere blik en opeens vond ze Jimmy niet meer zo knap. Zijn adem stonk naar bier. Hij kon niet tegen drank. Dat wist ze. Na te veel biertjes veranderde Jekyll in Hyde, en God weet hoeveel gratis Spaanse biertjes hij vanavond ophad. Ze was bang. Het was niet voor het eerst dat hij kwaad op haar werd als hij had gedronken. Jezus, hij zou nog ruzie krijgen met een muur als hij een paar glazen te veel ophad. Maar vanavond was het anders. Als ze in zijn ogen keek, zou ze zweren dat ze haat zag.

Hij spuugde zijn woorden in haar gezicht. 'Je hebt je vanavond verdomme als een slet gedragen.'

'Ik weet niet waar je het over hebt, Jimmy,' zei ze zo kalm mogelijk. 'Ik heb je de hele avond nauwelijks gezien. Ik heb geen idee wat ik heb gedaan om je zo te irriteren.'

'O, je hebt geen idee? We doen verdomme zeker net of we achterlijk zijn?' lalde hij. 'Wees lief voor me, want ik ben een domme muts!' Hij deed haar stem na. 'Ik ben gewoon een achterlijke slettenbak, ik weet niet wat ik heb gedaan. Hè? Is dat het, Jazz? Te achterlijk om te weten wat je hebt gedaan?'

De tranen biggelden over haar wangen. Ze wist niet of ze huilde om zijn woorden, om wat hij had gedaan of omdat de jongen van wie ze hield blijkbaar zomaar ineens was verdwenen.

'Het spijt me als ik je gekwetst heb, liefje,' snikte ze. 'Maar ik weet echt niet waarom je zo kwaad op me bent.'

'Ik ben kwaad omdat je jezelf voor schut hebt gezet en omdat je mij voor schut hebt gezet!' verklaarde hij, kokend van verontwaardiging.

'Hoezo?' vroeg ze wanhopig, nog altijd verbijsterd door zijn uitbarsting.

'Ach kom, ik zag je heus wel met Louis. Je stond hem te zoenen en tegen hem aan te wrijven. Vuile teef! Hij is niet eens in je geïnteresseerd, Jasmine. Die gast is een gore homo! Wat gaf hij trouwens aan je, zodat jij zo nodig met je kutje tegen hem aan moest wrijven?'

Nu werd Jasmine kwaad. Ze merkte dat haar bloed begon te koken. Ze had altijd in rechtvaardigheid geloofd, en dit was gewoon niet eerlijk!

'Hij gaf me een boek, bezopen klootzak!' gilde ze terug. 'Gewoon een boek. Een reisgids over Spanje, omdat hij dacht dat ik het leuk zou vinden om te lezen.'

'Nou, dan is hij net zo stom als jij. Iedereen weet toch dat achterlijke strippers niet kunnen lezen?'

Als Jasmine ergens een hekel aan had, dan was het om voor stom te worden uitgemaakt. Oké, ze was geen intellectueel, maar ook geen domkop. Hoe durfde hij! Ze probeerde zijn arm opzij te duwen, maar toen greep hij haar pols vast. Hij kneep zo hard dat ze het bloed uit haar vingers voelde wegtrekken. Ze had er schoon genoeg van. Hij ging alleen maar tekeer zonder enige reden, slingerde haar allerlei beschuldigingen naar het hoofd die hij zich de volgende ochtend niet eens zou kunnen herinneren. Maar zij wel. En die wilde ze niet horen. Volgende week zou de bruiloft zijn en ze was niet van plan om Jimmy roet in het eten te laten gooien.

'Laat me los, Jimmy,' waarschuwde ze. 'Dat meen ik. Laat me nu maar gewoon naar bed gaan. Jij kunt in de logeerkamer slapen. Als je morgenochtend nuchter bent, praten we wel verder!'

'Jij gaat nergens naartoe, schattebout,' siste Jimmy. 'Als ik met je ga trouwen, moet je wel het een en ander leren over hoe je een kutwijf moet zijn, hoor. Zoals een beetje eerbied hebben voor je man. En wat was dat gedoe met die krantenteef vandaag? Zeggen dat je uit de kleren blijft gaan. Dat mocht je willen!'

'Ach, schei toch uit, Jimmy. Dit is belachelijk! Het is mijn carrière en ik bepaal zelf wel wat ik wel en niet wil doen.'

Ze worstelde tegen zijn greep. Hoewel ze behoorlijk sterk was, was Jimmy sterker.

'En waarom moest je zo nodig je tieten aan die fotografen laten zien? Ik heb nooit geweten dat je zo'n slettenbak was, Jasmine. Als ik dat had geweten, zou ik niet eens naar je hebben gekeken.'

'Je hebt me verdomme in een striptent leren kennen! Het enige wat je van me wist, was dat ik voor mannen uit de kleren ging. Daar liet je je dus niet door tegenhouden?'

Hij nam haar van top tot teen op, met een misprijzend opgetrokken bovenlip, alsof hij walgde van wat hij zag. 'Ik wilde alleen een potje neuken, schat. Ik was niet van plan om met je te trouwen. Dat was jouw idee. Ik heb alleen ingestemd om te zorgen dat je je koest houdt.'

Dat was de druppel. Ze kon die klootzak wel vermoorden. Met al haar kracht trok ze haar ene hand los uit zijn greep en worstelde daarna met hem om zijn vingers van haar andere pols los te peuteren.

'Laat me los, klootzak!' gilde ze. 'Laat me los!'

Toen ze er ten slotte in slaagde haar andere hand te bevrijden, rende ze weg zo hard ze kon. Achter haar hoorde ze zijn voeten over de tegels dreunen en zijn hijgende adem klonk steeds dichterbij. Ze rende langs het zwembad toen hij haar te pakken kreeg. Zijn hand lag loodzwaar op haar schouder toen hij haar vastgreep en haar omdraaide totdat ze hem aankeek. Even staarden ze elkaar aan. Jasmine wist wat er zou gebeuren. Als kind was ze vaak genoeg geslagen om de blik van een bullebak te herkennen, en op dat moment had Jimmy dezelfde doodse uitdrukking op zijn gezicht.

'Doe het niet, Jimmy,' waarschuwde ze hem op zachte toon. 'Als je me slaat, is het afgelopen. Dan is er geen weg terug.'

Zijn blik boorde zich in haar ogen. Haar hart bonsde in haar keel. Ze was bang. Bang dat hij haar pijn zou doen en bang dat hij deze keer te ver zou gaan. Als hij haar sloeg, zou ze weggaan. Er zat niets anders op. En toen zwaaide hij langzaam zijn arm boven zijn hoofd. Een ogenblik aarzelde hij, alsof hij moest beslissen wat hij zou doen, en toen stompte hij haar zo hard in haar borst dat ze achteruit stapte, wankelend op de rand van het zwembad stond en daarna met een enorme plons in het koude water viel. Tegen de tijd dat ze hoestend en proestend weer aan de oppervlakte kwam, was Jimmy verdwenen. Toen ze haar uitgeputte lichaam uit het water hees, hoorde ze de motor van de auto aanslaan. Jimmy ging een eindje rijden in zijn sportwagen. Hij was zo laaiend, dat hij waarschijnlijk tegen een boom zou knallen. Op dat moment hoopte Jasmine ergens diep vanbinnen dat hij dat inderdaad zou doen.

Door zijn slaapkamerraam sloeg Blaine de gebeurtenissen gade. Wat een stomme klootzak, die Jimmy Jones. Hij zou niet zo gauw een ander grietje zoals Jasmine Watts kunnen vinden. Weer een celebrityhuwelijk dat gedoemd was te mislukken. Hij had genoeg scheidingen van A-sterren zien doorgaan om er zeker van te zijn. Nou ja, hij zou in elk geval zorgen dat het stel volgende week samen in het huwelijksbootje zou stappen. Hij zou veel te veel geld verliezen als er nu nog iets de mist in zou gaan. En als alles in elkaar stortte? Ach, dan zou die goeie ouwe Blaine klaarstaan om de boel te lijmen... en de exclusieve interviews aan de hoogste bieder te verkopen. Gapend rekte hij zich uit. Hij was moe. Nog een keer wierp hij een blik op Jasmine, die snikkend aan de rand van het zwembad zat, nam nog een laatste slok van zijn whiskyslaapmutsje en klom daarna zijn bed in. Vannacht zou Blaine Edwards slapen als een roos. Net als altijd.

Toen Jasmine 's morgens wakker werd, duurde het even voordat de afschuwelijke gebeurtenissen van de vorige avond haar weer helder voor de geest stonden. Maar zodra ze haar ogen voelde prikken en de vochtige plek op haar kussen zag, herinnerde ze zich weer dat ze zichzelf in slaap had gehuild. Eigenlijk wilde ze een hekel hebben aan Jimmy, maar het eerste wat er bij haar opkwam was de vraag of hij heelhuids was thuisgekomen nadat hij in die toestand was weggereden. Ze holde de trap af naar de woonkamer en was opgelucht toen ze hem daar aantrof. Nog steeds in dezelfde kleren van de vorige avond lag hij te pitten op de bank. Hij zag er weer beeldschoon uit. Heel rustig lag hij te slapen met zijn engelengezicht.

Nu zag hij er weer uit als de echte Jimmy. Haar Jimmy. De adembenemende knul met wie ze volgende week ging trouwen. Ze wist niet of ze hem teder op zijn wang zou kussen of hem met een kussen zou laten stikken. Dit was de Jimmy van wie ze hield, maar hoe zat het met de Jimmy van de vorige avond? De dronken Jimmy was een monster die af en toe de kop opstak. Ze dacht dat ze hem aan zou kunnen. Ze had weleens ergere dingen afgehandeld. En het was niet dat hij haar had geslagen of zo. Hij had alleen maar een paar dronken beledigingen naar haar hoofd geslingerd en haar het zwembad in geduwd. Ze wist hoe zware mishandeling voelde, en zo erg was dit niet. Maar hij had haar wel bang gemaakt, en hij was flink buiten zijn boekje gegaan. Daar zou ze het later nog met hem over hebben. Uitleggen dat er het een en ander zou moeten veranderen. Misschien konden ze een afspraak maken: zij zou ophouden met het toplesswerk als hij ophield met drinken. Dat leek haar een eerlijke ruil.

Op de grond lag een reusachtige bos lelies. Ze raapte hem op en liep door naar de keuken om koffie voor zichzelf te zetten en haar zoenoffer in het water te zetten. Er was meer voor nodig dan een paar verlepte bloemen om de vorige avond goed te maken. Als Jimmy wakker werd, zou hij zich ongetwijfeld uitputten in verontschuldigingen. Natuurlijk wist ze allang dat ze zijn excuses zou aanvaarden, maar eerst zou ze hem even flink laten zweten. Dat had hij wel verdiend.

Toen ze de terrasdeuren opendeed, werd ze begroet door een volmaakte mediterrane ochtend. Het was nog maar net zeven uur en de lucht was nog een beetje koel van de vorige avond. Ze snoof de geur op van vochtig gras en glimlachte bij zichzelf. Het was een heerlijke dag.

Hoog op een kruk aan de ontbijtbar gezeten dronk ze haar koffie en peuzelde ze aan haar toast met honing, terwijl ze op haar laptop door haar e-mails scrolde. Het was een paar dagen geleden sinds ze haar mail voor het laatst had opgehaald en nu zat haar inbox vol. Tussen de junkmail zat een mailtje van Alisha, met een paar schattige foto's van haar baby Ebony als bijlage, en een bericht van haar oude vriendin Roxy, die haar op de hoogte hield van de ontwikkelingen in de Exotica. Een paar ontwerpers hadden contact opgenomen om haar gratis kleren voor haar huwelijksreis aan te bieden. Uiteraard wisten ze van de overeenkomst met het tijdschrift, en hun aanbod was alleen bedoeld om gratis publiciteit te krijgen in plaats van als royaal gebaar naar de bruid. Er waren een stuk of twintig mailtjes van de huwelijksplanner Camilla Knight-Saunders, die haar bestookte met vragen over haar uiteindelijke keuze wat betreft de bloemstukken en de kleur linten voor de trouwauto. O, en het hotel in de Seychellen, waar ze hun wittebroodsweken zouden doorbrengen, had nog wat informatie doorgestuurd. Ze kregen hun eigen privéhuisje op het strand met een waterval, een *plunge pool* en zowel binnen als buiten een hemelbed. Was dat niet zalig?

Toen ontdekte ze een mailtje van een adres dat ze niet herkende. Ze wilde het al als spam aanmerken, maar het onderwerp 'Lees mij' prikkelde haar nieuwsgierigheid. Ze opende het bericht.

Zie bijlage. Vóór zaterdagmiddag twaalf uur 70.000 euro contant in een plastic tas achterlaten in de telefooncel tegenover het aquarium. Anders wordt dit openbaar gemaakt.

Ze moest het een paar keer lezen voordat ze er iets van begreep. En zelfs toen snapte ze er niets van. Wilde iemand haar chanteren? Ze fronste naar het scherm, want ze wist niet of ze het mailtje als hoax moest deleten of de bijlage moest openen om te zien of het serieus was. Hoe langer ze naar de woorden op het scherm staarde, hoe banger ze werd. Haar handen beefden tegen de tijd dat ze op de bijlage klikte. Maar niets had haar kunnen voorbereiden op de schok die ze daarna zou krijgen.

Een korrelige video werd voor haar afgespeeld. Hij was in zwart-wit en een beetje bewogen, zodat het een poosje duurde voordat ze kon onderscheiden wat er gebeurde. Langzaam kreeg ze een misselijkmakende knoop in haar maag naarmate ze het vertrek en het meisje op de video herkende. Met een kreet van afgrijzen realiseerde ze zich precies waar ze naar zat te kijken. Kut! Ze zag gebeurtenissen die ze al jaren wanhopig uit haar geheugen had proberen te wissen. 'Nee!' gilde ze tegen het scherm, terwijl ze keer op keer op de deletetoets drukte. 'Nee!' Eindelijk verscheen er een leeg scherm, maar in haar hoofd bleven de afschuwelijke fragmenten zich herhalen. Nu wilde iemand ze openbaar maken. Dat kon ze nooit laten gebeuren. Als dat gebeurde, was het met haar gedaan. Ze probeerde weer op adem te komen, maar dat lukte niet. Ze rende naar buiten om de frisse ochtendlucht in te ademen, maar haar hart klopte nog steeds in haar keel. Opeens proefde ze gal in haar mond en moest ze verschrikkelijk overgeven – over het frisse, bedauwde gazon.

Het duurde enkele ogenblikken voordat ze weer bij haar positieven was, maar toen haar vingers boven het toetsenbord zweefden, wist ze wat haar te doen stond. Ze moest deze situatie zo gauw mogelijk uit de wereld helpen.

Ik zal doen wat je vraagt op één voorwaarde. Ik zal je het geld geven, als je mij alle kopieën van de filmopnamen geeft en ze van je computer deletet. Dit is een eenmalige betaling voor dat bandje. Begrepen?

Het antwoord volgde bijna onmiddellijk. Er stond eenvoudig: *akkoord*.

De waarheid was dat Jasmine heel goed wist wie haar had gemaild. Er was maar één man die dat filmpje had kunnen bemachtigen. Ze zag hem voor zich, terwijl hij grinnikend zat te typen. O, wat zou hij hiervan genieten. Hij had er altijd al op gekickt om macht te hebben over mensen die minder fortuinlijk waren dan hij. Jasmine overwoog om naar hem toe te gaan, bij hem aan te kloppen en het persoonlijk met hem af te handelen. Maar dat was te riskant. Die vent was gevaarlijk. Hij zou hoe dan ook krijgen waar hij op uit was, en op deze manier hoefde ze hem niet in levenden lijve te zien.

Jasmine wist niet hoe ze heelhuids in de stad was gekomen nadat ze zo onverantwoordelijk had gereden, maar op de een of andere manier was ze er en stond ze om tien uur voor de bank te wachten tot die opening. Ze wist nog steeds niet of ze er goed aan deed. Wat was het beste in zulke omstandigheden? Ze was er trots op dat ze door de wol geverfd was, maar dit was iets heel anders. Dit was angstaanjagend. Ze had Jimmy's auto genomen – omdat die voor de hare geparkeerd stond – en had een briefje voor hem achtergelaten om hem te laten weten dat ze even weg was. Waarschijnlijk sliep hij zelfs nog als ze terugkwam. Van deze onverkwikkelijke geschiedenis hoefde hij helemaal niets te weten. Toen ze op wankele benen het gebouw binnen ging, verborg ze haar tranen achter haar zonnebril. Het meeste van haar geld was vastgezet op de gezamenlijke rekening die ze met Jimmy had, maar ze had ook een bedrag opzijgezet op een privérekening. Dat was geld dat ze eerder dat jaar met een reclamecampagne voor zwemkleding had verdiend. Geld dat ze voor noodgevallen had gespaard. En als dit geen noodgeval was, dan wist ze het niet meer.

De jonge baliemedewerkster bij de bank gaf geen krimp toen Jasmine zo'n enorm bedrag wilde opnemen. Dit was Marbella. Hier had iedereen geld, en lang niet alle zaken die in deze contreien werden gedaan waren legitiem. In veel kringen was contant geld nog altijd de norm. Maar het meisje moest ongetwijfeld argwaan hebben gekoesterd. Jasmine voelde haar handen trillen toen ze het geld pakte. Ze stopte de bruine envelop vol briefjes van honderd euro in een plastic tas in haar Balenciaga-handtas en haastte zich beverig terug naar de auto. Wat nu? Het duurde nog bijna twee uur tot de uitwisseling zou plaatsvinden. Ze had serieus overwogen om Charlie te bellen en hem om raad te vragen. Ze zou zich veel veiliger hebben gevoeld met hem erbij, maar dan zou ze hem over de video hebben moeten vertellen en over de afschuwelijke toestand waarbij ze betrokken was geweest. Ze wist niet of ze tegen de gekwetste blik in zijn ogen zou kunnen als hij zou beseffen dat zijn kleine Jasmine bepaald niet zo onschuldig was als hij had gedacht. En Jimmy kon ze met geen mogelijkheid in vertrouwen nemen. Hij zou hysterisch worden! Jimmy vond zichzelf zo cool en ervaren, maar eigenlijk was hij nog maar een kind. Hij zou geen snars begrijpen van wat Jasmine allemaal in haar verleden had meegemaakt. Nee, ze had geen andere keus. Ze moest dit zelf oplossen.

Haar hand trilde zo hevig dat ze haar koffie over het tafeltje morste toen ze de suiker erdoor wilde roeren. Ze doodde de tijd in een café dat uitkeek op de jachthaven, met een caffé latte met magere melk in haar beverige handen. Haar bloeddoorlopen ogen gingen schuil achter haar enorme zonnebril, waarmee ze de nieuwsgierige blikken van Britse vakantiegangers ontweek die haar uit de krant herkenden. Ze besefte dat ze haar ellende als een bord om haar nek meedroeg, want anders dan op gewone dagen kwam niemand haar om een handtekening vragen. Om precies drie minuten voor twaalf liep ze zo kalm mogelijk naar de telefooncel tegenover het aquarium. Even was ze bang dat haar knieën het zouden begeven. Ze had een licht gevoel in haar hoofd en kreeg niet genoeg lucht. Vermoedelijk was ze bijna aan het hyperventileren, en ze moest tegen de telefooncel leunen tegen de draaierigheid voordat ze haar plastic tas met geld op de vloer kon laten vallen. Intussen kon het haar niet eens meer schelen dat ze het geld kwijtraakte. Geld betekende niets voor haar. Niet als ze aan de alternatieven dacht.

Ze wist dat ze er verstandig aan zou doen om terug te hollen naar de auto om een poosje te verdwijnen en pas weer terug te komen om de video op te halen als de kust veilig was. Maar stel dat iemand anders hem eerst vond? Nee, ze moest in de buurt blijven, zodat ze het pakje onmiddellijk kon meegrissen. Die opnamen mocht niemand zien.

Er was maar één persoon die haar dit aan kon doen. Maar waarom nu? Juist nu alles op rolletjes leek te lopen? Ze had naam gemaakt, een leuke vent ontmoet en stond op het punt te gaan trouwen. Waarom zou hij haar dit nu aandoen? Hij was nooit helemaal uit haar leven verdwenen. Altijd lag hij op de achtergrond op de loer en liet hij haar weten dat hij er was en haar gadesloeg. Elk jaar kreeg ze een kerstkaart met een geladen wens. Wat stond er ook alweer op die van vorig jaar? O ja, nu wist ze het weer: met de beste wensen voor een voorspoedig en veilig Nieuwjaar. Wie wenste iemand nou 'veilig' Nieuwjaar? Hij ondertekende altijd met 'veel liefs'. En dan was er nog de felicitatiekaart voor haar die op de mat had gelegen op de dag dat Jimmy de sleutels van Casa Amoura had gekregen. Hij was persoonlijk in de bus gestopt.

Maar nu wilde ze hem zien, hem het hoofd bieden en vragen waarom. Ze was doodsbang, maar ze had antwoorden nodig. Ze dook weg tussen twee geparkeerde auto's en wachtte af. Vanuit haar schuilplaats kon ze de telefooncel heel duidelijk zien, terwijl ze ongemakkelijk tussen de auto's neergeknield zat, haar hart bonkte in haar keel. Opeens zag ze haar. Een lange, aantrekkelijke blonde vrouw gekleed in een dunne zwarte kaftan en een hotpants van spijkerstof verscheen vanuit het niets en liep zelfverzekerd naar de telefooncel toe. Ze zette een rode canvastas op de grond, griste de plastic tas mee en liep kordaat naar de ingang van het aquarium. Jasmine was verward. Wie was die vrouw? En hoe was zij aan het bandje gekomen? Ze zag er niet bedreigend uit. Ze was jong, misschien zelfs jonger dan Jasmine, en ze had een knap, vriendelijk gezicht. Jasmine zag de jonge vrouw het aquarium binnen gaan en verdwijnen. Nee, ze kende haar niet. Het was geen gezicht van iemand van vroeger of een meisje dat ze uit Londen kende. Wie was ze, verdomme? En waarom was ze er zojuist vandoor gegaan met zeventigduizend euro van Jasmines zuurverdiende geld?

Op weg naar huis zette ze de auto op een parkeerplaats boven op de kliffen en gleed langs het steile pad omlaag naar het strand. Ze smeet de video op het natte zand en stampte erop zo hard als ze kon, telkens weer, totdat het plastic in wel duizend stukjes uiteenspatte. Ze trok de film eruit, vele meters lang, en verscheurde hem wanhopig, terwijl ze tranen van woede en angst huilde. Toen gooide ze de warboel van plastic en film in zee en bleef ze geduldig staan kijken totdat alles voorgoed in de golven was verdwenen. Konden herinneringen ook maar zo makkelijk worden weggespoeld.

19

Langzaam werd Jimmy wakker. Het duurde een paar tellen voordat hij doorhad waar hij was en wat hij daar deed. Zijn wang plakte met speeksel en zweet aan een leren kussen. Hij moest het van zijn huid afstropen en kromp ineen toen het aan zijn lip bleef haken. In zijn mond had hij een gore smaak alsof er iets in lag te rotten en zijn kleren stonken naar ongewassen lijf en verschaald bier. Zijn hoofd voelde strakgespannen alsof het te klein was voor zijn hersens. Jezus christus, die stelden trouwens niet veel voor, realiseerde hij zich, toen hij zich flarden herinnerde van wat hij de vorige avond had uitgespookt. Het zonlicht stroomde door de hoge ramen naar binnen. Door zijn wimpers gluurde hij naar zijn omgeving. Hij was in de woonkamer. Waarom lag hij op de bank? Waarom was het zo stil in huis? Waar was Jasmine?

Jimmy stond op, maar de plotselinge beweging bleek te veel voor hem. Zijn hoofd tolde, er flikkerden witte lichtjes voor zijn ogen en hij viel meteen weer terug op de bank. Ai. Zijn kater was erger dan hij aanvankelijk dacht. Hij trok een kussen voor zijn ogen om het daglicht tegen te houden en probeerde zich uit alle macht de vorige avond helder voor de geest te halen. En opeens zag hij het voor zich in volle glorie. Shit! Hij kon wel door de grond zinken toen hij zich herinnerde wat hij Jasmine allemaal naar haar hoofd had geslingerd. Jezus christus! Hij kromp ineen bij de gedachte aan de blik op haar gezicht toen ze in het zwembad viel.

'Wat ben je toch een hufter,' hield hij zichzelf voor, terwijl hij zich weer tot een bal opkrulde op de bank. 'Precies zoals die verdomde vader van je.'

Weer zag hij zijn moeder voor zich, in elkaar gedoken in een hoek met haar handen voor haar gezicht om zich tevergeefs te beschermen tegen de klappen van het dronken monster in haar voorkamer. Ze schreeuwde naar Jimmy en smeekte hem door haar bloed en tranen heen: 'Wegwezen, Jimmy. Ga gauw.

Zorg dat hij je niet te pakken krijgt.' Nou, en of hij had gemaakt dat hij wegkwam. Hij was altijd een lafaard geweest. Keer op keer had hij zijn arme moeder in de steek gelaten terwijl ze tot moes geslagen werd. Intussen had hij zijn toevlucht gezocht in het park, waar hij tegen die stomme voetbal had aangetrapt en zich had verbeeld dat het de kop van zijn ouweheer was. In de wetenschap dat die bal zijn ontsnappingsmogelijkheid was. Dromend van een beter leven. Zich voornemend dat hij nooit zoals zijn vader zou worden.

'Jazz?' riep hij aarzelend. 'Ben je daar, schatje?'

Stilte.

'Jasmine?'

Niets.

Hij merkte dat zijn onderlip begon te trillen. Stel dat hij te ver was gegaan? Stel dat ze er voorgoed vandoor was gegaan? Hij klemde het plakkerige leren kussen tegen zich aan en luisterde of hij tekens van leven kon horen in de villa. Die waren er niet. Hij was alleen. Helemaal alleen met zijn schuldgevoel en zijn berouw en zijn zelfmedelijden.

Al jaren was hij op de vlucht, maar op de een of andere manier was het monster hem toch achternagekomen. 'Je bent net als ik, jongen,' had zijn vader gezegd telkens wanneer Jimmy met weer een andere trofee thuiskwam. 'Zo vader, zo zoon, hè?' En ook al had hij nog zo'n hekel aan de man, ergens diep vanbinnen had hij altijd gedacht dat het waar was. Op een dag zou hij precies zo zijn als zijn vader.

En nu was het monster in hem gegroeid, gevoed door succes en overdaad, wakker geschud door onzekerheid en angst. Eigenlijk was het Jasmines schuld. Ze was veel te mooi. Veel te volmaakt. In elk geval veel te goed voor Jimmy Jones. Als de angst hem in zijn greep kreeg en het rode waas voor zijn ogen kwam, had hij zichzelf niet meer onder controle. En daar verlangde hij het allermeest naar: controle. Niets minder dan de volledige heerschappij wilde hij. Maar onwillekeurig wist hij dat hij nooit de heerschappij kon hebben over zoiets prachtigs als Jasmine. Hij had diamanten ringen, designerjurken en villa's in de zon voor haar gekocht, maar haar ziel kon hij niet kopen. Ze zei dat ze van hem hield, en ze ging nota bene met hem trouwen! Maar op de een of andere manier was dat soms gewoon niet genoeg.

Hij keek weleens naar haar als ze in het gezelschap van andere mannen was, naar hoe ze haar hoofd in haar nek wierp als ze om hun grappen lachte, naar haar ogen die straalden en haar tong die even te zien was achter die volmaakte witte tanden als ze iets zei. Soms beroerde ze de hand van de man of streek ze per ongeluk met haar borst tegen zijn arm en dan kon Jimmy opeens geen lucht krijgen. Het bloed klopte in zijn slapen en zijn nagels boorden in zijn handpalmen. Jasmine had geen flauw benul van de macht die ze over mannen had, maar Jimmy wel. Zelfs over zijn beste vrienden. Hij wist heus wel dat ze er allemaal graag hun scorende voet voor zouden geven om één nacht met Jasmine te kunnen doorbrengen.

Kon hij haar maar als een exotisch vogeltje in een kooitje stoppen, dacht Jimmy. Hij zou haar beschermen. Ze zou alleen van hem zijn, niet voor het grote publiek. Maar dat was natuurlijk onzin, want hij kon haar niet gevangen houden. Hij kon haar verdomme niet eens verbieden dat ze voor de mannenbladen uit de kleren ging! Soms was het alsof hij in de toekomst kon kijken. En hij wist al dat Jasmine niet voorgoed bij hem bleef. Op een dag zou een grotere man dan hij haar leren vliegen.

Ergens kraakte een deur. Er kwamen voetstappen dichterbij. Hij ging rechtop zitten.

'Jasmine?' riep hij hoopvol.

De deur zwaaide open en Blaines enorme gestalte wierp een schaduw over de bank. Op zijn geliefde string na was hij naakt.

'Sorry, kerel, ik ben het maar,' zei Blaine grijnzend, waarna hij zijn mollige been optilde en een harde scheet liet in Jimmy's gezicht. 'Pardon,' schaterde hij.

Jimmy draaide zijn hoofd opzij en slikte de gal door die zijn mond vulde. Blaine was echt een goorlap. Verdomde goed in zijn werk, maar niettemin een goorlap.

'Geen idee waar de prinses uithangt,' vervolgde Blaine opgewekt. 'Toen ik opstond, was ze er niet. Winkelen waarschijnlijk. Misbruik maken van jouw plastic als straf voor gisteravond, neem ik aan!'

'Gisteravond?' Jimmy kneep zijn ogen tot spleetjes toen hij naar Blaine keek. Dus die stomme aussie had hen ruzie horen maken. Shit! Daar had hij toch zo'n hekel aan. Was het niet genoeg dat die vent zich met hun openbare leven bemoeide, zonder ook nog eens in hun privéleven te hoeven gluren?

'Ja, jullie waren flink aan het bekvechten, zeg!' Hij plofte naast Jimmy neer op de bank. 'Maar, wat is ze allejezus mooi als ze kwaad is...'

'Hou je kop,' snauwde Jimmy.

'Wat is er? Een kater?' vroeg Blaine, en hij aaide hem speels over zijn bol. 'Hebben we vanochtend soms een beetje hoofdpijn? Of...' hij keek op zijn Rolex, '... vanmiddag eigenlijk.'

'Middag? Dan is ze dus al een hele poos weg?'

Blaine haalde zijn schouders op. 'Dat zal wel.'

'Wat zou ze uitspoken?' mijmerde Jimmy, meer tegen zichzelf dan tegen Blaine.

'Ik zei toch: ze wil je straffen, kerel,' antwoordde Blaine veelbetekenend. 'Ze zit op dit moment vast aan een mojito te lurken en op jou te katten met Cookie en Crystal. Straks komt ze sjouwend met loodzware tassen thuis. Let maar op. Als iemand de ingewikkelde wereld van het vrouwelijke brein heeft doorgrond, is het die goeie ouwe Blaine wel.'

'Zou je denken?' vroeg Jimmy. 'Nou, dan ben je slimmer dan ik, want ik snap de ballen van wijven.'

Zwijgend zaten Jasmine en Charlie naast elkaar. Hun naakte schouders beroerden elkaar bijna en allebei staarden ze voor zich uit naar de zee, ieder in hun eigen gedachten verzonken. Een ober kwam hun in de steek gelaten lunchborden weghalen. Jasmine had haar salade nauwelijks aangeraakt.

'Wilt u nog iets drinken, señorita? Señor?'

'Hm?' Charlie keek op naar de ober en dwong zijn gedachten terug naar dat ogenblik, naar het strandrestaurant en zijn lunchafspraak met Jasmine.

'O, ja graag,' antwoordde hij ten slotte. 'Nog een San Miguel graag.'

Jasmine bleef voor zich uit staren zonder de ober op te merken.

'Jasmine,' vroeg Charlie zachtjes. 'Wil je nog iets drinken?'

'Wat zei je?' Ze zag er vandaag afwezig uit. Ze was stil geweest, vreemd stil. Haar sprankeling was weg.

'Iets drinken?' herhaalde hij.

Ze schudde haar hoofd. 'Nee bedankt, Char. Ik moest maar eens naar huis gaan.' Ze stond op, pakte haar tas van tafel en kuste hem op zijn kruin.

'Weet je zeker dat alles in orde is?' vroeg hij weer, terwijl hij zijn arm rond haar middel liet glijden en haar tegen zich aan drukte. 'Je bent zo stil vandaag.'

Ze glimlachte zwakjes. 'Ik heb alleen veel aan mijn hoofd. Trouwplannen. Er moet nog veel worden gedaan.'

Charlie knikte. 'Nou, ik ben anders ook niet bepaald boeiend gezelschap geweest, hè?' zei hij. 'Ik ben zelf ook een beetje afgeleid.'

'Kan ik ergens mee helpen?'

Hij schudde zijn hoofd. 'Gewoon werk, mop. Niets om je druk over te maken.'

'Bedankt voor de lunch, Charlie. Het is echt heerlijk dat je er bent.'

'Het is heerlijk om er te zijn,' reageerde hij.

Hij gaf een kneepje in haar hand en liet haar toen gaan. Terug naar Jimmy. Maakte hij haar gelukkig? Charlie keek Jasmine na, die zigzaggend door het restaurant naar de straat liep. Haar hoofd was gebogen en haar schouders hingen. Had hij iets belangrijks gemist? Hij werd zo in beslag genomen door zijn eigen problemen dat hij weinig op haar had gelet. Maar één ding stond vast: als Jimmy Jones die meid verdriet deed, zou Charlie Palmer zijn miezerige nek breken!

Tegen de tijd dat Jasmine terugkwam in Casa Amoura was ze Jimmy's uitbarsting van de vorige avond alweer bijna vergeten. Ze had nu wel andere dingen aan haar hoofd. Had ze genoeg geld gegeven? Zou de afperser haar met rust laten? Was het bandje dat ze had vernietigd het enige exemplaar geweest? Ze wilde wanhopig graag gelovig dat het voorbij was, maar een stemmetje in haar achterhoofd bleef fluisteren dat haar problemen nog maar net waren begonnen.

Haar trouwdag kwam steeds dichterbij en ze wilde dat er geen kink in de kabel kwam voor haar grote dag. Dit was meer dan een bruiloft voor haar: het was het einde van een nachtmerrie en het begin van een droom. Een nieuwe echtgenoot, een nieuwe naam, een nieuw leven! Ze was er vast van overtuigd dat er iets wezenlijks zou veranderen in haar wereld zodra ze 'ja, ik wil' had gezegd. Ze zou de verschrikkingen en het verdriet van het verleden in een doosje doen dat ze in het donkerste gedeelte van haar brein zou wegstoppen. Als ze daarna als mevrouw Jasmine Jones de kerk uit zou komen, zou ze een toekomst vol geluk en zonneschijn tegemoet gaan. Het was haar dag om te stralen en dat moment zou ze zich niet laten ontnemen, zelfs niet door chantage.

Toen ze langs de paparazzi reed en de oprijlaan in draaide, ging het hek automatisch achter haar dicht. Ze zette de motor af en slaakte een zucht van verlichting. Thuis, het fijnste plekje van de wereld. Thuis bij haar Jimmy, die haar ondanks zijn dronken getier het gevoel gaf dat ze werd bemind. Met het verleden had ze afgerekend. Nu was het tijd om zich op de toekomst te concentreren. Ze zou het weer goedmaken met Jimmy. Het was tijd voor een nieuw begin.

Hij stond al op haar te wachten. Onbeholpen hing hij rond, terwijl hij met zijn blote voeten tegen de grond schopte en haar vanonder zijn blonde pony verlegen aankeek. Na één blik op haar verloofde wist Jasmine dat hij zich

doodschaamde over zijn gedrag en dat hij vandaag een heleboel zoete brood-
jes zou bakken. Ondanks alles moest ze om hem lachen. Het had geen zin om
kwaad te blijven. Ze was de hele ochtend en de halve middag weggebleven; zijn
telefoontjes had ze genegeerd. Nu had ze hem wel genoeg gestraft. Hij was
geen slechte vent. Zeker niet vergeleken bij sommige kerels. Nee, zo was Jimmy
niet.

Hij glimlachte flauwtjes toen ze op hem af liep en haalde met uitgestrekte
armen zijn schouders op. Hij zag er kwetsbaar en heel jong uit. Zoals alle mensen had hij zijn fouten, maar hij was geen monster. Daarvan was ze overtuigd.

'Wat moet ik zeggen, schatje?' vroeg hij aarzelend. 'Het spijt me verschrikkelijk. Het zal niet nog een keer gebeuren. Ik hou meer van jou dan...'

'Ach, schei uit, stommeling,' grinnikte ze. Ze vloog hem om de hals en zoende hem vol op zijn lippen.

'Neem me mee naar binnen en maak het fatsoenlijk goed,' fluisterde ze in
zijn oor.

Jimmy keek verward.

'Nu onmiddellijk!' beval ze. 'Dat meen ik echt. Als je niet met me naar bed
gaat, ben je me voorgoed kwijt!'

Daarna trippelde Jasmine met Jimmy de trap op. Ze greep zijn arm, lachte
om de opgeluchte blik op zijn aantrekkelijke gezicht, schopte haar schoenen
uit en liep naar de slaapkamer alsof er geen vuiltje aan de lucht was.

20

Lila had vlinders in haar buik. Dit was belachelijk. Al bijna haar hele volwassen leven was ze met de man getrouwd en hij had haar nota bene zien bevallen – tot twee keer toe! – dus waarom was ze dan zo zenuwachtig bij het vooruitzicht dat ze hem op de luchthaven zou afhalen? Nou, aan de ene kant was
ze bezorgd dat hij na het voorval van vorige week helemaal niet zou komen.
Deze keer had ze weliswaar twee minuten voordat hij aan boord zou gaan met
hem gesproken, maar in Bretts wereld kon alles heel snel veranderen. In die
laatste honderdtwintig seconden voordat de deuren dichtgingen kon er nog
van alles gebeurd zijn. Pas wanneer ze hem met haar eigen ogen zag, zou ze
durven geloven dat hij er echt was.

Aan de andere kant vond ze het ook een beetje eng om hem te zien en,
belangrijker nog, dat hij háár zou zien. Ze wist al bij voorbaat dat ze in zijn

gezicht zou speuren naar aanwijzingen van teleurstelling. Zou hij net zo schrikken van de dertiger die hem begroette als zij wanneer ze diezelfde dertiger elke ochtend in de spiegel zag? Hij was er zo aan gewend om intiem met piepjonge actrices om te gaan dat de aanblik van zijn vrouw tegenwoordig wel een afknapper moest zijn.

Verder waren er nog andere zorgen. Wat zouden ze elkaar te zeggen hebben? Zouden ze nog steeds een geanimeerd gesprek kunnen voeren? Het was bijna drie maanden geleden sinds hun vorige vluchtige ontmoeting in Parijs (zesendertig uur, tijdens zijn ultrakorte promotietournee door Frankrijk) en hoewel ze elkaar bijna elke dag belden, hadden ze het vrijwel altijd over de kinderen. Brett was voor haar intussen vrijwel een buitenstaander geworden. Hij was een soort wazige schaduwechtgenoot geworden die in het droomgedeelte van Lila's gedachten woonde, maar zelden in haar werkelijkheid opdook. Ze kende hem nauwelijks nog. Ze had in elk geval geen flauw benul wat hij allemaal uitspookte als ze er niet bij was. Daar wilde ze liever niet eens aan denken. Zodoende begon haar man in zekere zin een vreemde te worden. En vreemden konden gevaarlijk zijn. Ze had zich voorgenomen het hoofd koel te houden tijdens zijn bezoek. Als ze hem op een afstand hield, zou hij haar niet kunnen kwetsen.

De kinderen wipten opgewonden op hun stoel op en neer. Ze probeerden landende vliegtuigen te ontdekken en te raden welk toestel van papa was. Peter deed niet mee met het spel. Met een verveelde blik op zijn gezicht zapte hij langs de kanalen van de ingebouwde tv. Lila glimlachte bij zichzelf. Ze was blij dat Peter vierkant achter haar stond in de stille strijd die er bij het echtpaar Rose woedde (althans in haar hoofd). Peter had zijn afkeer voor Brett nooit onder stoelen of banken gestoken, maar de laatste tijd liet hij die steeds duidelijker blijken. Keer op keer zei hij dat ze zonder Brett veel beter af zou zijn. 'En dan krijg je bovendien een leuk schikkingsbedrag,' had hij eraan toegevoegd. 'Slimme meid, om die huwelijkse voorwaarden niet te tekenen!'

Lila had geweigerd de huwelijkse voorwaarden te tekenen, zoals Bretts advocaten zo graag hadden gewild, maar niet uit financiële overwegingen. Toen ze met Brett trouwde, was ze er heilig van overtuigd geweest dat het voor altijd was. Huwelijkse voorwaarden leken destijds niet relevant. Ze vond het onromantisch en helemaal verkeerd. En Brett was het ermee eens geweest. 'Wat jij wilt, schat,' had hij onverschillig gezegd. 'Zo belangrijk is het niet.' Maar wás hun huwelijk wel voor altijd? Daar was Lila niet meer zo zeker van. Ze hoopte vurig van wel. Ze vertrouwde erop dat dit alleen maar iets tijdelijks was, een

rotperiode waarom ze over een paar jaar konden lachen als ze eraan terug-
dachten. Het zou toch nog wel te redden zijn? En ze moesten ook aan de kinderen denken. Ze wilde niet dat haar kinderen in een ontwricht gezin zouden
opgroeien. Hun leven was al bijzonder genoeg. Hoeveel kinderen werden er
door de pers lastiggevallen? En hun vader was het grootste gedeelte van de tijd
in een ander werelddeel, in een andere wereld. Nee, zij wilde een min of meer
normaal leven voor Louisa en Sebastian. En toch... Lila staarde naar buiten. En
toch werden de knagende twijfels steeds groter. Ze hield nog steeds van haar
man. Waar ze aan twijfelde was of hij nog steeds van haar hield.

Terwijl de zwarte limo naar de luchthaven zoefde, zag Lila in elke auto waar
ze langskwamen hoofden die zich omdraaiden. De mensen rekten hun hals
om te zien wie er in de limousine zat, maar de geblindeerde ramen verhinder-
den dat. Jezus, wat had ze een hekel aan die belachelijke wagens, maar Brett
verwachtte dat hij in stijl zou worden afgehaald en hij wilde graag iets patse-
rigs. Zo was hij nu eenmaal. Anders dan Lila was hij dol op alle aandacht die
je als beroemdheid kreeg. Brett zou nooit stilletjes via de achteruitgang wegglippen. Hij gaf altijd de voorkeur aan de hoofdingang en de menigte bewon-
deraars.

De limo stopte bij een afgezet gedeelte voor de aankomsthal, waarna het
portier werd opengedaan door een kruiperige medewerker van de beveili-
gingsdienst. Hij boog voor Lila toen ze uitstapte. Ze streek het voorpand van
haar klassieke rode Diane von Fürstenberg-wikkeljurk glad, schudde haar
glanzende haren en zette haar overmaatse Chanel-zonnebril stevig op haar
neus. Oké, daar gaat ie, dacht ze.

'Hou mijn handen vast, jongens,' zei ze kordaat tegen de kinderen. 'En niet
loslaten. Kom, Peter. We hebben haast!'

Vakantiegangers bleven als aan de grond genageld staan toen ze Lila Rose
en haar gevolg ijlings naar de terminal zagen lopen. Zoals meestal glimlachte ze geforceerd, maar vanbinnen gilde ze dat ze haar met rust moesten laten.
Overal om hen heen werden mobieltjes in de lucht gestoken en het duurde
niet lang voordat een paar professionele fotografen zich bij de menigte aan-
sloten. Ze waren jong, gretig en ambitieus. In de zomermaanden woonden ze
praktisch op de luchthaven van Málaga, wachtend op dagen zoals vandaag
wanneer een vluchtige ontmoeting met een celebrity hun reputatie en hun
banksaldo zou opvijzelen. De moed zonk Lila in de schoenen. Ze was herkend. Vanaf nu zou haar verblijf in Spanje uitdraaien op een kat-en-muisspel
met de pers. Peter had lange armen die hij beschermend om Lila en de kin-

deren heen sloeg om de toeristen en de paparazzi op een afstand te houden. Lila wist precies hoe het zou gaan. Het was altijd hetzelfde. Brett zou door de gate naar buiten komen, terwijl de andere passagiers bij de bagageband of misschien zelfs nog in het vliegtuig moesten blijven wachten. Intussen zou Brett uit het vliegtuig zijn gehaald en haastig zijn meegevoerd door een privéroute van geheime gangen gereserveerd voor vips. Hij zou vluchtig met zijn paspoort naar een dankbare functionaris hebben gezwaaid en door een paar potige beveiligingsmannen naar de gate zijn gebracht. Eventueel zou hij de in de rij staande kuddes van eerdere vluchten, die nog door de veiligheidscontrole moesten, in het langslopen een glimlach hebben gegund. Als ze mazzel hadden.

De automatische deuren gingen open. De twee fotografen sprongen voor Lila en begonnen te flitsen voordat ze haar man kon ontdekken. Die lui waren zo onbeschoft! Het mocht dan hun werk zijn, maar het was per slot van rekening haar leven.

'Pardon,' zei ze bruusk, terwijl Peter hen opzij duwde. En daar was hij dan: Brett Rose, die grijnzend van oor tot oor, met zijn gouden pilotenzonnebril stevig op zijn neus, naar hen toe kwam lopen. Hij droeg een gebleekte spijkerbroek, een wit T-shirt en zijn geliefde cowboylaarzen van handgenaaid krokodillenleer. Zijn tatoeage van een zeemeermin met ravenzwarte haren, die zich om zijn gespierde linkerbovenarm kronkelde, kon ze al zien. Dat was haar huwelijkscadeau aan hem geweest. Onwillekeurig streek ze met haar hand over haar rechterbil. Onder haar jurk steigerde een wilde hengst. Dat was zijn huwelijkscadeau aan haar geweest. Bretts goudblonde haar zat perfect in de war onder zijn Los Angeles Lakers-honkbalpet, en zijn gebronsde huid glansde van de Californische zon. Lila's maag kromp ineen. Brett was zo'n aantrekkelijke klootzak. Hoe kon ze ruziemaken als de tegenstander er zo uitzag?

Joelend holden de kinderen naar hun vader, die zijn leren weekendtas liet vallen. Hij tilde hen op met zijn sterke armen en overstelpte hun wangen met kussen. De paparazzicamera's flitsten aan één stuk door om dit privétafereel vast te leggen, zodat de wereld er de volgende ochtend bij het ontbijt van kon smullen. Lila hield zich een beetje op de achtergrond en zag de blik van onvervalste verering op Louisa's gezicht toen ze naar haar papa opkeek. Daarna zette Brett de kinderen voorzichtig op de grond, duwde zijn zonnebril boven op zijn pet en keek Lila met zijn sexy groene ogen strak aan.

'Kijk eens aan. Dag mevrouw Rose,' zei hij zwoel, terwijl hij zijn pet afnam. 'U ziet er allercharmantst uit, al zeg ik het zelf.'

'Mag ik even een teiltje?' fluisterde Peter droogjes in Lila's oor.

Maar ze sloeg geen acht op hem. Brett lachte zijn scheve lachje en zijn ogen tintelden, waardoor haar voornemen om het hoofd koel te houden sneller smolt dan een ijsblokje in de mediterrane zon. En opeens merkte ze dat ze op hem af rende, zich in zijn armen liet vallen en zijn grote, warme mond kuste. Ze voelde de ruwheid van zijn wangen en de stevigheid van zijn hand die haar achterhoofd omvatte. Hij trok haar tegen zich aan totdat zijn mannelijke geur haar neus vulde en haar hart werd vervuld met verlangen, vreugde en zo'n sterke behoefte aan hem dat haar knieën ervan knikten. Lila hoorde bij Brett. Hoe schofterig hij zich ook gedroeg, hij had haar helemaal in zijn macht.

'Zo, jongens, wat hebben jullie voor plannen voor me?' vroeg Brett toen hij onderuitgezakt in de limo zat met zijn onmogelijk lange benen uitgestrekt. Hij gaf Lila een liefdevol kneepje in haar hand.

'Zandkastelen,' gilde Louisa.

'En paragliden,' riep Seb.

'En waterfietsen, naar getijdepoeltjes kijken en flamenco dansen. Ik ben een hele goeie flamenco'er...' babbelde Louisa opgewonden. 'Oma en ik hebben gisteren geoefend op opa's feestje.'

'En een bruiloft in Schotland,' voegde Peter er nors aan toe. 'Als je tot zaterdag blijft.'

'Schotland, tjonge,' zei Brett lijzig. 'Dat klinkt fantastisch. Wie gaat er trouwen?'

'Het is nog niet zeker dat we gaan,' zei Lila snel.

'Jawel, het is wel zeker,' hield Peter vol. 'Ik heb gisteren bericht gestuurd dat we komen.'

'Maar ik had nog niet besloten,' mompelde Lila misprijzend.

Peter haalde zijn schouders op. 'Nou, dan zul je me moeten ontslaan, want de bruiloft van Jimmy Jones en Jasmine Watts wil ik voor geen goud missen, zelfs niet voor u, Koninklijke Hoogheid.'

Lila sloeg hem met gespeelde ergernis op zijn hoofd met de *Grazia*.

'Wie zijn de gelukkigen?' vroeg Brett. 'Ken ik ze?'

Peter sloeg het tijdschrift open en liet Brett een foto zien van Jimmy en Jasmine op het strand.

'Hm, die meid komt me bekend voor,' zei Brett peinzend. 'Ik geloof dat ik haar ergens van ken.'

'Dat is heel goed mogelijk,' antwoordde Peter. 'Vroeger was ze een stripper.'

Brett negeerde de steek onder water. 'En wie is die vent?'

'Dat is een voetballer, lieverd,' legde Lila uit. 'Iemand van wie jij nooit hebt gehoord.'

Brett grijnsde enthousiast. 'Voetbal! Tjonge, ik ben dol op voetbal. Dat is mijn nieuwste liefhebberij,' beweerde hij. 'Ik heb Galaxy een paar keer zien spelen. Toevallig heb ik David Beckham en zijn charmante echtgenote zaterdag nog op een feest gezien. Voetbal doet het bij ons heel goed op dit moment en...'

'Zaterdag?' vroeg Lila opeens. 'Maar toen was je toch in Montreal?'

Hij reageerde heel alert. 'O ja, je hebt gelijk. Dan zal het wel vrijdag zijn geweest,' antwoordde hij laconiek. 'Dat komt door de jetlag, schat. Ik ben een beetje van slag.'

'Tuurlijk,' zei Lila.

Ze liet zijn hand los. Brett leek het niet te merken.

'Dus denk je dat David naar die bruiloft gaat? Want hij is echt een leuke vent. Ik zou best wat vaker met hem willen optrekken.'

'Vast wel,' zei Peter. 'Dit wordt de WAG-bruiloft die alle WAG-bruiloften overtreft.'

'Wat is een WAG?' vroeg Brett.

'Wacht maar af,' antwoordde Peter. 'Wacht maar af.'

Jasmine besefte algauw dat ze haar problemen het best van zich af kon zetten door zich fanatiek op laatste voorbereidingen voor haar bruiloft te storten. Nee, het was niet alleen háár bruiloft. Het was dé bruiloft. De bruiloft van het jaar. Zo werd het tenminste omschreven in het blad *Scoop!*, en nu er zoveel van afhing, had de bruid geen tijd om zich druk te maken over een onnozel geval van afpersing.

Ondanks het legertje mensen dat bij het organiseren van dat grandioze evenement was betrokken, leek er nog heel wat te moeten gebeuren. Soms dacht Jasmine dat ze gek zou worden van het gezeur over alle beslissingen voor de grote dag die ze voortdurend moest nemen. Over een paar dagen was het al zover, en daarom zou ze een noodbespreking hebben met haar huwelijksplanner Camilla Knight-Saunders.

Van Hollywood tot Bollywood, via Mexico en Mauritius had Camilla verschillende glamourbruiloften voor celebrity's georganiseerd. Jasmine had de laatste weken zoveel tijd met Camilla doorgebracht dat het was alsof ze haar beter kende dan haar eigen moeder. O, was Camilla maar haar eigen moeder!

Nu dartelde ze op pumps over Jasmines terras heen en weer, wild gebarend met haar perfect gemanicuurde handen. Ze was graatmager en had glanzend, kortgeknipt zilverwit haar. Altijd droeg ze zwarte kleren – vandaag was het een prachtig getailleerde hemdjurk – en rode lippenstift. Eigenlijk had ze iets weg van een ballerina op leeftijd: ze had een ranke hals en haar tenen stonden altijd een beetje naar buiten gedraaid. Camilla was een vrouw met stijl. Zelf noemde ze zich een uitstervend ras. Ze had Jasmine (heel vaak) verteld dat ze van oud geld kwam ('goede afkomst kun je niet kopen, schat'), en was naar de beste Zwitserse etiquetteschool geweest. Destijds was ze de mooiste debutante van het circuit geweest in het jaar waarin ze haar 'intrede in de society' had gedaan. Ze was goed getrouwd ('vanzelfsprekend, schat') en had de volgende dertig jaar als de perfecte modelechtgenote besteed: drie flinke zonen en erfgenamen had ze gebaard, terwijl ze er betoverend uitzag en de beste soirees, dinertjes en liefdadigheidsbals van de welgestelde graafschappen rondom Londen organiseerde.

En toen was haar man gestorven. Zomaar opeens. ('Hij kreeg een hartaanval en viel dood neer in de bar van het House of Lords, lieverd.') Camilla was geschokt en diepbedroefd toen ze in de bloei van haar leven plotseling weduwe was geworden ('ik was pas 51, schat') maar niet zo geschokt als toen ze merkte dat ze failliet was. Haar man bleek achteraf beter te zijn geweest in het uitgeven van het familiefortuin dan in het vergaren ervan. Na aftrek van schenkings- en successierechten en de kosten van een extravagante begrafenis ('ik kon die arme Monty toch niet bij de laatste hindernis in de steek laten, lieverd') was Camilla met lege handen achtergebleven. En zodoende verkocht ze het familielandhuis, gaf het merendeel van de (aanzienlijke) winst aan haar drie zonen en zette met de rest haar eigen bedrijf op. ('Ik bedoel, ik had nooit gewerkt, schat. Dat deed men gewoon niet. Maar ik wist waar ik goed in was. Ik was de volmaakte gastvrouw.') Ze was klein begonnen, met het organiseren van het plaatselijke jagersfeest en dergelijke, maar toen kwam haar grote kans: een vriendin vroeg of ze de bruiloft van haar dochter wilde regelen. De dochter was dat jaar toevallig het favoriete 'bekakte mokkel' van de roddelbladen en daardoor kreeg de bruiloft landelijke publiciteit. Het huwelijk duurde slechts een paar maanden, maar Camilla's reputatie was gevestigd. Tegenwoordig stond er nauwelijks nog een bruiloft in de *Hello!* die Camilla niet had georganiseerd.

'We zitten met een grote catastrofe wat betreft de ijssculpturen,' verklaarde Camilla melodramatisch.

'Onze ijskunstenaar is de beste van heel Groot-Brittannië, maar uiteraard is hij gevestigd in Londen, en zijn schema maakt het domweg onmogelijk voor hem om naar Schotland te reizen. Hij heeft drie dagen nodig om het werk te doen, en we waren van plan om ze zaterdagochtend naar Inverness te vliegen. Alleen komen we er nu pas achter dat de laadruimte van het vliegtuig niet hoog genoeg is voor het beeld van Boudicca.'

'Kan ze niet op haar zij worden gelegd?' vroeg Jasmine.

'Nee, nee, nee.' Camilla schudde haar hoofd. 'Ze is veel te breekbaar. Maar maak je geen zorgen, schat. Ik heb even gebeld met Richard...'

'Richard?'

'Branson, schat. Een oude vriend van de familie. Hij gaat proberen een vliegtuig met een grotere laadruimte voor ons te versieren.'

'O,' zei Jasmine. 'Goed.'

Ze stond voortdurend versteld van Camilla's connecties.

'En de jurken van de bruidsmeisjes zijn een ramp.' Camilla begon te ijsberen. 'Door Crystals borstvergroting klopt er helemaal niets meer van de maten. Waarom moeten jullie tegenwoordig per se zo weelderig geschapen zijn?'

Jasmine sloeg haar armen beschermend voor haar borst.

'In mijn tijd geloofden we dat de volmaakte borst precies in een champagneglas paste,' verklaarde Camilla.

'Maar...' Verbijsterd staarde Jasmine naar het glas champagne op tafel. Dat was amper groot genoeg voor een tepel.

'Doe niet zo mal, lieverd,' schimpte Camilla. 'Dat is een flûte. Ik heb het over een champagneglás.' Ze vormde haar hand tot een kom om de afmetingen te laten zien. 'Enfin, borsten zijn wel het laatste waar we ons druk om hoeven te maken vergeleken bij Cookies dikke buik. Wat een tijdstip om aan een gezin te beginnen! Nota bene tijdens jouw bruiloft, schat. Sommige mensen zijn toch zo op zichzelf gericht. Nu ja, je zus zal er tenminste hemels uitzien. Ze heeft zo'n volmaakt figuurtje. Geen hobbels en bobbels die in de weg kunnen zitten. Zolang Lisa haar mond niet opendoet, kun je trots op haar zijn.'

'Alisha,' zei Jasmine. 'Ze heet Alisha.'

'Alisha? A-lie-sja? Werkelijk? Wat eigenaardig. Ik heb haar steeds Lisa genoemd. Van zoiets als Alisha heb ik nog nooit gehoord,' lachte Camilla. 'Enfin, ieder zijn meug, schat.'

Jasmine knikte, al had ze geen idee waar Camilla over zeurde. Over de naam van haar kleine zusje had ze zich nog nooit druk gemaakt. Over Alisha's gedrag daarentegen... Tja, dat zou ze tijdens de bruiloft goed in de gaten moeten houden. Ook al was Alisha nog maar zestien, ze was een echte mannenver-slindster. Haar kleine zusje was in de wolken geweest toen ze haar had gevraagd of ze haar bruidsmeisje wilde zijn.

'Weet je dat zeker, Jazz? Ik? Wil je dat ik je bruidsmeisje ben? En in alle bla-den kom en beroemd word en, jeetje, dit gaat echt het begin van mijn gla-mourcarrière worden en... en... en...'

Jasmine wist niet wat ze moest denken van Alisha's droom om een glamour-model te worden. Maar Alisha's besluit leek vast te staan. Ze vertikte het zelfs om die arme Ebony de borst te geven uit angst dat haar pronte tietjes zouden gaan hangen.

'Ja hallo zeg, da's toch niet natuurlijk?' had ze uitgeroepen toen Jasmine had voorgesteld om Ebony in elk geval een paar weken borstvoeding te geven.

'Ik heb jullie ook niet de borst gegeven en jullie hebben er niks aan overge-houden,' had hun moeder zich ermee bemoeid. 'Hoewel jij misschien wel aan de tiet heb gehangen, Jazz. Voordat je bij mij kwam, zeg maar. Misschien heb je daarom van die prammen.'

Jasmine werd wanhopig van bijna haar hele familie. Haar moeder was hopeloos en haar broers waren een stelletje lamstralen, maar Alisha... Voor haar was er misschien nog een sprankje hoop. Wilde ze maar niet met alle geweld Jasmines voorbeeld volgen. Het was niet dat Jasmine zich voor haar werk schaamde, maar meer dat ze wist dat er andere dingen waren waar ze veel liever geld mee zou verdienen, zoals zingen. Maar voor Alisha was een carrière als glamourmodel het einde. Dat was het enige wat ze wilde. Afge-zien van een beroemd vriendje. Ze zag er best leuk uit. Ze was slank en had fantastische benen, maar om het echt te maken zou ze haar A-cupborsten moeten laten doen. En ook al was Alisha nog zo losgeslagen, Jasmine moest er niet aan denken dat haar kleine zusje onder het mes ging.

'Ben je er wel met je gedachten bij, schat?' vroeg Camilla nadrukkelijk. 'Ik wil de volgorde van de muziek doornemen. We hebben de doedelzakband Queen's Own Highlanders om je van de kerk naar het kasteel te begeleiden. The Proclaimers zullen het feest op gang brengen met 'Let's Get Married', op verzoek van James...'

Camilla noemde Jimmy altijd 'James'. Daar moest Jasmine om giechelen.

'Dan speelt KT Tunstall een set en daarna misschien Carlos Russo om de boel af te ronden, maar ik vroeg me af of dat misschien een beetje te vorige eeuw is voor jongelui zoals jullie. '

'Nee hoor, dat klinkt allemaal perfect,' zei Jasmine enthousiast.

Eigenlijk vond Jasmine dat de voorbereidingen gesmeerd liepen. De jurken van de bruidsmeisjes waren in recordtijd vermaakt, de bloemist had de definitieve lijst voor de diverse boeketten, kerkbloemen en bloemstukken voor op tafel, en zelfs de tafelschikking was eindelijk geregeld. Jezus, wat had ze daar een slapeloze nachten van gehad! En wat haar jurk betreft... O, die jurk... Die overtrof zelfs haar stoutste dromen.

21

Maxine staarde naar het pakje dat voor haar lag. Het was een babyroze doos met een zwartfluwelen lint eromheen. Op het kaartje stond: *Voor mijn Venus. Geniet ervan. Heel veel liefs, Carlos xxx*. Een paar dagen geleden hadden ze ruziegemaakt en sindsdien had ze hem genegeerd. Gepikeerd. Om hem een lesje te leren.

Het probleem was dat ze zich steeds onrustiger begon te voelen. Het jeukte, dus moest ze nodig krabben. Ja, ze had de kriebel in haar gat. En hoe. Al een poosje had ze het gevoel dat ze iets zou moeten doen – iets groters en belangrijkers dan ze gewend was. Het opzetten van Cruise had haar een tijdlang beziggehouden, maar nu de opening achter de rug was – en zelfs naar haar hoge maatstaven een daverend succes bleek te zijn – was ze niet meer zenuwachtig over de nachtclub. Cruise zou het goed doen. Maxi had ervoor gezorgd dat haar 'kindje' beschikte over het beste personeel, de beste publiciteit en de meest indrukwekkende lijst genodigden die er te krijgen waren. Zolang ze maar elk weekend haar gezicht liet zien en haar talent als gastvrouw tentoonspreidde, hoefde ze daar niet over in te zitten. Nee, haar besluit stond vast. Ze had behoefte aan een nieuw project in haar leven en deze keer had ze haar zinnen gezet op een écht kindje.

De enige moeilijkheid met dat plan was Carlos, de onwillige aanstaande vader. Erg hitsig was hij nooit geweest. Hij hield meer van ouderwetse romantiek dan van het ruige werk waarbij je elkaar de kleren van het lijf rukte, waar Maxi naar hunkerde. Tot nu toe had ze rekening gehouden met zijn leeftijd en zijn verminderde libido, maar als ze zwanger wilde worden, moest ze Carlos zover zien te krijgen dat hij zijn seksuele verplichtingen serieuzer zou opvatten. Als ze eerlijk was, moest ze toegeven dat ze seksueel gefrustreerd begon te raken. Vandaar dat ze hem het hele weekend had bewerkt.

Toen ze vrijdag terugkwam van de club lag hij rustig te slapen in zijn geruite pyjama, met een lege beker chocolademelk en de autobiografie van Seve Ballesteros op het nachtkastje. Ze had een diepe zucht geslaakt. Nog nooit had het haar moeite gekost om mannen te verleiden, maar Carlos was een grote uitdaging. Ze had zich tot op haar rode kanten slipje uitgekleed, was naast hem onder de lakens gekropen en aan de slag gegaan door haar handen onder zijn pyjama te schuiven en zijn huid te masseren. Geen reactie. Carlos had geslapen als een blok. Daarom had ze nog meer haar best gedaan. Ze had hem op zijn rug gedraaid, was schrijlings op zijn slapende lijf gaan zitten en had zijn pyjamajasje losgeknoopt om hem op zijn borst te kussen, op zijn buik en op zijn...

'Carlos,' had ze gefluisterd, 'Carlos, liefje. Ik ben zo geil als boter en ik wil dat je wakker wordt.'

Hij had hard gesnurkt en was weer op zijn zij gerold, waardoor Maxine uit bed werd gegooid en onelegant op het hoogpolige tapijt was terechtgekomen.

'Verdomme, Carlos!' had ze teleurgesteld gevloekt.

Uiteindelijk had ze het opgegeven. Carlos was niet wakker te krijgen. Ze was naar de keuken gelopen, had een martini voor zichzelf ingeschonken en naar de opkomende zon boven de bergen gekeken voordat ze zich in de logeerkamer had teruggetrokken.

'Morgen,' had ze besloten. 'Morgen dan maar.'

Op zaterdag had ze een paar keer geprobeerd Carlos in de juiste stemming te brengen door slechts gekleed in haar slipje op zijn knie te gaan zitten. Maar hij had de hint niet begrepen en ze was te moe en te katterig geweest om vol te houden.

Op zondag hadden ze een dagje bij het zwembad rondgelummeld. Isabel had die dag vrij, dus hadden ze de villa voor zichzelf. Maxine was naakt op een piepkleine zilveren string na.

'Carlos, liefje,' had ze in haar zwoelste stem gevraagd, 'zou je me alsjeblieft even willen insmeren?'

Hij had haar over zijn bril heen aangekeken, zijn schouders opgehaald en daarna met lichte tegenzin zijn krant op de grond gelegd. Maxi lag op haar rug op de ligstoel, met haar ogen dicht, zich koesterend in de heerlijke zon op haar naakte huid, huiverend bij het vooruitzicht van wat er ging komen. Intussen had ze het erg warm gekregen. Al dagenlang had ze aan niets anders dan seks gedacht, en haar poesje tintelde van opwinding. Als Carlos niet gauw met haar zou neuken, zou ze vast ontploffen.

'O god, liefje, wat is dat zalig,' had ze gefluisterd toen Carlos haar naakte borsten met olie insmeerde. 'Jezus, Carlos, dat is hemels,' had ze gekird, toen zijn handen over haar buik en haar heupen naar omlaag waren gegleden. Daarna had hij haar dijen gemasseerd, met zijn vingertoppen langs haar string gestreken en haar met elke stevige streling meer opgewonden. De hele tijd had ze haar ogen dichtgehouden. Haar benen had ze zo wijd mogelijk gespreid, hunkerend om door hem te worden geliefkoosd of meteen te worden genomen. Nog meer voorspel had ze echt niet nodig. Ze was al helemaal klaar voor hem. Plagend had hij zijn handen naar haar benen laten glijden en olie op haar schenen en zelfs haar voeten gesmeerd.

'Ziezo, dat was dat,' had hij heel nuchter gezegd.

'Ik geloof dat je een stukje hebt overgeslagen, liefje,' had ze moeizaam uitgebracht. 'Hier.' Ze had zichzelf beroerd waar het tintelde. Haar string was al vochtig. Nog steeds hield ze haar ogen gesloten. Ze was ervan overtuigd geweest dat Carlos over haar heen had gestaan, net zo opgewonden als zij was, gereed om heerlijk te vrijen onder de zon.

Maar hij had niet gereageerd. Maxine had haar ogen juist op tijd geopend om hem het zwembad in te zien duiken.

'Wel verdomme!'

Met een ruk was ze overeind gaan zitten. Carlos was baantjes aan het trekken, zonder enig benul van het vurige verlangen van zijn vriendin.

'Denk maar niet dat je eronderuit komt, vadertje!' had ze verklaard, meer tegen zichzelf dan tegen Carlos, die zijn hoofd onder water had.

Ze was opgestaan en direct het zwembad in gedoken, ook al ging dat tegen haar eigen regels in. Normaal gesproken zorgde ze ervoor dat ze niet met haar hoofd onder water ging, omdat ze haar haar en haar make-up niet wilde verknoeien. Maar ze was wanhopig. Ze was regelrecht naar Carlos toe gezwommen en had halverwege zijn crawlslag haar armen om zijn lichaam geslagen.

Hij had gesparteld, was een paar tellen kopje-onder gegaan en daarna hoestend en proestend weer bovengekomen.

'Waarom deed je dat nou, verdomme?' had hij bijna kwaad gevraagd. 'Ik had wel kunnen verdrinken!'

'O god, sorry schatje,' had ze gesust, terwijl ze hem op de rug had geklopt om te zorgen dat hij al het water uit zijn longen hoestte. 'Het is alleen... Ik heb je nodig, liefje.'

'Hoezo?' Carlos had er verward uitgezien. 'Maar ik ben er toch, *chica*?'

'Ja, weet ik,' had Maxine geduldig uitgelegd. 'Maar het voelde zo lekker toen je me insmeerde.'

'Lekker?' had hij gevraagd, terwijl hij op adem kwam.

'Als in: lékker.' Met dat ene woord had ze zo goed mogelijk geprobeerd duidelijk te maken hoe geil ze was.

'Lekker?' Carlos had er kennelijk nog steeds niets van gesnapt.

Maxines seksuele frustratie was in een algemene frustratie omgeslagen. 'Ik ben geil, Carlos!' had ze gesnauwd. 'Ik wil eindelijk een beurt krijgen, verdomme! Het is al weken geleden. Ik heb ook behoeften, weet je.'

'Aha, ik snap het,' had Carlos gezegd, opeens ernstig. Hij had zich uit het zwembad gehesen en met zijn hand door zijn natte haar gestreken. Welwillend had hij op haar neergekeken, als een schoolmeester naar een ijverige maar weerspannige leerling.

'Maxine, *dahling*. Je bent een mooie vrouw. Je bent jong. Ik was al bang dat dit een probleem zou worden,' had hij kalm gezegd.

'Wat? Wil je me niet?' had Maxine op hoge toon gevraagd. 'Vind je me niet aantrekkelijk?'

Dat was een nieuwe gewaarwording voor haar. Ze was in haar leven al heel vaak gekwetst en beledigd, maar nog nooit had ze zich seksueel afgewezen gevoeld. Haar tranen vermengden zich met chloor en prikten in haar ogen.

'Maxine, Maxine,' had Carlos sussend gezegd. 'Je weet toch dat ik jou de mooiste vrouw vind die er bestaat? Jij bent mijn Venus. Dat zeg ik elke dag tegen je, maar...'

'Maar wát dan?' had ze gegild. 'Maar je wilt alleen maar naar me kijken, als naar een mooi schilderij?'

'In zekere zin wel, ja,' had hij vriendelijk geantwoord. 'Ik geniet ervan als we vrijen, maar één of twee keer per maand is genoeg voor mij. Ik heb jouw leeftijd gehad, Maxine. Ik begrijp het best. Maar die tijd ligt achter me. Ik ben nu veel rustiger. Mijn verstand is wakkerder dan ooit, maar hij...' hij wees naar zijn penis, '... niet zo. Het ligt niet aan jou, *chica*. Het ligt aan mij. Het spijt me.'

Hete tranen waren over haar wangen gebiggeld.

'Maar ik wil wellust, Carlos,' had ze uitgelegd. 'Ik wil begeerd worden.'

'Ik begeer je heus wel, *dahling*, geloof me. Maar ook je glimlach, je lach en je goedhartigheid. Niet alleen je lichaam. Toen ik vijfentwintig was, zou ik je hebben begeerd, maar ik zou niet van je hebben gehouden. Niet echt. Nu hou ik van de hele Maxine. Ik begeer het hele pakket. Dit is toch beter, niet? Dit is toch beter voor jou?'

'Ik weet het niet, Carlos,' had ze geantwoord. 'Ik weet het echt niet.'

En nu ze naar het cadeautje keek dat voor haar lag, was ze nog steeds verward. Ze hield van Carlos, ze was gek op hem. Ze wilde zijn vrouw zijn en zijn kind baren, maar er was een zaadje van twijfel gezaaid en ze wist nog niet hoe groot dat zou worden. Kon ze zonder wellust leven? Ze wist niet zeker of ze dat offer wilde brengen. Nu nog niet in elk geval. Ze was nog jong.

Maar ach, wat kon het haar ook schelen. Ze was dol op cadeautjes, en als Carlos zich zo schuldig voelde dat hij een kleine verrassing bij haar bed had achtergelaten, kon ze die toch niet negeren? Hij was op de golfclub, Isabel was naar de supermarkt. Ze was helemaal alleen. Ze trok het zwarte lint eraf en deed de doos open. Het cadeau was in roze zijdepapier gewikkeld. Wat zou het zijn? Het was niet groter dan een schoenendoos. Een paar Louboutins? Een ketting? Diamanten? Als een vijfjarige met Kerstmis stortte ze zich op het zij-depapier.

'Jezus, wat is dit?'

Ze haalde het cadeau uit de doos en draaide het rond in haar handen. Het was ongeveer dertig centimeter lang en acht centimeter dik. Het was roze, glad en stevig. Het voelde koud aan, zoals fijn porselein, hoewel ze vermoedde dat het van plastic was gemaakt. En het uiteinde was bezet met diamantjes, twaalf volmaakte diamantjes. Het was op zijn manier heel mooi. Ze drukte op het knopje, waarna het ding zoemend in actie kwam. Er zat zo'n beweging in dat ze het bijna op de grond liet vallen.

Een vibrator. Carlos had een vibrator voor haar gekocht. Het was een prach-tig, duur ogend exemplaar, maar het was nog altijd een vibrator. Ze wist niet of ze beledigd of opgelucht moest zijn. Ze zette hem weer uit en keek er een poosje naar. Wat moest ze daar in vredesnaam mee? Ze was niet zo'n type dat zich graag zelf bezighield, als het ware. Er was altijd wel een gewillige vent te vinden om in haar behoeften te voorzien als ze in de juiste stemming was. Maar nu? Carlos kon haar niet bevredigen en hij kwam met een oplossing. Ze stond op en liep naar de slaapkamerdeur. Toen ze de deur op slot had gedaan, liep ze terug naar het bed en pakte haar cadeautje op. Ze zette hem weer aan en keek een poosje naar het trillende ding. Heel langzaam trok ze haar slipje uit en ging op bed liggen. Dit cadeautje zou haar niet het kindje schenken waar ze zo naar verlangde, maar haar nieuwe vriendje zou in elk geval wel raad weten met die kriebels. Ze deed haar ogen dicht en liet de hemelse golven van genot door haar lichaam stromen. De opluchting was onvoorstelbaar.

Toen Carlos thuiskwam van de golfclub trof hij Maxine in een aangenaam opgewekte bui aan.

'Ben je blij met je cadeau?' vroeg hij een beetje verlegen.

'Ik ben dolblij met mijn cadeau,' antwoordde ze, met een uitdagende knip-oog. 'Ik heb er de hele middag ontzettend van genoten.'

'Echt waar?'

'Echt waar. Ik kon er geen genoeg van krijgen.'

'O, fijn. Ik ben blij dat hij je bevalt. Eigenlijk vroeg ik me af, *dahling*, of ik straks mag kijken als je van het cadeau geniet,' stelde hij voor.

Maxine was verbluft. Verbluft maar verrukt. 'Tuurlijk, schat. Ik wil je dol-graag laten zien hoeveel plezier ik met mijn nieuwe speeltje heb!'

'En misschien kan ik daarna ook even mijn nieuwe speeltjes uitproberen...'

Hij stak zijn hand in zijn broekzak en haalde een flesje pilletjes tevoorschijn.

Ze tuurde naar het etiket. 'Viagra? Maar ik dacht dat je zei dat je daar nooit aan zou beginnen. Jij zei dat het iets voor vieze ouwe mannetjes is.'

Carlos sloeg zijn armen om Maxi's middel en trok haar naar zich toe. '*Dahling*, als ik daarmee mijn Venus gelukkig kan maken, wil ik alles proberen.'

'Wat lief van je,' zei ze dankbaar. Viagra betekende seks, en seks betekende baby's, en baby's betekenden trouwringen, en trouwringen betekenden een lang en gelukkig leven...

22

Charlie was onrustig. Hij had zijn leren reistas al drie keer in- en uitgepakt en twee verschillende sets kleren klaargelegd. Zijn handen trilden een beetje toen hij zijn spijkerbroek op het hotelbed gladstreek. Eerlijk gezegd scheet hij bag-ger.

Het was niet de bruiloft vanmiddag waar hij over inzat. Jasmines huwelijks-planner had voor alle mannen van het bruidsgezelschap een jacquet in Savile Row geregeld, waarvoor Charlie drie keer had moeten passen. Nee, zijn trouw-pak was in orde. Hij zou er prachtig uitzien wanneer hij Jasmine naar het altaar zou begeleiden. En zijn toespraak was geschreven en zat keurig opgevouwen in zijn portefeuille. Die had hij woord voor woord uit zijn hoofd geleerd. Natuur-lijk was hij een beetje zenuwachtig bij het vooruitzicht dat hij voor een zaal vol beroemde mensen moest spreken, maar zolang hij tijdens zijn toespraak maar niet de aandacht van Katie Price of sir Alex Ferguson trok, was er niks aan de hand. Hij zou zich gewoon tot Jasmine richten. Hij zou haar recht aankijken en haar laten weten dat hij elk woord meende: dat hij trots op haar was en dat haar pa in zijn nopjes zou zijn geweest als hij haar bruiloft had kunnen meemaken.

De bruiloft zou geen probleem zijn, had hij zichzelf voorgehouden.

Het was zelfs niet de reis erheen waar hij tegen opzag. Oké, misschien kreeg hij het een beetje benauwd bij het idee dat hij met Hollywoodsterren moest reizen, maar dat kon hij wel aan. Eigenlijk vond hij het allemaal best spannend. Jazz had gezorgd dat hij met Brett en Lila Rose zou reizen. Geen geintje. Was dat geen giller? Charlie Palmer zou van Málaga naar Inverness vliegen in een privéjet gecharterd door Mr. Hollywood Megaster en zijn vrouw, die toevallig de mooiste vrouw van de wereld was. Nog maar een week geleden had hij nota bene achter Lila gezeten tijdens zijn vlucht naar Spanje, en nu zou hij haar gast zijn. Hij zou openhartig met haar praten, van mens tot mens. Nog mooier was dat Maxine de la Fallaise en haar vriend Carlos Russo ook die vlucht zouden nemen. Hij had die Maxine altijd een leuk grietje gevonden wanneer hij haar weleens in de krant zag. Ze had zo'n vriendelijk, open gezicht. Een lichaam om jaloers op te zijn, maar het gezicht van een heel gewone meid. Toch haalde ze het niet bij Lila Rose.

Nee, over de vlucht maakte hij zich ook niet druk. Wat hem de stuipen op het lijf joeg was dat hij weer voet op Britse bodem zou zetten. Als Jasmines bruiloft er niet was geweest, zouden ze hem de komende jaren voor geen goud zelfs maar in de buurt kunnen krijgen. Daar had McGregor geen doekjes om gewonden na de Donohueklus. Hij moest wegwezen en wegblijven. Het was er niet veilig. En dat was nog voordat Nadia vermist werd.

Jezus, hij hoopte maar dat alles in orde was met haar. Van Gary had hij niets gehoord. De knul had zo goed mogelijk geïnformeerd, maar niemand leek iets te weten. Niet dat iemand zijn mond open zou doen als hij wel iets wist. Iedereen in Londen kneep hem voor de Russen, en Dimitrov was de meest angstaanjagende van het hele stel. Hij was blij dat Nadia's vader geen contact meer met hem had opgenomen en dat zijn zware jongens Gary ook met rust hadden gelaten. Hopelijk beseften ze dat hij niks met haar verdwijning te maken had. Had hij maar het lef gehad om haar mee te nemen naar Spanje. Dan had hij in elk geval kunnen zorgen dat ze veilig was.

Veilig? Wie was er verdomme nog veilig? Zijn hart bonsde te snel in zijn borst. Was het veilig in Marbella? Zou het veilig zijn in Tillydochrie Castle? Was het ver genoeg van Londen? Was het überhaupt ergens ver genoeg? Hij haalde diep adem en ging op het bed zitten. Misschien zou hij beter Jasmine kunnen bellen om te controleren of alles in orde was in Schotland. Ze zat nu vast met haar vriendinnen haar nagels te doen of zo. Eigenlijk zou hij haar niet moeten lastigvallen, maar...

Op haar weelderige antieke hemelbed lag Jasmine languit op haar buik in een gestreepte jongenspyjamabroek en een paarse babydoll haar prachtige Franse manicure te bestuderen toen er werd geklopt.

'Ik geloof dat het tijd is voor...' Chrissie deed de deur open in haar ochtendjas en liet een onberispelijk geklede jonge ober binnen. 'Bubbels!'

'O, zalig,' zei Jasmine. 'Roze champagne. Bedankt, schatje.' Ze knipoogde naar de ober, die zich blozend de kamer uit haastte.

'En niet zomaar champagne,' merkte Chrissie op. 'Het is Cristal.'

'Ja, wat dacht jij dan,' zei Jasmine.

'Ik hoef niet,' zei Cookie, die beschermend een klopje op haar babybuikje gaf. 'Van dat spul moet ik kotsen!'

'En jij bent nog niet oud genoeg, hè Alisha?' zei Crystal plagerig tegen Jasmines kleine zusje.

'Krijg de tyfus!' gilde Alisha. 'Ik ben oud genoeg om een kind te krijgen. Dan vind ik dat ik heus wel een beetje bubbelwijn aankan!' Ze griste een glas uit Chrissies hand en nam een grote teug.

'Wacht!' riep Crystal. 'Dat spul kost bijna duizend pond de fles. Kleine slokjes, Alisha. Het is geen breezertje! Maar goed, ik wil een toost uitbrengen.'

De vrouwen gingen allemaal staan, ieder in diverse stadia van ontkleding, waarop Chrissie plechtig zei: 'Op Jasmine. De mooiste bruid van de wereld. Dat al je dromen uit mogen komen!'

'Op Jasmine!' riepen de anderen, en daarna klonken ze met hun glazen en giechelden toen de bubbels in hun neus kwamen.

'Is dat jouw mobieltje, Jazz?' vroeg Alisha, om zich heen kijkend. 'Neem maar op. Misschien zijn het Jimmy en de jongens die iets willen afspreken.'

'Nee hoor, die wil ik vanavond niet zien, Lish,' zei Jasmine. Ze tilde de kussens op en tastte in haar bed rond naar haar mobieltje. 'Dat brengt ongeluk.'

'Maar we zouden toch een poosje naar hun hotel kunnen glippen? Het is niet ver, kijk maar.' Ze wees door het raam naar het hotel, dat ongeveer vijfhonderd meter verderop lag op het kasteelterrein. 'Alle voetballers zijn er, Jazz. Ik zou alvast wat talent voor morgen kunnen bekijken, toch?'

'Nee, vanavond hebben we een meidenavond, Lish,' antwoordde Jasmine geduldig, toen ze eindelijk haar mobieltje in haar handtas had gevonden. 'O kijk, het is Charlie. Hai, Charlie! Hoe bedoel je: of alles in orde is?' lachte ze in het mobieltje. 'Tuurlijk is alles in orde. We drinken roze champagne!'

'Maak je niet druk! Je bent onze vader niet, oom Charlie!' schreeuwde Alisha keihard.

Jasmine liep het balkon op en deed de openslaande deuren achter zich dicht. Ze kon zichzelf amper horen denken met die gillende meiden in de kamer. Het begon te schemeren en over het loch voor haar zweefde een vreemde nevelsluier. Het oude huis waar Jimmy overnachtte, lag aan de overkant van het loch. Het was vroeger het poortgebouw voor het kasteel geweest, maar onlangs was het verbouwd tot een boetiekhotel – een leuk goudmijntje voor de lord in combinatie met de celebritybruiloften die hij organiseerde. Het interieur van het hotel was cool en eigentijds genoeg voor een reportage in de *Elle Decoration*, maar vanaf het balkon zag het er in de schemering oud, griezelig en spookachtig uit.

'Char?' vroeg Jasmine. 'Da's beter. Nu kan ik je tenminste verstaan. Ja, met mij is alles prima. Hm-m, het kasteel is schitterend, beeldschoon, het is echt perfect... Beveiliging? Kan niet beter. Het tijdschrift laat niemand binnen, anders zijn ze hun exclusieve reportage kwijt. Camilla sluipt overal rond als een verdomde rottweiler voor het geval er ongenode gasten zijn binnengekomen...

Nee, echt niet, Charlie. Ik ben heel tevreden met de hele organisatie. Hm-m, de bewakers zijn potige kerels. Maak je om mij maar geen zorgen en laat me nu maar weer teruggaan naar mijn champagne... Dus ik zie je morgen. Ja, ik ook van jou, Char. Welterusten.'

Jasmine snoof de lucht op. Die was zoet en vochtig en rook naar pas gemaaid gras. Het terrein had ongetwijfeld ook een manicure gehad, als voorbereiding op de bruiloft van morgen. Daar zou Camilla wel voor hebben gezorgd, dacht Jasmine. Ze wilde juist weer naar haar kamer teruggaan toen ze een meter of vijftien verderop een gedaante opmerkte die onbekommerd langs het loch kuierde. Ze tuurde door de nevelslierten om te zien of ze hem kon herkennen. Zijn manier van lopen kwam haar vertrouwd voor. Het was duidelijk een man. Te lang voor Jimmy. Te slank voor de lord. (Jasmine was bij haar aankomst aan hem voorgesteld. Hij was heel vriendelijk en joviaal, maar slank was hij beslist niet.) Nu had de man zijn rug naar haar toegekeerd. Hij keilde steentjes over het water en toen haar ogen aan het zwakke licht waren gewend, zag ze de kiezels een, twee, drie, vier, vijf keer over het spiegelgladde oppervlak dansen. Toen draaide hij zich opzij en streek met zijn vingers door zijn lange, donkere haren. Ze herkende zijn profiel onmiddellijk. Het was Louis. Hij had zijn bril niet op.

Ze stond op het punt om hem te roepen, maar iets hield haar tegen. Eigenlijk wilde ze liever een poosje stiekem naar hem blijven kijken. Ze vond hem intrigerend. Hij was zo anders dan de anderen, en het was fijn dat ze een excuus had om hem gade te slaan. Louis ging op een rotsblok aan de oever van het water zitten en keek om zich heen. Jasmine volgde zijn blik toen hij naar een havik keek die boven de bomen hing. Daarna stond hij op en draaide zich naar het kasteel toe. Snel dook ze weg achter de balustrade en gluurde door een opening. Het was alsof ze hem bespioneerde. Ze wist niet waarom ze het deed en ze wilde beslist niet worden betrapt. Dat zou pas gênant zijn.

Louis kwam naar het kasteel toe en staarde omhoog naar het schitterende gebouw, ongetwijfeld om de architectuur te bewonderen. Heel even vroeg ze zich af waarom hij niet bij de anderen in het hotel was. Ze hoopte dat ze niet gemeen tegen hem waren geweest. Toen hoorde ze een schelle vrouwenstem roepen: 'Wie is daar?'

Haar hart bonsde in haar keel toen Camilla van pal onder haar balkon tevoorschijn kwam. Het hele gebied was door de politie afgezet – het kasteel, het terrein en het hotel – en bij beide ingangen naar het landgoed stonden bewakers. Camilla zou razend worden als ze dacht dat haar beveiliging was doorbroken.

'Wie bent u?' vroeg ze scherp. 'Dit is particuliere grond. Wat doet u hier? Hoe bent u binnengekomen?'

Met uitgestoken hand deed Louis een stap naar voren.

'Ik ben Louis Ricardo,' stelde hij zich met een beleefd hoofdknikje voor. 'Ik slaap met Jimmy in hotel.'

'O, o, goed, ik begrijp het,' stamelde Camilla. 'Ik ben Camilla Knight-Saunders. Ik ben de huwelijksplanner.'

Vanuit haar schuilplaats kon Jasmine Camilla bijna zien zwijmelen over de aantrekkelijke jonge indringer.

'Is grote bruiloft om te plannen,' zei Louis.

'Ja, inderdaad. En er moet nog een heleboel gedaan worden, dus eigenlijk mag je hier morgen pas zijn.' Haar stem klonk nu heel wat minder streng. 'Maar ik neem aan dat je geen kwaad in de zin had.'

'Nee, ik keek alleen. Het kasteel, ze is mooi, ja?'

'Magnifiek,' beaamde Camilla. 'Is er voor de jongemannen vanavond niet een of andere fuif in het hotel?'

Louis knikte. 'Dat is niks voor mij,' antwoordde hij laconiek. 'Ze zijn allemaal, 'oe zeggen jullie? Ladderzat!'

'Drink je zelf niet?' vroeg Camilla.

'O, jawel. Ik drink graag een glas wijn bij het eten, maar ik hou niet van al dit... dit geschreeuw en die, 'oe zeggen jullie? Aanstellerij.'

'Nee, eerlijk gezegd moet ik ook niets weten van al die onzin, Louis.' Jasmine merkte dat Camilla zijn naam goed uitsprak. Op zijn Portugees. 'Ben je een vriend van James?' vroeg ze.

Louis haalde zijn schouders op en draaide zijn handpalmen naar boven. 'Een beetje,' antwoordde hij. 'We spelen samen voetbal, maar Jimmy is niet echt mijn vriend. Ik ben meer een vriend van Jasmine.'

'Ja, Jasmine is allercharmantst, nietwaar?' zei Camilla.

Onwillekeurig moest Jasmine glimlachen.

'Meneer Jones is een gelukkig man,' merkte Camilla op.

'Ik denk soms dat Jimmy niet weet hoe gelukkig hij is,' voegde Louis eraan toe, precies luid genoeg zodat Jasmine het kon horen.

Ze voelde haar wangen gloeien. Niet van verontwaardiging om wat Louis over haar verloofde had gezegd, maar van trots omdat hij zo'n hoge dunk van haar had.

'Nou, welterusten, Louis Ricardo,' zei Camilla. 'Ik verheug me erop je morgen weer te zien.'

Louis boog zijn hoofd en stapte naar achteren. 'Tot ziens,' riep hij beleefd over zijn schouder toen hij langzaam naar het loch en het pad naar het hotel liep. Hij leek geen haast te hebben.

Jasmine hoorde Camilla de deur naar het kasteel achter zich dichtdoen om weer terug te gaan naar haar tafelindelingen en haar naamkaartjes.

'Dag Louis,' fluisterde Jasmine in de nacht. Toen stond ze op, ademde diep in en deed de balkondeuren open.

'Jasmine!' schreeuwde Chrissie. 'Dit is je laatste avond in vrijheid. Neem nog een glas champagne.'

Louis keek achterom naar het kasteel. Op de eerste verdieping brandde licht en hoewel hij zijn bril niet op had, kon hij gestalten waarnemen die zich langs de ramen bewogen. Dat moesten Jasmine en haar vriendinnen zijn. Louis was van nature niet nieuwsgierig, maar nu zocht hij in zijn broekzak naar zijn bril die hij op zijn neus zette. Het silhouet van een volmaakt gewelfde vrouwenfiguur werd door het raam omlijst. Ze danste, langzaam en uitdagend met haar lange haren zwaaiend achter zich. Louis stond als aan de grond genageld. Hij zuchtte, een beetje triest, en wendde met moeite zijn blik af. Jasmine. Mooie, volmaakte Jasmine...

Direct daarna voelde hij zich schuldig. Vorige week nog had hij zijn jeugd-liefde Maria ten huwelijk gevraagd. Ze was een slimme meid, en nog aantrek-kelijk ook, en ze was aardig en trouw. Zijn ouders waren dol op haar en Louis bewonderde haar erg. Maar of hij van haar hield? Dat wist hij niet zeker. In elk geval koesterde hij geen hartstochtelijke gevoelens voor haar. Schuldbewust keek hij nog een keer omhoog naar het raam en in zijn kruis kreeg hij de ver-trouwde kriebel die hij altijd voelde als hij zichzelf toestond om naar Jasmine te kijken. Maria kon hem nooit op die manier opwinden. Dat kon geen enke-le vrouw.

Met tegenzin liep hij terug naar het hotel. Zijn teamgenoten waren de beest aan het uithangen toen hij wegging. Ze hadden allemaal cocaïne gesnoven. Het voetbalseizoen was afgelopen en de komende paar maanden zouden er geen dopingcontroles plaatsvinden.

Jimmy's vriend Paul had voor de avond een paar vrouwen geregeld – hoofd-zakelijk groupies, wannabes en aanhangers. Hij had ze speciaal voor het vrij-gezellenfeest laten overvliegen. Voor Louis zagen ze er allemaal hetzelfde uit met hun blond geverfde haren, korte rokjes en hoge hakken. Hij had ze alle-maal al eens eerder zien, of in elk geval wel duizend anderen die er precies zo uitzagen. Je zag ze buiten bij de voetbalclub rondhangen en in de favoriete nachtclubs van de voetballers met hun lichaam pronken. Ze waren makkelijk te herkennen, makkelijk te benaderen en makkelijk te verleiden. In zijn ogen waren ze gewoon sowieso makkelijk. Hij vroeg zich af hoe Pauls vrouw Coo-kie zou reageren als ze het wist.

Hij had zijn teamgenoten met zulke vrouwen zien vrijen in de toiletten, in limo's, in stegen en een paar keer zelfs in cafés. Ze werden door de voetballers, met hun inkomen van tienduizenden ponden per week, net zo makkelijk weg-gesmeten als hun vuile sokken. En ze waren nog goedkoper om te vervangen ook. De spelers praatten niet eens met de vrouwen. Ze duwden gewoon hun tong in hun strot en staken hun handen in hun topje zonder dat de vrouwen protesteerden. Het schouwspel maakte hem wanhopig. Waar waren de intelli-gente vrouwen gebleven? Het enige wat deze grietjes wilden, was met een voetballer naar bed gaan. Om hun verhaal aan de roddelbladen te kunnen ver-kopen. Om beroemd te worden. Waarom? Dat zou hij nooit kunnen begrij-pen.

Sommige spelersvrouwen waren niet veel beter, dacht Louis. In wezen waren ze alleen maar mooier, rijker en succesvoller dan de groupies. Oké, de meesten kwamen uit een popgroep of hadden een modellenloopbaan achter de rug, maar eigenlijk waren ze nog steeds een soort groupies. Ze zaten achter die trouwring aan als honden achter een vos. Ze dachten dat ze er waren zodra ze met hun voetballer in het huwelijksbootje waren gestapt. Maar voor hun man stelde die trouwring helemaal niets voor. Daarvan was Louis overtuigd.

Paul had ook professionele vrouwen als entertainment ingehuurd: strippers en dure 'escorts'. Een van hen was Pamela, uit hun favoriete stripclub in Londen. Toen Louis naar buiten liep, deed ze juist een naakte lapdance voor Jimmy. Zelfs de anders zo trouwe Calvin had geprobeerd een groepje vrouwen aan de bar te imponeren door briefjes van vijftig pond in de fik te steken.

Een vrouw als Jasmine was veel te goed voor een idioot als Jimmy, wist Louis. Ze was niet erg ontwikkeld, maar ze was slim. Haar verstand was voor hem even opwindend als haar lichaam... Maar, man man, wat een lichaam...

Jasmine vermaakte zich uitstekend op haar vrijgezellenfeest. De vier vrouwen hadden seksgeheimen uitgewisseld, winkeltips gedeeld en drie flessen Cristal weggewerkt. Jasmine wist dat ze eigenlijk zou moeten stoppen. Ze voelde zich draaierig en wilde geen kater hebben op haar trouwdag. Maar ze had zo'n lol in dit sprookjeskasteel met haar hemelbed en de antieke meubels, en natuurlijk met haar twee beste vriendinnen en haar kleine zusje. Nu liet ze aan Cookie en Crystal zien hoe je moest strippen. (Jezus, ze moest wel dronken zijn.)

'Meer! Meer! Laat zien hoe je moet lapdancen!' Chrissie klapte uitgelaten in haar handen terwijl ze naar Jasmines potsierlijke optreden keek.

Cookie wilde haar nadoen, maar viel gierend van het lachen achterover op het bed. 'Dat komt door de baby,' hikte ze. 'Die zorgt dat ik mijn evenwicht verlies. Normaal zou ik een fantastische lapdancer zijn, echt waar!'

Jasmine danste naar het bed toe en hielp haar zwangere vriendin overeind.

'Mijn moeder zegt dat ik op mijn zevende van balletles ben gegooid omdat ik zo weinig bevalligheid en gevoel voor evenwicht had,' giechelde Crystal. Ze wankelde toen ze net als Jasmine wilde rondtollen. Op haar wangen lag een vuurrode kleur en ze begon buiten adem te raken.

'Nee, je bent geen Darcy Bussell, hè meis?' stelde Cookie vast.

'Eigenlijk zie je er net zo sierlijk uit als een ballerina, Jazz,' zei Crystal, die opeens stil bleef staan en haar vriendin vol ontzag opnam. 'Je ziet eruit... je ziet eruit...' Ze veegde haar vochtige haren uit haar gezicht. 'Je ziet er zo fantastisch uit dat ik je de ogen zou willen uitkrabben als je niet mijn beste vriendin was!'

'Ik kan het ook,' riep Alisha opeens. Ze drong langs Jasmine heen en wiebelde als een bezetene met haar kontje.

Jasmine deed een stap opzij en liet de dansvloer aan Alisha over. Die meid had gevoel voor ritme. Ze kon zich zonder meer goed bewegen, maar deed dat veel te opvallend, veel te schaamteloos. Jasmine vond dat Alisha zich uitsloofde, maar ze wist dat haar zusje niet op opbouwende kritiek zat te wachten; ze was uit op complimenten en goedkeuring. Daar was hun moeder nooit erg scheutig mee geweest.

'Dat is geweldig, Lish,' zei ze enthousiast. 'Je bent een natuurtalent, meis.'

Maar Cookie en Crystal hadden geen belangstelling meer voor de stripshow en zaten samen op bed te giechelen.

'Zullen we?' vroeg Cookie.

'Ach, ik weet het niet,' antwoordde Crystal. 'Eigenlijk zou ze tot morgen moeten wachten.'

Alisha hield op met dansen. Jasmine zag dat ze teleurgesteld was om de lauwe reactie.

'Je was hartstikke goed, Lish,' zei ze.

'Ja, nou, maar niet zo goed als jij, hè?' snauwde ze. 'Ik ben nog nooit ergens net zo goed in geweest als jij.'

'Alisha!' zei Jasmine, van haar stuk gebracht door de uitbarsting van haar zus. 'Wees toch niet zo snel op je teentjes getrapt. Ik ben tenslotte ouder en heb jaren ervaring.'

'Ja, weet ik wel, maar het gaat niet alleen om het dansen, hè? Het is met alles zo. Moet je jezelf zien! Denk eens aan wat er morgen gaat gebeuren. Deze omgeving,' zei Alisha, terwijl ze met haar armen door de schitterende kamer zwaaide. 'Zulke dingen gebeuren niet met gewone mensen.'

'Ik heb gewoon geboft.' Jasmine gaf haar zusje een vriendschappelijk kneepje in haar arm. 'Jij maakt vast ook goeie dingen mee.'

'Ach welnee.' Alisha schudde haar hoofd. 'Jij bent bijzonder. Dat ben je altijd al geweest, en soms valt het niet mee om jouw voetsporen te volgen.'

'Voor mij is het ook niet altijd makkelijk geweest, Lish,' bracht Jasmine haar in herinnering. 'Ik was altijd het buitenbeentje, weet je nog? Ik was nooit mama's kleine meisje, zoals jij.'

Alisha trok sceptisch een wenkbrauw op. 'O ja? Alsof DNA delen met mama zo gunstig is!'

'Tja...' Daar had Alisha gelijk in, moest Jasmine toegeven. Een lichtend voorbeeld kon je Cynthia niet noemen.

Alisha was niet te stuiten. 'Nou, je mag wel hartstikke blij zijn dat je niet echt familie van ons bent, zus. Moet je de rest van ons zien: een stelletje aso's en mislukkelingen. Ik weet niet waar ze jou vandaan hebben gehaald, maar het is beter dan waar ik vandaan kom, zeker weten.'

Jasmine keek tersluiks naar Cookie en Crystal. Ze deden alsof ze diep in gesprek waren, maar aan hun gezichten zag ze dat ze meeluisterden.

Ze liet haar stem dalen. 'Moet je luisteren, Alisha,' zei ze, terwijl ze de wangen van het meisje met haar handen omvatte en haar recht in de ogen keek. 'We hebben misschien niet hetzelfde bloed, maar jij bent de enige zus die ik heb. Ik hou van je, Lish. Dat mag je nooit vergeten.'

Blozend maakte Alisha zich los van Jasmine. 'Jezusmina, Jazz. Hoeveel champagne heb je op? Doe niet zo klef, zeg. Vergeet maar dat ik mijn bek heb opengetrokken. Jij kunt er ook niks aan doen dat je zo verdomd perfect bent. Oké, ik ga een sigaretje roken.' Opstandig zwaaide ze haar haren naar achteren, maar Jasmine zag een zweem van een glimlach op haar lippen toen ze door de openslaande deuren het balkon op liep.

'Was dat een beetje wedijver tussen twee zusjes?' vroeg Crystal.

Jasmine haalde haar schouders op. 'Het gewone familiegedoe,' mompelde ze.

'Hé, zullen we haar het cadeautje nu geven?' vroeg Cookie opgewonden.

'Ik zei toch dat ze eigenlijk tot na de bruiloft moet wachten...' plaagde Crystal.

'Maar dan kan ze er morgen toch niet lekker mee pronken?'

'Da's waar...'

Cookie zwaaide uitdagend met een zwarte tas tussen haar vingers. Ze liet Jasmine een glimp van het witte logo zien. De ineengestrengelde c's waren onmiddellijk herkenbaar.

Jasmine stond paf. 'Hebben jullie iets van Chanel voor me gekocht?' Ze had niets van Chanel. Dat merk had ze altijd te volwassen en geraffineerd voor zichzelf gevonden.

'Nou, omdat je vanaf morgen een ouwe getrouwde vrouw bent, leek het ons wel geschikt,' grijnsde Crystal.

'Jeetje. Jullie hebben toch geen smak geld aan me uitgegeven, hè?'

Cookie en Crystal keken elkaar even aan en barstten in lachen uit. 'Natuurlijk hebben we een smak geld aan je uitgegeven,' antwoordde Cookie. 'Maar de jongens betalen, dus ik zou me er maar niet al te druk om maken. Zij kunnen het zich veroorloven.'

Dat was zo, moest Jasmine toegeven. 'Hè, toe nou, plaag me nou niet langer. Nu móéten jullie het wel aan me geven.'

'Zullen we dat dan maar doen?' Cookie verstopte de tas achter haar rug.

'Nou, vooruit dan maar,' zei Crystal ten slotte. 'Geef hem maar.'

Jasmine knoopte het zwarte zijden lint aan de bovenkant los en maakte de plastic tas heel langzaam open. Er zat een grote, witte doos in. Ze nam het deksel eraf en keek even naar haar vriendinnen, die giechelden van opwinding. De inhoud was in zijdepapier gewikkeld. Jasmine kon haar hart in haar keel voelen kloppen van spanning. Behoedzaam haalde ze de lagen zijdepapier weg, waarna de prachtigste, boterzachte beige leren tas tevoorschijn kwam die ze ooit had gezien. Het was een klassiek doorgestikt model van Chanel, met gouden kettinghengsels en een met diamanten bezette sluiting. Jasmine slaakte een kreetje, haalde de tas voorzichtig uit de doos en klemde hem tegen haar borst. 'Het is de allermooiste tas die ik ooit heb gezien,' riep ze uit.

'Kijk eens binnenin,' drong Crystal aan. 'Kijk eens naar dat vakmanschap.'

De tas was gevoerd met donkerrood leer.

'Dit is een 2.55,' legde Cookie uit. 'En die heeft Coco Chanel persoonlijk ontworpen in 1955. Je kunt hem over je schouder dragen om een 'handtaselleboog' te voorkomen. Van die Chloé Paddington die je meesjouwt, zul je wel RSI krijgen. En kijk eens, er zit zelfs een geheim vakje in voor liefdesbrieven!'

Jasmine opende een ritssluiting onder een tweede verborgen klepje en vond een kaartje.

Aan de beste vriendin die een vrouw zich kan wensen. Gefeliciteerd met je trouwdag! Van je grootste fans, Cookie en Crystal xxxxxxxxxxx, stond er op het kaartje.

De tranen biggelden over haar wangen toen ze haar vriendinnen omhelsde en hen op hun wangen kuste. Niet op de verwaande manier van beste celebrityvriendinnen, maar oprecht zoals beste vriendinnen elkaar in slaapkamers over de hele wereld omhelzen.

'Maar het mooiste is,' zei Crystal, 'dat dit prachtexemplaar een speciale uitgave is met negenkaraats gouden hengsels en echte diamanten op de sluiting. Er is een wachtlijst voor zo lang als Bond Street en raad eens wie er dacht dat ze bovenaan stond?'

'Wie?' vroeg Jasmine met grote ogen. 'Toch niet Victoria? Ik wil Victoria niet kwetsen.'

'Nee, niet mevrouw Beckham, suffie, veel beter.'

'Madeleine!' riepen de drie vrouwen in koor en daarna vielen ze gierend van het lachen op het bed.

'Heb ik iets gemist?' vroeg Alisha, die van het balkon terugkwam.

Maar de anderen konden geen woord uitbrengen van de slappe lach.

23

Charlies antenne voor 'klootzakken' begon te zoemen. Nadat hij tientallen jaren lang met de sluwste ritselaars van Londen zaken had gedaan was zijn ingebouwde bullshitradar een nauwkeurig afgestemd instrument geworden. Het had hem hooguit vijf minuten gekost om erachter te komen dat Brett Rose een eersteklas hufter was. De Hollywoodmegaster was een grote teleurstelling voor Charlie. Oké, qua uiterlijk voldeed hij aan de verwachtingen met zijn volmaakt gekreukte designerkleren, zijn zonnebankbruine huid en zijn tandpastaglimlach, maar zo vroeg op de zaterdagochtend was zijn 'sprankelende' persoonlijkheid een verschrikking voor Charlie. Het was misschien sneu, maar hij had zich er echt op verheugd om met de A-sterren om te gaan. En er ook een beetje tegen opgezien. Hij was bang dat hij zich minderwaardig en ongemakkelijk zou voelen. Maar hij had geen enkele reden om zich minder te voelen dan Brett. De vent was een sukkel. Zo simpel was het.

Brett hoorde zichzelf graag praten. Sinds de groep zich in de vipruimte van de luchthaven van Málaga had verzameld, was hij aan één stuk door aan het woord geweest. Terwijl Maxine en Lila rustig met elkaar hadden zitten praten en Carlos Russo in de krant was verdiept, had Brett met hem gepraat, nee, Brett had tegen hem áán gepraat. En hij blééf maar praten: over zichzelf, zijn vorige film, zijn nieuwe film, zijn fitnessprogramma, zijn dieetwensen, zijn auto's, zijn huizen, zijn sexy tegenspeelsters, zijn zoentechniek en zijn naaktheidsclausules. Nu zat hij naast hem in het vliegtuig en hij kletste nog steeds, terwijl ze al een uur vlogen. Hij had Charlie niet één vraag gesteld. Niet dat Charlie graag over zichzelf praatte, maar 'hoe gaat het met je?' zou wel zo beleefd zijn geweest.

Brett liet zijn stem tot een samenzweerderig gefluister dalen en keek over zijn schouder om te controleren of zijn vrouw, die twee stoelen achter hen zat, niet meeluisterde.

'Sommige jonge actrices hebben een beeldschoon lichaam, weet je,' zei hij met een akelige grijns. 'Dus waarom zou ik een stuntman mijn naaktscènes laten doen? Jezus, ik krijg miljoenen betaald om tegen het fraaiste vrouwenvlees op aarde aan te schuren. En als de camera's zijn gestopt met draaien, begint voor mij het serieuze werk, snap je?'

Charlie snapte het volkomen. Hij vond hem een grote klootzak omdat hij over zijn avontuurtjes opschepte, terwijl hij met de mooiste vrouw van de wereld was getrouwd, maar hij begreep de man uitstekend.

Brett bevochtigde zijn lippen en ging verder met zijn monoloog. 'De mensen vragen zich af hoe mijn huwelijk op zo'n afstand kan overleven, maar ik kan je één ding vertellen, kerel: ik kan me geen betere plek voorstellen om een echtgenote te hebben dan achtduizend kilometer verderop. Ze zit zo ver weg dat ze geen kletspraatjes uit LA te horen krijgt. Ik bedoel, Lila is een geweldige vrouw, maar ze is niet meer zo piep en een man heeft toch zijn behoeften, nietwaar?'

Charlie haalde zijn schouders op. 'Sorry hoor, maar ik vind dat je geluk hebt met zo'n prachtvrouw.'

Brett grinnikte. 'Nou, ik hou beslist wel van mijn vrouw. Zeker weten. Ze is lief en slim, en ze zorgt uitstekend voor mijn kids. En voor een vrouw van haar leeftijd ziet ze er nog prima uit. Maar ze is een echte vrouw, ze heeft twee kids gebaard en ze heeft zwangerschapsstriemen!'

Brett leek te huiveren bij de gedachte. Hij trok zijn bovenlip op en rilde een beetje.

Ja, omdat ze jouw kinderen heeft gebaard, lul, dacht Charlie, maar hij hield zijn mond.

'Als ik heel eerlijk ben, heb ik het eigenlijk niet zo op vrouwen. Ik val nog steeds op meisjes, als je snapt wat ik bedoel.' Brett zuchtte en werd kennelijk in beslag genomen door zijn vunzige gedachten.

Charlie 'snapte' precies wat hij bedoelde. Sommige meisjes waren zonder meer aantrekkelijk. En hij wist wel zeker dat in Hollywood de meeste meisjes aantrekkelijk waren. Zelf vond hij jongere vrouwen vaak een beetje irritant. Ze kletsten te veel over onnozele dingen, ze hadden een slechte muzieksmaak, ze giechelden, ze waren onzeker over hun lichaam en geobsedeerd met hun uiterlijk. Heel even dacht hij aan Nadia – zevenentwintig, maar nog altijd veel te meisjesachtig voor hem. Hij hoopte dat ze in veiligheid was. Het zou nooit stand hebben gehouden, maar hij was gek op haar en hij stond doodsangsten uit bij de gedachte dat ze misschien gevaar liep.

Nee, zelf gaf hij de voorkeur aan vrouwen van boven de dertig. Die vond hij sexyer, verleidelijker. Hij keek achterom naar Lila. Ze boog zich naar Maxine toe en luisterde ingespannen naar wat haar vriendin zei. Haar glanzende haar wipte op en neer toen ze instemmend knikte na een onhoorbare opmerking. Ze keek even op en merkte dat hij haar aanstaarde. Hij kreeg een kleur en draaide zich weer naar Brett toe. Jezus, als hij zo'n vrouw had...

'Die jonge grietjes zijn nog zo groen.' Brett was nog steeds aan het woord. 'Onervaren en makkelijk te manipuleren. Ze doen alles wat ik vraag, en dan bedoel ik álles, man.'

Brett leunde helemaal naar achteren in zijn stoel, vouwde zijn handen achter zijn hoofd en grijnsde. Hij was zo verdomde zelfingenomen. Charlie zou hem met plezier op die grijnzende bek van hem hebben geslagen, maar dat deed hij natuurlijk niet. In plaats daarvan begon hij bewust over iets anders.

'Zeg, waar ken je Jasmine eigenlijk van?' vroeg hij.

'Wie?' vroeg Brett ongeïnteresseerd.

'Jasmine,' herhaalde Charlie vol ongeloof, 'mijn peetdochter. We zijn op weg naar haar bruiloft.'

'O gut, ja, dat grietje dat met de voetballer gaat trouwen.' Brett lachte, maar niet uit verlegenheid. 'Ach man, ik vlieg zo vaak dat ik nooit precies weet waar ik naar op weg ben. Dat laat ik allemaal over aan mijn assistent Brandy.'

Met zijn hoofd gebaarde hij naar achteren, waar twee personal assistants zaten (de ene hoorde bij Brett, de andere bij Carlos), een kapster (van Maxine) en een potige zwarte vent, waarschijnlijk een lijfwacht, dacht Charlie (ook van Brett).

'Nee, ik heb nog niet het genoegen gehad de bruid te hebben ontmoet,' vervolgde Brett. 'Maar ik heb de foto's gezien en daarop zag ze er goed uit. Jij bent toch haar peetvader?'

Charlie knikte.

'Geen bloedverwant?'

Charlie schudde zijn hoofd.

'Vertel eens, heb je haar weleens gepakt?' vroeg Brett met opengesperde ogen.

Charlie schudde zijn hoofd en keek uit het raam. In zijn rechterwang voelde hij een adertje kloppen. Dat gebeurde altijd als hij heel kwaad was. Daar had hij geen controle over. Het vliegtuig vloog ergens boven Frankrijk. Inverness leek opeens nog een vreselijk eind weg.

Jasmine voelde zich als Assepoester uit de Disneyfilm, toen de vogeltjes en andere dieren een jurk voor haar maakten zodat ze naar het bal kon gaan. Er drentelden zoveel mensen om haar heen dat ze er draaierig van werd. De kapster plukte aan haar haar, terwijl de visagiste haar lipgloss bijwerkte. De styliste had geprobeerd het lijfje van haar jurk steeds strakker te trekken met haar blote voet in het holletje van Jasmines rug, maar had uiteindelijk besloten om Jasmine met de hand in de jurk te naaien. Dat vond Jasmine raar. Tenslotte zou ze de bruidsjurk alleen dragen tijdens de plechtigheid en de eerste foto's, daarna zou ze zich omkleden in haar kleren voor de receptie (een Vivienne Westwood-geval met een Schots tintje) en tot slot in haar 'reiskleren' (een maxi-jurk van Roberto Cavalli in een zwoel tropisch dessin leek haar zeer geschikt om in naar de Seychellen te vliegen). De assistent van de fotograaf had een lichtmeter bij haar gezicht gehouden en een oogverblindende flits geproduceerd. Daar was ze allemaal aan gewend, want daar verdiende ze de kost mee (ook al had ze meestal veel minder kleren aan).

De vrouwen van het blad *Scoop!* krioelden als mieren door het vertrek, opgewonden met klemborden en mobieltjes wapperend en struikelend op hun hoge hakken in hun haast om alles keurig op tijd gedaan te krijgen. Camilla, de artdirector van het tijdschrift en de celebrityfotograaf voerden een verhitte discussie over de beste hoek van waaruit de jurk in al zijn glorie kon worden vastgelegd. Jasmine hoorde Alisha krijsen dat haar roze mini-jurk te lang was en Cookie klagen dat haar zwangere buikje haar te dik maakte. Ze had amper de kans gehad om een blik uit het raam te werpen, maar iedereen verzekerde haar ervan dat het buiten een ideale zonnige dag was. Crystal kwam naar haar toe en gaf haar een glas champagne.

'Je ziet er schitterend uit,' riep Jasmine uit, terwijl ze de zachtroze strapless bruidsmeisjesjurk bewonderde. 'Die kleur staat je perfect, meis.'

Crystal glimlachte. 'Bedankt, maar ik denk dat we vandaag allemaal verbleken vergeleken bij jou. Je ziet er...' Ze deed een stapje achteruit en nam Jasmine onderzoekend op. 'Je ziet er echt waanzinnig mooi uit.'

'Echt?' vroeg Jasmine. Ze was nerveus, want ze kon zichzelf niet zien. Haar jurk, haar make-up en haar kapsel waren allemaal in handen van de professionals, en die wilden haar pas bij een spiegel in de buurt laten komen als ze helemaal klaar waren.

Crystal staarde haar met open mond aan en knikte. 'Gewoon fantastisch, Jazz,' bevestigde ze. 'Het einde. Ik kan het zelfs niet onder woorden brengen. Je ziet er zo ontzettend...'

'Kan het bruidsmeisje even uit het beeld gaan?' riep de fotograaf ongeduldig. 'Ik wil alleen Jasmine erin hebben.'

Camilla joeg Chrissie weg.

'Zijn we hier bijna klaar?' wilde ze weten van de kapster, de visagiste, de styliste en de fotograaf. 'Ik denk dat Jasmine nu wel even behoefte heeft aan een paar minuten voor zichzelf. We mogen niet vergeten dat dit haar bruiloft is, niet alleen maar een fotoshoot.'

Daar was Jasmine haar bijzonder dankbaar voor. Het was zo'n hectische ochtend geweest dat ze geen moment tijd had gehad om even stil te staan bij wat ze ging doen.

'Is Charlie er?' vroeg ze aan Camilla, opeens ongerust dat zijn vliegtuig misschien vertraging had. Zolang ze Charlie aan haar zij had, wist ze dat alles goed zou komen.

'Natuurlijk is Charles er, schat,' antwoordde Camilla. 'Hij zit in de bibliotheek op je te wachten. Wat een charmante man is dat. In zijn jacquet ziet hij er verduiveld knap uit. Je zou nooit zeggen dat hij uit Essex komt.'

Camilla klapte twee keer hard in haar handen en riep: 'Oké mensen, tijd om te vertrekken. Kst! Kst!'

Ze duwde de menigte in de richting van de deur.

'Bruidsmeisjes kunnen beneden wachten met de peetvader van de bruid. Jij...' Ze wees naar de fotograaf. 'Jij kunt buiten de deuren van de salon wachten. Daarvandaan zullen we vertrekken zoals afgesproken. Alle anderen gaan naar de kerk. Nu wegwezen!'

Plotseling was het heel stil in het vertrek. Voor het eerst werd Jasmine overspoeld door zenuwen en ze stond opeens te trillen op haar benen. Ze stond op het punt om te gaan trouwen. Het leek onwezenlijk, alsof het iemand anders overkwam.

'Ben je er klaar voor om jezelf te zien?' vroeg Camilla. Met een vriendelijke glimlach nam ze Jasmine bij haar elleboog en voerde haar mee naar de passpiegel in de hoek van de kamer. Jasmines benen gehoorzaamden niet, zodat ze door de kamer strompelde en moeizaam de zware sleep achter zich aan trok. Hoe moest ze in vredesnaam de kerk en het altaar bereiken?

En toen stond ze daar zomaar: de vrouw in de spiegel. Jasmine keek en keek, maar ze herkende haar eigen spiegelbeeld nauwelijks. De vrouw die terugstaarde was niet een stripper uit Dagenham, maar een prinses uit een andere wereld. Ze moest haar tranen wegpinken.

Zoiets prachtigs als deze jurk had Jasmine nog nooit gezien. Hij was ontworpen door Elie Saab in eigen persoon en gemaakt van de fijnste ivoorkleurige zijde. Het lijfje was strapless, nauwsluitend en bezet met vijfentwintigduizend met de hand erop genaaide roze diamantjes en achttienduizend roze pareltjes. Zelfs de korsetveters die kruiselings op haar rug zaten waren met echte roze paarlemoeren kraaltjes afgewerkt. De rok was zo wijd dat er dertig meter stof voor nodig was. Rond haar hals hing een kostbare ketting van platina en roze diamanten, die Camilla van De Beers had geleend, en boven op haar kruin zat een bijpassende diadeem. Haar haar was van voren opgestoken, met alleen een paar zachte loshangende lokken bij haar slapen. De rest hing los in lange krullen over haar rug. Onder haar rok piepte een paar speciaal bestelde Jimmy Choo-stilettohakken uit: sandalen met zilveren riempjes versierd met nog eens tweehonderd diamanten per schoen.

'Ben je gelukkig?' vroeg Camilla.

Jasmine knikte, maar was niet in staat een woord uit te brengen. Ze was meer dan gelukkig. Ze leefde in een droom.

'Niet huilen,' waarschuwde Camilla. 'Denk aan de close-ups en bewaar je tranen totdat we dichter in de buurt van een visagiste zijn! Het zou een drama zijn als je oogmake-up op dit ogenblik zou uitlopen.'

Charlie ijsbeerde door de imposante bibliotheek, terwijl hij van zijn horloge naar de deur keek en andersom. Jasmine was vijf minuten te laat en het zweet stond hem al in zijn handen van het wachten.

'Ze komt zo,' zei Crystal. 'Bruidjes horen nu eenmaal te laat te komen. Dat is verplicht.'

Eindelijk kwam de oude bekakte taart binnen die de bruiloft had georganiseerd. 'Mag ik de bruid even voorstellen,' kondigde ze nogal formeel aan.

Voor hem verscheen een beeldschone jonge vrouw in de prachtigste jurk die Charlie ooit had gezien. Zijn adem stokte bij het idee dat dit Jasmine was, zijn lieve kleine Jasmine. Want op de een of andere manier had hij haar door de jaren heen altijd alleen maar als het dochtertje van zijn beste vriend gezien, terwijl de rest van de wereld haar in een adembenemende schoonheid had zien veranderen. Lief, met grote ogen en altijd glimlachend, maar gewoon Jasmine. En zelfs nu, zoals ze daar stond in al haar glorie, zag hij nog steeds dat schattige vijfjarige ding van haar vaders schoot af springen en naar hem toe rennen met uitgestrekte armen en een glimlach die het hart van een harde kerel kon laten smelten. Kon haar vader haar maar zien... Hij merkte dat hij emotioneel werd.

'Beheers je, man,' zei hij bestraffend tegen zichzelf.

'Kan ik ermee door?' vroeg Jasmine aarzelend.

Charlie kwam een stapje dichterbij, pakte haar hand en drukte er een kus op. 'Je ziet er magnifiek uit, Jasmine,' antwoordde hij. 'Het zal me een eer en een voorrecht zijn om je naar het altaar te begeleiden.' Als hij haar ouweheer was geweest, had hij niet trotser op haar kunnen zijn.

Toen ze gearmd naar buiten gingen, hoorde Charlie de helikopters van de pers door de lucht scheren. Al de hele ochtend hadden ze rondjes gevlogen boven het kasteel, zo wanhopig waren ze om opnamen van de bruiloft te maken voor de zondagsbladen, maar daar had Camilla een stokje voor gestoken. Het bruidsgezelschap verliet het kasteel door de openslaande deuren in de salon en ging meteen een tunnel van roze en witte bloemen in die zich helemaal uitstrekte tot aan de kerk zo'n tweehonderd meter verderop. De tunnel was speciaal voor de gelegenheid gebouwd en onttrok hen allemaal aan het oog van de pers.

Charlie kneep zachtjes in Jasmines arm terwijl hij haar langs het pad meevoerde. Crystal, Cookie en Alisha liepen achter hen aan en af en toe stopten ze om de sleep recht te trekken. Voor hen uit speelde een doedelzakband die hen geheel in Schotse kilt gekleed naar de kerk begeleidde. Zigzaggend tussen iedereen liep de officiële fotograaf. Hij huppelde naar achteren, bukte zich en rekte zich weer uit om elk moment voor het tijdschrift vast te leggen. En toen waren ze bij het kerkje. De fotograaf nam nog een paar foto's en verdween naar binnen. Bij de zware houten kerkdeur bleef Charlie staan en draaide zich naar Jasmine om.

'Ben je klaar?' vroeg hij.

'Ben je klaar?'

Charlies woorden zweefden door Jasmines hoofd.

Ben ik klaar, vroeg ze zich af. O, kut! Ben ik er wel echt klaar voor? Dit is voor altijd. Ben ik daar klaar voor?

Jasmine slikte moeizaam. Ze wist zeker dat ze van Jimmy hield. Ze wist ook dat ze altijd van deze dag had gedroomd. Waarom was ze dan verlamd van angst omdat ze door die deur heen moest?

Bezorgd keek Charlie haar aan.

'Jasmine,' vroeg hij. 'Is alles in orde?'

'Toe nou, Jazz,' zeurde Alisha. 'Ik verga van de pijn in mijn voeten in deze schoenen. Ik wil zitten.'

Jasmine deed haar ogen dicht en ademde heel diep in. Daarna telde ze tot tien en wachtte totdat haar hart niet meer zo hard in haar oren bonsde. Ze had geen keus. Het was alleen maar plankenkoorts.

'Oké,' zei ze ten slotte. 'Daar gaan we dan!'

'Het zal verdomme een keer tijd worden,' mompelde Alisha toen ze de kerk betraden. 'Ik dacht dat je...'

Daarna werden Alisha's woorden overstemd door de kreten van de gasten die toekeken terwijl de bruid aan haar lange wandeling door het gangpad begon.

Jasmine voelde dat honderden ogen zich in haar rug boorden, terwijl mensen op gedempte toon tegen hun buren fluisterden en het gospelkoor 'Oh, Happy Day' zong. De gemeente was slechts een massa wazige gezichten. Ze kon niemand herkennen – niet haar familieleden, haar vrienden of de beroemde gasten. Ze had een raar gevoel in haar hoofd, een beetje licht, alsof het zomaar van haar schouders af zou kunnen schieten en door de gebrandschilderde ramen heen de lichtblauwe hemel erachter in zou kunnen vliegen. Hoewel ze naar het altaar toe liep, snapte ze niet hoe dat kon, omdat ze geen enkel gevoel in haar benen had. Goddank dat Charlie er was. Hij greep haar arm stevig vast en hield haar rechtop.

Plotseling ontdekte ze Jimmy, die voorin vanaf de rechterkerkbank naar haar achterom keek, grijnzend als een kind met Kerstmis. Hij zag er zo gelukkig uit. Hij zag er gelukkiger uit dan zij zich voelde. Waarom? Maar wat haar nog het meeste trof was dat hij net een kleine jongen leek. Een jongetje dat het pak van zijn vader had geleend. O god, had ze wel de juiste beslissing genomen?

Haar hart bonsde weer in haar keel en de wazige gasten zwommen voor haar ogen. Concentreer je! Concentreer je, zei ze streng tegen zichzelf, doodsbenauwd dat de paniek op haar gezicht te zien was. 'Concentreer je, het geeft niet waarop, vermaande ze zichzelf. Nu was ze al bijna aan het eind van het gangpad gekomen, steeds dichter bij Jimmy en de predikant en de woorden: 'Ja, ik wil.' Ze dwong zichzelf om zich op het dichtstbijzijnde gezicht te concentreren. Donker haar en fijnbesneden trekken verschenen voor haar ogen en opeens was Louis er, die vriendelijk glimlachte en geluidloos tegen haar zei: 'Sterkte.'

Lila kon haar ogen niet van de bruid afhouden. Ja, Jasmine zag er verbluffend mooi uit (hoewel een beetje prinsesachtig) in haar stijlvolle jurk, maar dat was het niet. Nee, het was de blik van onverholen paniek in haar grote bruine ogen die Lila intrigeerde. Ze merkte dat ze een zucht slaakte, en had er onmiddellijk spijt van. Hopelijk had niemand het gehoord. Op een bruiloft hoorde je niet treurig te zuchten. Maar de bruid zag er zo angstig uit!

Lila keek door het gangpad naar de bruidegom, die in sterke tegenstelling tot zijn aanstaande vrouw onmiskenbaar verrukt was over zijn lot. In zijn bruidegompak zag hij er helemaal verkeerd uit, vond ze. Dat paste totaal niet bij hem. Zijn haar was met gel naar achteren gekamd, zijn lichtzilveren das en overhemd waren van dezelfde zijde gemaakt, en zijn ogen en tanden leken veel te wit bij zijn gebronsde huid. Hij was leuk, maar had geen uitstraling. En voor Lila was het duidelijk dat hij nog altijd meer een jongen was dan een man. Dat verontrustte haar. Ze was zelf met zo'n man/jongen getrouwd, en nu, tien jaar later, vertikte hij het nog steeds om volwassen te worden. Heel even keek ze naar haar man, die naast haar zat, en ze kromp ineen. Amerikanen wisten nooit hoe ze zich in een Britse kerk moesten gedragen. Brett hing achteruit in de kerkbank, met zijn benen uitgespreid waardoor hij veel meer ruimte innam dan nodig was. Met zijn handen tikte hij op zijn dij mee in de maat van het gospelkoor dat 'Oh Happy Day' zong. Hij kauwde ook luidruchtig kauwgom en het allergênantste vond ze hij nog steeds zijn zonnebril ophad! Ze kon niet zien waar zijn blik naartoe dwaalde, maar ze vermoedde naar het decolleté van de bruid dat uit haar jurk dreigde te puilen terwijl ze langsliep.

Lila was geïrriteerd door Brett toen ze wakker werd. Het kwam niet door iets wat hij had gedaan. Hij was zelfs net zo attent, charmant en sexy als anders sinds hij in Spanje was aangekomen. Ze hadden geknuffeld, gekletst en gevreeën. Hij had met de kinderen gespeeld, met haar vader over golf gepraat en zelfs haar moeder met koken geholpen. Maar vannacht had ze weer een van haar dromen gehad, en daarna voelde ze zich de volgende morgen altijd gere-serveerd tegenover hem.

Die dromen had ze al zolang ze zich kon herinneren. Niet steeds dezelfde droom: verschillende plaatsen, wisselende scenario's, verschoven tijdskaders. De enige constante factor in haar droom was in feite een man (vroeger een jongen, toen ze jong was, maar hij was samen met haar opgegroeid). Tijdens het dromen wist ze precies hoe hij eruitzag en zijn gezicht was haar even ver-trouwd als het hare. Maar als ze wakker werd, kon ze zich zijn gezicht met de beste wil van de wereld niet meer herinneren. In haar dromen was die man haar partner. Nee, meer dan dat: hij was haar soulmate. Hoeveel avonturen ze in die droomwereld samen ook beleefden, altijd waren ze een team. Zo simpel was het. Hij was gewoon de man bij wie ze zich thuis voelde. Het dekseltje dat op haar potje paste en meer van zulke clichés.

Lila vrijde wel met die man. Ze had zelfs al met hem gevreeën toen zij nog een meisje was en hij een jongen, lang voordat ze het in het echt had gedaan. Hun liefdesspel was altijd heerlijk, maar daar draaide hun relatie niet om. Het belangrijkste was dat ze zich bij hem voelde als... als wat eigenlijk? Hoe kon ze het omschrijven? Ja, dat was het: bij hem voelde ze zich als Lila. Zoals Lila zich hoorde te voelen. Goed in haar vel, echt bemind en gewaardeerd om wie ze was, wie ze was geweest en wie ze nog zou worden.

Als ze bij het wakker worden besefte dat hij er niet was, en dat hij er nooit zou zijn, was ze altijd diepbedroefd. In feite miste ze hem. Ze voelde zich een-zaam en kil omdat hij er in de wereld van de levenden niet was. En toen ze vanochtend haar ogen had opengedaan en ze niet de man van haar dromen maar Brett in haar bed aantrof, was ze diep teleurgesteld. Brett was een bloed-mooie, charismatische en talentvolle man, maar niet de minnaar van haar dromen. Hij was haar echtgenoot. Hij was echt. En zoals alle echte mensen, had hij zijn tekortkomingen. Ze wist dat het absurd was om het hem kwalijk te nemen dat hij niet kon tippen aan een man die ze had verzonnen, maar toch was ze kwaad op hem. Als ze langer had gewacht met trouwen zou ze mis-schien een man hebben leren kennen die echt het dekseltje op haar potje was. Misschien was ze te jong geweest.

Ze dwong haar gedachten terug naar de werkelijkheid. Jasmine en Jimmy stonden nu met hun rug naar haar toe, terwijl de predikant sprak over liefde, verbintenis en huwelijk. Ze kende Jasmine amper, laat staan Jimmy, maar ze betwijfelde of dit huwelijk in de hemel was bekokstoofd. Dat had ze in Jasmi-nes ogen gezien. De bruid aarzelde al. Weer zuchtte ze, maar deze keer hoor-baar. In de kerkbank voor haar draaide Maxine zich om en vormde met haar lippen de woorden: 'Kop op, joh. Het is geen begrafenis!' Lila glimlachte naar haar vriendin, maar vrolijk voelde ze zich niet. Bij bruiloften hoorde het te gaan om zuivere, volmaakte liefde. Maar overal om zich heen zag ze alleen maar relaties vol compromissen, waarbij men roeide met de riemen die men had. Neem Maxine en Carlos, dacht ze. Voor Maxi was het haar vierde serieu-ze relatie, en nog altijd nam ze genoegen met 'bijna het doel bereikt' in plaats van 'nog lang en gelukkig'. Zou niemand ooit de man van haar dromen tegen-komen, vroeg ze zich af.

Toen de predikant aan de gemeente vroeg of een van de aanwezigen een reden had om tegen het voorgenomen huwelijk van Jasmine en Jimmy bezwaar te maken, kwam Lila sterk in de verleiding om op te staan en te roe-pen: hij is toch niet de man van je dromen? Je bent nog jong. Je hebt nog alle tijd. Blijf zoeken naar die droom, Jasmine. Maar natuurlijk hield ze haar mond. En zodra het stel man en vrouw was geworden, en Jimmy zijn bruid veel te lang had gezoend, had Lila even hard geklapt als de anderen in haar bijrolletje in deze grote poppenkastvertoning van de bruiloft van het jaar.

24

Grace Melrose was als een kind in een snoepwinkel. De meeste bruiloftsgasten kende ze niet en degenen die ze wel kende, waren alleen mensen die ze had geïnterviewd. Haar tafelgenoten zaten allemaal naast hun partner, maar Grace was in haar eentje (de keerzijde van de eeuwige maîtresse zijn was dat ze op bruiloften nooit een partner had). Na de gebruikelijke beleefdheden hadden de anderen zich in hun vertrouwde relaties teruggetrokken. De eenzame vrouw aan hun tafel die rustig aan haar champagne nipte leken ze helemaal te zijn vergeten. De meeste vrouwen zouden zich opgelaten hebben gevoeld in haar situatie, maar Grace vond het heerlijk. Zonder iemand die haar gedachtegang onderbrak kon ze de bruiloft van Jasmine en Jimmy tot in de details in zich opnemen en in haar geheugen opslaan om later te kunnen gebruiken. En tjonge, ze keek haar ogen uit.

Het diner was om te gillen. Jasmine en Jimmy hadden zich voor de maaltijd omgekleed in bij elkaar passende kleren. Hij was in een kilt, wat voor een Schot natuurlijk niet zo gek was, en Jasmine droeg een bijpassende groene, schotsgeruite jurk. Die zag eruit als een typische Vivienne Westwood (waarschijnlijk was het zelfs een van haar designs) met een verontrustend strak zittend lijfje dat haar decolleté goed deed uitkomen, een getailleerde rok op kniehoogte met van achteren een tournure en groene satijnen schoentjes met een open neus en de hoogste plateauzolen die Grace ooit had gezien. Het zag er sexy en trendy uit, maar niet bepaald comfortabel om tijdens een vijfgangendiner te dragen.

Maar zelfs Grace moest toegeven dat de bruid en de bruidegom allebei opwinding uitstraalden. Jimmy gaf telkens kneepjes in Jasmines hand en kuste haar in haar blote hals, waarna Jasmine giechelde en hem speels van zich af sloeg. Ze wekten de indruk dat ze oprecht en volkomen gelukkig waren. Diep in haar hart roerde zich iets terwijl ze naar het pasgetrouwde stel keek. Wat was het? Hoop? Hoop dat de ware liefde echt bestond? Hoop dat zij op een dag ook 'de ware' zou vinden? Welnee! Het cynische stemmetje van de rede bemoeide zich ermee. Dit was geen ware liefde. Jasmine en Jimmy Jones zouden het nooit lang volhouden. Hoeveel celebrityhuwelijken hielden tegenwoordig nog stand? En wat betreft haar eigen kans om de ware liefde te vinden: bah! Wie had er nou behoefte aan liefde? Het was altijd zo'n onverkwikkelijk gedoe. Grace wendde haar blik af van het gelukkige paar.

Jimmy's vader bleek een nogal driftig heerschap met een drankprobleem te zijn. Hij had de hoogrode konen en wanstaltige neus van een chronische alcoholist en begon juist aan zijn vijfde glas whisky (Grace had de stand bijgehouden). Meneer Jones senior zat naast de moeder van de bruid. Maar bij haar was geen smaakvolle combinatie van een lavendelblauwe kokerrok met bijpassend jasje en hoed te bekennen. Nee, hoor. Cynthia Watts had ervoor gekozen om op de bruiloft van haar dochter in rood satijn en een luipaarddessin te verschijnen. Het gangsterliefje, noteerde Grace in gedachten, die maar al te goed besefte wie Cynthia's vriend was. Terry Hillman was op de bruiloft nergens te bekennen, constateerde Grace zowel opgelucht als teleurgesteld. Hoewel ze hem liever niet tegen het lijf wilde lopen, realiseerde ze zich dat hij best weleens de krantenkoppen zou kunnen halen. Ze vroeg zich af of Blaine hem van de bruiloft had geweerd om Jasmines reputatie te beschermen. Of misschien had Jasmine zelf gezegd dat hij niet welkom was.

Cynthia had de uitstraling van iemand die vroeger aantrekkelijk was geweest, maar haar meisjesachtige bekoorlijkheid was allang afgesleten door jarenlange armoede, ellende, drugsverslaving en een rookgewoonte van veertig sigaretten per dag. Ze was aan de magere kant, maar eerder uitgemergeld dan rank, en haar gezicht was gerimpelder dan je zou verwachten. Hoe oud zou ze zijn? Hooguit vijfenveertig, schatte Grace. Haar haar was te lang en te geblondeerd voor een vrouw van haar leeftijd. Ze zag er ongezond uit. Uitgeblust. Alsof het leven een poosje op haar had gekauwd en haar daarna met een hartgrondig 'jakkes!' weer had uitgespuugd. Grace zou misschien medelijden met het mens hebben gehad als ze niet telkens met zo'n gemene trek om haar lippen en zo'n jaloerse blik in haar ogen naar haar dochter had geloerd. Als Cynthia Watts in een toneelstuk had gespeeld, zou het publiek 'boe' hebben geroepen telkens wanneer ze opkwam.

Jimmy's moeder daarentegen zag eruit als een lieve dame met roze wangen en een schuchtere glimlach. Ze was minstens twaalf kilo te zwaar en ging gekleed in een afgrijselijk onflatterende perzikkleurige jurk met een jasje. Het was haar aan te zien dat ze het doodsbenauwd had in het gezelschap waarin ze plotseling verkeerde, maar ze bofte dat ze naast Jasmines peetvader zat. Charlie Palmer bleek de aantrekkelijke vent te zijn die Grace laatst bij Casa Amoura had zien aankomen toen ze wilde vertrekken. Vanwaar ze zat, kon ze opmaken dat hij opdracht had gekregen om voor mevrouw Jones te zorgen: hij moest haar glas champagne bijvullen en lachen om alles wat ze zei. Aardige kerel, dacht Grace.

Aan de hoofdtafel zaten ook het eerste bruidsmeisje, Crystal, en haar man Calvin, de ceremoniemeester, die zich amuseerden door jakobsschelpen naar Madeleine Parks te gooien, die aan de 'tweede' tafel zat. Hun gedrag was puberaal en ongepast, maar onwillekeurig moest Grace gniffelen toen ze het zag. Madeleine Parks was dan ook werkelijk onuitstaanbaar. Grace had haar een paar keer moeten interviewen en ze vond haar een onbeschofte ijdeltuit. Het idee dat ze stinkend naar vis op de receptie zou rondlopen was dolkomisch.

Hoewel Madeleine zich eigenlijk ellendig moest voelen, bedacht Grace toen ze naar de tweede tafel keek. Daar zat ze ingeklemd tussen Jasmines broers Jason en Bradley, in hun goedkope, glimmende pakken en met hun tatoeages, littekens en kaalgeschoren hoofden. Het tweetal boog zich aan weerszijden naar haar toe en voerde vlak bij haar gezicht een gesprek. Madeleine keek ontzet en probeerde wanhopig de aandacht te trekken van haar man aan de overkant van de tafel. Maar Luke Parks zat vrolijk te praten met een ander familielid van de bruid – het jongste zusje Alisha – en leek niet in de gaten te hebben dat zijn vrouw het zo moeilijk had. Alisha had haar stoel naar Luke toe gekeerd en haar toch al bijzonder korte bruidsmeisjesjurk helemaal tot aan haar heupen opgetrokken. Nu zat ze recht voor hem. Vanaf haar plaats aan de andere kant van de ruimte kon Grace niet goed zien of Alisha ondergoed aanhad, maar ze was ervan overtuigd dat Luke Parks het in elk geval wel zou merken.

Aan de tweede tafel zaten nog een paar voetballers (onder wie de adembenemend knappe Louis Ricardo), een van Jasmines glamourvriendinnen en er stond een lege stoel waar Jasmines tante heel eventjes had gezeten. Ze was in tranen uitgebarsten en naar buiten gerend nog voordat het voorgerecht was geserveerd. Grace had zich voorgenomen later te informeren wat er was gebeurd. Jasmine had iets gezegd over haar tante, die een beetje 'vreemd' was, en Grace had een verhaal geroken.

Aan de volgende tafel zaten de meeste celebs van de feesttent. Brett en Lila Rose (met wie Grace nog steeds oogcontact probeerde te vermijden), Maxine de la Fallaise en Carlos Russo, de Beckhams, en Elton John en David Furnish, die elkaar op de in designerkleren gestoken schouders sloegen. Grace was teleurgesteld, maar niet verbaasd, toen ze zag dat iedereen zich onberispelijk gedroeg. Dit waren de A-sterren. Zij vergisten zich zelden.

Vanaf dat punt waren de tafels opgesteld in afnemende volgorde van belangrijkheid ten opzichte van de hoofdtafel. Katie Price en Peter André zaten aan tafel vier met Jimmy's voetbalmanager. Nachtclubeigenaar Peter Stringfellow had een plaats weten te versieren aan tafel vijf met Blaine Edwards en Piers Morgan, de vroegere hoofdredacteur van enkele roddelbladen. Tafel zes leek vol zakenmensen te zitten: Richard Branson, de voorzitter van de voetbalbond, een Russische oligarch en McKenzie. Jawel, haar eigen McKenzie. Vanzelfsprekend konden ze in het openbaar nooit samen worden gezien, en ze begreep best waarom hij haar bij dergelijke gelegenheden negeerde. Maar moest hij per se zo geïnteresseerd zijn in wat de weervrouw links van hem te zeggen had? Grace zuchtte. Kon hij niet heel even naar haar tafel toe komen om hallo te zeggen en haar te vertellen dat ze er leuk uitzag? Nee, vast niet. Dat kon ze niet van hem verlangen. Ze had van begin af aan geweten waar ze aan begon.

Zelf zat Grace aan tafel twaalf, het dichtst bij de uitgang en het verst van de bruid en bruidegom, ingeklemd tussen een lesbische lapdancer genaamd Bunty en Jasmines accountant Clive. Maar ze beklaagde zich niet. Ze was juist verrukt dat ze erbij was.

'Tijd voor nog meer foto's,' fluisterde Camilla in Jasmines oor, hurkend achter haar aan de hoofdtafel.

Jasmine keek spijtig naar haar onaangeroerde mousse van zomervruchten en excuseerde zich. Er was werk aan de winkel. Jimmy kwam achter haar aan. Camilla voerde hen door een tunnel mee naar een kleinere feesttent erachter. Het vertrek was ingericht als fotostudio met een witte achtergrond, strategisch geplaatste bruidsboeketten en een smeedijzeren bankje dat met bloemslingers was versierd.

'Ga maar zitten,' zei Camilla tegen meneer en mevrouw Jones.

'Is dit niet een beetje...' begon Jasmine, terwijl ze plaatsnam.

'Wat?' vroeg een van de tijdschriftvrouwen.

'Ordinair?' opperde Jasmine.

Jimmy grinnikte en knikte instemmend.

'Natuurlijk is het ordinair,' antwoordde de vrouw ongeduldig. 'Dat verwachten onze lezers ook.'

'Ja, natuurlijk,' zei Jasmine. Ze wist dat ze precies moest doen wat haar werd opgedragen. Ze hadden hun grote dag voor een paar honderdduizend pond verkocht en nu zat er niets anders op. Maar dat kon niet verhinderen dat ze zich een eersteklas muts voelde toen ze op die belachelijke bank zat en vrolijk naar de fotograaf lachte, terwijl de vrouw van het tijdschrift, die er in haar zwarte jurk angstaanjagend heksachtig uitzag, bevelen blafte.

'Oké,' zei de heks. 'Nu een paar opnamen van jou en je vriendinnen.'

Jasmine draaide zich om en verwachtte Chrissie, Cookie en de anderen te zien, maar Camilla verscheen met Maxine de la Fallaise, Victoria Beckham en een nogal onwillig kijkende Lila Rose in de feesttent. Jasmine merkte dat ze een kleur kreeg van gêne. Ze kende Victoria en Lila nauwelijks, en nu moest ze net doen alsof ze dikke vriendinnen waren alleen om een paar extra nummers van een celebrityroddelblad te verkopen. Dit was haar trouwdag. Ze had zich als een prinses willen voelen, maar in plaats daarvan voelde ze zich als een goedkope bedriegster. Voor een paar pond had ze haar grote dag verkwanseld. En het ergste was dat ze het geld hard nodig had. Of in elk geval haar aandeel ervan. De afperser had haar al haar spaargeld afhandig gemaakt, en ook al waren ze nu getrouwd, ze wilde niet volledig van Jimmy's inkomen leven.

Terwijl ze tussen Victoria en Lila in stond, voelde ze de schaamte langs haar hals omhoogkruipen. In haar keel ontstond een brok en in haar ogen welden tranen op. Het leek allemaal zo onwezenlijk. Het wás ook allemaal onwezenlijk.

Af en toe dribbelde de jonge blonde assistente op haar hoge hakken de studio uit om even later met een andere beroemde gast terug te keren. Opeens zat Jasmine zomaar bij Elton John op schoot, toen hij als een koning op zijn troon op de versierde bank zat. Vervolgens lag Jasmine op haar zij terwijl ze door acht topvoetballers (van wie ze er vijf nog nooit had ontmoet) werd opgetild. Jimmy mocht toen weer terug naar het feest, maar Jasmine niet. Nee, voor Jasmine was het werk nog niet afgelopen.

Toen ze met Katie Price een toost uitbracht, waarbij hun royale boezems elkaar bijna raakten, ontstond er buiten opschudding.

'Wat is er aan de hand?' vroeg ze. Er waren opgewonden stemmen te horen en ze zag een potige bewaker die de ingang versperde.

'Ik ben verdomme haar moeder!'

Het was Cynthia. De moed zonk Jasmine nog meer in de schoenen. Nu zou het op herrie uitdraaien.

'Wil je me soms niet in dat kuttijdschrift van je?' krijste Cynthia. Ze stampte op de tenen van de bewaker en drong met haar ellebogen de tent binnen.

Jasmine had zich altijd verbaasd over Cynthia's lichaamskracht. Ze was nauwelijks een meter vijftig lang, maar ze was altijd in staat geweest om mensen opzij te duwen.

'Zeg jij het maar, Jazz,' beval ze. Ze trok de bandjes van haar rode satijnen jurk op zodat haar knobbelige oude tepels niet te zien waren. 'Vertel jij maar wie ik ben. Ik ben verdomme je moeder!'

De heks van het tijdschrift staarde met open mond van Jasmine naar Cynthia en weer terug, terwijl de oudere vrouw langs Katie Price drong en haar armen om Jasmines middel sloeg. Jasmine zag dat Cynthia dronken was. En als Cynthia dronken was, was het zinloos om ruzie met haar te maken.

'We maken een paar leuke familieplaatjes, hè schat?' grinnikte ze tegen Jasmine, waarbij ze haar gele tanden en terugwijkende tandvlees liet zien. 'Jongens! Alisha!' brulde Cynthia. 'Sla die klootzak zijn tanden uit zijn bek als hij jullie niet binnen wil laten.'

'Het is in orde,' zei Jasmine tegen de bewaker, die Bradley, Jason en Alisha buiten de deur wilde houden. 'Ze zijn familie.'

Ik zou dolgraag willen dat ze dat niet waren, maar ze zijn nu eenmaal familie, verzuchtte ze bij zichzelf.

Alisha kwam binnendrentelen met haar baby, Ebony, achteloos op haar linkerheup en een brandende sigaret in haar rechterhand. Achter haar kwamen haar broers, die eruitzagen alsof ze zojuist uit een gekkenhuis waren ontsnapt. Bradley had een blauw oog van de week ervoor en Jason had een schram op zijn voorhoofd die er nog vers en pijnlijk uitzag. Ze hadden allebei de verwilderde oogopslag van een verslaafde. Jasmine vroeg zich af of ze crack hadden gerookt op het toilet. Ze kon wel door de grond zakken van ellende.

'Als je nou niet gauw een paar leuke kiekjes van mijn familie neemt, sla ik je harses in met die camera!' gilde Cynthia naar de fotograaf. Jasmine zag hem verbleken. Het was een vrij bekende plaatjesmaker van celebrity's, die duidelijk niet gewend was om met mensen als Cynthia Watts en haar kroost om te gaan. Die werden waarschijnlijk meestal alleen buiten de politierechtbank in Dagenham gefotografeerd. Hij wierp een snelle blik op het mens van het tijdschrift, dat nors knikte en daarna wegliep. Ze ging vast een potje janken, dacht Jasmine. O, wat zou ze graag met haar meejanken.

Vanuit de grote feesttent klonk muziek, en Jasmine vroeg zich af hoe haar bruiloft zonder haar verliep. Het was alsof er uren waren verstreken sinds het diner en de toespraken. Ze was moe en uitgeblust. Cynthia, Alisha en de jongens waren eindelijk de studio uit gegooid en de fotograaf wilde zijn spullen al bij elkaar zoeken.

'Je hebt nog geen foto's genomen van mij met mijn peetvader en mijn tante,' zei ze aarzelend.

Er waren een heleboel groepsportretten gemaakt, maar daar waren maar weinig bij die voor haar van belang waren. Ze wilde graag nog een foto met Charlie en tante Juju. Dan had ze iedereen gehad.

'O, dat is niet nodig,' zei de heks van het tijdschrift.

Jasmine ademde diep in. Ze wist dat haar hele bruiloft door het blad *Scoop!* was gekocht en werd betaald, en dat ze alleen de foto's zouden publiceren die hun bevielen, maar ze wist ook dat ze nooit meer zo'n kans zou krijgen. Toch wilde ze per se een leuke foto met Charlie en Julie. Dat was een van de weinige kiekjes die ze zou willen inlijsten om thuis op de schoorsteen neer te zetten.

'Jawel,' zei ze ze kordaat mogelijk. 'Ik wil gewoon een of twee foto's met mijn naaste familie erop. Da's zo gebeurd.'

De fotograaf zuchtte demonstratief. De heks van het blad haalde haar schouders op en daarna wisselden ze een blik uit als om te zeggen: diva! Maar het kon Jasmine helemaal niets schelen wat ze van haar vonden.

Uiteindelijk dribbelde het assistentje weg om een paar minuten later met Charlie terug te komen.

'Dus hier hang je al die tijd uit,' zei Charlie met een lachje. 'Je mist alle pret.'

'Bijna klaar,' zei Jasmine, en ze omhelsde hem. 'En daarna kun je me op de dansvloer zien swingen.' Ze tuurde naar de deur. 'Waar is Juju?' vroeg ze.

'Ah,' antwoordde Charlie.

'Hoezo: ah?'

'Nou, er was een probleempje met Julie,' legde hij uit. 'Ze voelde zich niet zo lekker, dus ze kon niet blijven.'

Jasmine werd opeens nog moedelozer. 'Had ze weer een van haar buien?' vroeg ze.

Hij knikte. 'Ik weet niet waardoor het deze keer kwam. In de kerk was er nog niets aan de hand en toen ze de tent binnen kwam, leek ze eerst heel vrolijk. Voordat ik wist wat er gebeurde, keek ze alsof ze een spook had gezien. Het arme mens barstte in tranen uit en stond opeens te trillen op haar benen en zo. Maar maak je om haar maar geen zorgen, want ik heb haar veilig thuis laten brengen.'

'O God. Arme Juju,' verzuchtte Jasmine. 'Ik heb niet eens de kans gehad om een praatje met haar te maken.'

'Ik weet het, schat,' zei Charlie. 'Maar je weet hoe ze is. Ze heeft het niet zo op mensenmassa's. Waarschijnlijk kreeg ze het benauwd toen ze merkte dat het zo'n grote bruiloft is.'

'Dat denk ik ook,' zei Jasmine. 'Maar toch is het jammer. Heel jammer.'

En zodoende poseerden Jasmine en Charlie met hun tweeën voor de laatste foto.

25

Vanaf zijn plaats aan de hoofdtafel kon Charlie de dansvloer goed overzien. Het adertje in zijn wang klopte weer, maar dat had niets te maken met het gesprekje dat hij met Jimmy's moeder Maureen probeerde te voeren. Ze was een aardige vrouw, heel verlegen en bescheiden, die zich tijdens het diner aan hem had vastgeklampt en nu alleen nog maar met hem leek te willen praten.

'Ik heb altijd al geweten dat mijn Jimmy heel bijzonder was,' zei ze. 'Zo'n leuk, veelbelovend joch. Op zijn derde kon hij al met een bal dribbelen net als Kenny Dalglish. En hij is altijd zo lief voor me, weet je. Hij heeft een huis voor me gekocht in Newton Mearns...'

Charlie luisterde niet. Af en toe knikte hij en zei beleefd 'ja,' en 'o ja? Wat interessant', maar zijn ogen waren strak gericht op de dansvloer beneden.

Halverwege het gangpad had hij hem voor het eerst opgemerkt. Hij zat aan het uiteinde van een kerkbank in een zwart pak, met zijn zilvergrijze haar glad naar achteren gekamd en een blik van spottende superioriteit op zijn gezicht. Charlie had geen flauw idee wat de vent daar verdomme kwam doen, maar zijn aanwezigheid veranderde alles – verpestte alles. Het was alsof er op dat moment een zwarte wolk was komen aandrijven die al het daglicht had opgeslorpt.

Charlie keek om zich heen om alles goed in zich op te nemen. Nu stond hij achterin met Jimmy te praten, vlak bij de deur. Hij torende boven de voetballer uit, met een beroemd Russisch supermodel aan zijn arm en geflankeerd door twee breedgeschouderde lijfwachten. Jimmy leek zich ongemakkelijk te voelen. Ongemakkelijk, maar vol ontzag. Wat deed hij hier? Hoe kende Jimmy hem? Wat was er aan de hand? Het was geen seconde bij Charlie opgekomen dat Dimitrov als gast op de bruiloft zou komen.

Zijn hersens werkten op volle toeren. Het was wel erg toevallig, en Charlie geloofde niet in toeval. Hij was oud genoeg om te weten dat alles zijn reden heeft en niemand iets zonder bijbedoelingen deed. Wat had hij over het hoofd gezien? Wist Frankie van tevoren dat Dimitrov zou komen opdagen? Had hij hem daarom voor dat klusje gevraagd? Charlie was het niet gewend om zich buitengesloten te voelen. Hij was altijd overal van op de hoogte. Nee, beter zelfs: hij was overal op voorbereid. Dat was de enige reden dat hij na al die jaren nog in leven was. Maar nu was hij van zijn stuk. Als hij heel eerlijk was, moest hij voor zichzelf toegeven dat hij eigenlijk ook doodsbang was. Dimitrov liet zijn blik naar de hoofdtafel dwalen en hief met een kille grijns zijn glas naar Charlie. Er liep een rilling over Charlies rug.

Een fractie van een seconde had Charlie spijt dat hij zich van zijn pistool had ontdaan. Jarenlang was dat zijn onafscheidelijke metgezel geweest. Nu lag het ergens in West-Londen begraven onder een laag beton van drie meter en voelde Charlie zich kwetsbaar. Misschien had hij Frankies aanbod moeten aannemen. Dan zou hij tenminste een pistool hebben gehad. Hier zou hij Dimitrov makkelijk uit de weg hebben kunnen ruimen. Op het vliegveld van Inverness stond een vliegtuig op hem te wachten om hem vanavond naar Málaga terug te brengen. Op het kasteelterrein was een meertje. Daar zou een lijk wel een poosje onopgemerkt blijven. In elk geval lang genoeg om hem de gelegenheid te geven te ontsnappen.

Hij schudde zijn hoofd en probeerde het van zich af te zetten. Nee, zulke gedachten waren krankzinnig. Dit was tenslotte Jasmines bruiloft. Bovendien had Dimitrov zijn zware jongens bij zich en Charlie had geen idee hoe hij langs die reuzen moest glippen. Ze zagen eruit als voormalige hamerwerpers van het olympische team uit de USSR van 1982. Eigenlijk wist Charlie drommels goed dat Dimitrov zelfs voor hem een veel te grote jongen was. Hij kende de geruchten over Russische maffiaconnecties, uraniumsmokkel en wapenhandel. Hij had verhalen gehoord dat Dimitrov bij het Kremlin contacten had. Charlie wist wat er gebeurde met iemand die dat soort kerels dwarsboomde. Marbella was niet ver genoeg om uit hun klauwen te blijven. Jezus, zelfs de maan was nog te dichtbij.

Maar afgezien daarvan en hoe onheilspellend de man ook was, hij was nu eenmaal Nadia's vader. Hoe kwam hij erbij om Nadia's ouweheer om zeep te willen brengen? Ze was een echt vaderskind. Als er iets met haar vader zou gebeuren, zou ze er kapot van zijn, en dat wilde hij niet op zijn geweten hebben. Zuchtend knakte hij onder het tafelkleed met zijn vingers. Hij was nog steeds ongerust over Nadia. Het draaide allemaal om haar. Als zij niet was verdwenen, zou Dimitrov geen moeite met hem hebben. Maar Nadia was wel verdwenen en voor haar vader kwam Charlie als dader in aanmerking.

Hij excuseerde zich en liet Maureen bij Paul achter. Erg snugger waren de voetballers niet, maar ze hadden eerbied voor hun moeder. Maureen zou in goede handen zijn. Zigzaggend baande hij zich een weg tussen de dansende lijven door en greep Jimmy bij zijn arm. Verbaasd over de onverwachte onderbreking draaide Jimmy zich om.

'Pas op, Char,' zei hij, over zijn arm wrijvend. 'Je kent je eigen kracht niet, man.'

'Sorry,' zei Charlie, die zijn best deed om niet nerveus te klinken. 'Ik wil je alleen iets vragen.'

'Wat dan?'

'Die vent. Dimitrov. Die Rus. Wat doet hij hier?' Charlie probeerde een onverschillige toon aan te slaan.

Jimmy keek verbluft. 'Hij is een zakenman. Een biljonair of zo. Ik moest hem uitnodigen van de baas. Waarom? Waarom wil jij dat zo graag weten?'

'Zomaar, Jimboy. Ik ken hem alleen vaag uit Londen, meer niet.'

'O, prima.' Jimmy liet zijn stem dalen en fluisterde samenzweerderig in Charlies oor. 'Je hebt het niet van mij, maar ik heb gehoord dat hij erover denkt om de voetbalclub te kopen. Een agressieve overname of hoe dat heet. Groot schandaal. Let maar op.' Met zijn vinger tikte hij veelbetekenend tegen zijn neus en verdween daarna weer in de menigte.

Charlie ontspande zijn schouders en merkte dat het adertje in zijn wang ophield met kloppen. Dus Dimitrov was er niet vanwege hem. Misschien was het toch toeval. Alweer. Dat gebeurde wel vaak de laatste tijd. Charlie glimlachte bij zichzelf. Als je erover nadacht, was het eigenlijk best grappig. Hij had zich helemaal voor niets opgewonden. Voor de zekerheid zou hij Dimitrov vandaag toch maar uit de weg gaan. Dat leek hem het beste, aangezien Nadia nog vermist werd.

Jasmine kwam naast hem staan.

'Heb je Jimmy gezien?' vroeg ze. 'Ik heb nog geen kans gehad om met hem te dansen.'

'Daarnet was hij nog hier. Ik weet niet waar hij is gebleven.'

Jasmines gezicht betrok toen ze om zich heen keek om haar kersverse echtgenoot tussen de menigte te zoeken.

'Ben ik ook goed?' vroeg Charlie. 'Ik wil graag met je dansen.'

Dat was gelogen. Charlie had een hekel aan dansen, maar hij had er een nog grotere hekel aan om Jasmine ongelukkig te zien. Vooral vandaag.

Lila nipte aan haar champagne en bekeek het tafereel voor haar. Ze zat rustig bij Carlos en maakte af en toe beleefd een praatje, terwijl hun partners samen over de dansvloer zwierden als de moderne John Travolta en Olivia Newton-John. Brett en Maxine stonden allebei graag in de schijnwerpers en konden voortreffelijk dansen. Brett had onlangs de hoofdrol gespeeld in een film over de glorietijd van de beruchte nachtclub Studio 54 in New York in de jaren zeventig, en de critici hadden gejubeld om zijn lenige heupwerk als de koning van de disco. Ze kon niet ontkennen dat haar man er geweldig uitzag in zijn flitsende zwarte smoking. Hij had zijn jasje en das uitgetrokken en een paar knopen van zijn hemd losgemaakt. In de hitte begon zijn haar te krullen, zoals altijd.

En Maxi... nou, die meid wist wat bewegen was met haar sexy benen. Negentig centimeter lange, zongebruinde, stevige benen met volle heupen. Uiteraard was Maxi's staalblauwe Versace-jurk schandalig kort, en toen Brett met haar rondtolde, waaide de jurk op, waardoor de toeschouwers een glimp van haar bijpassende staalblauwe slipje te zien kregen. Haar woeste goudblonde manen zwiepten om haar hoofd terwijl ze rondzwierde en -zwaaide en zich in Bretts armen liet vallen. Als iemand anders zo met Brett zou hebben gedanst, zou Lila groen van jaloezie zijn geweest. Maar dit was Maxine, en in de afgelopen dagen had Lila gemerkt dat ze een goede vriendin was. Ze wist zeker dat ze haar kon vertrouwen. Maxine gedroeg zich weliswaar als een verleidster met haar luidruchtige, brutale manieren, maar Lila wist dat ze in wezen trouw en goudeerlijk was. Ze bofte dat ze zo'n trouwe vriendin had.

'Ah, ze is mooi, ja?' vroeg Carlos opeens.

'Ja, nou,' beaamde Lila. 'Ze is magnifiek.'

Lila draaide zich om zodat ze Carlos kon zien, die bewonderend naar Maxine staarde. Hij leek echt van haar te houden. Misschien had Lila hun relatie eerst te kritisch beoordeeld.

'Je zult het wel belachelijk vinden dat een oude man als ik op een jonge vrouw verliefd wordt,' mijmerde de Spanjaard.

'Tuurlijk niet,' zei Lila, hoewel die gedachte al vaak bij haar was opgekomen. 'Jullie zien er allebei heel gelukkig uit. En dat is het enige wat telt, nietwaar?'

Carlos draaide zich naar haar toe. Lila besefte dat dit de eerste keer was dat ze ooit oogcontact met hem had gemaakt. Ondanks al zijn rijkdom en succes was hij in wezen een verlegen, bijna teruggetrokken man, die altijd beleefd en charmant was, maar nooit erg hartelijk of toeschietelijk. Nu ontmoette ze voor het eerst zijn blik, en heel even was het alsof ze diep in zijn ziel keek. Het kwam door zijn ogen. Zulke mooie, diepe, chocoladebruine ogen. Het waren ogen die wel duizend liefdesliedjes hadden gezongen en een miljoen tiener- harten hadden gebroken vroeger. Als Lila in zijn ogen staarde, vielen de diepe lachrimpels of de leerachtige huid eromheen haar niet eens meer op. Ze begreep ineens wat Maxine in Carlos zag.

'Weet je, Lila, ik ga nooit van mijn vrouw scheiden,' zei hij, terwijl hij haar strak bleef aankijken.

Zijn opmerking overviel haar. Dat ging haar toch niets aan?

'Eh, o,' mompelde ze, en ze wendde snel haar blik af. 'Nou, dat is iets tussen jou en Maxine, Carlos. Met mij heeft het niks te maken.'

'Ik vertel dit aan jou, omdat ik niet zeker weet of Maxine wel luistert als ik het zeg. En ik zeg het heel vaak. Ze hoort de woorden, maar ze gelooft het niet echt, denk ik.'

'Eigenlijk weet ik niet of je me dit wel moet vertellen,' zei Lila dapper. Ze begon nerveus te worden door de wending die het gesprek nam. 'Maxi is een van mijn oudste vriendinnen.'

'En dat is precies waarom ik het aan jou vertel.' Hij bleef haar aanstaren en op de een of andere manier lukte het haar om hem weer recht in de ogen te kijken. Ze las er alleen bezorgdheid en oprechtheid in. 'Ik hou van mijn Maxi- ne. Ik wil voor altijd bij haar blijven. Maar ik ben, hoe zeg je dat? Ik heb mijn vaste gewoonten en ik hou niet van gedoe. Na al die jaren kan ik nu niet van Esther scheiden.'

'Waarom niet? Als het Maxi gelukkig maakt? Tussen jou en Esther is het toch allang afgelopen?'

Carlos schudde zijn hoofd. 'Tussen mijn vrouw en mij zal het nooit afgelo- pen zijn. We zijn katholiek. We hebben kinderen.'

'Maar ik dacht dat jullie kinderen volwassen zijn,' reageerde Lila. In haar oren klonk het als een slap excuus. Brett had gezegd dat een scheiding veel te duur zou zijn voor Carlos en dat hij daarom getrouwd wilde blijven. Mis- schien had hij gelijk.

'Jawel, dat klopt. Maar ik ben het aan Esther verplicht om haar als de moe- der van mijn kinderen geen schande aan te doen. Een scheiding zou een schande voor haar zijn. Ze is van een heel andere generatie dan jij en Maxine. Als ik van haar ga scheiden, zal ze eraan kapotgaan. Ze is geen slechte vrouw. Dat verdient ze niet.'

Lila haalde haar schouders op. 'En wat verdient Maxi? Verdient zij geen belof- te?'

'Ze heeft mijn belofte.' Carlos knikte vol overtuiging. 'En mij heeft ze helemaal.'

'Maar geen ring.'

'Nee, geen ring.'

'Carlos, waarom vertel je me dit eigenlijk?' vroeg Lila, nog steeds verbluft.

Hij glimlachte vriendelijk en in zijn ooghoeken verschenen rimpeltjes. 'Omdat ik je aardig vind, Lila. Je bent een verstandige vrouw. Anders dan Maxines andere vriendinnen. En ik hoop dat als jullie praten... ik weet hoe jullie vrouwen praten... dat het Maxine helpt als jij dit weet.'

Aha, hij vroeg om haar hulp. Naar hem luisterde Maxi niet, dus misschien kon Lila de boodschap overbrengen. Nou, misschien zat er iets in. Maxi was niet zo goed in luisteren. Ze was inderdaad geneigd alleen datgene te horen wat ze wilde horen en de rest negeerde ze. Maar wilde ze zelf de rol van tussenpersoon spelen? Dat haalt je de koekoek! Ze had geen zin om mee te werken aan Carlos' poging om van twee walletjes te eten. Want daar kwam het toch op neer? Getrouwd blijven met Esther, maar met Maxine als zijn levensgezel? Dat kwam op Lila domweg als hebzucht over.

'Nou, als Maxine over jullie relatie begint, zal ik in gedachten houden wat je hebt gezegd, maar ik wil niet jouw woordvoerster zijn. Ik ben het er niet mee eens dat je met Esther getrouwd moet blijven. Niet als je echt van Maxine houdt. Ik vind dat Maxine recht heeft op de volle honderd procent. Zij heeft recht op dit alles.' Lila gebaarde naar de weelderige bruiloft om hen heen.

Carlos moest lachen en gaf haar een bijna vaderlijk klopje op haar hand. 'Vergeet niet dat ze dit al drie keer heeft gehad. Dit maakt haar niet gelukkig. Dit maakt niemand gelukkig. Dit is alleen maar een openbare uiting van genegenheid. Liefde is het niet.'

Hij leunde achteruit in zijn stoel, wendde zijn blik van haar af en staarde weer naar de dansvloer. Hij zag er heel wijs uit. Lila dook weg in haar stoel. Hij gaf haar het gevoel dat ze naïef, onzeker en dom was. Voor het eerst sinds lange tijd voelde ze zich jong, maar niet op een positieve manier. Lila keek naar Brett, die zijn danskunsten aan alle andere vrouwen in de feesttent liet zien. Ach, wat wist zij nou eigenlijk van liefde? Welk recht had zij om over het nut van een gelukkig huwelijk te preken?

'Hé, dat ziet er gezellig uit met jullie tweetjes!' lachte Maxi. Ze draaide snel rond en plofte neer op Carlos' knieën. 'Is dit niet ontzettend leuk allemaal?'

'Het is geweldig,' beaamde Lila, maar Maxine merkte dat haar vriendin niet erg vrolijk keek.

Zelf amuseerde ze zich enorm. Ze had zoveel interessante mensen ontmoet en de bruid en haar vriendinnen vond ze gewoon het einde. Ze waren zo klein en lief en zo prachtig gekleed. Het waren net levende barbiepoppen. Ze had zich al voorgenomen dat ze nog een poosje met hen zou gaan spelen. Hoe noemde Lila ze ook alweer (een tikkeltje hooghartig, vond Maxine)? O ja: WAG's, *wives and girlfriends*. Nou ja, hoe dan ook, Maxi vond ze geweldig. Als ze een gratis toegangspas voor Cruise wilden, waren ze altijd welkom.

En wat de voetballers betreft, die waren zo enig. Natuurlijk konden ze niet aan haar schattige Carlos tippen, maar ze waren in elk geval leuk om naar te kijken en van een afstand te bewonderen. En ze genoot van het dansen met Brett. Wow! Die Brett Rose kon er wat van. Carlos hield niet van dansen. Nou ja, alleen langzame dansen, op sentimentele ouderwetse muziek, en dat was echt niks voor haar. Het was heerlijk om eens lekker uit je bol te gaan op de dansvloer met een lenige vent als Brett.

Poeh, wat had ze het warm. Ze voelde zich ook duizelig. Waarom was ze zo duizelig? Ze was niet dronken. Ze had het juist voorzichtig aan gedaan met de champagne voor het geval haar plannetje al begon te werken. Carlos en zij hadden er flink op los gevreeën sinds hij die viagra had versierd. Misschien was ze zelfs al zwanger. Dat zou toch ideaal zijn, nietwaar? Dan zouden ze een kindje krijgen, gaan trouwen... Misschien zou ze al heel gauw precies zoals Jasmine zijn. Dat hoopte ze toch zo. In haar hoofd had ze alles al helemaal uitgestippeld. Ze zouden gaan trouwen in het paleis Alhambra in Granada, niet ver van hun huis in Spanje, en dan zou ze een door de flamenco geïnspireerde witte jurk dragen met rode rozen in haar haar. Het kindje zou een schattig klein flamencojurkje dragen als het een meisje was en een lichtblauw pakje als het een jongetje was. Ja, ze had alles al helemaal uitgestippeld.

'Heb je zin om te dansen, liefje?' vroeg Brett aan Lila.

Lila schudde haar hoofd en excuseerde zich om naar het toilet te gaan.

'Ik dans wel met je!' verklaarde Maxine.

Brett grijnsde. 'Cool,' zei hij.

'Dat vind je toch niet erg, Carlos?' vroeg ze aan haar minnaar.

Carlos glimlachte en zijn bruine ogen straalden van plezier. 'Ga jij maar dansen, Maxine. Ik kijk. Ik ben gelukkig.'

Ze kuste hem op zijn gebronsde voorhoofd, pakte Brett bij de hand en dartelde weer naar de dansvloer. Nee, ze had geen idee waarom ze zich zo duizelig voelde. Misschien was ze echt al zwanger.

Op het laatst begon Charlie er toch nog lol in te krijgen. Hij had een poosje met Jasmine gedanst en daarna van partner geruild met Brett Rose, zodat hij nu met een beroemde it-girl danste. Dat was helemaal te gek! Maxine was net zo vriendelijk en babbelig als hij zich haar had voorgesteld, en dansen kon ze ook als de beste. Sinds hij zich niet meer zo druk maakte over dat akkefietje met Dimitrov had hij zichzelf een paar glazen champagne toegestaan, die hem meteen naar zijn hoofd waren gestegen. Jezus! Maxine had hem zover gekregen dat hij als een echte sukkel met zijn heupen stond te zwaaien en met zijn handen in de lucht stond te klappen. Dat was dolle pret. Hij had zowaar lol.

Toen hij even snel keek waar Jasmine met Brett Rose aan het dansen was, zag hij nog net dat Alisha zich ertussen wurmde en verleidelijk met haar lichaam voor Bretts gezicht ging staan wiebelen. Jasmine leek het helemaal niet erg te vinden. Ze liep weg, waarschijnlijk nog steeds op zoek naar Jimmy, en liet de Hollywoodacteur aan haar kleine zusje over. Als Brad Pitt naakt in haar schoot was gevallen, zou Alisha niet verrukter kunnen zijn geweest. Brett keek zelf trouwens ook niet bepaald teleurgesteld.

Carlos Russo tikte Charlie beleefd op zijn schouder en vroeg of hij zijn dame van hem mocht overnemen. Maxine kuste hem op beide wangen en zei met een uitdagende knipoog: 'Bedankt voor de dans, lekker stuk!' Charlies wangen gloeiden nog toen hij door de drukte naar het toilet liep.

Grace Melrose had er genoeg van om nog langer met de stomvervelende accountant Clive te discussiëren over het nut van het oprichten van een naamloze vennootschap. Hij zat nog steeds over belastingvoordelen te zeuren toen Grace allang niet meer luisterde en ondertussen druk naar mensen zat te kijken. Ze was van plan ooit een boek te schrijven over het bizarre celebritygedrag dat ze in haar loopbaan als journalist had meegemaakt. Deze glamourbruiloft leverde een rijke oogst aan eersteklas schrijfvoer op.

De bruiloft had het keerpunt bereikt waarop beleefd gekeuvel omslaat in ruig wangedrag en de feestjurken en strakke pakken er langzamerhand gekreukeld en zweterig beginnen uit te zien. Ja, zelfs hier, waar de meeste gasten bekende namen waren, waren de jasjes uitgegaan, de stilettohakken uitgeschopt en liep de dansvloer vol. Grace verwachtte half en half dat er zo een polonaise zou ontstaan.

The Proclaimers zongen '500 Miles' en iedereen sprong zo enthousiast op en neer dat ze even bang was dat de hele feesttent zomaar de lucht in zou kunnen vliegen. Schaars geklede voetbalbabes klampten zich giechelend aan elkaar vast, terwijl hun gepimpte voorgevel uit hun jurk puilde. In kilt gehulde voetballers toonden trots hun gespierde dijen (en af en toe hun klokkenspel). Zelfs Jimmy's moeder stond vrolijk mee te springen met de jonge knullen. Aan de tafel naast Grace zaten Jasmines broers woest naar elkaar te gebaren, alsof ze met elkaar op de vuist wilden gaan. Ondertussen stond Jasmines moeder om duistere redenen aan de naakte ijssculptuur van Adonis te likken. Grace zag dat Blaine Edwards zijn dikke armen om de hals van het jongste lid van een beroemde meidenband had geslagen. Het meisje keek alsof ze op het punt stond om over te geven, maar het was niet duidelijk of dat kwam door te veel drank of te veel Blaine.

Plotseling ontdekte ze de bruid, die haar kersverse echtgenoot in het oog kreeg en op hem af rende. Het pasgetrouwde paar viel elkaar om de nek en kuste elkaar hartstochtelijk, totdat Jimmy's teamgenoten hen uit elkaar haalden en Jasmine meevoerden naar het midden van de dansvloer. Zelfs Grace vond het een ontroerend tafereel. Het groepje ging om Jasmine heen staan en daarna dansten de spelers om beurten voor haar, terwijl ze giechelend van verlegenheid toekeek.

Grace besloot een ommetje te maken om te zien of ze clandestiene vrijpartijtjes kon ontdekken of intieme celebritygesprekken kon afluisteren. Zo beleefd mogelijk schudde ze Clive van zich af en liep naar het damestoilet. Ze duwde de deur open en stond opeens oog in oog met Lila Rose. Grace merkte dat haar mond onwillekeurig een O-vorm aannam.

Lila sperde haar ogen wijd open toen ze Grace herkende, en het duurde even voordat ze wist hoe ze moest reageren. 'Hallo,' zei ze ten slotte. Haar toon was niet vriendelijk, maar ook niet hatelijk. 'Grace is het toch? Je bent journalist. We kennen elkaar.'

Grace knikte. 'Hallo Lila,' zei ze.

Meer wist ze niet te zeggen. Normaal hoefde ze de mensen die ze had ondervraagd nooit meer onder ogen te komen. In elk geval niet degenen die ze de grond in had geboord. Die weigerden meestal om nog door haar te worden geïnterviewd en daarmee was de kous af. Hun wegen kruisten elkaar nooit meer en Grace ging door naar haar volgende slachtoffer. Maar nu stond Lila Rose opeens vlak voor haar neus, even kalm en elegant als op de dag dat ze elkaar in het Covent Garden Hotel hadden ontmoet.

De twee vrouwen keken elkaar een ogenblik in de ogen en tegen beter weten in voelde Grace zich gedwongen iets te zeggen, het gaf niet wat, over het artikel dat ze had geschreven.

'Het spijt me ontzettend als ik je met mijn stukje heb gekwetst,' flapte ze eruit, waar ze onmiddellijk spijt van had.

Lila keek haar onbewogen aan en haalde haar schouders op, alsof ze geen idee had waar Grace het over had.

'Waarom zou ik gekwetst moeten zijn? Ik lees niet wat er allemaal over me wordt geschreven, of het nu goed of slecht is,' zei Lila. 'Mijn PA Peter zei dat je kattig was geweest.' Lila maakte een snelle beweging met haar hand en keek langs Grace heen naar de feesttent. 'Zulke verhaaltjes doen me werkelijk niets. Maar nu moet ik me verontschuldigen. Ik ga terug naar mijn feest.'

Grace ging opzij en liet Lila Rose passeren. Wat een knap staaltje acteerwerk. Ze loog natuurlijk. Ze had het artikel ongetwijfeld gelezen. Celebrity's waren allemaal publiciteitsgeil. Ze konden niet zonder de roddelbladen. Toch bewonderde ze Lila's stijl, en ze was zonder meer een uitstekende actrice. Het was intriest dat haar carrière nauwelijks nog iets voorstelde.

Ze had geen tijd om lang bij Lila Rose stil te staan, want toen ze het damestoilet binnen stapte werd ze geconfronteerd met een onthutsende aanblik. Madeleine Parks hield de zwangere Cookie McLean tegen de betegelde muur gedrukt. In haar woede merkte ze niet eens dat Grace binnenkwam. Grace taxeerde de situatie en stelde vast dat Cookie niet direct in gevaar verkeerde. Daarom sloop ze snel een toilethokje in en deed de deur op slot. Wat was er aan de hand? Ingespannen luisterde ze.

'Die tas was voor mij bestemd, klein kreng dat je bent,' hoorde ze Madeleine venijnig zeggen. 'Chrissie en jij wisten dat hij voor mij apart werd gelegd. Hoe haalden jullie het in je achterlijke kop om hem voor Jasmine te kopen?'

Cookie klonk panisch. 'Dit is haar bruiloft, Madeleine. We wilden haar iets speciaals geven.'

'Maar hij was van mij!' brieste Madeleine. 'Dat hebben ze me beloofd.'

'Jij staat boven aan de lijst, Madeleine. We zeiden dat je het niet erg zou vinden omdat het voor Jazz is.'

'Nu kan ik niet meer met die tas gezien worden!' snauwde Madeleine. 'De smerige afdankertjes van Jasmine Watts hoef ik niet. Wie denk je wel dat ik ben? Ik ben een modetrendsetter, geen hekkensluiter. Voor mij heeft die tas nu afgedaan. Ik kan nooit meer een Chanel kopen.'

'Jones,' zei Cookie met een beverig stemmetje. 'Ze heet nu Jasmine Jones.'

'Doet er niet toe,' zei Madeleine snuivend. Ze klonk alsof ze op het punt stond om in tranen uit te barsten. 'Ik kan echt niet geloven dat Chrissie en jij me zoiets kunnen aandoen na alles wat ik voor jullie heb gedaan. Ik had jullie het leven in het team zuur kunnen maken, maar dat heb ik niet gedaan. Ik heb jullie aanwezigheid geslikt, stelletje stomme trutten. Ik ben met jullie gaan shoppen. Ik ben zelfs samen met jullie op de foto geweest.'

'Dat weet ik, Madeleine,' reageerde Cookie. 'En we zijn je ook verschrikkelijk dankbaar, maar het is alleen maar een tas. Er zijn zat andere tassen.'

'Maar ik wilde die ene!' krijste Madeleine. 'Hoe denk je dat ik me voel telkens wanneer ik Jasmine met mijn tas zie rondlopen? Ik ben er kapot van, Cookie. Helemaal kapot.'

Grace geloofde haar oren niet. Die vrouwen hadden ruzie om een designerhandtas. Ze wist dat ze oppervlakkig waren, maar dit sloeg alles. Dit was belachelijk.

'Het spijt me,' fluisterde Cookie, die nog steeds doodsbang klonk. 'Het zal niet nog een keer gebeuren.'

'Dat is je geraden ook,' zei Madeleine spinnijdig. 'Luister. Volgende maand komt er een nieuwe Balenciaga op de markt en die is van mij, begrepen? Als een van jullie kutwijven ermee verschijnt, zal ik er hoogstpersoonlijk voor zorgen dat jullie nooit meer een voet over de drempel van Chinawhite kunnen zetten, gesnapt?'

'Ja, Madeleine,' antwoordde Cookie.

'Want ik heb macht, Cookie. Onthoud dat goed. Als je wilt dat dat walgelijke smoel van jou in de bladen blijft verschijnen, zou ik maar zorgen dat je me te vriend houdt.'

'Dat weet ik, Madeleine.'

'En die dikke buik van jou,' vervolgde Madeleine. 'Hoeveel is dat rotkreng waard wanneer het is geboren? Babyfoto's leveren heel wat geld op. Daar zou ik een stokje voor kunnen steken.'

'Niet doen, toe nou,' smeekte Cookie. 'Hou op, ik snap het. Ik zal je nooit meer voor schut zetten, dat beloof ik.'

'Mooi zo,' snauwde Madeleine dreigend. 'En denk eraan: volgende maand kom je niet aan de Balenciaga. Anders zwaait er wat.'

Grace hoorde hoge hakken over de marmeren vloer klikklakken en daarna het geluid van een deur die openzwaaide en dichtsloeg. Ze trok door en stapte uit het hokje. Cookie McLean stond voor de spiegel de uitgelopen mascara onder haar ogen weg te vegen. Haar schouders beefden nog een beetje van ellende.

'Is alles in orde met je?' vroeg Grace.

Cookie knikte zonder Grace aan te kijken en klikklakte daarna ook op haar hoge hakken het toilet uit.

Wat een rare toestanden, dacht Grace bij zichzelf.

Ze stond haar handen te wassen toen de spiegelwand voor haar plotseling begon te schudden. De dreun die ermee gepaard ging liet haar schrikken. Wat was dat? En toen klonk er aan de andere kant van de muur een oorverdovende klap en daarna nog een. Ze dacht dat ze een zware stem hoorde brullen van pijn. Er gebeurden hier heel eigenaardige dingen, dacht ze.

Charlie had het niet zien aankomen. Wat een stommeling was hij geweest. Hij had zijn waakzaamheid laten varen, had zich ontspannen en zich vermaakt. Hoe kon hij nou zo stom zijn geweest? Nu werd hij door de Russische hamerwerpers afgeranseld. Ze sloegen hem in zijn ribben en stompten hem in zijn kruis, maar meden zijn gezicht. Ze wilden geen zichtbare sporen van hun bezoek achterlaten. Het waren professionals. Dimitrov stond bij de deur toe te kijken, terwijl zijn handlangers Charlie in elkaar ramden. Zelf maakte hij zijn handen er niet aan vuil.

'Waar is ze, Charlie?' vroeg hij kalm. 'Waar is mijn Nadia?'

'Dat... weet... ik... niet...' sputterde Charlie tussen de stompen door. 'Dat is... au!... echt... godverdomme!... de waarheid.'

'Dus je hebt geen idee waar ze nu is?'

'Nee!' schreeuwde Charlie, die zich zo klein mogelijk opkrulde om zijn toch al gebroken ribben te ontzien. 'Ze lag in mijn flat in bed toen ik wegging. Er was niets aan de hand met haar.'

Dimitrov liep op Charlie af, knielde neer en keek hem recht in zijn gezicht. 'Wat is er gebeurd?'

'Mijn assistent, de jongen die je in elkaar hebt geslagen...'

De hamerwerpers grijnsden naar elkaar toen ze zich met leedvermaak herinnerden hoe ze die arme Gary hadden toegetakeld.

'Hij zag Nadia in een taxi vertrekken,' legde Charlie uit.

'Ts ts!' mompelde Dimitrov. 'Doorgaan, jongens. Mijn Nadia neemt geen taxi. Ze neemt nooit taxi.'

Wham! Bang! Weer die laarzen in zijn ribben. De pijn was zo verschrikkelijk dat er sterretjes voor zijn ogen flitsten.

'Het is de waarheid,' riep hij. 'Haal die gorilla's van me af!'

Dimitrov zei iets in het Russisch en de hamerwerpers gingen een stap achteruit.

'Ga door,' beval Dimitrov. 'Ze nam taxi. Alleen?'

'Nee,' zei Charlie, terwijl hij probeerde op adem te komen. 'Met een man. Een man met donker haar. Dat is alles wat Gary zag. Ze zag er opgewekt uit. Het moet iemand zijn die ze kent. Ze ging vrijwillig.'

Dimitrov knielde weer bij hem neer. Charlie hoorde de vertrouwde klik van een veiligheidspal die werd losgezet en opeens voelde hij het koude staal van een pistool tegen zijn linkerslaap. Dat had hij al zo vaak bij anderen gedaan, maar dit was de eerste keer dat hij het zelf ondervond. Hij voelde zich verbleken en hoorde zijn hart kloppen in zijn keel. Was dit dan het einde? Zou hij op deze manier doodgaan?

'Spreek je de waarheid, Charlie Palmer?' wilde Dimitrov weten. Zijn hand hield het pistool volkomen roerloos vast. De Rus liet zich niet van zijn stuk brengen door de situatie. Dat hoorde erbij.

'Het is de waarheid, dat zweer ik,' antwoordde Charlie. Hij probeerde sterk te klinken, maar vanbinnen voelde hij zich weerzinwekkend zwak.

'Oké,' zei Dimitrov. 'Ik geloof je.'

Langzaam, o zo langzaam haalde de Rus het pistool van Charlies slaap, stond op en liep naar de deur. Het leek alsof hij wilde vertrekken, toen hij zich nog een keer omdraaide.

'Maar het is nog steeds jouw schuld, Charlie,' zei hij. 'Nadia was onder jouw hoede. Jij hebt haar in de steek gelaten. Jij hebt dit laten gebeuren en jij moet ervoor boeten. Nu is het jouw taak om haar te vinden. Je hebt zes weken. Je hoort nog van me.'

Hij mompelde nog iets in het Russisch en liet hem toen alleen met de gorilla's. Toen ze hem tegen de pisbakken smeten, schudde de muur ervan.

26

Jasmine had Carlos overgehaald om aan het eind van de avond een paar van zijn beroemdste liefdesliedjes te zingen. Met enige tegenzin moest Lila toegeven dat zijn sentimentele ballads weliswaar niet haar smaak waren, maar dat hij best goed was. Hij droeg zijn eerste lied op aan Maxine, die naast hem op het podium stond en op de klanken van zijn fluwelen stem heen en weer wiegde. Lila keek om zich heen of ze Brett zag. Ze had de hele avond nog niet gedanst. Eigenlijk was dat omdat ze nooit zo kon dansen als Maxine, zich nooit helemaal kon laten gaan. Ze voelde zich altijd opgelaten en een beetje belachelijk als ze danste. Maar een langzame dans zoals deze zou misschien heel leuk en zelfs romantisch kunnen zijn. Kon ze Brett maar vinden. Ze liep door de feesttent om hem te zoeken, maar hij was nergens te bekennen.

Carlos was aan zijn tweede nummer begonnen. De bruiloft was bijna afgelopen. De meeste grote namen waren al per helikopter of limousine vertrokken. Het bruidspaar was in een geblindeerde Mercedes weggereden op huwelijksreis en in de feesttent heerste een ordeloze sfeer. De ijssculpturen waren zodanig gesmolten dat Boudicca niet meer van Adonis te onderscheiden was, de bloemen waren aan het verwelken en de champagne bruiste niet meer. Een van Jasmines broers was bewusteloos op de grond in elkaar gezakt. Lila stapte over hem heen en zette haar zoektocht voort.

'Neem me niet kwalijk, maar heb je toevallig mijn man gezien?' vroeg ze aan een aantrekkelijke jongeman. Hij zat alleen aan een tafeltje met een glas whisky in zijn hand en een dromerige blik in zijn ogen. Ze was eerder op de avond aan hem voorgesteld, maar ze was zijn naam vergeten. Hij was een voetballer. Portugees.

De voetballer schudde treurig zijn hoofd. 'Heb niet gezien,' antwoordde hij. 'Sorry.'

Jezus, er was haast niets zo deprimerend als het staartje van een bruiloft. Voor de verliefde stelletjes was er niets aan de hand, maar wie aan het eind van de avond alleen overbleef, voelde zich ellendig. En nu was Lila ook alleen. Alleen en klaar om naar huis te gaan. Waar hing Brett verdorie uit? Ze liep de feesttent uit en ging de tuin in. Overdag was het warm geweest, maar nu was het een heldere, kille avond. Ze rilde toen ze het bordes af liep. Onder aan de trap zag ze een gedaante zitten. Het was een man. Een forse man. Toen ze dichterbij kwam, herkende ze hem als de aardige vent uit het vliegtuig van vanochtend. Het was Jasmines peetvader, Charlie.

'Charlie?' vroeg ze. 'Hoi, ik ben het. Lila.'

Charlie glimlachte naar haar, maar in zijn ogen lag een vreemde blik.

Ze ging naast hem zitten, dichtbij voor de warmte, maar hij kreunde zachtjes toen ze met haar elleboog langs zijn arm streek.

'Voel je je wel goed?' vroeg ze. De man zag er beroerd uit.

'Eerlijk gezegd heb ik vreselijke pijn in mijn maag,' zei Charlie. 'Ik voel me niet zo lekker.'

'Nee...' Onderzoekend keek ze naar zijn bleke gezicht. 'Je ziet er ook niet zo lekker uit. We kunnen je beter naar het vliegtuig brengen.'

Ze keek om zich heen. 'Heb je mijn man gezien?' vroeg ze. 'Ik kan hem nergens vinden en het is echt de hoogste tijd om op te stappen.'

Charlie stond langzaam op met een pijnlijke trek op zijn gezicht. Hij greep naar zijn zij en hapte naar adem. Het zag er ernstig uit. Lila hoopte dat ze niet allemaal aan voedselvergiftiging zouden bezwijken.

'Ik zoek hem wel even,' bood Charlie aan. 'Misschien doet het me goed om mijn benen te strekken. Ga jij maar naar binnen, bij Carlos en Maxine wachten. Is Carlos klaar?'

Lila luisterde een ogenblik. 'Ja, ik geloof het wel,' antwoordde ze. 'Weet je zeker dat je in staat bent om rond te lopen?'

Charlie knikte, maar zijn gezicht zag er beroerd uit.

Op de een of andere manier wist Charlie dat Brett iets in zijn schild voerde, en hoewel hij verging van de pijn in zijn gebroken ribben, kon hij Lila Rose niet naar haar man laten zoeken. Door zijn werk had hij goed leren luisteren. Hij had door eindeloze donkere stegen achter mannen aan moeten sluipen en één keer moest hij zijn prooi in Londen achtervolgen door tunnels van de ondergrondse die niet meer werden gebruikt. Hij had een neus voor zulke zaken. Naarmate hij verder de kasteeltuin in liep, duurde het niet lang voordat hij uit de richting van een afgelegen prieeltje geluiden hoorde. Het waren een vrouwenstem die 'oh' en 'ah' zei en een lage mannenstem die gromde.

Zachtjes sloop hij naar het prieeltje en hurkte achter een struik om te kijken. Het was een heldere sterrenhemel en zijn ogen waren al aan het duister gewend. Hij kon duidelijk de vorm van naakte mannenbillen onderscheiden die in het maanlicht op en neer wipten. De man had niet de moeite genomen zich uit te kleden. Hij had zijn witte overhemd nog aan en zijn boxershort en zwarte broek hingen om zijn enkels. Het was inderdaad Brett; Charlie herkende hem aan zijn kleren. Hij wist ook wie het meisje was. Ze had haar donkere benen om Bretts middel geslagen en haar roze bruidsmeisjesjurk tot haar taille opgetrokken. Charlie kende Alisha al vanaf haar geboorte. Hij had haar zien opgroeien met Jasmine. Maar ze had niet Jasmines charme. Hij had op zijn vingers kunnen natellen dat ze hier terecht zou komen en zich op de bruiloft van haar zus door een of andere hufter zou laten neuken en gebruiken.

Als Jasmine het wist, zou ze zich doodschamen. Hij zou ervoor zorgen dat ze er nooit achter kwam. En hij zou er ook voor zorgen dat Lila Rose dit smerige tafereel niet in het oog kreeg. Het had geen zin om iets tegen Alisha en Brett te zeggen. Dat zou alleen gedoe geven en Charlie had een hekel aan gedoe. Bovendien wilde hij deze informatie laten bezinken voordat hij besloot wat hij ermee zou doen. Hij zette graag alles op een rijtje voordat hij tot actie overging. Charlie was niet iemand die overhaaste vergissingen maakte. Geruisloos liep hij terug naar de feesttent, waar Lila bij de deur op hem stond te wachten.

'Heb je hem gezien?' vroeg ze.

Met een hoopvolle blik in haar grote blauwe ogen keek ze hem aan, terwijl ze op haar onderlip beet. Jezus, ze was zo verbluffend mooi dat hij nauwelijks kon geloven wat hij zojuist had gezien. Waarom zou de man van zo'n vrouw overspel willen plegen? En nog wel met een grietje als Alisha. Het was je reinste waanzin. Als Charlie een vrouw als Lila had gehad, zou hij geen moment van haar zijde wijken. Maar een vrouw als Lila Rose zou hij nooit hebben. Hij kon niet aan haar tippen. Alleen al dezelfde lucht inademen als zij was een waar genot voor hem.

Hij schudde zijn hoofd. Nee, hij zou niet degene zijn die Lila's hart zou breken. Niet hier en niet nu. Later zou hij Brett misschien laten weten dat hij hem hier met Alisha had gezien. Dan zou hij de schoft vertellen dat hij tegen zijn vrouw moest opbiechten wat hij had gedaan, anders zou Charlie het voor hem doen. Maar voorlopig zou hij Bretts geheim bewaren.

Charlies hele lichaam deed pijn, maar zijn geest was nog alert. 'Ik kan hem nergens vinden,' loog hij. 'Maar een eindje verderop is een hotel waar de meeste voetballers overnachten. Misschien is Brett met hen mee teruggegaan om nog wat te drinken.'

Lila knikte en leek overtuigd te zijn. 'Vast wel. Dat is net iets voor Brett. Hij was ook zo onder de indruk van al die voetballers.' Ze deed het Amerikaanse accent van haar man na.

'Nou, we blijven niet op hem wachten,' verklaarde ze. 'Hij moet maar zien hoe hij op de luchthaven komt, en als hij er niet is tegen de tijd dat we moeten vertrekken, moet hij verdomme zelf maar zorgen dat hij in Spanje komt.'

Ze glimlachte, maar Charlie kon merken dat ze gekwetst was. Niettemin had de vrouw pit. Ondanks haar tere schoonheid liet ze duidelijk niet over zich lopen. Charlie was nog meer onder de indruk van Lila Rose dan ooit tevoren.

Blaine had alles door. Natuurlijk had hij gehoopt dat deze bruiloft een lappendeken van schandalen zou zijn, maar de werkelijkheid had zelfs zijn stoutste verwachtingen overtroffen. De zenuwachtigheid van de bruid en de ruzie over een handtas tussen de glamourbabes waren hem niet ontgaan. Hij had eerst

Jasmines moeder buiten westen zien raken door de drank en daarna haar zonen. Hij had gehoord over Dimitrovs overname van de voetbalclub en hij wist zelfs dat een of andere kerel op het herentoilet in elkaar was geslagen door de zware jongens van de Rus (hoewel hij niet wist waarom en verstandig genoeg was er niet naar te informeren).

Maar dit... wow! Dit was een klassiek staaltje smeerlapperij in glamourland. Hij stak zijn piepkleine digitale camera omhoog en kiekte erop los. Daarna controleerde hij of hij de opnamen had. O ja, daar was hij: Brett Rose die het tienerzusje van Jasmine Jones een beurt gaf. Het was onmiskenbaar zijn strakke Hollywoodkont die op het bruidsmeisje in beukte. Godverdomme, wat een pracht van een opname! Dit was de klapper waar hij op had gewacht. Deze opnamen waren onbetaalbaar. Volkomen onbetaalbaar. Blaine sloop weg terwijl Brett zijn broek ophees en Alisha nog naar haar slipje zocht. Ze hadden geen idee dat ze waren betrapt. Maar daar kwamen ze nog wel achter. Als de tijd rijp was. Het zou voor Alisha weleens gunstig kunnen uitpakken, mijmerde Blaine. Aan dit soort publiciteit zou ze een fortuin kunnen verdienen, en Blaine was de aangewezen man om haar daarbij te helpen. Ja, het was een welbestede dag geweest voor Blaine Edwards.

Brett Rose was op het nippertje het vliegtuig in gestrompeld met een halfflege fles champagne in zijn hand. Charlie zag meesmuilend dat zijn gulp nog openstond. Hij grijnsde en brulde: '*Well howdie, y'all! Let's paaaartay!!!*'

Lila mompelde afkeurend en keek uit het raam. Maxine sliep gewoon door, met haar hoofd op Carlos' schouder rustend, terwijl haar minnaar teder haar haren streelde. De Spanjaard knikte beleefd in Bretts richting en wendde zich toen ook af om met een zweem van afschuw op zijn knappe gezicht naar buiten te kijken.

Charlie kromp in elkaar. Het laatste wat hij kon gebruiken was dat hij zich kapot ging zitten ergeren aan die bezopen rokkenjagende yank. Hij voelde zich alsof hij door een trein te grazen was genomen in plaats van door twee Russische hamerwerpers. Zijn hoofd bonkte van pijn en zijn ribben deden zeer. De pijnstillers die Lila hem had gegeven, had hij meteen achterovergeslagen. Bretts ogen waren opgesperd en zijn pupillen verwijd. Cokejunk, dacht Charlie minachtend. Hij kon verslaafden niet uitstaan. Ze zagen er allemaal hetzelfde uit, of ze nu hoertjes in Dalston verrot sloegen of met hun privévliegtuig vlogen. Ze schopten allemaal herrie. En Charlie had wel genoeg herrie gehad voor één dag.

Brett hief zijn fles champagne op naar Charlie en riep: 'Drink wat met me, mijn beste!'

De moed zonk Charlie in de schoenen. Hij kon tegen Brett Rose niet zeggen dat hij dood kon vallen, hoe verleidelijk dat ook was. Maar de gedachte dat hij naast die vent moest zitten en een beleefd gesprek met hem moest voeren, bezorgde hem rillingen. Charlie wist wat Brett had uitgespookt en waar hij was geweest.

Wankelend kwam Brett naar voren. Charlie zag geen beroemde filmster naar hem toe komen, maar enkel een vuil stuk vreten. En daarvan had hij zijn buik vol.

Met een geforceerde glimlach op zijn gezicht legde hij zich erbij neer dat hij een paar uur in Bretts gezelschap moest doorbrengen. Laat hem alsjeblieft ophouden, smeekte Charlie in gedachten tegen elke God die maar wilde luisteren. En plotseling werd zijn smeekbede verhoord. Luidruchtig struikelde Brett over Maxi's handtas en viel met een geweldige smak bij Lila op schoot, waarbij hij zijn champagne over haar heen goot.

Brett giechelde. Charlie kromp in elkaar. Lila mompelde alleen maar onverschillig en duwde haar verfomfaaide echtgenoot het gangpad in. Brett zakte in elkaar, hikte en raakte onmiddellijk buiten westen.

'Hij moet op een stoel worden vastgegespt voor het opstijgen,' zei de stewardess. 'Hij kan daar niet blijven liggen.'

'Reken maar van wel,' reageerde Lila ijzig. De stewardess nam niet eens de moeite haar tegen te spreken.

Door de pijn heen glimlachte Charlie bij zichzelf. Tijdens de terugreis naar Spanje zou hij tenminste met rust worden gelaten.

27

Het meisje is weer terug in de kille, donkere cel met haar rug tegen de muur. Weer terug bij de klamheid en de ratten. In de stilte wordt zelfs het zachtste geruis wel duizend keer versterkt. Het gekrabbel van knaagdieren, het gebons van haar hart in haar keel, haar mond, haar oren. Ze proeft alleen bloed en heeft het zo koud dat ze haar voeten en haar vingers niet eens meer kan voelen. Ze probeert met haar tenen te wriemelen, maar dat lukt niet.

De rok die ze van hem moest aantrekken is zo nat dat hij aan haar dijen plakt, en ze weet niet of het water, klam zweet of bloed is. De man heeft afgrijselijke dingen met haar gedaan. Dingen die zo weerzinwekkend zijn dat ze er nooit over zal kunnen praten, beseft ze. Maar zal ze ooit nog ergens over kunnen praten? Zal ze hier ooit uit komen? Het meisje begint voor zichzelf te zingen, hoewel haar stem niet veel meer is dan snikkend gefluister, alleen maar om haar eigen woorden te kunnen horen. Ze is bang dat ze haar verstand verliest.

Voorlopig is hij weg, maar als ze haar ogen dichtdoet ziet ze zijn gezicht weer. Ze wil de film in haar hoofd stopzetten, maar die blijft doorgaan, telkens weer, zodat ze moet kijken naar wat hij deed, wat hij zal blijven doen. Hij zei dat hij terug zou komen. Laat hem alsjeblieft niet terugkomen. Misschien is het beter om gewoon te gaan liggen en nooit meer wakker te worden. Soms kun je maar beter ophouden met vechten. Is ze klaar om op te houden met vechten?

Haar stem zwijgt. Ze heeft de energie niet meer om nog langer te zingen. Ze gaat op de harde vloer liggen en wacht. Waarop? Op Charlie die haar komt bevrijden? Op de dood? Of op... nee! Niet dat... Voetstappen. Een slot knarst. De deur gaat open. Ruwe handen grijpen haar armen vast, waarbij zijn eeltvingers zich in haar gekneusde huid boren, en sjorren haar het licht in, de trap op, terug naar zijn hol. En daar ligt ze dan weer als een stuk vlees op haar rug. Ze weet dat hij haar nog meer gaat toetakelen.

Nu ligt hij boven op haar. Met zijn grote handen rukt hij aan haar kleren en ze kan haast geen lucht krijgen. Opeens ziet ze het. Het pistool. Alleen een glimp metaal dat fonkelt in het licht. Hij houdt het in zijn rechterhand. Het meisje blijft zich verzetten. Ze worstelt om hem van zich af te duwen, maar hij is te sterk. Het pistool wordt boven haar hoofd gehouden, komt op haar af, smakt tegen haar schedel en dan is alles weg. De duisternis daalt neer. Alles is weg.

28

'Char? Ben jij dat?'

Gary klonk gespannen en bang.

'Ja, ik ben het maar. Heb jij nog nieuws?'

Charlie steunde tegen het balkon van het hotel en tuurde door zijn wimpers naar de oceaan. Wat een prachtig uitzicht. Wat een klotewereld.

'Nee,' antwoordde Gary. 'Maar ik heb me eerlijk gezegd gedeisd gehouden. Ik ben nog bij mijn moeder.'

'Nou, ga dan maar weer terug naar Londen en ga op onderzoek uit,' blafte Charlie. 'En gauw een beetje.'

'Maar, maar, maar, u zei dat ik me op de achtergrond moest houden,' stamelde Gary. 'Het is niet veilig.'

'Vergeet maar wat ik heb gezegd en ga uitzoeken wat er verdomme met Nadia is gebeurd.'

Charlie wist dat hij hard was voor de jongen. Gary kon hier helemaal niets aan doen en wat hij van de knul verlangde, was gevaarlijk. Maar er zat niets anders op. Zelf kon hij niet naar Londen teruggaan en hij had iemand nodig die daar voor hem uitzocht wat er aan de hand was. Gary was de enige die hij kon vertrouwen. Het werd tijd dat de jongen een man werd.

'Goed, baas.' Gary klonk onzeker. 'Als het niet anders kan...'

'Het kan niet anders,' reageerde Charlie kordaat.

'Hoe zit het met Nadia's ouweheer?' vroeg Gary. 'Hij denkt dat wij haar hebben.'

'Nu niet meer. Ik heb hem gesproken,' antwoordde Charlie. 'Maar hij wil het nog steeds mij in de schoenen schuiven. Hij zegt dat het in mijn tijd is gebeurd, dus is het mijn schuld. Je weet toch hoe het gaat, Gary. Zolang ze nog niet terecht is, hang ik. We hebben tot het eind van de maand. Het vervelende is dat ik mijn gezicht niet kan laten zien, dus moet jij Nadia zien te vinden, knul. Ik vertrouw op je.'

'Komt voor elkaar,' beloofde Gary. 'Waar moet ik beginnen?'

Charlie zuchtte. Gary was toch maar een moordknul. En zo loyaal, zo verdomd loyaal. Maar wat Charlie van hem zou vragen kon hem zijn leven kosten.

'Ga met haar vrienden praten,' zei hij tegen de jongen. 'Praat met haar vijanden. Praat met Dimitrovs vijanden. Praat desnoods met die kankersmerissen. McGregor staat nog bij me in het krijt en je weet waar je hem kunt vinden...'

'In de kroeg?'

'Precies.'

'Komt in orde, baas.'

'En haal de hele flat overhoop. Misschien heeft ze iets achtergelaten – een agenda, een ticket, weet ik veel, maakt niet uit wat.'

'Oké,' zei Gary, die nu gretig klonk. 'Ik zal u niet teleurstellen.'

'Dat weet ik,' zei Charlie. 'Zeg, Gary...'

'Ja, baas?'

'Als dit allemaal achter de rug is, heb ik iets voor je in petto. Iets hier, met mij.'

Dat was natuurlijk gelogen. Charlie had helemaal niets in petto in Spanje – geen flat, geen werk, geen toekomstplannen. Maar er zou vast wel iets gebeuren. Dat was altijd zo. Dat was de enige zekerheid in Charlies wereld: een rustig leven kon je wel vergeten.

'Bedankt, Char.' Gary klonk blij. 'Waar zit u trouwens?'

Charlie keek naar een paar topless mokkeltjes die strandtennis speelden. Hun gebronsde borsten wipten op en neer in de ochtendzon. 'Het paradijs, jongen. Als Nadia terecht is, mag je me hier in het paradijs komen opzoeken.'

Na het telefoontje spoelde Charlie een handjevol pijnstillers weg met een glas Jack Daniel's en ging behoedzaam op bed liggen. Zijn ribben waren naar de kloten. Een van zijn ballen was als een grapefruit opgezwollen. Op zijn rug had hij een enorme blauwe plek. Eigenlijk had hij dit weekend op huizenjacht willen gaan, maar nu lag hij hier in zijn hotelkamer op bed en was nauwelijks in staat om naar het balkon heen en weer te lopen. Hij had nog niet eens in de zon gelegen. Het paradijs, m'n reet, dacht hij, ineenkrimpend van de pijn. Zeg maar gerust: het verloren paradijs.

Maxine tuurde ingespannen naar de zwangerschapstest. Het was zo'n nieuwe waarmee je al heel vroeg kon bepalen of je zwanger was. Eigenlijk zou ze pas morgen ongesteld moeten worden, maar ze hield het geen seconde langer uit. Ze móést weten of ze een kindje van Carlos verwachtte. Ze duimde en wachtte af. Gek genoeg had ze het vermoeden dat de uitslag positief zou zijn. Al dagen had ze een licht gevoel in haar hoofd en was ze nog emotioneler dan anders. Gisteravond had ze zelfs gehuild om Isabels Spaanse soap, hoewel ze niet eens snapte wat er gebeurde, omdat ze veel te snel praatten. Haar borsten waren gevoelig en haar buik was ronder dan een week geleden. Bovendien had ze die doffe pijn in haar onderbuik. Ja, ze vertoonde alle verschijnselen. Het kon niet missen: ze moest wel zwanger zijn!

In een van de vakjes verscheen een duidelijke blauwe streep. Oké, wat betekende dat? Ze haalde de gebruiksaanwijzing uit het doosje. Kut! Die was in het Spaans. Tegenwoordig kon ze Carlos vrij goed volgen, maar de geschreven taal ging haar nog steeds boven haar pet. Ze probeerde de plaatjes te begrijpen. Oké, dus als het een kruisje is... Nee, geen kruisje, alleen een streepje... Dus als er een streepje stond... Pf, wat was dat ingewikkeld, zeg.

Buiten de badkamerdeur hoorde ze Isabel stofzuigen. Dat leidde haar af. Ze kon zichzelf niet eens horen denken. Juist op het moment waarop de stofzuiger werd uitgezet, gilde ze gefrustreerd: 'Wat betekent *no embarazada* trouwens, verdomme!?'

Even bleef het stil en toen klonk Isabels stem aan de andere kant van de deur: 'Het betekent "niet zwanger", miss Maxine.'

De stofzuiger werd weer aangezet en Maxine zat zich op de rand van het bad dood te schamen, maar was tegelijkertijd ook diep teleurgesteld.

Ze lag een uur op bed voordat ze de telefoon pakte.

'Lila? Ben je er? Neem alsjeblieft op als je er bent. Ik heb toch zo'n rotdag...'

Maxine zuchtte. Waar was Lila eigenlijk? Ze had al de hele week niets van haar gehoord. Niet sinds de bruiloft. Nu kon ze niets beters verzinnen dan haar onvruchtbaarheid te betreuren door zich met haar vriendin te gaan bezatten. Ze probeerde haar mobieltje. Dat bleef heel lang overgaan, totdat er een klik te horen was en een mannenstem aan de lijn kwam.

'Maxine? Hoi schatje, met Peter,' zei Peter buiten adem. 'Sorry, ik was boven. Lila is even aan het zwemmen. Is alles goed met je, lieverd?'

'Nee, ik heb een kutweek en ik heb zin om dronken te worden met Lila. Hoe ziet haar agenda eruit voor vanmiddag?'

'We zijn in Londen.'

'Maar je zei dat Lila even aan het zwemmen is.' Maxi begreep er niets van. Waarom zou Lila weggaan zonder het haar te vertellen?

'Ze ligt hier in Londen in haar zwembad.'

'O,' reageerde Maxi beteuterd. 'Ze had weleens kunnen zeggen dat ze wegging.'

'Sorry, maar Brett is weer naar LA gegaan en de kids zijn weer naar school. Lila komt pas in de schoolvakantie in oktober weer naar Spanje.'

'Nou, vraag maar of ze me straks kan terugbellen,' zei ze, niet in staat om haar teleurstelling te verbergen.

De pijn in haar onderbuik was veranderd in de bekende knagende kramp van menstruatiepijn. Tegen de tijd dat Carlos uit de golfclub terugkwam, lag Maxine opgekruld op de bank met haar hondje Britney en een roze donzige warmwaterzak. Ze voelde zich erg zielig.

Carlos kuste haar op haar voorhoofd en gooide een stapeltje post op de koffietafel.

'Alles oké, *chica*?' vroeg hij.

Maxi knikte wanhopig. Carlos fronste zijn wenkbrauwen.

'Je ziet er niet oké uit, *dahling*,' zei hij.

'Het is gewoon zo'n rotdag, schat,' antwoordde ze. 'Het is niet zo belangrijk.' In ieder geval was het niet iets waarover ze met hem kon praten. Hij gaf haar een teder klopje op haar hoofd en ging zijn post sorteren.

'Wat is dat?' vroeg Maxine. Ze had een knalrode kaart gezien met zwarte letters. Het zag eruit als een chique uitnodiging en Maxi kon een feest op grote afstand ruiken. Er ging niets boven een feest om een mens op te vrolijken.

'O, is alleen maar iets van Juan,' zei Carlos achteloos. Hij gooide de uitnodiging bij het oud papier.

Maxine boog zich voorover en raapte de uitnodiging op. Juan was de oudste zoon van Carlos. Hij was vijfentwintig en een retegoede latino zangsensatie. Maxine had hem maar één keer heel even ontmoet, vorig jaar. Juan leek precies op Carlos op het hoogtepunt van zijn roem – maar met piercings en tatoeages in plaats van beige slacks en smakeloze jarenzeventighemden. Juan was momenteel razend populair in Amerika. Hij had met alle hippe producers, rappers en r&b-diva's samengewerkt aan zijn eerste album en zijn inspanningen werden beloond met een MTV Award.

Carlos en Juan hadden een moeizame relatie. Carlos zei dat zijn zoon altijd een moederskindje was geweest en dat het probleem was dat ze niets met elkaar gemeen hadden, maar daar was Maxine het niet mee eens. Zij vond dat Juan precies op zijn vader leek en dacht dat ze daarom niet goed met elkaar overweg konden. Zelf vermoedde ze dat Carlos zich ongemakkelijk voelde en zelfs jaloers was op Juans succes, zijn aantrekkelijke uiterlijk en zijn beruchte omgang met vrouwen (volgens het Amerikaanse boulevardblad *National Enquirer* had hij intussen de meeste jonge Hollywoodsterretjes afgewerkt). Voor een man van Carlos' leeftijd viel het niet mee te moeten vaststellen dat zijn zoon alle aandacht kreeg.

'Dit lijkt me fantastisch!' riep Maxine enthousiast uit. 'Het is een feest om de release van zijn tweede album te vieren.'

'Ja,' zei Carlos geduldig. 'In Los Angeles.'

'Cool!' vervolgde Maxine. 'Ik ben al maanden niet meer in LA geweest. Dat wordt leuk. We kunnen er een vakantie van maken.'

'Ik ga niet naar LA,' zei Carlos resoluut. 'Bovendien is het volgend weekend. Dan heb ik een celebritygolftoernooi.'

'Hè Carlos...' Ze hoorde de zeurtoon in haar stem. 'Toe nou, schat. Wat is er nou belangrijker: de carrière van je zoon steunen of het zoveelste rondje golf, hm?'

Carlos staarde Maxine aan. Hij zag er kwaad uit, terwijl hij haast nooit zijn geduld verloor. Blijkbaar had ze een gevoelige snaar geraakt.

'Ga er niet over door, Maxine,' waarschuwde hij. 'Ik heb geen zin om naar Los Angeles te gaan. Ik heb geen interesse in Juans muziek en ook niet in zijn feest.'

'O, dat is gemeen,' vervolgde ze, al wist ze dat ze zich op glad ijs begaf. 'Juan zou het enig vinden als je erbij was.'

Wat ze eigenlijk bedoelde was dat ze het zelf enig zou vinden om erbij te zijn; ze kende Juan niet goed genoeg om te kunnen voorspellen hoe hij zou reageren.

'Het zal Juan worst wezen of ik er ben of niet,' snauwde Carlos. 'Hij heeft die uitnodiging alleen gestuurd uit beleefdheid!'

Hij griste de uitnodiging uit haar hand en smeet hem terug op het stapeltje oud papier.

'Nou ja, misschien ga ik dan wel zonder jou...' Ze boog zich voorover en raapte de uitnodiging voor de tweede keer op. Ze wist zelf niet waarom ze dat zei. Per slot van rekening zou ze er niemand kennen en was de uitnodiging aan Carlos gericht, niet aan haar. Het kwam erop neer dat ze zich verveelde. Bovendien was ze niet zwanger. Ze had iets leuks nodig om naar uit te kijken. Een beetje opwinding in haar leven.

Fronsend zei Carlos: 'Je gaat niet, Maxine. Hoor je? Ik verbied je om naar dat feest te gaan.'

O jezusmina. Nu had hij het verknald. Die reactie had ze niet van hem ver-wacht. Carlos was meestal erg redelijk en makkelijk om te praten. Ze dacht dat hij zou toegeven en toch met haar naar het feest zou gaan als ze maar hard genoeg protesteerde, maar niet dat hij haar als een victoriaanse vader zou ver-bieden erheen te gaan. Het probleem was dat er onder haar geairbrushte uiter-lijk nog steeds een rebelse tiener in Maxine leefde. Als iemand tegen haar zei: 'Nee, dat mag niet,' reageerde ze automatisch met: 'Moet je eens opletten.' Car-los had haar verboden te gaan. Nou, dan kon ze er nu met goed fatsoen toch niet meer onderuit? Enkel om hem te laten zien dat ze zich niet door hem liet commanderen. Het zag ernaar uit dat ze zich een soloreisje naar LA op de hals had gehaald. Nu kon ze niet meer terugkrabbelen.

29

Jasmine deed even haar ogen dicht en genoot intens van het moment. Ze lag op haar rug op het krijtwitte strand, terwijl de golven langs haar tenen spoelden. De warme middagzon brandde op haar blote huid en in de palmbomen zongen exotische vogels. Ze had zich in haar hele leven nog nooit zo ontspannen gevoeld. Eerder op de dag had ze een zalige aromatherapiemassage gehad in de spa van het resort, dat boven op een klif lag met uitzicht op de turkooizen Indische Oceaan. Daarna had ze met Jimmy gesmuld van verse vis in een creools Michelin-restaurant voordat ze waren teruggekeerd naar hun houten villa op het strand voor een rustige vrijpartij (voor meer lichamelijke inspanning was het veel te heet). Na afloop hadden ze in hun hemelbed een uurtje siësta gehouden onder het verkoelende briesje van een plafondventilator.

De Seychellen waren idyllisch. Een mooiere bestemming voor hun huwelijksreis had Jasmine zich niet kunnen wensen. Paradijseiland was een particulier eilandresort van slechts twaalf villa's, elk met zijn eigen besloten tuin, voorzien van een plunge pool, een whirlpool en vanzelfsprekend een stuk verlaten, wit strand aan de voorkant. De houten villa had een rieten dak en was ingericht met mahonie- en teakhouten meubels in koloniale stijl, en het enorme bed was omhuld met meterslange witte voile. Het personeel zorgde ervoor dat de kamer altijd volstond met wilde, exotische bloemen en een grote fruitmand. Zonder het plasmascherm van anderhalve meter aan de muur tegenover het bed en de minibar vol champagne had ze zich kunnen inbeelden dat ze honderd jaar terug in de tijd was teruggegaan en de dochter van een of andere rijke plantage-eigenaar was.

Jimmy was gaan trainen in de fitnessruimte van het hotel, maar Jasmine had alleen maar zin om lui aan zee te liggen. Af en toe kwam een in het wit gestoken ober vanuit het hoofdgebouw het strand op lopen om op het tafeltje naast haar ligstoel een verse melon daiquiri voor haar neer te zetten. Verder was ze volkomen alleen. Die rust was precies wat ze nodig had na de stress van de bruiloft en de schok van het incident met de afperser. Daardoor kon ze alles van zich afzetten en de vredigheid van het hier en nu in zich opnemen. Ah! Zalig!

Na een poosje besloot ze te gaan zwemmen. Erg ver wilde ze niet gaan, want tenslotte had ze al drie cocktails op. Alleen maar even naar de rotsen daar verderop om te zien wat erachter lag. Ze plonsde in het koele water en haar warme huid tintelde toen ze naar de rotspartij zwom die in de oceaan uitstak. Ze trok zich op uit het water en schudde haar haar uit. Wat zou er achter haar eigen privéstrandje liggen? Behoedzaam klauterde ze over de rotsen totdat ze in de volgende inham kon gluren. Ze schrok zo van wat ze zag dat ze bijna terugviel in het water. Op nog geen zes meter van haar neus lag een vissersbootje vol fotografen die hondsbrutaal hun telelenzen recht op haar hadden gericht. Ze slaakte een kreet en sloeg haar armen beschermend voor haar naakte borsten. Enkelen herkende ze van Londen en Marbella.

'Wat doen jullie hier, verdomme?' vroeg ze op hoge toon. 'Hoe hebben jullie ons gevonden?'

'Vraag dat maar aan Blaine Edwards,' riep een van de fotografen. 'Lach eens even, Jasmine! Laat eens wat van je vlees zien voor de kerels thuis!'

'Ach, sodemieter op!' snauwde ze, terwijl ze zich zo snel mogelijk over de ruwe rotsen terughaastte. 'Au!' Ze stootte haar teen. 'Hufters,' mompelde ze in zichzelf.

Meestal had ze geen moeite met de aanwezigheid van persfotografen. Ze was zelfs best aardig tegen ze. Altijd zwaaide ze even en gunde ze hun een glimp van haar decolleté. Een keer was ze op een bijzonder koude Londense avond met dienbladen met thee en koekjes voor ze naar buiten gekomen. Ze begreep heus wel dat ze het spelletje moest meespelen. Maar hier? Nota bene tijdens haar wittebroodsweken? Was er dan niets meer heilig? Als ze thuis was, zou ze die Blaine vermoorden. Ze zou hem eigenhandig zijn vette nek omdraaien.

Het regende in Londen. Het regende en was veel te koud voor juni. Grace mopperde toen de regen tegen de ramen van haar hofjeshuis striemde. Haar kat Moriarty dribbelde telkens naar het kattenluikje, stak één pootje naar buiten en trok zich daarna weer terug in zijn knusse mand. Op dit moment keek hij Grace verwijtend aan, alsof zij op de een of andere manier voor het rotweer verantwoordelijk was.

Vandaag zat Grace thuis te werken. Ze had Miles ervan weten te overtuigen dat ze rust nodig had om haar stuk te schrijven over de Jonesbruiloft, maar verder dan de titel – STRALENDE DAG VOOR GLAMOURBRUILOFT – was ze niet gekomen. Eigenlijk voelde ze zich afschuwelijk. In feite was ze gedumpt, en nog wel op de meest onelegante en vernederende manier die er bestond: per sms! Gisterochtend waren er op kantoor al belletjes gaan rinkelen toen Gerald, de theatercriticus, haar zijn nieuwste roddel had verteld. Gerald was een oude nicht met golvende zilveren haren, een verbazingwekkende verzameling Savile Row-pakken en een tong zo scherp dat je er glas mee kon snijden.

'Tjonge jonge,' had hij haar toevertrouwd. 'Je raadt nooit wie ik gisteravond in het Adelphi heb gezien.'

'Wie?' had ze nieuwsgierig gevraagd. Geralds roddels waren meestal zeer de moeite waard.

'Munroe in hoogsteigen persoon, die naast Paige Richardson zat.' Gerald had gestraald van trots.

'Munroe? Welke Munroe?' had Grace gevraagd.

'Onze geachte eigenaar McKenzie Munroe, slome.' Gerald had ostentatief zijn ogen ten hemel geslagen. 'Onze zeer getróúwde eigenaar met een tweeëntwintigjarig weermeisje maar liefst.'

Grace had een brok in haar keel gekregen en had amper een woord kunnen uitbrengen. Háár McKenzie met die stomme weermuts Paige Richardson? Dat sloeg nergens op. McKenzie hield van intelligente vrouwen. Hij zei dat hij zich daardoor juist tot Grace aangetrokken voelde. Paige Richardson was een onbenullige bimbo die wild stond te gebaren voor een weerkaart in een of ander waardeloos ochtendprogramma op tv. Dit moest haast wel een vergissing zijn.

'Ik kan me niet voorstellen dat er iets tussen hen is,' had ze tegen Gerald gezegd, terwijl ze wanhopig probeerde te kalmeren. 'Er is vast een verklaring voor. Hij is getrouwd.'

'Ach ja, en we weten natuurlijk allemaal dat getrouwde mannen immuun zijn voor de zoete bekoring van aantrekkelijke weerdeernen, nietwaar?' had Gerald smalend gezegd. 'Nee, het was allesbehalve onschuldig. In de pauze zag ik zijn hand op haar billen.'

Gerald had zijn ogen opengesperd en geknikt om zijn roddel als feit te bevestigen. Grace had moeizaam geslikt en haar tranen bedwongen. Met haar was McKenzie nooit naar het theater geweest. Met haar had hij zich nooit in het openbaar vertoond. Zelfs vorige week nog op Jasmines bruiloft had hij haar genegeerd 'voor het geval dat' iemand argwaan zou krijgen. Trouwens, Paige Richardson was ook op de bruiloft geweest. Grace herinnerde zich dat ze haar had zien zitten in een afgrijselijk wit geval met tierelantijntjes. Iedereen weet dat je niet in het wit naar een trouwerij gaat, tenzij je de bruid bent. Het was haar opgevallen, omdat het zo'n schoolmeisjesblunder was, zelfs voor een eenvoudig weermeisje.

'Wat zou hij in vredesnaam in haar zien?' had ze zichzelf horen afvragen.

'Pardon?' Gerald had haar aangekeken met een blik van: ben je soms gek geworden? 'Wat zou hij in háár zien?' had hij gesputterd. 'Wat zou zij in hém zien, bedoel je toch zeker? Kun je je iets afgrijselijkers voorstellen dan een dekbed met McKenzie Munroe te moeten delen?'

Daarna had Gerald gedaan alsof hij moest overgeven, terwijl Grace met gloeiende wangen naar haar schoenen had gekeken.

'De man is een akelige, knaagdierachtige creatuur die uit zijn mond riekt. Neem dat maar van mij aan,' had Gerald gezegd. 'Vorig jaar moest ik naast hem zitten tijdens de awarduitreiking van de Press Association. Nou, ik zou nog liever met háár naar bed gaan dan met hem, en ik heb al sinds 1967 geen vrouw meer aangeraakt. Een roodharige genaamd Janet Evans, als het je interesseert. Ze besprong me zowat achter de ballentent op de dorpskermis. Ik was veertien. Ik geloof dat ik er toen achter kwam dat ik... Enfin, liever, laat mijn naam er uiteraard maar buiten wat betreft die hele Munroekwestie. Dit verhaal zal vast niet in druk verschijnen. O, wat een macht als men de media in zijn zak heeft. Dan zou men precies kunnen doen wat men wilde zonder ooit de gevolgen te hoeven aanvaarden. Ta-daa!'

En met die woorden was Gerald naar de lift getrippeld. Grace was blijven staan met bonzend hart in haar ingestorte wereld. Welke man bedroog er nu zijn maîtresse? Het soort man dat in eerste instantie al zijn vrouw bedroog natuurlijk! Jezus, dit had ze toch op haar vingers kunnen natellen. Wat een sukkel. Wat was ze een ontzettende, goedgelovige sukkel geweest.

Toen ze weer aan haar bureau zat, merkte ze dat ze een sms'je op haar Black-Berry had gemist. Het was van McKenzie.

Wrdt tog nix. Wil r n . 8r zz. Dnk & mzzl, M.

Hij had niet eens het fatsoen om te bellen. Grace vroeg zich af of hij dat stomme sms'je door zijn secretaresse had laten versturen. Ze zag McKenzie niet zo snel sms-taal gebruiken.

Zodoende zat ze vandaag thuis te werken. Weg van Gerald en zijn roddels, van Miles en zijn onredelijke eisen, van het werk en weg van het gebouw en de krant die van McKenzie Munroe waren. Ze dagdroomde dat ze haar baan had opgezegd. Ze kon haar hofjeshuis verkopen. Highgate was een gewilde locatie. De koopprijzen waren verviervoudigd sinds ze haar huis tien jaar geleden had gekocht. Als ze het nu op de markt zette, zou ze een flinke winst maken. Dan kon ze ergens op het platteland een cottage kopen. In Dorset was het mooi. Ze hield van de stranden daar en Londen was niet al te ver weg als ze naar Selfridges snakte. Met het geld dat ze overhield kon ze een comfortabel leven leiden. Ze zou nog een paar katten erbij kunnen nemen. Het boek schrijven dat ze in haar hoofd had en mannen helemaal vergeten. Een paar weken geleden had ze op een boekenfestival een literair agent leren kennen. Ze hadden hun nummers uitgewisseld. Misschien kon ze haar bellen...

De telefoon ging. Grace dwong haar gedachten terug naar de werkelijkheid en keek op het schermpje naar het nummer. Blaine Edwards. Wat moest die vette kwal verdomme van haar?

'Hallo Blaine,' zei ze, toen ze met tegenzin toch maar opnam. Ze kon hem niet negeren. Blaine zou een verhaal voor haar hebben en voorlopig had ze nog steeds haar baan.

'Grace, mijn schoonheid,' bulderde Blaine door de telefoon. 'Heb ik me daar een geweldige primeur voor je! Ik ga je carrière maken!'

Inwendig kreunde ze. Blaine beloofde altijd van alles. Vandaag was ze er echt niet voor in de stemming. Vandaag kon haar carrière haar geen fluit schelen.

'Waar gaat het om?' vroeg ze, niet bepaald overlopend van enthousiasme.

'Nou, je mag best een beetje opgewonden klinken,' zei Blaine. 'Hier zul je steil van achteroverslaan. Maar ik verklap het alleen als je lief belooft dat je oom Blaine dankbaar zult zijn.'

Grace zuchtte. 'Ik ben je eeuwig dankbaar voor alle primeurs die je me hebt gegeven, oom Blaine. Vertel nou maar wat er aan de hand is.'

'Er zit niet alleen een artikel in.' Blaines stem sloeg over van opwinding. 'Ik heb ook exclusieve plaatjes.'

Bij het horen van de woorden 'exclusieve' en 'plaatjes' spitste Grace haar oren. Plaatjes waren goed nieuws. Plaatjes betekende bewijs en bewijs betekende geen risico van een rechtszaak.

'Hoe weet je dat ze exclusief zijn?' vroeg ze.

'Omdat ik ze met mijn eigen handen heb gekiekt, mijn beste Grace,' antwoordde hij zelfvoldaan. 'De enige in de hele wereld die hier iets van weet, ben ik.'

'Oké, ik ben benieuwd. Vertel op.'

Blaine slaakte een gilletje van plezier. Hij klonk als een big die een kliekje toegeworpen krijgt. 'Ik weet niet eens waar ik moet begínnen.'

'Nou, doe je best. Ik heb niet de hele dag de tijd.'

'Oké. Nou, ik was op de JimJazzbruiloft...'

'Blaine, de halve wereld was op die bruiloft. Ik ben er zelf ook bij geweest. Wat zou je in vredesnaam hebben kunnen opgesnord wat wij allemaal hebben gemist?'

'Ik heb het knapste staaltje onvervalste smeerlapperij van glamourland opgesnord sinds Hugh Grant op de Sunset Strip met zijn broek omlaag werd betrapt. Echt, zo goed is het.'

'Oké, vertel op,' zei Grace.

'Nou, aan het eind van de avond maak ik bij maanlicht even een ommetje door de tuin en stuit toevallig op een koppeltje dat in het prieeltje flink met elkaar bezig is...'

'Hm-m.'

'Hij heeft zijn broek op zijn enkels, zij heeft haar jurk tot haar middel opgetrokken en hij ramt er vrolijk op los en...'

'Ik heb het door,' zei Grace. 'Wie waren het?'

'Ben je er klaar voor?' plaagde hij.

'Ik ben nog nooit ergens zó klaar voor geweest.'

'Het waren – shit, ik ben zo opgewonden dat ik je dit ga vertellen...'

'Vertel het nou maar gewoon, verdomme!'

'Het waren Brett Rose en het zusje van Jasmine. Dat jonge, donkere grietje. Dat bruidsmeisje.'

'O, jezus christus!' Grace was met stomheid geslagen.

'Is dat niet geweldig?' giechelde Blaine.

Grace zweeg even terwijl ze de betekenis van het verhaal tot zich liet doordringen. Om de een of andere reden was Bretts arme vrouw de eerste die in haar gedachten opkwam.

'Niet als je Lila Rose bent,' antwoordde ze.

Shit, dit was echt een enorme primeur. Ze had al vaker geruchten gehoord over het gedrag van Brett Rose, maar niets wat in het publieke domein lag. Geen van zijn vermeende veroveringen had uit de school geklapt en zijn advocaten waren de beste van Los Angeles. Geen enkele krant had ooit zelfs maar een hint van een gerucht over zijn overspeligheid durven publiceren. Ze dacht aan haar interview met Lila Rose en herinnerde zich de broze indruk die de actrice leek te maken. Daarna bedacht ze hoe ze zich gisteren zelf had gevoeld toen Gerald haar over McKenzies verhouding had verteld. Ze kon zich geen voorstelling maken van het verdriet dat dit artikel die arme Lila zou bezorgen. De vrouw was al tien jaar getrouwd. Ze hadden kinderen. Dit verhaal zou haar leven verwoesten.

'Ik kan het niet,' zei ze ten slotte met tegenzin.

'Wát zeg je?' gilde Blaine ongelovig. 'Maar dit is het ultieme voorpagina-nieuws, Grace. Zo'n kans krijg je nooit meer. Ik bied je een wereldprimeur met foto's. Foto's terwijl ze bezig zijn. Heb je je verstand verloren? Heb je soms een journalistieke doodswens of zo? Ik had hiermee naar wie dan ook kunnen gaan, maar ik dacht dat jij het op prijs zou kunnen stellen. Ik dacht dat jij de beste was.'

Grace beet op haar lip en staarde naar de regen buiten. Elke vezel van haar professionele wezen snakte naar deze primeur, maar iets anders diep vanbin-nen, iets barmhartigs en goeds wat al jaren had liggen sluimeren, zei haar dat ze het niet moest doen. Het was alsof ze een knopje in haar brein had omge-draaid. Een moment van inzicht. Een openbaring zelfs!

'Nee Blaine,' herhaalde ze, deze keer resoluut. 'Ik kan het niet.'

'Waarom niet, verdomme?' brieste Blaine. 'Ik heb alle bewijzen die je nodig hebt.'

'Het is niet dat ik je niet geloof,' probeerde ze uit te leggen. 'Het is alleen dat ik Lila Rose heb ontmoet en ik wil niet op mijn geweten hebben dat haar leven wordt verwoest. Ik zou niet meer met mezelf kunnen leven, Blaine.'

'Godverdomme mens, je hebt echt je verstand verloren. Je bent verdomme niet goed wijs!'

'Bovendien was ik ook op de bruiloft, op uitnodiging van Jasmine,' vervolg-de ze. 'Kun je je voorstellen hoe ellendig ze zich zal voelen als dit bekend wordt? Ze kent Lila. En we hebben het hier wel over haar kleine zusje.'

'Precies!' schreeuwde Blaine vertwijfeld. 'Daarom is het juist zo geweldig. Het is verrukkelijk incestueus en er zijn ook nog eens celebs van alle rangen en standen bij betrokken. Een trans-Atlantisch verhaal van Hollywood in Californië tot de nachtclub Hollywood in Essex. Het gaat over liefde – of in elk geval seks – die dwars door de grote sociale tweedeling heen loopt. Het is ver-domme de perfecte primeur.'

Grace wreef met haar hand over haar voorhoofd. Wat deed ze zichzelf aan? Dit was de grote klapper, waarop ze al die tijd had gehoopt. Een promotie was al zo goed als zeker. Waarom liet ze die kans schieten? Maar iets vanbinnen was sterker dan haar ambitie.

'Ik doe het niet,' zei ze vastberaden.

'Grace, die lui zijn je vrienden niet. Het is jouw taak niet om je druk te maken over hun gevoelens. Het is jouw taak om het publiek te vertellen wat ze uitspoken.'

'En ik dacht dat het jouw taak was om voor Jasmine te zorgen,' merkte

Grace vinnig op. 'Voor haar is dit niet bepaald goed nieuws, lijkt me.'

'O Grace, Grace, Grace toch...' Blaine klonk alsof hij diep teleurgesteld in haar was. 'Ik had je verstandiger ingeschat. Het is niet mijn taak om voor Jasmine te zorgen. Het is mijn taak om voor publiciteit voor Jasmine te zorgen. Dat is een groot verschil. De enige voor wie ik moet zorgen is de heer Blaine Edwards. En dat, mijn lieve schat, is precies waar ik mee bezig ben.'

'Dat snap ik. Je doet gewoon je werk. Maar wat mij betreft blijft het antwoord nee.'

'Miles vermoordt je.' Hij zei het met een treiterige ondertoon. 'Als ik hiermee naar een van je concurrenten ga, vlieg je eruit.'

'Daarvan ben ik me terdege bewust,' zei ze met een matte stem.

'Wat is er toch, Grace? Heb je soms een zenuwinzinking of zo?'

Grace glimlachte bij zichzelf. 'Nee. Misschien ben ik eindelijk bij mijn volle verstand.'

'Nou ja, je moet het zelf weten.' Hij deed geen moeite meer om haar over te halen. 'Maar reken maar dat je zondagochtend bij je ontbijt van dit ongelofelijke artikel over smeerlapperij in glamourland kunt smullen. Niemand zal het afwijzen.'

'Dat weet ik. Ik zie je wel weer, Blaine.'

'Dat betwijfel ik,' reageerde hij. 'Jij kunt het verder wel schudden, meisje. Jouw carrière is voorbij. He-le-maal voorbij!'

Grace hing op en staarde een hele poos naar haar lege computerscherm. Toen verplaatste ze het artikel over de glamourbruiloft naar de prullenbak en opende ze een nieuw document. Opslaan als...

Ontslagbrief, typte ze.

Het werd tijd om met een schone lei te beginnen. Tijdens het typen was het alsof er een last van haar schouders was gevallen. Jezus, ze had het nauwelijks zien aankomen, maar nu was het zover: haar carrière was voorbij. Het was natuurlijk waanzin wat ze deed, maar het gaf haar ook een goed gevoel en het was zelfs bevrijdend. Ze was bevrijd van Miles, McKenzie en figuren als Blaine Edwards en van het schuldgevoel waarmee ze al die jaren had rondgelopen. Pas nu besefte ze dat het altijd op de achtergrond aanwezig was geweest, knagend aan haar geweten, terwijl ze zichzelf wijsmaakte dat het prima was om de kost te verdienen met de schunnigheid van anderen. Nu werd alles pas duidelijk. Het was niet 'prima'. Integendeel. Voortaan zou ze alles anders aanpakken.

Om te beginnen zou ze Jasmine Jones waarschuwen voor het artikel. Misschien kon Jasmine Lila inlichten. Het was ongetwijfeld beter voor het arme mens als ze het nieuws over de uitspatting van haar man niet zondagochtend bij haar schuimomelet hoefde te slikken. Het zou niet meevallen om Jasmine te pakken te krijgen, omdat Blaine haar manager was. Maar Grace had haar contacten. In de ochtendbladen hadden foto's gestaan van het glamourmodel tijdens haar wittebroodsweken op de Seychellen. Grace kende een van fotografen die de plaatjes had geschoten. In het verleden hadden ze weleens samen aan een reportage gewerkt. Ze belde naar zijn mobieltje.

'Jeff? Met Grace Melrose,' zei ze. 'Ik wil je een gunst vragen. Heb je toevallig het nummer van het hotel waar Jasmine en Jimmy Jones zitten?'

'Jazeker,' antwoordde hij gniffelend. 'Ik kijk er op dit moment zo tegenaan. Jimmy en Jasmine gaan net wulps doen in de whirlpool... Momentje, laat me even dit plaatje schieten... Ben je er nog, Grace? Tuurlijk. Ik stuur je het nummer meteen per sms. Doei.'

Grace belde het Paradise Island Resort and Spa en liet de boodschap achter voor Jasmine dat ze haar moest terugbellen, al had ze weinig hoop dat ze zou reageren. Waarom zou de vrouw een roddeljournalist terugbellen?

Daarna richtte ze haar aandacht op het opsporen van Maxine de la Fallaise. Ze was goed bevriend met Lila, wist Grace. Carlos Russo was een bijzonder teruggetrokken man, en het telefoonnummer van het Spaanse huis dat hij met Maxine deelde was niet te achterhalen. Maar Grace beschikte wel over het nummer van Cruise, Maxines drijvende nachtclub in Marbella.

'*Hola!* Cruise,' zei een Spaanse vrouw.

'O, hallo. Ik hoop dat u me kunt helpen,' begon Grace. 'Ik ben een vriendin van Maxine en ik vroeg me af of ze daar is. Ze neemt haar mobieltje niet op.' Liegen ging haar tegenwoordig makkelijk af.

'Haar mobieltje werkt niet, want ze zit in het vliegtuig naar Amerika,' was de reactie.

Kut! Weer een doodlopend spoor. Maxine was onderweg naar Amerika en Grace kon niet aan haar mobiele nummer komen. Er bleef nog maar één nummer over om te proberen.

'Hallo, is dat Peter?' vroeg ze zo beleefd mogelijk.

'Dat klopt,' klonk het antwoord. 'En met wie spreek ik?'

Grace had het nummer van Lila's personal assistant in haar BlackBerry opgeslagen. Hij had haar gebeld op de dag dat ze Lila ging interviewen en had verzuimd zijn nummerweergave te blokkeren. Op die manier had Grace al menig personal assistant en zelfs een paar celebrity's gesnapt. Haar adresboekje stond vol met nummers van A-sterren. Ze wist dat Peter meer was dan het gebruikelijke celebritysloofje. Lila en hij waren echt bevriend. Als iemand haar op zo'n artikel kon voorbereiden, was hij het wel.

'Peter, met Grace Melrose...' begon ze.

'Grace Melrose,' zei hij. Haar naam rolde moeizaam van zijn tong, alsof het een weerzinwekkende vloek was die hij liever niet wilde herhalen. 'Wat wilt u, verdomme? Hebt u enig idee wat u die arme Lila hebt aangedaan met dat artikel? Neem die smerige dictafoon van u maar en steek hem in uw gat, juffrouw!'

'Wacht,' smeekte Grace. 'Ik moet u iets vertellen. Ik probeer te helpen...'

Maar hij had al opgehangen. Toen ze Peters nummer nog een keer draaide, had hij zijn mobieltje uitgezet. Grace had geen nummers meer om te bellen. Mensenlevens verwoesten ging altijd heel makkelijk. Mensen helpen bleek een stuk moeilijker te zijn.

30

Jasmine en Jimmy zaten in de whirlpool champagne te nippen en naar de ondergaande zon in de Indische Oceaan te kijken. Jimmy had nonchalant zijn arm over Jasmines schouder geslagen en streelde haar tepel, terwijl ze onder water voetjevrijden. Jasmine was op het randje van geil.

'Jimmy!' gilde Jasmine. 'Dat kietelt. Hou op!'

Hij begon haar hals te kussen. 'Sorry, mevrouw Jones,' fluisterde hij.

'Geeft niet, meneer Jones,' giechelde ze. Het klonk nog steeds raar: mevrouw Jones. Mevrouw Jasmine Jones. Het zou wel even duren voordat ze eraan gewend was.

In hun kamer ging de telefoon en ze hoorden een stem die een bericht insprak op hun antwoordapparaat.

'Dit is de hotelreceptie. We hebben een boodschap voor mevrouw Jones. Grace Melrose heeft geprobeerd u te bereiken. Ze vraagt of u haar kunt terugbellen. Het is nogal dringend. Haar nummer is...'

'Brutaal klerewijf!' zei Jimmy. 'Hoe haalt ze het in haar klerekop om je hier te bellen?'

Jasmine haalde haar schouders op.

'Misschien kan ik haar beter terugbellen. Het zou iets belangrijks kunnen zijn.'

Ze wilde opstaan, maar Jimmy schudde zijn hoofd en trok haar weer het water in. 'Wanneer leer je het eindelijk, schatje?' vroeg hij. 'Ze wil alleen maar een citaat voor bij die stomme rotfoto's. Waarschijnlijk heeft Blaine haar zover gekregen. Smerige ku...'

'Jimmy!' Jasmine had een hekel aan het k-woord. Zelf gebruikte ze het nooit en ze kon het niet uitstaan als Jimmy het deed.

'Sorry liefje, maar die Blaine is een grote klootzak. Waarom hebben we eigenlijk het hotelpersoneel betaald om hun mond te houden als onze eigen manager de pers tipt? En waag het niet om dat klerewijf te bellen. Hoor je?'

Jasmine knikte. Jimmy had gelijk. Het was niet nodig dat ze ging bellen. Het enige wat ze nodig had was deze prachtige sterrenhemel, het warme bubbelbad en haar adembenemende kersverse echtgenoot. Eindelijk hadden ze rust, weg van de pers. Hier in de whirlpool konden de fotografen hen niet zien.

'Waar was ik ook alweer gebleven?' vroeg Jimmy, en hij kuste weer haar hals. Met zijn hand omvatte hij haar borst, terwijl ze haar been om het zijne sloeg, hun monden elkaar zochten en ze zich in hun omhelzing verloren. Hij trok de touwtjes los van haar bikinibroekje, dat naar de oppervlakte zweefde, waarna ze naakt in het water zat. Ze draaide zich om naar haar man en wilde op zijn schoot gaan zitten. Juist toen ze zich op hem wilde laten zakken, ging zijn mobieltje.

'Laat maar,' fluisterde ze zachtjes in zijn oor.

Hij hield haar een ogenblik op armlengte van zich af om het mobieltje te kunnen pakken, dat op de rand van whirlpool lag. Hij keek naar het nummer.

'Dit moet ik aannemen, schat,' mompelde hij.

Hij duwde haar opzij en stond op terwijl hij het water uit zijn haar schudde en uit de whirlpool stapte.

'Met mij,' zei hij op zachte toon tegen het mobieltje. 'Wat is er?'

Vervolgens liep hij blootsvoets de villa in tot buiten gehoorsafstand.

Zuchtend van frustratie ging Jasmine weer languit in de whirlpool liggen. Ze viste naar haar bikinibroekje en knoopte het weer vast. Wat mankeerde hem? Waarom moest hij zo nodig dat telefoontje beantwoorden? Waar gingen al die geheime gesprekken over? Met wie praatte hij? Ze staarde naar de donkere nacht. De sterren hadden hun magie verloren.

Er was bijna een uur verstreken toen Jimmy terugkwam, weer in de whirlpool stapte en wilde verdergaan waar hij was gebleven.

'Kom eens hier, schatje,' kirde hij, terwijl hij haar achter haar oor kuste en naar haar borsten graaide.

Ze sloeg zijn hand weg.

'Donder op, Jimmy,' zei ze. 'Ik ben geen machine die je aan en uit kunt zetten als je pet ernaar staat.'

'Ach, wees niet zo gauw gepikeerd. Het was even iets zakelijks, meer niet. Het kon niet wachten.'

'Maar ik zeker wel?' vroeg ze beledigd.

'Hé, niet zo geïrriteerd, mevrouw Jones,' zei hij plagerig. Hij wilde haar bikinibroekje weer losmaken.

'Ik meen het, Jimmy. Raak me niet aan. Ik ben niet in de stemming. Vertel me wat er met die telefoontjes aan de hand is. Ik ben nu je vrouw en ik heb er recht op te weten of je in de problemen zit of zo.'

'Jazz, het zijn gewoon voetbalzaken. Het gaat je niets aan.'

'Ik wil weten met wie je stond te bellen.'

'Nee!' snauwde hij. 'Het gaat je geen moer aan, hoor je? Kom nu maar hier. Ik dacht dat we ergens mee bezig waren.'

'Dat waren we ook, maar dat was een uur geleden. Voordat je zo nodig dat stomme telefoontje moest aannemen. Nu heb ik geen zin meer.'

'O, daar gaan we weer,' zei Jimmy met een ostentatieve zucht. 'Kleine opgeilster...'

Jasmine geloofde haar oren niet. Het was precies hetzelfde liedje. Vrijwel dezelfde ruzie die ze de week voor de bruiloft in Marbella hadden gehad. 'Jimmy, daar hebben we het al eens over gehad...' begon ze, maar hij was al uit de whirlpool geklommen en ging weer naar binnen.

Ze sprong eruit en liep achter hem aan. Op haar blote voeten gleed ze uit op de natte tegels. Jimmy stond zich af te drogen met een handdoek, trok zijn shorts en een T-shirt aan en smeerde wat gel in zijn haar.

'Wat doe je?' vroeg ze. 'Waar ga je naartoe?'

'Weg,' bitste hij. 'Ik ga naar de kroeg. Alleen. Weg van jou, vervelend klerewijf.'

Toen de deur dichtknalde, liet Jasmine zich luid snikkend op het bed vallen. Waarom deed hij dit? Hoe kon haar lieve, tedere Jimmy zo snel in dat beest veranderen? De rest van de avond bracht ze in haar eentje in bed door met kijken naar soaps op de plasma-tv en huilen in haar kussen. Het was niet de huwelijksreis waarop ze had gehoopt.

Veel later, toen Jimmy de villa binnen sloop, deed Jasmine alsof ze sliep. Met veel kabaal stommelde hij dronken rond. Toen hij zijn shorts uit wilde trekken, viel hij en toen hij in bed wilde klimmen, stootte hij zijn teen. Hoewel hij luid vloekte, hield Jasmine haar ogen stevig gesloten. De kamer stonk naar drank. Hij leek onmiddellijk in slaap te vallen zodra zijn hoofd het kussen raakte, maar Jasmine lag nog een hele poos wakker. Ze luisterde naar de krekels en voeg zich af of ze een vreselijke vergissing had begaan.

Maxine wist dat ze niet zo opgewonden zou moeten zijn over haar reisje naar Los Angeles. Carlos was stilletjes razend omdat ze ging. Het was duidelijk dat hij niet echt had geloofd dat ze haar koffer zou pakken, een taxi zou bestellen en naar de luchthaven zou gaan. Hij had amper van zijn boek opgekeken toen ze hem gedag had gezegd. Maar ze was vertrokken en nu zat ze hier, wegvluchtend naar Hollywood. Toen ze in haar eersteklasstoel achteruit ging liggen om op haar iPod naar de Red Hot Chili Peppers te luisteren en naar de Atlantische Oceaan onder zich te kijken, rook ze de vrijheid.

Diezelfde gewaarwording had ze ook gehad toen ze van kostschool was weggelopen. Ze herinnerde zich dat ze in haar eentje in zo'n ouderwetse coupé had gezeten. Nog gekleed in haar schooluniform had ze kauwgum kauwend naar Duran Duran geluisterd op haar Sony-walkman, terwijl de trein langzaam richting Londen was gegaan en onderweg bij elk dorpje was gestopt. Ze wist toen, net zoals ze nu besefte, dat ze op een gegeven moment de gevolgen onder ogen moest zien. Maar nu nog niet.

De reis was altijd het leukste gedeelte. Er ging niets boven de verrukkelijke ervaring van de voorpret. Wie wist welke gevaren er in het verschiet lagen. Ze ging ergens naartoe waar ze niet naartoe zou moeten gaan, ze deed wat haar was verboden. Ze hield zich niet aan de regels. Wanneer werd ze eindelijk volwassen? In haar oren klonk 'Californication'. Ze nipte aan haar koele witte wijn en glimlachte. Voorlopig nog niet. Misschien wel nooit.

Het was de laatste nacht van hun huwelijksreis. In een dubbele hangmat die tussen twee palmbomen op het strand hing, wiegden Jasmine en Jimmy zachtjes heen en weer. Hun benen waren comfortabel ineengestrengeld. Jasmines hoofd lag op Jimmy's borst terwijl hij haar haren streelde. Alle ruzies waren vergeten. De laatste paar dagen waren idyllisch geweest. De paparazzi waren achter een of ander Hollywoodschandaal aan gegaan en het jonge stel had urenlang ongestoord kunnen luieren in de zon en dromen over hun toekomst.

'Ik vind Destiny leuk voor een meisje,' zei Jimmy.

Jasmine trok haar neus op. 'Nee, ik heb ooit een stripper gekend die Destiny heette,' zei ze. 'Bovendien hou ik meer van ouderwetse namen: Olivia, Amelia, Sophia, zoiets.'

'Een beetje bekakt,' vond Jimmy. 'Maar waarschijnlijk zullen onze kinderen ook een beetje bekakt worden, denk je niet? We kunnen klasse voor ze kopen. We kunnen ze naar de beste scholen sturen en ze de beste kindermeisjes geven. Ze kunnen gaan paardrijden. Desnoods pianospelen, godverdomme! Krankzinnig, hè? Je verdient een paar centen en opeens kun je de toekomst veranderen. Ik had nooit van mijn leven gedacht dat ik mijn kids nog eens zo'n leven zou kunnen geven.'

'Ik ook niet,' stemde Jasmine in. 'Eigenlijk is het een hele verantwoordelijkheid. Wij hebben de macht om ze goed op weg te helpen in hun leven, maar we zouden het nog steeds kunnen verprutsen. Dat je geld hebt, wil niet zeggen dat je er geen puinzooi van kunt maken.'

'Nee, maar het helpt wel,' zei Jimmy.

'Het is niet alleen een kwestie van armoede wegnemen,' vervolgde Jasmine. 'Ook de leugens, het geweld en de haat.'

Jimmy knikte ernstig. 'Daar weet ik alles van. Ik zal nooit zo worden als mijn vader,' beloofde hij.

'Ik weet niet eens of ik op mijn echte vader lijk,' verzuchtte ze. 'Of op mijn moeder...'

'Wil je ze gaan zoeken?' vroeg hij. 'Ik wil best een privédetective betalen, als je dat wilt...'

Het was een zachte, zwoele avond, maar toch rilde Jasmine. 'Ik weet het niet, schat,' antwoordde ze. 'Daar denk ik de hele tijd aan, maar stel dat ze heel anders zijn dan ik verwacht?'

'Wat verwacht je dan?'

'Niets bijzonders. Gewoon iets beters dan de Hillmans, denk ik.'

Jimmy lachte. 'Neem maar van mij aan dat iedereen beter is dan de Hillmans, Jazz.'

Ze glimlachte. 'Tja, dat zal wel.'

'En?'

'En wat?'

'Doe je het? Ga je op zoek naar je familie als we thuis zijn?'

'Misschien,' antwoordde ze zachtjes. 'In ieder geval voordat ik kinderen heb. Ik wil graag dat mijn kinderen weten wie hun grootouders zijn. Ik wil ze graag zowel een verleden als een toekomst geven.'

Jimmy drukte haar steviger tegen zich aan en ze vlijde zich tegen zijn warme, gladde borst aan. Hij kuste haar op haar kruin en ze slaakte een zuchtje van tevredenheid. Ze bofte maar dat ze hier met deze man in dit paradijs was. Ze hoorde de kabbelende golven over het strand spoelen, de krekel die sjirpte, Jimmy's adem op haar wang... en ergens in de verte een mobieltje.

Met een ruk ging Jimmy rechtop zitten. 'Dat is voor mij,' zei hij. 'Shit, ik heb hem in de villa laten liggen. Ik moet hem even halen.'

Jasmine ging ook rechtop zitten. Ze geloofde haar oren niet. 'Als je het maar laat, verdorie,' waarschuwde ze. 'Dit is de laatste nacht van onze huwelijksreis, Jimmy. Ik pik het niet als jij de hele avond aan de telefoon hangt.'

'Het spijt me, schat,' zei Jimmy, terwijl hij haastig uit de hangmat kroop. 'Maar ik kan echt niet anders. Ik moet dat gesprek aannemen.'

Daarna holde hij vanaf het strand met twee treden tegelijk de houten trap op en verdween in de donkere nacht.

Deze keer huilde ze niet. Hier had ze geen tranen meer voor. Ze was gewoon ziedend en stoof de trap op achter haar man aan. Ze vond hem zittend op de rand van het bed, waar hij aandachtig naar zijn iPhone zat te luisteren.

'Geef dat ding hier,' beval ze.

Jimmy schudde zijn hoofd, stond op en liep de achtertuin in.

Weer ging ze achter hem aan. 'Jimmy Jones,' zei ze, steeds luider. 'Als je me dat rotmobieltje niet geeft, steek ik hem in je...'

Razendsnel draaide Jimmy zich naar haar toe, en ze zag onmiddellijk dat het beest terug was. 'Flikker op,' fluisterde hij kwaad.

'Nee, nee, jij niet,' stamelde hij tegen het mobieltje. 'Ik probeer alleen dat vrouwmens van me af te schudden.'

Jasmine werd witheet. Hoe durfde hij zo over haar te praten? Deze keer was hij echt te ver gegaan en ze had er schoon genoeg van. Met al haar kracht viel ze naar hem uit en peuterde het mobieltje uit zijn hand. Hij wilde het terug-grissen, waarna ze een ogenblik in een armworsteling verstrengeld stonden. Opeens schoot het mobieltje los. In slow motion vloog het door de lucht, ter-wijl Jimmy en Jasmine hun armen uitstrekten om het te vangen. Jimmy raak-te het met zijn vingers, waarop hij weer de lucht in kaatste. Jasmine sloeg ernaar, maar miste. Jimmy's mond viel open van ontzetting toen hij het mobieltje met een boog voorbij zag vliegen. Als een doelman stortte hij zich erop en bijna kreeg hij het in zijn vingers, maar, nee, het was te laat. Plons! Zijn geliefde iPhone kwam in de whirlpool terecht.

Een minuut lang bleef het stil, terwijl ze samen naar het borrelende water keken. Jasmine giechelde zenuwachtig. Het was toch grappig, of niet soms? Dat zou Jimmy zelf vast ook inzien.

Langzaam, heel langzaam, draaide hij zich naar haar toe en ze zag meteen dat ze een vreselijke vergissing had begaan. Zijn ogen bliksemden van woede. 'Wat heb je nou gedaan, stomme muts?' beet hij haar toe. Hij kwam een stap dichterbij.

'Jemig, het is maar een mobieltje, Jimmy,' giechelde ze weer. Waarom giechelde ze? Dit was niet leuk meer. Hij maakte haar bang.

'Het gaat niet om het mobieltje,' antwoordde hij kil. 'Het gaat om de persoon die ik aan de lijn had. Hij denkt dat ik heb opgehangen. Hij is niet het soort man bij wie je ophangt! Godverdomme, Jasmine. Wat heb je nou weer voor klotestreek uitgehaald?'

'Maar je wilde niet zeggen wie je aan de lijn had. Hoe kon ik nou weten dat het zó belangrijk was?'

Jimmy's neus lag bijna tegen die van Jasmine aan toen hij dreigend antwoordde: 'Dat gaat je geen ene moer aan. Dat hoef jij helemaal niet te weten. Je bent mijn vrouw, niet mijn oppasser, verdomme.'

Heel even bleven ze zo staan, met vlammende ogen en met hun warme adem in elkaars gezicht. Toen draaide Jimmy zich om en liep weg.

'Ik ga naar binnen om hem met de vaste telefoon terug te bellen. Als je weet wat goed voor je is, blijf je hier buiten, waar je me niet voor de voeten loopt, zodat ik mijn zaken kan afhandelen,' waarschuwde hij.

Jasmine ging op de rand van de whirlpool zitten en dacht diep na. Haar hart bonsde en het bloed kolkte door haar lichaam. Ze voelde zich van haar stuk gebracht, maar ze huilde nog steeds niet. Daar was ze veel te kwaad voor. Wat moest ze nu beginnen? Zou ze hier buiten blijven zoals hij had bevolen? Waarom? Waarom zou ze? Hij had het recht niet om haar zo te behandelen. Ze was geen slappeling. Ze was geen hondje dat zich op haar rug liet vallen en deed alsof ze dood was wanneer hij dat verlangde. Dit was haar huwelijk, haar huwelijksreis, haar leven. Ze besloot dat het tijd werd om stelling te nemen. Als ze dit slikte, zou hij verwachten dat ze voortaan alles van hem pikte. Nee Jimmy, zo zijn we niet getrouwd.

Vastberaden stapte ze de villa binnen. Jimmy keek op en zijn hand zweefde boven de telefoon. Hij kneep zijn ogen tot spleetjes.

'Ga naar buiten.' Zijn stem klonk vreemd. Laag en gespannen, helemaal niet als Jimmy.

Maar ze hield voet bij stuk. 'Nee,' zei ze, zo dapper als ze kon. 'Jouw telefoontje kan wel wachten. Dit is de laatste nacht van onze huwelijksreis en ik wil dat we die samen doorbrengen. Gezellig en romantisch.'

Nu moest Jimmy lachen, maar zonder vrolijkheid. Hij klonk als een slechterik uit een horrorfilm.

'O, je wilt romantisch doen, hè?' vroeg hij. 'Dacht je niet dat het daar al te laat voor is, lieveling?' De manier waarop hij 'lieveling' zei was allesbehalve teder.

'Oké, het spijt me dat je mobieltje kapot is, maar kunnen we dat alsjeblieft vergeten? Laten we nou maar gewoon naar de bar gaan om iets te drinken en onze laatste avond in het paradijs te vieren...'

Jimmy ging staan.

'Jasmine, dit is de laatste keer: ga weg. Flikker eindelijk op! Hoor je? Laat me met rust, vervelende muts!'

'Nee,' zei Jasmine opstandig, vanuit de deuropening. 'En waag het niet om die toon tegen me aan te slaan, Jimmy Jones. Ik wil dat je je excuses aanbiedt.'

'"Ik wil dat je je excuses aanbiedt!"' aapte hij haar onheilspellend na. 'Ze wil dat ik godverdomme mijn excuses aanbied!'

En toen sloegen opeens de stoppen door.

'Ik zál je mijn excuses aanbieden,' beloofde hij, waarna hij op haar af stormde en haar bij haar nekvel greep. Ze hoorde de stof van haar dunne zomerjurk scheuren toen hij haar optilde en op het bed smakte.

Zijn gezicht was vuurrood aangelopen en de aderen in zijn hals en op zijn voorhoofd waren opgezet. Toen ze hem zijn hand zag optillen, wist ze wat er zou gebeuren. Ze begreep plotseling dat ze inderdaad een vreselijke vergissing had begaan, maar het was al veel te laat.

De eerste klap raakte haar rechterwang. De tweede kwam op haar linkerwenkbrauw terecht. De derde was in haar maag, en daarna schakelde ze haar gevoel helemaal uit. Ze liet haar gedachten afwalen naar het droomplekje waar ze als kind altijd naartoe was gevlucht als ze door haar moeder werd geslagen. Of als Terry dronken thuiskwam en hij Cynthia niet kon vinden om zijn frustratie op af te reageren. Dan was Jasmine ook altijd goed. Ze was jarenlang door de hele familie als boksbal gebruikt. Zelfs haar broers hadden het af en toe niet kunnen laten. En later waren er natuurlijk nog de anderen geweest...

Ze had lang geleden geleerd zich van de pijn af te schermen. Het was alsof ze van een veilige afstand naar zichzelf keek terwijl ze in elkaar geslagen werd. Alleen was het deze keer haar lieve Jimmy die haar afranselde, en dat zag er helemaal verkeerd uit.

Lichamelijk kon hij haar niets ergers aandoen dan wat de anderen al hadden gedaan. Maar geestelijk? Emotioneel? Dit waren kneuzingen die nooit zouden genezen. Hij was haar hoop voor de toekomst geweest, haar ontsnappingsmogelijkheid. Haar sprookjesprins die haar uit haar kerker had bevrijd en haar had meegenomen, een beter leven tegemoet.

Terwijl Jimmy's vuisten op haar in beukten, merkte ze dat haar dromen wegzweefden in de warme tropennacht. Ze probeerde ze vast te houden, maar ze fladderden buiten haar bereik en smolten weg totdat er niets meer van over was. Als ze nu in de toekomst keek, zag ze een afspiegeling van haar verleden. Vanavond was alles veranderd. Of misschien was alles nog precies hetzelfde gebleven.

Er druppelde bloed op haar witte Chloé-jurk, dat langs haar benen omlaag sijpelde en op haar Jimmy Choo-schoenen spatte. Haar diamanten Tiffany-verlovingsring fonkelde in het schemerige licht van de kamer, spottend met beloften die al waren gebroken. Ze had zoveel prachtige spullen. Ze had juwelen, jurken en designerhandtassen om de schande van haar afkomst te verhullen. Maar ze hield niemand voor de gek – vooral zichzelf niet. Jimmy sloeg haar nog een laatste keer op haar mond voordat hij de villa uit stormde. Nog nooit had Jasmine zich zo als een stuk goedkoop vlees gevoeld als toen ze daar lag, op de witte lakens vol bloedspetters.

31

Maxine had er een eeuwigheid over gedaan om te beslissen wat ze aan zou trekken. Intussen had ze het teruggebracht tot twee jurken die ze op haar bed had uitgespreid. Ze had een suite genomen in het Bel-Air Hotel in Hollywood Hills. Beneden stond al een uur een limo te wachten om haar naar Juans feest in het Chateau Marmont Hotel in West Hollywood te brengen, maar ze had nog steeds niet de knoop doorgehakt. Op dit feest zou het wemelen van de beeldschone, modieuze schepsels. De andere vrouwen hadden vast Rachel Zoe in hun snelkeuzemenu staan voor lastminute-modetips. Maxi was eraan gewend geraakt om met de vrouwen van Carlos' vrienden uit te gaan, die allemaal van middelbare leeftijd waren. Vanavond zou ze zware concurrentie krijgen en daarom moest ze zorgen dat ze er precies goed uitzag. Het moest meer 'heupbroek' dan 'kunstheup' zijn.

De Los Angeleslook viel niet mee. Je mocht niet de indruk wekken alsof je er te hard je best op had gedaan, maar tegelijkertijd was het essentieel dat je er onberispelijk uitzag. Evenals minimale make-up vergde deze schijnbare achteloosheid een urenlange voorbereiding. Met haar gebruikelijke uniform van benen, tieten en hakken zou ze het vanavond niet redden. Juan had op zijn nieuwste album samengewerkt met de hotste hiphop- en r&b-sterren. Die zouden er allemaal zijn in hun trainingsbroeken met hun gouden tanden en hun hoodies. Juan had zelf een voorkeur voor baggy designerjeans, gouden sieraden en sneakers. Maxi wilde er niet te oud uitzien, maar ook niet te ouderwets!

Uiteindelijk twijfelde ze tussen een feloranje Versace-jurkje en een superstrak zwart body-congevalletje. Voor de zevende keer probeerde ze de zwarte jurk. Haar fraaie rondingen kwamen er goed in uit en hij sloot aan bij de jarentachtig-retrostijl, maar zou ze dat wel doen? Was hij niet te zwart? En kon ze hem eventueel aan met sandalen in plaats van pumps? Ze vond van niet. Trouwens, ze had de jaren tachtig destijds al gedaan. Hield dat in dat ze zich er nu beter niet meer aan kon wagen?

Ze trok de ragfijne oranje Versace aan. Ja, dat was beter. Het jurkje was fris, jeugdig en sexy en stond bovendien fantastisch bij haar gouden gladiatorsandalen. Uiteraard was hij erg kort, maar haar tieten bleven voor de verandering bedekt. De halslijn was zelfs vrij hoog. Daarentegen was de rug zo laag dat haar bilnaad te zien was. En dat was het probleem. Zelfs haar hipster-string piepte boven de stof uit en een beha kon ze er met geen mogelijkheid bij aan. Dit jurkje kon je alleen zonder ondergoed dragen. Had ze het lef om in een jurk zonder ondergoed met een stel vreemden te gaan feesten? Voor de zoveelste keer bekeek ze zichzelf in de spiegel. De jurk was schitterend en ze had pas een Braziliaanse wax laten doen. Als ze per ongeluk te kijk liep, was ze tenminste goed verzorgd. Ze trok haar La Perla-onderbroek en -beha uit en smeet ze op de grond. Ze werkte haar haren bij, bracht nog een laatste keer lipgloss aan, raapte haar gouden enveloptasje op en toen was ze klaar om de deur uit te gaan.

Buiten het Chateau Marmont stonden ze tot halverwege de straat in de rij en enkele potige uitsmijters hielden de menigte in bedwang. De gastenlijst werd beheerd door een beeldschoon meisje met kortgeknipt witblond haar en een wenkbrauwpiercing. Normaal gesproken had Maxi geen last van zenuwen, vooral niet als het ging om toegang krijgen tot een feest. Meestal was zij juist degene die besliste wie er naar binnen mocht. Maar nu slikte ze onwillekeurig toen ze aarzelend langs de rij naar de ingang liep. Waarom had ze Brett niet gebeld? Hij was er vast ook. Het zou een stuk cooler zijn geweest om aan zijn arm naar binnen te gaan dan nu in haar eentje de eenzame catwalk af te lopen.

'Hé, wie is dat, verdomme?' zeurde iemand vooraan in de rij. 'Hoezo mag zij naar binnen? Ze is een nul.'

Het witblonde meisje kauwde haar kauwgum en nam Maxi ongeïnteresseerd op. 'Ja?' vroeg ze lijzig. 'En wie ben jij?'

'Maxine de la Fallaise,' antwoordde Maxi. Ze zwaaide haar haar naar achteren en ging rechtop staan. Ze was gewend aan stilettohakken. Ondanks haar ruim een meter tachtig voelde ze zich opeens klein in haar sandalen.

'Hebbes,' zei het meisje eindelijk, terwijl ze Maxi's naam op de lijst doorstreepte. 'Nou, ga maar naar binnen.'

Oef! Ze was langs de modepolitie bij de deur, nu hoefde ze alleen maar goed binnen te komen. Nadat ze door de hotellobby en een gang was gelopen, stond ze voor een witzijden gordijn. Erachter klonk dreunende muziek, gepraat en gelach. In Maxi's oren was het een bedwelmend geluid. Zonder zich te bedenken liep ze naar het gordijn en begaf ze zich in het feest, waar ze zich meteen thuis voelde.

Het feest was in volle gang. Actrices met glazige ogen stonden uitdagend te dansen, terwijl ruige jonge rocksterren hen vanuit hun nissen begerig bekeken. De tafels waren bezaaid met flessen Perrier-Jouët Belle Epoque (van duizend dollar per fles, wist Maxine). Ze ontdekte heel wat bekende gezichten. Sommige gasten had ze al eerder ontmoet, andere kende ze alleen uit tijdschriften of van het scherm.

Maxine bestelde een lychee martini en nam het tafereel in zich op. Juan was nergens te bekennen, maar wel zag ze Brett, die in een nis geperst zat met aan weerszijden van hem een jonge actrice. In hen herkende ze de zusjes Houston – kindsterretjes die onlangs naar pornofilms waren overgestapt. Om de schouders van elk Houstonzusje had hij een arm geslagen en hij lachte uitbundig om wat ze vertelden. Eerst vond Maxine het gedrag van de man van haar vriendin niet vreemd. Per slot van rekening ging het om Brett. De man leefde om te flirten. Ze wilde juist naar hem toe gaan om hallo te zeggen, toen ze stokstijf bleef staan.

Brett kuste het meisje links van hem, en beslist niet onschuldig. Hij had zijn tong diep in haar keel gestoken en zijn hand bevond zich duidelijk in haar jurk. Erger was dat hij met zijn andere hand tegelijkertijd haar zus streelde. Daarna wisselde hij van het ene Houstonzusje met het andere en begon haar te knuffelen. Zijn handen liet hij de hele tijd in de jurken van de meisjes zitten. Als aan de grond genageld stond Maxi op de dansvloer naar het tafereel te staren. Het jongste Houstonzusje klom ineens bij Brett op schoot, terwijl haar zus zachtjes in zijn oor beet. Die meiden deden blijkbaar alles samen! Het jongste zusje liet zich langs Bretts benen naar beneden glijden en verdween onder de tafel. Haar oudere zus lachte en stak haar tong weer in Bretts mond. Hij had zijn ogen gesloten en op zijn gezicht lag een blik van onvervalst genot. Maxine hoefde niet te raden wat er onder tafel gebeurde. Het liefst wilde ze regelrecht op hem afstappen en zijn gepolijste tanden uit zijn bek slaan. Hoe moest ze dit aan Lila uitleggen? Want ze moest het haar vertellen. Er zat niets anders op. Tenslotte was ze haar oudste vriendin.

Ze kreeg een vieze smaak in haar mond. Ze kon niet blijven en niets doen, maar ze kon ook niet blijven en een scène maken. In feite kon ze maar één ding doen. Ze sloeg haar martini achterover, draaide zich om en liep naar de deur. Ze wist niet eens zeker of Brett haar had zien kijken. Het was een hele onderneming geweest om hierheen te komen voor vijf minuten, maar ze kon echt niet in hetzelfde vertrek blijven als Brett Rose terwijl hij zich zo gedroeg. Ze kon er niet van op aan dat ze hem niet zou vermoorden!

Toen ze bijna bij het witte gordijn was, greep een stevige hand haar bij haar arm. Snel draaide ze zich om, in de verwachting dat ze Brett zou zien, maar in plaats daarvan stond ze tegenover Juan. Op zijn knappe gezicht verscheen een brede grijns en zijn grote bruine ogen (zijn vaders ogen) fonkelden van blijdschap.

'Maxine! Je bent er!' riep hij uit. Hij omhelsde haar hartelijk en kuste haar op beide wangen.

Ze was verrukt dat hij haar zo enthousiast verwelkomde. Hij leek oprecht ondersteboven te zijn dat ze de moeite had genomen om te komen. Misschien kon ze beter nog even blijven. Nog vijf minuten dan.

Juan tuurde over haar schouder. 'Waar is pa?' vroeg hij verbaasd.

Plotseling begreep ze waarom Juan zo blij was om haar te zien. Hij had verwacht dat ze met zijn vader was gekomen. Heel logisch! Wat stom dat ze dat niet eerder had beseft.

'Juan, het spijt me, maar hij kon niet komen,' zei ze verontschuldigend.

Hij haalde nonchalant zijn schouders op, maar ze kon merken dat hij teleurgesteld was. Ze wist hoe het voelde om door een vader in de steek te worden gelaten. Dat was haar zelf vaak genoeg overkomen.

'Hij had een andere afspraak. Hij heeft heel hard geprobeerd die te verzetten, maar je weet hoe het gaat. Hij zat in Spanje,' loog ze. 'Daarom vroeg hij of ik namens hem wilde gaan. Ik begrijp best dat je liever hem had gezien, maar stel je mij eens in een golfbroek voor...' Ze glimlachte onbeholpen. 'Kan ik ermee door?' vroeg ze hoopvol.

Juan grinnikte. 'Nou en of. Kom mee, dan stel ik je aan een paar mensen voor.'

Ze was opgelucht toen hij haar bij de hand nam en haar in de tegenovergestelde richting van Bretts tafel meevoerde.

Een paar lychee martini's later had ze Brett al bijna van zich af gezet. Die hufter kon wachten. Nu was het eerst tijd om zich te vermaken. Ze had veel nieuwe mensen leren kennen, veel nieuwe muziek gehoord en tussen neus en lippen door zelfs een paar nieuwe danspassen geleerd. Juan had een stel ruige vrienden. Drinken, feesten en dansen konden ze als de besten. Dat paste precies in haar straatje. Op dat moment werd Juans nieuwe track gedraaid en er steeg een grote juichkreet op. De hele zaal stroomde de dansvloer op en iedereen begon te heupwiegen.

Maxine voelde een hand rond haar middel glijden.

'Dans met me,' zei Juan. Het was eerder een uitdaging dan een uitnodiging. Zijn ogen boorden zich tot diep in haar ziel, net zoals die van zijn vader altijd deden. Haar hart bonsde in haar keel.

'Ja, leuk,' zei ze, en ze nam zijn hand.

'Je danst goed,' zei hij. Met die smeulende ogen van hem nam hij haar helemaal in zich op.

'Jij ook.'

Ze raakte in verwarring. Ze voelde zich volkomen op haar gemak terwijl ze met hem danste (ze leken spontaan in hetzelfde ritme te bewegen) en tegelijkertijd erg opgelaten. Was het verkeerd om met de zoon van je vriend te swingen?

Nu stond hij achter haar en hield haar heupen vast. Ze kon zijn blik bijna op haar kont voelen.

'Mijn ouwe is een grote mazzelaar,' fluisterde hij in haar oor.

'O ja?' Ze lachte.

Juan was onbeschaamd met haar aan het flirten. Het was heerlijk om door zo'n aantrekkelijke jonge vent te worden gevleid, maar ze was ook op haar hoede. Ze hoopte dat hij niet te ver zou gaan.

'Je bent veel te jong voor hem,' voegde hij eraan toe, waarna hij haar ronddraaide tot ze hem aankeek. Hij hield zijn hoofd een beetje scheef en zijn ogen fonkelden ondeugend.

'Wie zegt dat?'

'Dat zeg ik. Bovendien zal hij mijn moeder nooit in de steek laten. Je verspilt je tijd.'

Haar glimlach verstarde op haar gezicht. Dus dat zat erachter. Misschien was hij nog steeds het moederskindje dat hij volgens Carlos was.

'Laten we er maar over ophouden,' waarschuwde Maxi. 'Je houdt van je moeder. Dat is lief van je. Maar je hoeft niet het vuile werk voor haar op te knappen.'

Ze draaide hem de rug toe en liep de dansvloer af. Op een holletje kwam hij achter haar aan.

'Maxine! Maxine! Wacht!' riep hij. 'Je hebt me helemaal verkeerd begrepen,' zei hij. In een lege nis kwam hij naast haar zitten. 'Het kan me geen moer schelen of mijn ouders gaan scheiden. Ik ben volwassen. Ik ben mijn eigen baas. In mijn ogen zijn mijn ouders al heel lang niet meer getrouwd. Ik zeg niet dat je te jong voor mijn vader bent omdat ik wil dat hij weer naar mijn moeder teruggaat.'

'Waarom zei je het dan?'

'Omdat het waar is,' antwoordde hij grijnzend. 'Je bent veel te heet om je tijd te verspillen met een ouwe knakker als mijn vader. Dat is gewoon zonde!' Hij haalde zijn schouders op. 'Ik wilde je alleen een complimentje maken, meer niet.'

Maxi merkte dat ze een kleur kreeg. Een complimentje van de aantrekkelijkste, zwoelste vijfentwintigjarige spetter in de zaal. Nou, dat kon ze niet zomaar naast zich neerleggen.

'Sorry,' zei ze. 'En bedankt. Voor het compliment, bedoel ik.'

'Graag gedaan. Goh, ik geloof dat we onze eerste familieruzie hebben gehad. Nou, laten we het maar afzoenen, stiefmoedertje.'

Zijn ogen fonkelden weer, en toen hij zich naar haar toe boog om haar te kussen, moest ze haar hoofd opzij draaien om te voorkomen dat zijn lippen op de hare belandden. Jeetje, hij had wel lef, die knul! Ze wist niet wat ze ervan moest denken. Was hij echt met haar aan het flirten of zat hij haar alleen te stangen? Hoe dan ook, hij had haar bloeddruk flink omhoog gejaagd, zeker weten.

'Je moet nog iets drinken,' verklaarde Juan.

'O ja?' Maxine aarzelde. Ze was de tel kwijtgeraakt en wist niet hoeveel drankjes ze al ophad maar ze werd al een beetje doezelig.

Ze zag hem als een messias door de menigte glijden. Het was zijn feest en iedereen wilde hem aanraken. De kerels gaven hem een high five of sloegen met hun knokkels tegen elkaar, de vrouwen giechelden, glimlachten onnozel, wiebelden met hun tietjes en lieten hun tong over hun tanden glijden. Hij schonk iedereen een ogenblik van zijn tijd, maar niemand zijn onverdeelde aandacht.

Aan de bar kwam een actrice die Maxine herkende tegen hem aan schuren en fluisterde iets in zijn oor. Juan gooide zijn hoofd in zijn nek en schaterde het uit. Daarna streelde ze met haar vingers over zijn arm. Maxi kon Juans gezicht niet zien, maar ze keek ingespannen naar de vrouw, die nog steeds aan het woord was. Af en toe keek ze naar Juan op, terwijl ze over zijn huid bleef strelen. Maxi vroeg zich af of de actrice zijn vriendin was. Ze zagen er in elk geval intiem uit. De vrouw was achter hem gaan staan terwijl hij de drankjes bestelde. Ze sloeg haar armen om zijn middel en leunde met haar hoofd tegen zijn rug. Onthutst besefte Maxi dat de actrice duidelijk Juans vriendin was. Ze was mooi, jong en beroemd. Ze zag eruit als het juiste type. Juan en zij zouden een leuk stel vormen op het omslag van de *Rolling Stone*.

Plotseling voelde Maxine zich heel oud en heel stom. Ze was gezwicht voor de charmes van Carlos' zoon. Dat was helemaal verkeerd, en ze voelde zich schuldig. Het werd tijd om op te stappen. Ze pakte haar tasje van tafel en begaf zich naar de deur. In het voorbijgaan wierp ze een snelle blik op Brett. Hij was nog verstrengeld met de Houstonzusjes, maar deze keer keek hij op toen ze aan kwam lopen. Ze keek hem woest aan toen hij schrok en nog eens goed keek. Ze kon de radertjes in zijn hoofd zowat horen rondgaan terwijl hij bedacht wat ze hier kwam doen en wat ze misschien had gezien. Ze dacht dat ze hem haar naam hoorde roepen, maar ze liep straal langs hem heen naar de deur toe.

'Maxine!' riep een andere stem, maar veel harder.

Dat was Brett niet. Even aarzelde ze. Juan was achter haar aan gekomen. Wat had dat te betekenen? Ze bleef staan, hoewel ze wist dat ze gewoon naar buiten zou moeten lopen.

'Waar ga je naartoe?' vroeg hij. 'Ik heb een drankje voor je aan de bar.'

'Ik ben moe,' loog ze. 'En ik dacht dat je met je vriendin was.'

'Mijn vriendin?' Hij keek verbluft. 'Welke vriendin? Ik heb helemaal geen vriendin.'

'Maar dat meisje aan de bar...' Maxi voelde zich belachelijk terwijl ze het zei. Alsof ze hem liet merken hoe ze zich voelde... Hoe ze zich voelde? Jaloers? Jezus, deze hele situatie was krankzinnig. Ze was vast dronken.

'Dat is gewoon een oude vriendin,' zei Juan. 'Kom hier.' Hij hield zijn armen uitgestrekt.

'Ik weet het niet, Juan,' zei ze. 'Ik denk dat ik beter weg kan gaan. Ik denk dat we...'

Wat, vroeg ze zich af. Wat haalden ze zich op de hals?

'Toe nou, Maxine, dans nog een keer met me.'

Alleen al als ze hem aankeek werd ze draaierig. Hoe kon ze hem weerstaan? En opeens stonden ze weer op de dansvloer. Hij had zijn armen om haar heen geslagen en ze voelde zijn stevige, gespierde jonge lijf tegen haar aan duwen. Diep vanbinnen roerde zich een sterke drang: ze was een leeuwin die uit een diepe slaap ontwaakte. Ze duwde met haar lichaam ook tegen hem aan, snoof zijn bedwelmende geur op en verloor zich in zijn chocoladebruine ogen. Bij alle andere mannen met wie ze ooit had gedanst had ze nog nooit zo'n begeerte gevoeld. Met zijn hand liefkoosde hij haar blote rug en streek over haar bilnaad.

'Jezus, je hebt geen ondergoed aan, hè?' kreunde hij zachtjes in haar oor.

Het was alsof ze haar adem inhield nu ze wist dat Juan dezelfde gevoelens had. Ze geilden op elkaar. Jeetje, ze stonden in vuur en vlam. De muziek beukte in hun oren, hun heupen schuurden tegen elkaar en hun lippen streken langs elkaar maar zonder elkaar te raken.

'We moeten hier weg,' zei Juan met klem.

'Ik weet het,' reageerde ze.

Ze wisten allebei wat ze moesten doen. Eenmaal achter in een limo stak Juan zijn armen naar haar uit en kuste zij de jongen die de zoon van haar minnaar was. Ze besefte dat het verkeerd was, maar het voelde zo verdomde goed. Zodra ze bij zijn penthouse in Malibu aankwamen, gingen ze zoenend in de lift naar boven. Nog op de gang scheurden ze elkaar al de kleren van het lijf totdat ze allebei naakt waren en zij met haar rug tegen de muur stond. Ze verlangden zo hevig naar elkaar dat ze geen van beiden behoefte hadden aan een voorspel. Zonder omhaal gleed hij bij haar naar binnen, terwijl ze een kreetje van genot slaakte. Ze herinnerde zich opeens weer hoe echte wellust hoorde te voelen. Daarna vrijden ze even ritmisch met elkaar als ze hadden gedanst: als perfect op elkaar afgestemde partners. Toen ze ten slotte op precies hetzelfde moment hun hoogtepunt bereikten, dacht Maxine dat ze uit elkaar zou spatten van opluchting. Het was de vrijpartij van haar leven.

'Jezus, wat ben je mooi,' zei Juan nog buiten adem. 'Vanaf het eerste moment dat ik je zag, vond ik je de sexyste vrouw die ik ooit had gezien.'

'Echt waar?'

'Ja, nou. Ik kan niet geloven dat ik hier ben...'

Hij keek haar met zo'n oprechte bewondering aan dat Maxines hart smolt. Hij was zo'n beeldschone jongen. Hoe kon ze hem ooit hebben weerstaan?

Later vrijden ze weer, maar toen heel langzaam, waarbij ze alle tijd namen om elkaars lichaam verrukkelijk uitgebreid te verkennen. Het was zoveel beter dan de seks ooit met Carlos was geweest. Zoveel beter dan met wie ook. Onwillekeurig vroeg ze zich af hoe ze ooit nog met Carlos kon vrijen. Maar dat probleem was voor morgen. Vanavond was ze nog van Juan.

32

Jasmine kromp in elkaar toen het daglicht op haar opgezwollen ogen viel. De vorige nacht had ze bijna de hele tijd wakker gelegen terwijl ze zich afvroeg hoe het zover had kunnen komen. Ze zat erover in of Jimmy zou terugkomen, en hoe laat. Uiteindelijk was ze in een onrustige slaap gevallen vol nachtmerries. Nu was het ochtend. Jimmy's kant van het bruidsbed was leeg en in de villa was het stil. Hij was niet teruggekomen.

Stijfjes liep ze naar de badkamer. Haar maag deed zeer waar hij haar had gestompt. Haar armen, sleutelbeen en dijen zaten onder de blauwe plekken. Ze bekeek zichzelf in de spiegel. Een gehavend, gekweld gezicht keek terug. Ondanks haar zongebruinde huid zag ze er bleek uit. Haar rechterwang was opgezwollen en in haar linkerwenkbrauw zat een snee. Om haar beide ogen zaten donkere kringen en haar bovenlip hing aan flarden. Dus zo zag het huwelijk eruit... Het was geen fraai gezicht.

Jasmine voelde zich alleen maar moe. Al die jaren had ze gevochten om optimistisch te blijven ondanks alle ellende om haar heen. Maar gisteravond had Jimmy dat optimisme er helemaal uitgeramd. Eindelijk had ze het door. Dit was haar lot.

Ze hoorde voetstappen. Een zachte klop op de deur.

'Jasmine?'

'Jasmine, schatje?'

'Mag ik binnenkomen?'

Het was Jimmy. Ze negeerde hem. Van haar mocht hij binnenkomen als hij dat wilde. Of niet. Het kon haar geen barst schelen. Ze gaf nergens meer om.

Ze hoorde de deur krakend opengaan en daarna zijn voetstappen op de houten vloer. De deur van de badkamer stond op een kier. Ze hoorde dat hij buiten bleef stilstaan en even stond te wachten. Kennelijk wist hij niet wat hij moest doen. Wat kon hij ook doen? Hij kon gisteravond niet ongedaan maken.

'Ben je hier?' vroeg hij. Langzaam duwde hij de badkamerdeur open.

Jasmine richtte haar blik op hem in de spiegel toen hij binnenkwam. Ze zag hem ineenkrimpen zodra hij haar in het oog kreeg.

'Jezus christus, heb ik dat gedaan?' vroeg hij, zichtbaar ontzet over haar toegetakelde gezicht.

'Wie dacht je dan? En laat Jezus Christus er maar buiten,' antwoordde ze kil.

Met open mond stond hij haar een hele poos aan te gapen. Ze kon merken dat hij versteld stond van wat hij had aangericht.

'Ik heb je echt pijn gedaan, hè?' vroeg hij.

Jasmine knikte en ontweek zijn blik. Ze sprenkelde koud water in haar gezicht.

'Shit! Dat prikt!' riep ze uit.

Het werd Jimmy te machtig. Hij liet zich op de grond vallen en barstte in tranen uit. Toen sloeg hij zijn armen om haar enkels en begon boven op haar blote voeten te snikken.

'Het spijt toch zo vreselijk, Jasmine. Ik weet niet wat me bezielde. Ik zal het nooit, nóóit meer doen, liefje. Je moet me geloven. Ik hou van je, Jasmine. Jij bent het beste wat me ooit van mijn leven is overkomen...'

'Heb je soms een boek met clichés ingeslikt?' vroeg ze. Ze maakte zich los uit zijn greep en liet hem snikkend in de badkamer achter.

Kruipend kwam hij achter haar aan, terwijl de tranen over zijn gezicht biggelden.

'Wat kan ik zeggen om het goed te maken?' vroeg hij smekend.

'Niets.'

Ze haalde haar kleren uit de kast, vouwde ze netjes op en legde ze in de koffer. Jimmy lag meelijkwekkend op de grond.

'Ga je bij me weg?' vroeg hij met een wanhopig gezicht.

Ze haalde haar schouders op.

'Alsjeblieft, zeg dat je niet bij me weggaat, Jasmine!'

Hij krabbelde overeind, liet zich voor haar op zijn knieën vallen, sloeg zijn armen om haar middel en huilde hartverscheurend met zijn hoofd op haar schoot.

Zuchtend keek Jasmine neer op zijn kruin en zijn schokkende schouders. Hij zag er echt diepbedroefd uit, maar toch voelde ze niets.

Ging ze bij hem weg? Waarschijnlijk niet. Zo sterk was ze niet, besefte ze. Bovendien, wat was Jasmine zonder Jimmy? Niet meer dan een goedkope stripper uit Dagenham. Zij had hem meer nodig dan hij haar. In haar ogen was hun relatie nooit gelijkwaardig geweest.

Hij keek naar haar op met tranen van berouw in zijn turkooizen ogen.

'Het spijt me zo verschrikkelijk, prinses,' zei hij. 'Als ik het ooit nog een keer doe, mag je me doodschieten. Dat meen ik. Ik ben liever dood dan dat ik jou nog een keer pijn doe, liefje.'

Iets in Jasmines gebroken hart roerde zich. Liefde? Vergiffenis? Medelijden? Wat het precies was, wist ze niet, maar er gebeurde iets. Niet veel, maar het was genoeg. Ze sloeg haar armen om zijn schokkende schouders en streelde zijn vochtige goudblonde haar.

'Sst...' fluisterde ze. 'Sst, Jimmy. Niet meer huilen. Alles komt goed.'

Maxine keek naar Juan terwijl hij sliep. Buiten was het al licht en ze wist dat ze nu moest weggaan. Toch wilde ze nog een paar kostbare ogenblikken langer naar zijn mooie gezicht kijken. Hij had onvoorstelbaar lange wimpers en onmogelijk volle lippen. Zijn gladde, gebruinde borst ging op en neer met de diepe ademhaling in zijn slaap. Om zijn vlezige lippen danste een glimlachje tijdens zijn droom. Ze vroeg zich af of hij van haar droomde. Ze hoopte van wel. Dromen waren het enige wat ze vanaf nu van elkaar zouden hebben. Ze zuchtte. Elke vezel van haar lichaam snakte ernaar om hier te blijven, onder de smetteloos witte lakens met Juan, maar ze wist dat ze moest vertrekken.

Tot haar opluchting zag ze een lege condoomverpakking op de grond liggen. Gisteravond had ze zich zo door de gebeurtenissen laten meeslepen en was ze eerlijk gezegd zo dronken geweest, dat ze het knap vond dat ze überhaupt maatregelen hadden getroffen. Stilletjes trok ze haar jurk en sandalen aan, raapte haar tasje op en drukte een tedere kus op Juans licht geopende lippen. Daarna sloop ze zachtjes de deur uit. De lift was behangen met spiegels, zodat er niet aan haar spiegelbeeld viel te ontkomen. De vrouw in de spiegel veegde een traan van haar wang.

Ze wist dat ze zich rot zou moeten voelen, vol spijt en berouw. Wat ze Carlos had aangedaan, was onvergeeflijk. Maar het enige wat ze voelde was gemis. Het was belachelijk. Ze kende Juan amper. Ze hadden één dronken nacht samen doorgebracht. Wat ze voelde was niet echt, dat kon gewoon niet. Ze viste haar zonnebril uit haar tasje en zette hem op om haar vochtige ogen te verbergen.

Ze was niet zo goed bekend in Malibu. Het was zaterdagochtend, nog maar net zeven uur en de boulevard was uitgestorven. Nergens was een taxi te vinden. Juans penthouse lag vlak bij de oceaan en op een gegeven moment merkte ze dat ze over het voetpad langs het strand liep. Een goed verzorgde vrouw van Maxines leeftijd jogde voorbij met haar al even goed verzorgde hond, haar keurige, gezonde toekomst tegemoet. Maxine keek naar haar verfomfaaide feestjurk en van de weeromstuit voelde ze zich smerig. Ze ging op een bankje zitten en staarde voor zich uit naar de kalme zee. Het strand was verlaten op een eenzame man na die in de ochtendzon tai chi-oefeningen deed.

'Goede nacht gehad?' klonk opeens een barse stem.

'Pardon?' Maxine keek op en zag een zwerver naar haar toe komen met een ouderwetse fiets aan zijn hand.

Hij zag eruit als de schim van een hippie tijdens de *Summer of Love* van 1967. Zijn lange grijze baard zat vol kruimels, om zijn hoofd had hij een verbleekte rode zakdoek geknoopt en hij droeg een zonnebril met ronde spiegelglazen. Zijn kleren waren vies en gerafeld, maar ooit moesten ze bontgekleurd zijn geweest. Hij had een lange patchworkjas aan en droeg al zijn wereldse bezittingen in twee plastic tassen aan het stuur van zijn fiets mee. Toch straalde zijn uiterlijk bijna iets Bijbels uit: de baard, de vriendelijke blik op zijn gezicht, de theatrale kleren. Hij was Jozef in zijn felgekleurde jas.

De zwerver glimlachte welwillend naar Maxine, zette zijn fiets voorzichtig tegen de bank neer en ging naast haar zitten.

'Mag ik naast je zitten?' vroeg hij, hoewel hij al zat.

'Ja natuurlijk,' antwoordde Maxi. Om de een of andere reden kwam de haveloze man niet bedreigend over.

'Ik vroeg of je een goede nacht hebt gehad,' zei hij. 'Ik zag dat je je feestkleren nog aan hebt.'

Zijn woorden gingen gepaard met pijnlijk klinkend gekuch en hij haalde piepend adem. Af en toe hield hij een gore zakdoek voor zijn mond.

'Het was een interessante nacht.' Ze forceerde een glimlachje.

'Goed interessant? Of slecht interessant?' Hij keek haar strak aan, alsof hij het echt wilde weten.

Maxi haalde haar schouders op. 'Dat weet ik niet precies,' zei ze eerlijk.

'Ik vermoed dat je de nacht hebt doorgebracht met iemand met wie je dat niet had moeten doen, hm?'

Ze knikte en toen hij onder woorden bracht wat ze had gedaan, begon ze te huilen. Ze had geen idee waarom ze haar hart uitstortte bij een zwerver.

'Ach mop, da's een moeilijke,' verzuchtte de zwerver. Het klonk alsof hij wist waar hij het over had.

'Jezus, je moest eens weten. Ik ben toch zo'n vals kreng,' snikte ze.

'Je bent geen vals kreng, mop. Een vals kreng zou hier niet tranen met tuiten zitten huilen om wat ze heeft gedaan.'

'Nee, je hebt het mis. Wat ik heb gedaan is... O god, het is... het is het ergste wat er bestaat.'

'Hoezo? Heb je iemand vermoord?' Hij ging achteruit zitten, graaide in zijn zak en begon een joint te draaien. 'Je hebt toch geen bezwaar?' vroeg hij.

Maxine schudde haar hoofd. Wie was zij om het gedrag van een ander te veroordelen?

'Nou, is dat zo?' vroeg hij. 'Heb je iemand vermoord?'

'Natuurlijk niet.'

'Dan kan het toch nooit zo erg zijn?'

'Ik ben ontrouw geweest,' legde ze schaapachtig uit.

'Ja, en? Dat geldt voor de halve bevolking, mop.' De zwerver nam een diepe trek van zijn joint en proestte in zijn zakdoek.

'Maar dit is veel erger. Wat ik heb gedaan is... O god! Wat een puinhoop!'

De zwerver kromp ineen en zoog nog harder aan zijn joint. 'Het is altijd een puinhoop, schat,' zei hij. 'Het leven is een puinhoop.'

De haveloze man bood Maxine zijn joint aan en voordat ze besefte wat ze deed, had ze hem aangenomen. Ze had al jarenlang geen drugs aangeraakt, maar op de een of andere manier leek het gezien de omstandigheden het beste. Zou haar leven nog surrealistischer kunnen worden? Ze inhaleerde diep en merkte dat de marihuana begon te werken. Ze voelde zich een beetje licht in het hoofd.

'Het komt allemaal goed,' vervolgde hij.

Ze schudde haar hoofd en nam nog een trekje. Hoe kon dit allemaal goed komen? Ze wreef in haar ogen en zuchtte diep. 'Wat moet ik doen?' vroeg ze. 'Vandaag vlieg ik naar huis. Hoe kan ik mijn vriend onder ogen komen?'

De zwerver nam zijn zonnebril af en stopte hem in het borstzakje van zijn felgekleurde jas. Zijn ogen waren helderblauw. Zulke wijze ogen had Maxi nog nooit gezien.

'LA is de vreemdste stad op aarde,' zei hij, starend naar de oceaan. 'Het is de stad van de dromen. Alles is mogelijk. Hier komen mensen naartoe om zichzelf te vinden en als dat niet lukt, kunnen ze zichzelf hier verliezen. Geloof me, want ik kan het weten.'

Even zweeg de man, diep in zijn eigen gedachten verzonken. Hij hoestte in zijn zakdoek en ze zag dat die onder het bloed zat. Haastig gaf ze hem zijn joint terug. Het was waarschijnlijk niet zo verstandig geweest om hem aan te nemen.

Hij begon weer te praten: 'Zie je, mop, hier is niets echt. Niet als je dat niet wilt. Als je in dat vliegtuig stapt, ga je naar huis en gedraag je je alsof er niets is gebeurd. Na verloop van tijd begin je zelf te geloven dat er niets is gebeurd. Wat er in LA is gebeurd, kan in LA blijven.'

'Denk je dat echt?' vroeg Maxine hoopvol.

De man zuchtte een beetje triest. 'Als je dat wilt...'

'Ik weet niet wat ik wil,' zei Maxine weemoedig. 'Ik dacht dat ik het wist, maar nu ben ik er niet meer zo zeker van.'

Maxine stelde zich Carlos' gezicht voor. Ze dacht aan haar veilige, comfortabele leventje in Spanje. Ze herinnerde zich de viagra, de vibrator en de gedwongen vrijpartijen. Ze rilde ervan. Toen dwaalden haar gedachten af naar de vorige avond, naar hoe Juan en zij met elkaar hadden gevreeën. Dat was op dat moment het natuurlijkste wat er bestond. De tranen biggelden over haar wangen.

'Wat heb ik gedaan?' snikte ze. 'Ik heb alles verpest.'

'Stil maar, mop.' Hij gaf haar een klopje op haar knie. 'St, stil maar. Alles komt weer goed.'

'Hoe dan? Hoe moet ik dit oplossen?'

'Dat kun je niet oplossen. Alleen de tijd kan dat. Jij moet gewoon afwachten.'

Zijn wijze gezicht ontspande zich en plooide zich tot een glimlach. Ze knikte. Hij had natuurlijk gelijk.

'Er is niets afgelopen,' mijmerde hij. 'Er is niemand doodgegaan.'

'Nee, dat is zo.' Ze veegde haar tranen af. 'Het had erger kunnen zijn, nietwaar?'

De zwerver knikte, glimlachte naar haar en kreeg weer een hoestbui.

'Ik denk dat ik maar beter kan opstappen,' zei Maxine. Een beetje wankel ging ze staan. 'Maar bedankt dat je de tijd hebt genomen. Om te luisteren en te praten. Dat had ik even nodig.'

'Graag gedaan,' reageerde hij met een hartelijke glimlach. 'Ik heb alle tijd van de wereld.'

Juan werd wakker en besefte dat Maxine weg was. Dat verbaasde hem niet. Waarom zou ze blijven plakken? Hij keek naar de klok. Het was nog maar net acht uur. Haar kant van het bed was nog warm en in het kussen was nog de vorm van haar hoofd te zien. Hij rook haar parfum nog op zijn huid. Jezus, dat was nog eens een sexy wijf. Maxine bedwelmde hem. Ze was als een drug. Hij had haar met geen mogelijkheid kunnen weerstaan. Niet dat zijn vader het zo zou opvatten als hij er ooit achter kwam. Godverdomme! Daar kon hij maar beter niet aan denken. Hij kon beter aan gisteravond denken en aan het feit dat hij de beste neukpartij van zijn leven had gehad! Eigenlijk had hij al maanden over haar gedroomd. En nu had hij haar volmaakte huid in het echt mogen strelen. Hij had geen seconde spijt van de avond.

Al vanaf de allereerste keer dat hij haar zag, was hij verkocht. Die wilde bos haar, de ronding van haar bovenlip, de welving van haar rug en de manier waarop het puntje van haar neus een beetje omhoog wipte. Hij werd zwak van wellust als hij aan haar dacht. Het kostte hem nooit enige moeite om vrouwen aan te trekken – blonde vrouwen, donkerharige vrouwen, beroemde vrouwen, modellen – ze waren allemaal makkelijk. Maar Maxine was anders. Zij was een echte vrouw.

Maar waarom moest ze verdomme de vriendin van zijn vader zijn? Dit was een grote puinzooi. Hij stond op en trok een oud joggingpak aan. Hij moest zijn gedachten op een rijtje zetten. Het had geen zin om thuis te blijven rondhangen nu Maxine weg was.

Het was een volmaakte ochtend – helder, maar nog niet te warm. Zijn voeten beukten over het strand op de maat van zijn hartslag. Hij kon Maxine en wat ze de vorige avond hadden gedaan niet van zich afzetten. Meestal verdween de begeerte zodra hij met een grietje naar bed was geweest. Het was bijna alsof er niets meer te doen was als de verovering een feit was. Maar deze keer verlangde hij juist naar meer...

Even raakte hij in paniek. Stel dat zijn vader erachter kwam? Die ouwe zou hem vermoorden! De adrenaline joeg door zijn aderen. Het was vreselijk wat hij had gedaan, maar, jezus, wat was het opwindend geweest. Misschien was dat het aantrekkelijke van Maxine: ze was zo volstrekt verboden dat ze daardoor juist nog begeerlijker werd. Maar de chemie tussen hen was onmiskenbaar. Shit! Wat had hij gedáán?

Hij begon langs het strand te rennen totdat het langzamerhand druk werd met weekendzonaanbidders. Toen rende hij het voetpad op om terug naar huis te gaan. Halverwege zag hij een oude zwerver op een bankje zitten. Van een afstand zag de man eruit alsof hij sliep, mar toen hij dichterbij kwam, besefte hij dat er iets mis was. De mensen liepen gewoon langs hem heen, zonder hem op te merken, alsof hij niet bestond. Maar Juan kon zijn ogen niet afhouden van de baardige kerel in zijn rare felgekleurde jas. De zwerver zat volkomen roerloos en zijn ogen waren wijd opengesperd, alsof hij naar de oceaan erachter staarde. Juan rende naar hem toe en bleef staan. De zwerver was gestorven met een glimlach op zijn gezicht.

'Kut!' zei Juan, terwijl hij een kruis sloeg. Hij was een (zeer) afvallige katholiek, maar sommige gewoonten slijten nooit. 'Nou, je hebt tenminste een mooie ochtend uitgekozen om te sterven,' zei hij tegen de dode kerel. Wat vreemd! Hij glimlachte onmiskenbaar. 'En je bent opgewekt gestorven, vriend. Dat is tenminste iets.'

Hij draaide het alarmnummer op zijn mobieltje en meldde het overlijden. Toen hij op de politie wachtte, haalde hij de peuk van een joint uit de hand van de zwerver en begroef hem in het zand. Dat leek hem het beste. De arme kerel was waarschijnlijk zijn leven lang veroordeeld en Juan zag geen enkele reden om hem ook in de dood te veroordelen.

Intussen was er een oploopje ontstaan, maar nu deinsden de mensen achteruit alsof ze iets zouden kunnen oplopen als ze te dichtbij kwamen. Een paar jonge meisjes riepen: 'Hoi Juan! We vinden je geweldig!' Hij knikte en glimlachte beleefd, maar bleef op een afstand. Dit was niet de juiste plaats om handtekeningen te geven.

Juan ging naast het lijk op de bank zitten wachten. In zo'n situatie kon je die arme dooie toch niet in zijn eentje laten zitten? Hij staarde voor zich uit naar de oceaan en bewonderde het laatste uitzicht van de oude zwerver. Dat was vast geen slechte dood geweest: een dikke joint en uitzicht op de oceaan. Er ging niets boven de oceaan om alles te relativeren en je het gevoel te geven dat je deel uitmaakt van iets groters. Het water spoelde zachtjes over het strand, wegsijpelend en weer terugstromend, zoals het al miljoenen jaren had gedaan. Vandaag waren de golven rustig en ze maakten hem rustig.

Hij wendde zich naar zijn metgezel. Hij was onmiskenbaar dood, maar voor Juan was het alsof zijn ziel er nog was en ergens boven de bank zweefde. Juan was ervan overtuigd dat het een eerlijke oude knakker was geweest en het speet hem dat hij niet de kans had gekregen om hier naast hem op de bank te zitten toen hij nog leefde. Hij vroeg zich af of hij op andere ochtenden langs hem was gerend zonder hem op te merken.

De oude vent staarde nog steeds glimlachend naar de oceaan en zag er wijzer uit dan de levende mensen die Juan had ontmoet. Juan was nooit erg gelovig geweest. Vroeger moest zijn moeder hem elke zondag gillend en krijsend mee naar de mis sleuren. Maar vanochtend was hij ervan overtuigd dat hij een engel had ontmoet. Een engel in de stad van de engelen.

33

Jeetje, wat voelde Maxi zich beroerd toen ze in Londen aankwam. Ze had zich met Juan zo uitgeleefd in de slaapkamer dat ze de vorige nacht nauwelijks had geslapen en dat brak haar nu op. Tegen de tijd dat ze terug was in het Bel-Air om te douchen, haar spullen te pakken en een taxi naar de luchthaven te nemen, was de halve ochtend al voorbij. Ze had zelfs moeten smeken (en haar decolleté laten zien) om de vlucht van elf uur te halen, omdat de gate al was gesloten. Dankzij een leuke vent aan de BA-balie had ze nog net op tijd aan boord kunnen gaan. Maar hoe uitgeput ze ook was, ze had niet kunnen slapen. Ze zorgde er altijd voor dat ze in een vliegtuig nooit sliep. Het was bijgeloof: als ze bij een vliegramp moest omkomen, wilde ze het weten ook!

In plaats daarvan had ze drie films gezien (waarvan ze er twee al op de première in Londen had gezien) en uit alle macht geprobeerd niet meer te denken aan Juan en Carlos of wat ze in vredesnaam moest doen. De adrenaline spoot nog zo door haar aderen dat ze tijdens de hele vlucht amper op adem kon komen. Daar kwam bij dat het tijdsverschil moordend was. In haar hoofd was het allang tijd om te gaan pitten, maar volgens de klok aan de muur in de aankomsthal op Heathrow was het pas halfdrie. Dit zou weleens een lange dag kunnen worden.

Ze ging even een kop koffie drinken en overwoog haar volgende stap. Ze zou de eerstvolgende vlucht naar Marbella kunnen nemen, maar dat betekende dat ze Carlos onder ogen zou komen en ze wist niet of ze daar al aan toe was. Het feit dat ze hem vroeg of laat onder ogen moest komen was al eng genoeg. Ze zou ook bij Lila kunnen langsgaan om haar het slechte nieuws te vertellen dat haar man een smerige overspelige hufter was, maar dat vooruitzicht was ook niet bepaald aanlokkelijk. Shit! Ze had hoofdpijn. De mensen keken naar haar, ze werd herkend. Meestal vond ze het heerlijk om in het middelpunt van de belangstelling te staan, maar vandaag wilde ze zich het liefst verstoppen.

Iemand had een krant op een tafeltje laten liggen. Ze pakte hem op en hield hem voor haar gezicht tegen nieuwsgierige blikken. Een korrelige kleurenfoto van een halfnaakte man zweefde voor haar gezicht. Ze tuurde ernaar. BRETT BETRAPT MET BRUIDSMEISJE schreeuwde de kop. Wát?! Met een ruk ging ze rechtop zitten om de foto nauwkeuriger te bekijken. O god! Dat was inderdaad de kont van Brett over de hele voorpagina en onder hem lag Jasmines kleine zusje. Haar maag draaide om terwijl ze haastig het artikel las. Wat ze in Los Angeles had gezien, bleek in het niet te vallen vergeleken bij wat hij vlak onder hun neus op Jasmines bruiloft had uitgespookt.

'Arme Lila,' fluisterde ze bij zichzelf.

Tja, nu zat er niets anders op. Ze moest onmiddellijk naar haar toe – en snel. Enkele minuten later zat ze in een taxi op weg naar Lila's herenhuis in Kensington.

Peter hield niet van geweld. Hij had altijd verklaard dat hij een minnaar was en geen vechter. Maar als Brett Rose op dat ogenblik binnen was gekomen, zou Peter met alle plezier zijn dierbare Oscar van de schoorsteen hebben gegrist om de acteur er de hersens mee in te slaan. Hoe durfde hij Lila dit aan te doen! Hoe dúrfde hij... Peters schouders begonnen weer te schokken, zijn lip trilde en toen begon hij weer te janken als een klein kind. Hij sloeg zijn armen beschermend voor zijn borst en keek vanuit het raam van de woonkamer op de eerste verdieping naar de zee van paparazzi die zich buiten verdrongen. Klootzakken! Ze stroomden toe vanuit Kensington Square, klommen over het hek, klauterden over de heg en gooiden de laurierboompjes in de potten omver die hij Lila voor de kerst had gegeven. Een paar hadden zelfs het lef om op het raamkozijn te klimmen en langs de gevel naar boven te klauteren. Om de haverklap ging de deurbel. Peter had de huishoudster opdracht gegeven niet te reageren, maar iedere keer dat er werd aangebeld werkte het meer op zijn zenuwen.

Hij slikte zijn tranen in en stak zijn middelvinger op naar de groep journalisten. Met zijn mond vormde hij de woorden: 'Flikker op!' Het leger was Lila's heiligdom binnengedrongen. Dit was allemaal de schuld van Brett. De oorlog was uitgebroken.

Peter hield van Lila als van een zus. Haar verdriet was zijn verdriet. Hij was die ochtend degene geweest die haar het nieuws had verteld. Er waren natuurlijk ook andere leden van de huishouding die het haar maar al te graag hadden willen vertellen – ze zouden er een plaatsvervangende kick van hebben gekregen om haar in elkaar te zien storten – maar hij vond dat hij het haar moest vertellen. Hij had gewacht totdat het kindermeisje de kinderen naar hun paardrijles had gebracht. De arme wurmen zouden snel genoeg door rondvliegende granaatscherven worden geraakt. Het had geen zin om hen getuige te laten zijn van hun moeders ellende.

Ze had het nieuws opvallend waardig opgenomen, maar ze was zichtbaar geschokt.

'Laat me de krant zien, Peter,' had ze kalm gezegd.

Peter had hem achter zijn rug gehouden omdat hij niet wilde dat ze het artikel zag.

'Geef hier,' had ze verlangd.

Met open mond en grote ogen had ze het artikel rustig gelezen. Eerst hadden er geen tranen gevloeid, maar bleef het alleen stil – een pijnlijke, oorverdovende stilte die Peter dolgraag met troostende woorden had willen opvullen. Maar wat kon hij zeggen om dit beter te maken? Daar waren geen woorden voor. Toen begonnen de tranen opeens rijkelijk te vloeien. Ze biggelden over haar wangen, drupten op de opengeslagen krant en maakten vlekken van de woorden die haar hart hadden gebroken.

'Het stomme is dat ik het wist,' had ze gesnikt, terwijl ze Peter met een gekwelde blik had aangekeken. 'Diep vanbinnen wist ik dat hij het deed. Niet per se met haar...'

Ze had gewezen naar de 'glamourfoto' van Alisha op pagina twee.

'Maar met iemand.'

'Ik begrijp niet hoe hij zich zo kon verlagen,' had Peter bemoedigend gezegd. 'Ik bedoel, moet je dat zien. Waarom zou hij zoiets zelfs maar willen aanraken?'

Treurig had Lila haar hoofd geschud. 'Waarom niet? Ze is jong. Ze is mooi.'

'Maar aan jou kan ze toch echt niet tippen. De man is een sukkel!'

'Nee, ik ben hier de sukkel!' Lila had de krant door de kamer gesmeten. 'Ik zag het aankomen en ik heb niks gedaan.'

'Wat had je kunnen doen? Jij hebt hier helemaal geen schuld aan.'

'Ik ben oud geworden!' had ze gegild. 'Ik ben oud en lelijk geworden en nu ben ik hem kwijt. Ik ben Brett kwijt... Ik wil Brett terug!'

'Nee, dat wil je niet,' had Peter kordaat gezegd. 'Hij is een grote klootzak en je bent beter af zonder hem.'

'En de kinderen,' had ze gejammerd. 'Hoe moet ik dit aan mijn kinderen uitleggen?'

'Je hoeft niks uit te leggen,' had hij nu goedig gezegd. 'Tenminste niet nu en niet vandaag. We houden allemaal een oogje op Louisa en Seb. Wij zullen ze beschermen.'

Maar Lila had al niet meer geluisterd. Ze was opgesloten in haar eigen hel en zat op de grond naar voren en naar achteren te wiegen, jankend als een gewond dier. Zo was ze zo lang blijven zitten dat Peter de dokter had moeten halen. Nu was ze verdoofd en lag ze te slapen, terwijl de pers haar voortuin plattrapte. Het was officieel de rotste dag van zijn leven.

Peter tuurde door zijn wimpers naar de verzamelde journalisten en fotografen. Televisieploegen hadden zich bij de menigte aangesloten en verdrongen elkaar om een goed plaatsje te bemachtigen op het tuinpad, op het gazon, op straat... Er was zelfs een soort opstootje ontstaan. Een lange blonde vrouw was blijkbaar nog vastbeslotener om naar voren te dringen dan de anderen. Ze sloeg mensen met haar handtas op hun hoofd, duwde ze in hun rug zodat ze over kabels en statieven struikelden en porde verslaggevers in de nieren. Hij keek naar de blondine terwijl ze zich door de menigte drong. Omdat hij die ochtend zijn lenzen nog niet in had gedaan, kon hij haar gezicht op die afstand niet herkennen. Nu klauterde ze zelfs over de concurrentie. Dat was een hele prestatie, vooral op haar stilettohakken en met een koffer in haar hand! Eindelijk had ze de voordeur bereikt. Ze ging rechtop staan en zwaaide opstandig met haar blonde haren.

'Maxine,' fluisterde Peter. 'Godzijdank, het is Maxine!' Hij holde naar beneden toen er voor de honderdste keer die dag werd aangebeld. 'Het is Maxine! Laat haar binnen! Laat haar gauw binnen!'

Eindelijk, dacht hij, de hulptroepen waren gekomen.

'Godverdomme, Alisha, wat heb je nou weer gedaan?' Jasmine hoorde haar stem overslaan van woede toen ze het bericht insprak op de voicemail van haar zus. 'Dit vergeef ik je nooit,' zei ze spinnijdig. 'Hoor je, Alisha? Nooit.' Toen hing ze op.

'Ik kan echt niet geloven dat ze het heeft gedaan,' zei Jasmine. Ze keek naar de stapel oude weekendkranten die het dienstmeisje voor hen op het kookeiland had neergelegd. 'Op onze bruiloft nota bene.'

Jimmy knikte afwezig, want hij was het sportkatern aan het lezen en zat tegelijkertijd een sneetje toast te eten. Hij maakte zich duidelijk minder druk om de inmiddels zeer beruchte wip van Alisha en Brett dan Jasmine.

'Alisha is een slet,' zei hij slapjes. 'Wat had je dan verwacht? Maar van Brett Rose valt het me tegen. Ik dacht dat hij een betere smaak had.'

'Hm, ja,' zei Jasmine nadenkend. 'Lila is zo'n heerlijk mens, vind je niet? Jemig, ze zal er wel kapot van zijn...'

'Ach, hij zal het wel vaker doen. Ik durf te wedden dat ze zo'n Hollywoodverstandshuwelijk hebben. Ze is vast een lipsticklesbo.' Dat idee leek hem nogal op te winden.

Jasmine mompelde misprijzend en liep door de woonkamer van hun Londense appartement. Ze schoof haar overmaatse zonnebril omhoog op haar hoofd en bekeek haar gezicht in de spiegel. De kneuzingen waren geel geworden en op de snee op haar lip zat een korstje, maar haar gezicht zag er nog steeds niet uit. Ze hadden geen woord gezegd over wat er was gebeurd. Op de terugweg was Jimmy extra aardig en attent geweest. Hij had aan haar arm gehangen en haar als zijn prinses behandeld door de tassen met designertaxfreespullen voor haar te dragen. Ze hadden eerst een paar dagen in Parijs doorgebracht, waar hij haar had meegenomen naar Cartier om een ring uit te zoeken. Plichtmatig had ze een prachtige platinaring uitgekozen, die met hartjesvormige diamantjes en saffieren was bezet, maar ze wist dat het niets betekende. Het was voor Jimmy alleen een manier om zijn schuldgevoel af te kopen. Wat had hij in die situatie anders kunnen doen? Bij twijfel smijt je gewoon met geld naar het probleem, was Jimmy's lijfspreuk. Maar Jasmine was er al snel achter gekomen dat het moeilijk is om een financieel gebaar serieus te nemen als een man tachtigduizend pond per week verdient.

Zuchtend zette ze haar zonnebril weer op. Het zou nog een paar dagen duren voordat ze zich zonder zonnebril in het openbaar kon vertonen. Ze had door Parijs moeten lopen met een zijden Pucci-sjaal om haar hoofd gewikkeld, en ze was op de luchthaven aangekomen in een sweater van Jimmy met de capuchon omhoog. Ze moest er belachelijk hebben uitgezien, maar op die manier waren haar blauwe plekken tenminste niet te zien.

'Heb je de post al bekeken?' riep ze naar Jimmy.

Hij had de plasma-tv in de keuken aangezet en zat naar het nieuws op Sky Sports te kijken. Hij schudde zijn hoofd.

Jasmine sorteerde de brieven in drie stapels: voor hem, voor haar en reclamedrukwerk. Er zaten ook drie pakjes bij. In de grootste zaten afdrukken van een aantal trouwfoto's van het tijdschrift. Ze keek ze vluchtig door en legde ze toen opzij. Voor het ophalen van romantische herinneringen was ze niet in de stemming. Nog niet. Misschien later ooit, maar voorlopig beslist niet. Het tweede pakje was aan Jimmy geadresseerd. Ze legde het op zijn stapel. Het derde was voor haar. Gedachteloos maakte ze het open, terwijl ze een blik uit het raam wierp. Vanuit het hoge penthouse zag Londen er grijs en somber uit. Ze miste de zon. Uit het pakje viel een dvd op de glanzende kalkstenen vloer. Ongeïnteresseerd raapte ze hem op. Op het doosje stond niets: geen titel, geen plaatje, geen verklaring. Het zal wel de trouw-dvd van een van onze vrienden zijn, dacht ze. De officiële dvd kon het nog niet zijn. Ze hadden een smak geld betaald om er een soort Hollywoodfilm van te maken, compleet met sound-track. Nee, dit zag er amateuristisch uit. Ze graaide in de gewatteerde envelop en viste er een gedrukt briefje uit.

Oeps, ik herinnerde me opeens deze kopie. Nog honderdduizend euro helpt om mijn geheugen te wissen. Damestoilet, begane grond, het Natural History Museum, derde hokje rechts, woensdag 11 uur.

Jasmine liet het briefje en de dvd op de grond kletteren. Haar handen trilden. Ze keek ernaar en dwong ze in gedachten ermee op te houden, maar ze bleven maar trillen. Het bloed trok uit haar gezicht weg. Dus ze was nog niet van hem af. Ze beet op haar lip totdat haar tand door de huid beet en ze bloed proefde. Ze werd bang. Jezus, ze kreeg het echt benauwd. Hij had haar in Spanje weten te vinden en nu had hij haar naar Londen gevolgd. Haar hoofd tolde en de kamer leek te wankelen onder haar voeten. Dit was het laatste wat ze kon gebruiken. Eerst Jimmy, toen Alisha en nu dit. Ze dacht dat dit een volmaakte zomer zou worden. Nu spatte haar hele wereld uit elkaar.

34

Charlie Palmer dacht dat zijn laatste uur had geslagen. Hij werd opgejaagd door enorme honden met vlijmscherpe tanden en schuim op hun bek. Het was een donkere, warme nacht. Hij hijgde, was buiten adem. Zweet drupte van zijn voorhoofd en prikte in zijn ogen. Hij wilde over een hoge prikkeldraad-versperring klauteren, maar de honden hapten naar zijn hielen en het prikkeldraad scheurde zijn huid open. Achter hem klonk geschreeuw en in het donker flitsten lampen. Ze waren al dichtbij. Ze zouden hem gauw te pakken krijgen. Charlie had geen flauw benul waar hij was of wat hij daar deed. Hij wist alleen dat hij weg moest komen...

Ergens in zijn onderbewustzijn hoorde hij een telefoon rinkelen. De honden hielden op met blaffen, het geschreeuw verstomde, de versperring smolt weg onder zijn benen en toen deed Charlie zijn ogen open. Hij hijgde nog steeds, het was nog altijd donker en warm en het zweet droop nog steeds over zijn gezicht, maar nu besefte hij dat hij in zijn hotelbed lag. De lakens waren door-weekt. Het was maar een nachtmerrie geweest. Te veel pijnstillers, dacht hij bij zichzelf. Tijd om op te houden met die rotzooi. Hij werd er geschift van.

Hij keek naar de klok: twee uur. Wat was dit voor misselijke grap? Dit was de derde achtereenvolgende nacht. Precies om twee uur 's nachts ging zijn telefoon. De eerste keer had hij nog half in slaap opgenomen, in de veronderstelling dat het Gary zou zijn met een nieuwtje. Maar hij hoorde niets. Nou ja, bijna niets. Op de achtergrond hoorde hij gehijg en het kabaal van industriële machines, maar niemand zei iets. Gisteravond had hij weer opgenomen, ervan overtuigd dat er sprake moest zijn van een eigenaardig toeval. Maar het was weer precies hetzelfde liedje geweest: het achterlijke gehijg, het geluid van metaal op metaal. Charlie was het zat. Hij nam op.

'Wie is dit, godverdomme?' vroeg hij kwaad. 'Zeg op, teringlijer. Zeg wat of flikker op.'

Het gehijg ging door, diep, hees en licht piepend.

'Wat ben jij voor een lafbek?' blafte Charlie. 'Dit is het gedrag van een schooljongen. Wees een man en zeg wat je van me wilt!'

Het gehijg werd zwaarder en ging geleidelijk over in een schorre lach die in Charlies oren weerklonk. Maar de beller bleef zwijgen. Charlie luisterde naar het metalige gekletter achter het gelach en probeerde te bedenken wat het zou kunnen zijn. Er waren ook stemmen te horen die ver achter de beller iets riepen. Hij luisterde ingespannen om de woorden te verstaan. Heel traag drong het tot hem door dat ze Russisch spraken.

'Ach, krijg toch de tering!' brulde Charlie.

Hij smeet zijn mobieltje door de kamer. Het smakte tegen de muur en stortte op de tegelvloer. De batterij viel eruit en gleed door de kamer. Kut! Wat was er aan de hand? Was het Dimitrov die hem bang wilde maken? Dat sloeg nergens op. Waarom zou hij? Dimitrov had zijn bedoeling al duidelijk genoeg gemaakt. Zijn gebroken ribben waren het bewijs. Waren het Nadia's ontvoerders? Als ze was ontvoerd, was het logisch dat ze contact opnamen. Maar waarom zeiden ze dan niets? Waarom eisten ze geen losgeld? En waarom belden ze hem in plaats van Nadia's vader? Oké, hij had zelf een paar centen opzijgelegd, maar dat was niets vergeleken bij de biljoenen die Dimitrov had. Bovendien hield hij niet van Nadia. Hij was op haar gesteld, maar zijn gevoelens haalden het niet bij de liefde van een vader voor zijn kind. Nee, een ontvoerder zou gek zijn om met hem contact te zoeken in plaats van met Dimitrov. Dus wie was het, verdomme?

Charlie kwam met zijn pijnlijke lijf het bed uit om alle onderdelen van zijn mobieltje bij elkaar te rapen. In het scherm zat een barst, maar wonder boven wonder deed het ding het nog. Hij schonk een Jack Daniel's uit de minibar voor zichzelf in en liep ermee het balkon op. Hij had frisse lucht nodig. Ruimte om na te denken. Maar het was een benauwde nacht en de sterren gingen schuil achter de wolken. In Marbella was vanavond geen frisse lucht.

Het was tien dagen geleden sinds Dimitrov hem had bedreigd en hij had nog steeds geen flauw idee wat er met Nadia was gebeurd. Gary had een paar belangrijke mensen in Londen kwaad gemaakt met zijn gespit, maar dat had niets opgeleverd – afgezien van een fiks pak slaag in een steeg in Soho. Niemand had Nadia gezien en niemand wist waar ze naartoe was gegaan of bij wie ze was. De tijd drong en Charlie begon wanhopig te worden. Hoewel het midden in de nacht was, draaide hij toch maar McGregors nummer. Heel lang bleef de telefoon overgaan voordat de verbinding werd verbroken.

'Teringlijer,' mompelde hij bij zichzelf. 'Hij is me nog iets schuldig. Hij staat verdomme bij me in het krijt.'

Voor zich uit kijkend zag hij opeens een lichtje op het strand. Het leek alsof iemand een zaklamp aan had. Hij probeerde zijn ogen aan het duister te laten wennen. Op ongeveer vijftig meter afstand doemde een vage gestalte op. Charlie kon niet uitmaken wie of wat het was. Plotseling zwaaide het licht naar hem toe, waardoor hij verblind werd. Het deed pijn aan zijn ogen. De lichtstraal bleef op Charlies gezicht gericht. Degene die de zaklamp vasthield, zou de angst in Charlies ogen goed kunnen zien, maar zelf had hij geen idee wie hem in de gaten hield.

Hij haastte zich terug naar binnen, deed de glazen deur dicht en trok de gordijnen dicht. Hij hijgde, was buiten adem. Zweet drupte van zijn voorhoofd en prikte in zijn ogen. De nachtmerrie ging door, maar deze keer was Charlie wakker.

Frankie Angelis was ervan overtuigd dat Charlie op het punt stond te breken. De telefoontjes waren een geniale zet geweest, al zei hij het zelf. Hij had gebeld vanuit het pakhuis in de haven en had het mobieltje omhooggehouden zodat Palmer de Russische stemmen op de achtergrond zou horen. Het waren alleen maar zijn koeriers geweest, die bij het lossen van hun menselijke vracht schreeuwden, maar dat kon Charlie natuurlijk niet weten. Eigenlijk waren het niet eens Russen – ze kwamen uit de Oekraïne. Maar die stomme Charlie Palmer zou het verschil toch niet weten. Hij zou denken dat het iets te maken had met dat Dimitrovgrietje. En dat was precies waar het allemaal om draaide. Hij moest Charlie zo de stuipen op het lijf jagen dat hij alles zou willen doen om zijn huid te redden – zelfs als dat betekende dat hij Dimitrov moest doodschieten. En Frankie wilde die Rus beslist uit de weg hebben. Dat was de enige oplossing voor zijn financiële problemen.

Frankie was naar de haven gegaan om toezicht te houden op een zending nieuwe meisjes uit Oost-Europa. Hij wilde een deel van de oude voorraad vervangen. Zodra zijn grietjes vijfentwintig waren, verkocht hij hen door aan een oude vriend in Londen, die hen aan het werk zette in zijn bordelen. Zelf had hij ze liever jong. Het probleem was dat hij zich zijn grietjes nauwelijks nog kon veroorloven. Zeker niet met Dimitrov op zijn nek. En daar kwam Charlie in beeld.

Er werd geklopt. Yana kwam binnen, gekleed in mannenkleren.

'Alles in orde?' vroeg Frankie.

Yana schoof de capuchon van haar sweater naar achteren en onthulde haar beeldschone Slavische trekken. Ze knikte en grinnikte voordat ze de zaklamp weer in de la legde.

'Hij was bang. Als konijntje. Hij rende kamer in en deed deur dicht!'

'Goed zo, meisje,' zei Frankie, terwijl hij zijn gulp openritste. 'Kom eens hier, dan geef ik je je beloning.'

Het geld van de bank halen bleek in Londen lastiger te zijn dan in Spanje – maar niet al te lastig. Jasmine werd naar boven geleid, naar een aparte kamer, waar ze aan een glanzend houten bureau mocht gaan zitten. Een jonge vrouw in een mantelpakje met krijtstreep kwam een dienblad met verse koffie en koekjes brengen, terwijl de accountmanager – een vent van in de vijftig, ook in krijtstreep – op een computerscherm Jasmines bankrekeningen bestudeerde. Jasmine hield haar grootste Oliver Peoples-zonnebril stevig op haar neus om de blauwe plekken op haar gezicht te verhullen.

'Normaal handel ik uw zaken af met uw accountant, nietwaar?' Hij klonk achterdochtig, maar misschien zocht ze er gewoon te veel achter.

'En het is een flink bedrag om in contanten op te nemen, mevrouw Jones,' vervolgde hij. Hij keek haar aan over zijn metalen brilmontuur. 'En u zegt dat u het geld in euro's wilt ontvangen...'

Jasmine knikte en deed haar best om zelfverzekerd en optimistisch te kijken. Het was tenslotte haar eigen geld. Er stond genoeg op die rekeningen. Ze had intussen haar deel van het bruiloftsgeld van het tijdschrift gekregen. Ze had het volste recht om het op te nemen.

'U weet dat het pond op dit moment zwak staat ten opzichte van de euro, mevrouw Jones,' hernam de bankmanager. 'Ik zou u aanraden om voorlopig niet zo'n groot bedrag in euro's op te nemen...'

'Ik wil een raceboot voor mijn man kopen,' loog Jasmine. Ze had zich suf gepiekerd voordat ze deze smoes had verzonnen, en ze vond het zelf een hele goede. 'Het is een verrassing. Een laat huwelijkscadeau. Ik koop hem van een Spanjaard en hij wil euro's. Ik vind dat ik er een goede koop aan heb. Dat is toch in orde dan?'

De bankmanager zuchtte diep en fronste zijn wenkbrauwen. 'Nou, het is hoogst ongebruikelijk, maar als u weet wat u doet...'

'Dat weet ik,' zei ze snel. 'En het is mijn geld.'

De bankmanager zuchtte weer en knikte. 'Het is uw geld,' beaamde hij plechtig. 'Maar op deze manier zult u er niet lang van kunnen genieten. Jongedames zoals u zijn wel erg dol op winkelen, nietwaar?'

Jasmine schonk hem haar mooiste glimlach. 'Schoenen, tassen, raceboten...' giechelde ze, terwijl ze op haar Chanel-tas klopte en met haar zachtroze Jimmy Choos zwaaide. 'Als ik eenmaal begin met geld uitgeven, kan ik gewoon niet meer ophouden!'

'Het baart me grote zorgen dat u met zo'n groot bedrag aan contanten onze bank uit loopt,' zei hij.

'O, dat is niet nodig, hoor. Beneden heb ik een lijfwacht staan en mijn chauffeur wacht aan de voorkant bij een parkeerverbod.' De leugens rolden nu van haar tong. 'Misschien kunt u een beetje haast maken, als u het niet vervelend vindt, want ik zou niet willen dat hij een parkeerbon krijgt. De parkeerwachters in deze buurt zijn vreselijk, nietwaar?'

Vijf minuten later liep ze door Threadneedle Street met honderdduizend euro in contanten, keurig opgevouwen in een envelop die in een Topshoptasje was gewikkeld dat goed opgeborgen in haar Chanel-tas zat. Ze riep de eerste taxi die ze zag en vroeg de chauffeur om haar zo snel mogelijk naar het Natural History Museum te brengen.

Het museum was afgeladen met kinderen op schoolreisje, Italiaanse studenten op een uitwisseling en Japanse toeristen die foto's namen van hun grijnzende vrouwen voor de reusachtige dinosaurus bij de ingang. Jasmines hakken klikklakten op de vloer. Ze keek niet op naar de magnifieke *Tyrannosaurus rex* (al had ze dat dolgraag willen doen) en ontweek de blikken van de schoolkinderen die haar herkenden. Ze keek gewoon naar haar voeten en liep verder het gebouw in. In het voorbijgaan hoorde ze haar naam fluisteren.

Op de benedenverdieping waren twee borden die naar het damestoilet wezen. Jasmine beet op haar lip en vroeg zich af wat ze moest doen. Zou ze rechtsaf gaan of linksaf? Ze kon toch niet honderdduizend euro in de verkeerde wc achterlaten? Het damestoilet aan de linkerkant was dichterbij. Dat leek haar logischer. Er stond een lange rij die helemaal tot op de gang liep. Geduldig nam Jasmine haar plaats in achter een groepje pubermeisjes in korte schoolrokken en met matte roze lippenstift op. Ze hield haar ogen neergeslagen, nog steeds verborgen achter haar zonnebril, maar ze kon merken dat de meisjes elkaar aanstootten en haar aanstaarden. Zelfs deze enorme zonnebril kon haar identiteit niet verhullen. Soms verlangde Jasmine ernaar om weer anoniem te zijn.

Eindelijk stond ze vooraan in de rij te wachten totdat het juiste hokje vrij kwam. Snel deed ze de deur op slot, viste de Topshop-tas tevoorschijn en stopte hem netjes tussen het toilet en de afvalemmer. Ze aarzelde voordat ze weer naar buiten ging. Stel dat iemand anders het meenam? Stel dat dit de verkeerde wc was? Hoe wist ze dat het geld in de juiste handen terechtkwam? Stel dat dit geld zoekraakte en hij nog meer verlangde? Er was niet veel meer over.

Jeetje! Misschien moest ze het maar helemaal vergeten. Misschien moest ze het geld weer veilig in haar tas stoppen en er als de bliksem vandoor gaan. Ze kon het weer op de bank zetten en zeggen dat de koop van de raceboot niet doorging. Maar wat dan? Zou de afperser zijn dreiging ten uitvoer brengen? Als ze dacht dat haar leven nu al van de rails liep, moest ze eens wachten wat er gebeurde als dát nieuws bekend werd. Dan was het pas echt met haar gedaan.

Ze keek nog een laatste keer naar haar zuurverdiende geld (jezus, daar had ze haar stomme bruiloft voor verkocht) en stapte het hokje uit. De rij was op wonderbaarlijke wijze verdwenen. Er stond alleen nog een blond meisje op haar beurt te wachten. Zou zij het zijn? Het meisje van het aquarium in Spanje? Ze zag er niet hetzelfde uit. Haar haar was langer en ze leek veel jonger, veel minder geraffineerd. Dit meisje droeg een spijkerbroek met sportschoenen en over haar schouders hing een versleten oude rugzak. Op haar gezicht was geen spoortje make-up te zien. Ze zag eruit als elke andere uitwisselingsstudent. Toch had ze iets bekends... Toen ze langsliep kon ze het niet nalaten het meisje bij haar arm vast te grijpen.

'Ken ik jou?' vroeg ze.

Het meisje pruilde naar Jasmine en trok haar arm weg.

'Ik ken jou, hè?' Haar hart bonsde in haar keel.

'*Excusie?*' Het meisje haalde onschuldig haar schouders op en schudde haar hoofd. '*I no spiek Ingliesj.*'

Ze wriemelde erlangs en sloot zich op in het hokje waar Jasmine zojuist in was geweest. Zou zij het zijn? Jasmine wist niet wat ze moest doen. Blijven wachten om te zien wat er zou gebeuren? En dan? Ze stond koud water in haar gezicht te sprenkelen toen ze plotseling geschreeuw en voetstappen hoorde. De tienermeisjes die daarnet nog in de rij voor haar hadden gestaan, kwamen met opgewonden gezichten aanlopen. Ze hadden een groepje jongens mee naar het damestoilet genomen.

'Zie je wel!' gilde een van de meisjes. 'Ik zei toch dat zij het was. Het is Jasmine Jones!'

Jasmine glimlachte beleefd en wilde langs hen dringen.

'Mogen we je handtekening, Jasmine?' vroeg een van de meisjes.

'Kun je even mijn kont signeren?' riep een van de jongens baldadig.

'Mag ik je tieten zien?' bulderde een ander.

Jasmine mompelde dat ze haast had en drong tussen de joelende bende kinderen door. Hun geschreeuw werd door andere groepen gehoord en algauw werd Jasmine als de rattenvanger van Hamelen door een sliert tieners naar de uitgang gevolgd. Haar schoenen klikklakten almaar sneller totdat ze op een holletje door de gangen naar de draaideuren liep en via het stenen bordes op Cromwell Road uitkwam. De tranen biggelden over haar wangen en vermengden zich met de koude regen die intussen uit de hemel neerviel. Halverwege de straat verloor ze haar zonnebril, maar ze bleef niet staan om hem op te rapen. Ze draafde verder over het trottoir, dwars door de plassen zonder zich druk te maken om haar Jimmy Choos en het smerige regenwater dat op haar kleren spatte.

Onder het rennen schoten er allerlei gedachten door haar hoofd. Wie zou haar zoiets kunnen aandoen? Maar eigenlijk wist ze het antwoord wel. Telkens weer kwam er maar één naam bij haar op. Hij was de enige die er iets vanaf wist. Hij moest het wel zijn. Dit meisje en dat andere, of zouden ze hetzelfde meisje zijn, vroeg ze zich af. Ze moest... ze moesten haast wel voor hem werken. Maar waarom deed hij dit juist nu? Na al die jaren? Er waren zoveel vragen en er was niemand bij wie ze kon aankloppen voor antwoorden. Ze was verloren.

Ze bleef doorrennen totdat ze merkte dat ze in Hyde Park was. Aan de oever van de Serpentine bleef ze met bonzend hart staan. De regen kletterde op het water en vormde volmaakt ronde rimpelingen die elkaar raakten, samensmolten, uiteenvielen en zich opnieuw vormden. In de verte zwom een elegante zwaan. Jasmine deed haar mond open en slaakte een oorverdovende schreeuw van woede en frustratie. De zwaan schrok en verhief zich met wijd gespreide vleugels uit het water. Haar zachtroze schoenen waren donkerbruin geworden. Haar Chanel-tas was doorweekt en zat onder de modderspatten. Ze bracht haar hand naar haar mond en beroerde het korstje op haar lip. Alles was verpest. Van alle mooie dingen was niets meer over.

35

'Charlie?' zei de bekende stem. 'Met Frankie.'

Het was voor het eerst dat Charlie met de Engel contact had sinds hun woordenwisseling op het strand.

'Frank,' zei Charlie voorzichtig. 'Hoe staat het leven?'

'Goed, jongen, goed,' antwoordde Frankie. 'En bij jou? Je geniet zeker van de Costa del Sol?'

Charlie zuchtte. Zijn leven was kut en hij was al dagen niet uit zijn hotelkamer geweest, maar dat ging hij Frankie Angelis beslist niet aan zijn neus hangen. 'Ik mag niet klagen,' antwoordde hij op zijn hoede.

'O ja?' zei Frank. Charlie hoorde het leedvermaak in de stem van de ouwe vent. 'Want dat is niet wat ik heb gehoord, jongen. Ik heb gehoord dat je jezelf in de nesten hebt gewerkt bij een zeker Russisch heerschap dat we allebei kennen.'

Charlie balde zijn vuisten. Hoe wist de Engel altijd alles van iedereen?

'Ik red me wel, Frank,' zei Charlie met een pokergezicht. 'Maar ik stel je bezorgdheid erg op prijs.'

'O, ik ben niet bezorgd,' zei Frankie gniffelend. 'Ik dacht alleen dat je misschien van gedachten was veranderd over mijn voorstel.'

'Nee, bedankt. Ik meen het serieus. Ik heb geen interesse.'

'Nou, volgens mij wel, jongen. Volgens mij ben je juist reuze geïnteresseerd. Weet je wat, ik geef je nog tot morgen de tijd om je te bedenken. Dan bel ik weer.'

'Frankie, dat heeft geen enkele zin. Ik heb mijn besluit genomen. Ik ben...'

'Ik hoor het, Char. Ik hoor het. Maar weet je, ik geloof er geen barst van. Ik bel morgen terug.'

De verbinding werd verbroken. Het vervelende was dat Frankie gelijk had. Als Dimitrov er niet meer was, zouden Charlies problemen ook allemaal verdwijnen. En als iemand een man kon laten verdwijnen, was Charlie Palmer het wel...

Later werd Charlie gewekt door het bekende geluid van zijn mobieltje dat overging. Het was twee uur 's nachts. Charlie had al dagen niet fatsoenlijk geslapen en plotseling was hij het spuugzat. Hij pakte het mobieltje met het gebarsten scherm, smeet het op de grond en stampte erop met blote voeten totdat er alleen maar scherven plastic op de koude tegelvloer lagen. Hij pulkte een paar scherven uit zijn voetzool. Nu kon niemand hem meer bellen. Angelis niet, Dimitrov niet, niemand. Hij had rust nodig om tot zichzelf te komen. Rust en slaap. Hij raapte de stukken van het kapotte mobieltje bij elkaar, gooide ze in de prullenbak, klom weer zijn bed in en wachtte totdat hij in slaap zou vallen. Hij moest lang wachten.

'Hoezo wil je weer terug naar Spanje?' vroeg Jimmy op hoge toon. Hij stond in de deuropening te kijken naar Jasmine, die aan het inpakken was. 'We zijn nog maar net terug in Londen. Ik dacht dat we eerst nog een poosje naar huis zouden gaan.'

Naar huis? Waar was thuis? Jasmine wist het echt niet. Ze hadden drie huizen: deze woning in de stad, die handig was voor de voetbalclub en hun favoriete nachtclubs en winkels, de villa in Spanje en het riante landhuis waarmee ze hun vrienden de ogen uit konden steken en dat dicht bij de luchthaven lag. Ze vermoedde dat Jimmy dat bedoelde: zijn buitenverblijf. Dat had het meeste geld gekost en beschikte over de meeste kamers. Vijftien slaapkamers nota bene! Dat had Jasmine altijd bespottelijk gevonden. Aan één had ze tenslotte genoeg. Zelf had ze geen enkele behoefte om ernaar terug te gaan. Dat was geen huis, dat was een statement. Een zielloos, patserig pronkpaleis dat er geweldig uitzag in een glossy.

'Ik wil terug naar Spanje,' herhaalde Jasmine, terwijl ze kalm een sarong opvouwde. 'Daar voel ik me gelukkiger.'

Eigenlijk was Jasmine even verbaasd als Jimmy over haar verlangen om naar Marbella terug te keren. Het was een opluchting geweest toen ze er na het eerste afpersingsincident naar de bruiloft en de huwelijksreis kon vertrekken. Maar nu de afperser haar ook hier in Londen had weten te vinden, besefte ze dat ze nergens aan hem kon ontkomen. Trouwens, wie kon haar hier tegen hem beschermen? Jimmy? Welnee! Blaine? Was het maar waar! Maar Charlie woonde in Marbella en bij hem voelde ze zich altijd veilig.

'Maar je kunt toch niet weggaan?'

'Moet je eens opletten,' antwoordde Jasmine. Ze was echt niet in de stemming om aan Jimmy's eisen toe te geven. Hij had nog heel wat goed te maken.

'Maar dan mis ik je.' Nu jammerde hij.

'Nou, ga dan mee,' stelde ze voor.

'Dat kan niet. Ik heb hier nog een paar zaken af te handelen.'

'Nog meer geheimzinnige zaken.' Ze wierp haar nieuwe echtgenoot een snelle blik toe. 'Vast niets waarover je me meer kunt vertellen.'

Hij schudde zijn hoofd. 'Het is niets om je druk over te maken.'

Ze haalde haar schouders op en ging verder met inpakken. 'Ik maak me niet druk. Of je meegaat of niet kan me niet schelen.'

'Waarom doe je zo rot tegen me, Jasmine?' Pruilend keek hij haar met een zielig gezicht aan vanonder zijn sluike pony.

Jasmine wees naar haar gehavende gezicht. 'Wat dacht je?'

'Ach, ik dacht dat we dat al waren vergeten.'

Jasmine snoof minachtend. 'Er is echt wel wat meer voor nodig dan een paar nachten in Parijs en een protserige ring voordat ik vergeet dat je me ver-rot hebt geslagen.'

Het was de eerste keer dat ze iets zei over wat er op hun huwelijksreis was voorgevallen, en Jimmy wilde snel over iets anders beginnen.

'Nou goed,' mompelde hij. 'Ga jij maar terug naar Spanje. Ik blijf nog een paar dagen hier om mijn zaken af te handelen en daarna kom ik ook.'

'Prima,' zei ze, terwijl ze de koffer dichtdeed. 'Wat je het liefst doet.'

'Het liefst ben ik bij jou.' Hij liep naar haar toe en wilde haar hals kussen. Jasmine schudde hem van zich af.

'Zo, ik ga ervandoor,' zei ze. 'Beneden staat een taxi op me te wachten.'

'Wat? Ga je nu al? Nu meteen?'

'Hm-m,' antwoordde ze. Met een zwaai zette ze de koffer op de grond en rolde hem naar de deur.

'Krijg ik niet eens een afscheidskus?' vroeg hij droevig.

Ze bleef bij hem staan en bood hem haar wang aan.

'Is dat alles?' vroeg hij. 'Een wang? Geen lippen? Is dat alles wat ik van mijn vrouw krijg?'

'Voorlopig wel, Jimmy,' zei ze geduldig. 'Je mag blij zijn dat je dat ten min-ste krijgt.'

Hij zuchtte en kuste haar zachtjes op haar wang. 'Ik hou van je, Jazz,' zei hij teder terwijl ze naar de deur liep.

'Dat weet ik,' reageerde ze, een beetje verdrietig. Maar is dat genoeg, vroeg ze zich af.

Toen ze de deur opendeed, werd ze geconfronteerd met de bizarre aanblik van Blaine Edwards die op het punt stond zichzelf binnen te laten.

'Blaine!' riep ze geïrriteerd uit. 'Heb je soms de sleutels van al onze huizen?'

'Tuurlijk, schatje,' grinnikte hij.

'Maar hoe dan?' vroeg ze. Die vent leek meer op een kraker dan op een manager.

'Dat hoort allemaal bij mijn werk, schoonheid. Daar hoef jij je lieftallige hoofdje niet over te breken.'

'Eerlijk gezegd vind ik het eerder verontrustend dan dat ik me er het hoofd over breek,' reageerde ze. 'In elk geval snap ik niet dat je het lef hebt om je hier zomaar te vertonen nadat je de pers op onze huwelijksreis hebt uitgenodigd. Hoe kwam je erbij?'

Blaine haalde gespeeld onschuldig zijn schouders op. 'Ik wilde je alleen op de voorpagina houden, schat,' antwoordde hij. 'Bovendien zie je er gewéldig uit op die toplesskiekjes.'

Jasmine keek hem woest aan. 'Wat ben je toch een klootzak, Blaine. Als je niet zo goed in je werk was, zou ik...'

'O, wees niet boos op me, lieve Jazz,' zei Blaine, terwijl hij zich langs haar wurmde en het appartement in liep. 'Bij alles wat ik doe, staat jouw belang voorop.'

Jasmine snoof verontwaardigd. 'Wat een gelul, Blaine. En mijn privacy dan?'

'Poeh! Privacy wordt overschat. Publiciteit is het enige wat telt, schatje.'

'Het was onze huwelijksreis.'

'Jazz, lieverd,' zei Blaine geduldig. 'Die mensen hebben jou gemaakt. Zonder de pers ben je niets. Onthoud dat maar. Zonder jouw mooie kiekje op de voorpagina's zou je hier niet staan. Je smeekte me om je op de voorpagina's te krijgen toen ik je leerde kennen, dus sla nu maar niet zo'n toon tegen me aan.'

Jasmine zuchtte. Ergens had hij gelijk. Ze wist heus wel dat hij gelijk had. Hoe ongemakkelijk ze zich er ook bij voelde, ze kon niet zonder Blaine en ook niet zonder alle aandacht in de pers die hij voor haar had opgewekt. Het had geen zin om kwaad op hem te worden. Hij deed alleen maar waar ze hem voor betaalde.

'Laten we het maar vergeten,' zei ze. 'In elk geval is het goed dat je er bent. Dan kun je Jimmy gezelschap houden als ik weg ben.'

'Weg?' Blaine keek verbaasd. Zijn blik dwaalde naar de koffer. 'Waar ga je naartoe? Zulke dingen moet je eerst met mij bespreken.'

'Nee, dat moet ik niet,' zei ze mat. 'Ik ga terug naar Spanje.'

'Jij blijft hier, jongedame,' waarschuwde Blaine. 'Ik heb interviews voor je geregeld. De mensen hebben recht op een reactie van jou over het schandelijke gedrag van je zus op je bruiloft.'

'De mensen kunnen doodvallen!' zei Jasmine zoetsappig. 'Doeiii!'

Ze duwde Blaines enorme buik opzij en liep naar de lift.

'Wat heeft zij opeens?' hoorde ze Blaine aan Jimmy vragen.

'Ze moet zeker ongesteld worden,' hoorde ze Jimmy antwoorden.

Mannen! Wat moest je ermee?

De liftdeuren gleden open.

'Je moet wel nog steeds die interviews doen!' riep Blaine achter haar aan. 'Je kunt ze telefonisch doen!'

Jasmine negeerde hem en stapte de lift in.

'Over een paar dagen kom ik je in de villa gezelschap houden,' riep hij nog.

De deuren gingen achter haar dicht en opeens was het heerlijk stil om haar heen. Ze had ruimte nodig om zichzelf te hervinden. Het werd tijd om aan de toekomst te denken, maar eerst moest ze in het verleden graven. Door de gebeurtenissen van de afgelopen tijd voelde ze zich kwetsbaar en eenzaam. Ze werd verteerd door de behoefte haar echte ouders op te sporen. Het was een grote stap, maar instinctief wist ze dat ze er klaar voor was. De Hillmans waren hopeloos. Het enige waar Cynthia om gaf, was geld verdienen aan haar dochters. Alisha's recente beruchtheid paste precies in haar straatje. Een echte moeder voor Jasmine was ze nooit geweest. En Jimmy? Was hij veel beter dan het tuig uit de wijk? Waarschijnlijk niet. Nee, wat Jasmine nodig had was échte liefde. Misschien konden haar biologische ouders haar dat geven? Het was een gok, maar ergens diep in haar binnenste geloofde Jasmine nog steeds in een gelukkige afloop.

Lila zei niet veel, maar Maxine kon merken dat ze vanbinnen kapot ging. Ze had niet de moeite genomen zich op te maken voor de reis en ze was gekleed in een zwarte joggingbroek met een oude kasjmieren hoodie. En dit was dezelfde vrouw die in Chanel de kinderen naar school bracht! Op Lila's huid – waarvoor ze zo vaak complimenten kreeg omdat hij zo volmaakt blank was – lag een zweem van grijs en onder haar ogen zaten diepe, donkere wallen. En ondanks de bemoedigende woorden van Maxi en Peter had ze het domweg vertikt zich te douchen of haar haren te wassen. Voor het eerst in haar leven zag Lila Rose er echt onverzorgd uit! Maxi vond het vreselijk om haar zo te zien.

Nu zat Lila op een stoel in de viplounge van de vertrekhal met haar armen hoog over haar opgetrokken knieën heen geslagen en haar kin boven op haar handen rustend. Ze had haar capuchon omhooggetrokken, zodat haar vette haren tenminste bedekt waren, en ze hield haar blik strak op de vloer gericht.

De andere eersteklasreizigers moesten de weekendkranten hebben gezien, maar ze waren zo fatsoenlijk om afstand te bewaren. Niemand fluisterde en niemand staarde haar aan. Maxi zag Peter voor zijn werkgeefster ijsberen en besefte dat het een geluk was dat iedereen hun gezelschap links liet liggen. Peter zou iedereen hebben gevloerd die te dicht bij Lila kwam. Zo woest had Maxine hem nog nooit gezien.

'O, jezus! Nee, hè? Wat doet zij hier, verdomme?' mompelde hij, terwijl hij stil bleef staan en naar de deur keek.

'Wie?'

Maxine volgde zijn blik en zag Jasmine Jones de lounge binnen komen. In haar superstrakke spijkerbroek, een rood zijden topje en een enorme zonnebril zag ze er bijzonder sexy uit. Ze was nog bruiner dan anders en haar weelderige zwarte haar wipte telkens in perfecte krulletjes omhoog toen ze op haar stilettohakken door het vertrek schreed. Alle hoofden in de lounge draaiden zich naar haar toe om haar te zien binnenkomen. Alle hoofden behalve dat van Lila. Lila leek in haar eigen wereldje te zijn verzonken.

Maxi zuchtte. Goed, Jasmine was niet de ideale reisgenoot. Tenslotte was het háár zus geweest die met Brett in de bosjes was betrapt en háár bruiloft die het betreurenswaardige voorval mogelijk had gemaakt. Maar was het daarom Jasmines schuld? Maxine vond duidelijk van niet.

Vanaf de andere kant van het vertrek keek Peter kwaad naar Jasmine. Zijn ogen vlamden van woede. Zachtjes legde Maxine haar arm op de zijne.

'Nee, Peter,' zei ze op sussende toon. 'Ik snap dat je boos bent, maar Jasmine kan hier helemaal niets aan doen. Reageer het niet op haar af.'

Jasmine had hen niet opgemerkt. Ze was aan de andere kant van de lounge gaan zitten en haalde een Spaanse reisgids uit haar tas.

'Ik ga even gedag zeggen,' zei Maxine.

'Als je het maar laat,' snauwde hij haar toe. 'Oké, misschien is ze niet zelf verantwoordelijk voor deze puinzooi, maar op dit moment is zij wel de láátste die Lila wil zien.'

Allebei keken ze naar Lila's gebogen hoofd. Ze leek zich nergens van bewust te zijn.

'Ze woont naast Lila's ouders, Peter. Je kunt haar toch niet negeren?'

'O jawel, let maar eens op,' antwoordde hij kinderachtig.

'Nee, dat kun je niet maken!'

'O jawel!'

'Hou alsjeblieft op met dat gekibbel,' zei een zwak stemmetje achter hen.

Maxine en Peter draaiden zich vliegensvlug om en zagen Lila's gekwelde gezicht. Met een treurige blik keek ze hen aan.

'Dit is de schuld van Brett, niet van Jasmine,' zei ze zacht. 'Ik neem haar niets kwalijk. Waarom zou ik?'

'O...' reageerde Peter.

'Fijn,' zei Maxine. Ze wierp Peter een blik toe van: zie je wel?

'Ze heeft ons trouwens al gezien,' voegde Lila eraan toe. Ze klonk uitgeput. 'Ga maar even gedag zeggen.' Daarna verdween ze weer onder haar capuchon in haar eigen hel.

Maxine ving Jasmines blik op, glimlachte en zwaaide. Aarzelend zwaaide Jasmine terug. Arme meid, dacht Maxine toen ze naar haar toe liep. Waarschijnlijk zijn wij ook de laatsten die ze tegen het lijf zou willen lopen.

'Hoi Jasmine!' zei Maxine met haar vriendelijkste stem. Ze kuste haar op beide wangen. 'Je ziet er fantastisch uit. Het is vast een geweldige huwelijksreis geweest.'

Jasmine knikte en zei: 'Ja, ja het was leuk. Hoe gaat het met Lila?'

Maxi zag dat Jasmine op haar lip beet en naar Lila keek, die ineengedoken op een stoel zat.

'Niet zo best,' gaf Maxine toe. 'Ze is er uiteraard helemaal kapot van.'

'Het spijt me toch zo verschrikkelijk van Alisha,' zei Jasmine. 'Ik had geen idee dat ze tot zoiets in staat was. Ik bedoel, ik heb me nog nooit zo geschaamd. O god... Het is zo afschuwelijk. Wat kan ik doen? Lila zal me wel haten. Mijn zus heeft haar huwelijk verwoest!'

Maxine schudde haar hoofd. 'Nee, natuurlijk haat ze je niet. Ik weet niet eens of ze je zus haat. Ze haat alleen Brett.'

Jasmine knikte, maar zag er nog steeds bezorgd uit.

'Misschien voel je je dan iets minder schuldig,' zei ze. Ze liet haar stem dalen en fluisterde in Jasmines oor: 'Je zus is er maar een in een hele lange rij veroveringen van Brett.'

Jasmine sperde haar ogen open en haar mond vormde een volmaakte O.

'Peter is getipt. Volgend weekend komen er nog meer artikelen uit: actrices, modellen, visagistes. Je kunt geen naam noemen of Brett heeft haar gehad!'

'Dat is afgrijselijk,' zei Jasmine verbijsterd. 'Hoe neemt ze het op?'

Maxine haalde haar schouders op. 'Peter heeft het haar nog niet verteld. Hij zegt dat hij op het juiste moment wacht. Maar het juiste moment komt natuurlijk nooit.'

Jasmine zuchtte. 'Nee, dat denk ik ook.'

'In elk geval lijken mijn eigen problemen opeens niet meer zo erg,' zei Maxine, die Juans aantrekkelijke gezicht van zich af probeerde te zetten.

'Die van mij ook niet,' beaamde Jasmine.

Maxine glimlachte. De schat! Wat kon een mooie jonge meid als Jasmine nou voor problemen hebben? Pas getrouwd met die sexy, jonge voetballer en de favoriete pin-up van elke schooljongen. Jasmine Jones zou vast een zorgeloos leventje hebben.

36

Grace stopte bij het veiligheidshek van Cynthia Watts' nieuwe 'exclusieve' huis in Chigwell. Ieuw! Een Pot Noodle had meer smaak, dacht ze. Het nieuwe gebouw was identiek aan alle andere woningen in de straat, behalve dat dit het enige huis in de wijk was met een koperen fontein in de voortuin en stenen leeuwen aan weerszijden van het portiek. Een ondervoede dobermann liep ongeduldig over de oprijlaan heen en weer met de verveelde en tegelijkertijd kwade blik die Grace ooit eens bij een tijger in een Afghaanse dierentuin had gezien. Op de oprijlaan stond een witte BMW-cabrio met het nummerbord 'SIN1'. Het getuigde echt van klasse.

De vorige dag was Grace onverwacht door Jasmine gebeld met de vraag of ze zin had om haar biologische ouders voor haar op te sporen – uiteraard voor een royaal honorarium. Het telefoontje kwam voor Grace op een gunstig moment. Ze was door de krant direct op een gedwongen doorbetaalde vakantie gestuurd en had haar vrije tijd willen besteden aan het opknappen van haar hofjeshuis, zodat ze het zo snel mogelijk op de markt kon zetten. In werkelijkheid was ze niet verder gekomen dan kwijlen om de interieurfoto's in *Homes and Gardens* en een paar kleurenwaaiers van Farrow and Ball doornemen, terwijl ze op haar comfortabele bank naar de televisie keek. Nee, in feite had Jasmines telefoontje haar van een hopeloze verveling gered.

Zodoende was ze nu hier, chez Cynthia.

'Ja? Wat mot je?' blafte een stem door de intercom.

'Bent u mevrouw Watts?' vroeg Grace beleefd.

'Ligt eraan wie het vraagt...'

'Grace. Grace Melrose. Ik ben journaliste. Ik wil u een paar vragen stellen over uw dochter. Tegen betaling.'

Jasmine had gezegd dat die aanpak de meeste kans van slagen had. 'Doe net alsof je een paar sappige weetjes over me wilt opsnorren. Familieloyaliteit is niet bepaald haar sterke kant. Als je die inhalige teef maar genoeg betaalt, klapt ze wel uit de school,' had Jasmine beloofd. 'Dat heeft ze al vaak genoeg gedaan.'

'Hoeveel?' vroeg de stem.

'Genoeg,' antwoordde Grace.

'Dus je wilt iets vragen over Alisha?'

'Nee. Niet over Alisha. Ik wil een paar vragen stellen over Jasmine.'

'O.' Even bleef het stil. 'Ik dacht dat mijn jongste dochter tegenwoordig de grootste ster van de familie was.' Cynthia liet een schor lachje horen. 'Brett Rose overtroeft Jimmy Jones, hè?'

'Tja, ze hebben allebei veel talent,' ging Grace geduldig verder. 'Maar eigenlijk ben ik alleen geïnteresseerd in Jasmine.'

'Nou, kom dan maar binnen. Maar niet verder dan de tuin. Ik mot geen journalisten in mijn huis.'

Het hek ging open en Grace parkeerde naast 'Sin1'. De dobermann likte hongerig zijn lippen.

'Hier, Saddam, teringbeest,' bulderde Cynthia. Ze kwam naar buiten in een minirok van spijkerstof en een roze Playboy bunny-topje. Het mens zag er nog verlopener uit dan op de bruiloft.

Cynthia greep de hond bij zijn halsband, gaf hem met haar hoge hak zo'n trap dat het beest ervan jankte en smeet hem daarna in een hok in de voortuin. Grace kromp in elkaar. Later zou ze anoniem de dierenbescherming bellen.

'Ik heet Cynthia. Mijn vrienden noemen me Sin, maar jij mag mevrouw Watts zeggen...' Ze schaterde zelf om haar flauwe grap. 'Nou, vertel op. Wat wou je weten over onze Jazz?'

'Ik wil weten wie haar echte ouders zijn,' antwoordde Grace dapper.

Cynthia zweeg even en Grace zag haar gezicht betrekken.

'O ja?' vroeg ze lijzig. 'Nou, ik denk niet dat je je die informatie kunt veroorloven.'

Eerst had Maxine haar misstap gecompenseerd door Carlos te verwennen. Ze schaamde zich zo dat ze met Juan naar bed was gegaan, dat ze haar schuldgevoel hoopte te sussen door hem als een koning te behandelen. Vanzelfsprekend was Carlos achterdochtig geworden. Anders was Maxine altijd degene die een vorstelijke behandeling verwachtte.

'Heel lief van je, Maxine, maar ik heb echt geen Rolex meer nodig!' had hij uitgeroepen toen hij het cadeautje had geopend dat ze uit Londen voor hem had meegebracht.

'*Chica, chica!* Ik zit naar deze film te kijken!' had hij haar afgewimpeld toen ze hem de volgende avond een aromatherapiemassage wilde geven.

'Ontbijt op bed!' Hij was zichtbaar geschokt toen ze hem de volgende ochtend had verrast met een dienblad vol verse croissantjes en koffie. 'Maar ik ben helemaal niet jarig!'

'Nee, Maxine! Ik ben veel te moe om alweer te vrijen!' had hij geprotesteerd toen ze slechts gehuld in een g-string en een paarse verenboa uit de badkamer was gekomen. 'Bovendien zijn we zo druk bezig geweest dat ik door mijn viagra heen ben.'

'O.' Maxine was plotseling blijven staan. 'Weet je dat zeker?'

Carlos had haar over het gouden montuur van zijn leesbril aangekeken en vol overtuiging geknikt. 'Heel zeker. Ik ben juist bij een heel spannend stukje aangekomen in mijn boek,' had hij bevestigd.

Stiekem was Maxine opgelucht dat ze niet alweer met Carlos hoefde te vrijen. Ze had het alleen uit schuldgevoel gedaan. Als ze extra veel aandacht aan hem schonk, hoopte ze, zou hij nooit vermoeden dat ze overspelig was geweest. Maar wanneer hij haar aanraakte, voelde dat helemaal verkeerd. Zijn huid was te droog, te ruw, te oud. Zijn handen waren koud, zijn streling was onbeholpen, zijn adem rook onfris en ze kon zich er niet toe brengen hem op de lippen te kussen of hem in zijn ogen te kijken. Ze voelde zich net een hoer. Alleen door haar ogen stevig dicht te knijpen en aan die hemelse nacht met Juan te denken kon ze hem verdragen. Jezus, wat een puinzooi!

Eigenlijk wilde ze alleen maar op bed liggen en over Juan dagdromen, maar wat had dat voor zin? Ze kon zichzelf niet toestaan om in deze krankzinnige situatie te zwelgen. Ze moest die jongen helemaal van zich afzetten. Ze moest hem gewoon vergeten. Maar hoe kon dat als ze met zijn vader samenwoonde? Op de schoorsteen stond nota bene een foto van Juan!

Maxine deed haar uiterste best om de herinneringen aan haar nacht met Juan weg te vagen door als een bezetene in de weer te blijven. Ze struinde de hele stad af voor denkbeeldige boodschappen, ging om de haverklap naar de schoonheidssalon en legde vele kilometers af op de loopband in de sportzaal.

Alles om maar niet aan Juan te hoeven denken. Natuurlijk lukte dat niet. Ze probeerde hem als een vlieg uit haar hoofd te meppen, maar hij bleef rondgonzen. Hij was de eerste aan wie ze dacht zodra ze 's ochtends haar ogen opendeed, zijn gezicht was het laatste wat ze voor zich zag voordat ze 's avonds haar ogen sloot en in haar dromen was het zijn naam die op haar lippen lag.

Maxine voelde de kloof tussen haar en Carlos groeien. Zij stond aan de ene kant, hij aan de andere en hoe hard ze ook haar best deed, ze kon hem niet bereiken. Was hij zich ook bewust van de kloof? Dat wist ze niet zeker. Hoe kon hij haar schuld níét van haar gezicht aflezen? Ze voelde zich geen greintje minder schuldig als ze hem verwende, dus nu ging ze hem maar uit de weg. Het bleek verbluffend eenvoudig te zijn om een huis met iemand te delen zonder hem te hoeven zien. Hij had zijn dagelijkse rituelen – zijn golf, het clubhuis, zijn pokeravondjes met zijn vrienden – en het was niet moeilijk om weg te zijn als hij juist thuis zou komen. In feite was het nog het makkelijkst om maar helemaal weg te blijven.

Uiteraard had ze een medeplichtige nodig. Die arme Lila had zichzelf opgesloten in de villa van haar ouders en wilde niemand zien – zelfs Maxi niet. Het was niet dat Maxine haar vriendin had laten stikken. Elke dag belde ze wel een keer en sprak dan met Peter, maar nooit kreeg ze Lila aan de lijn. Die was altijd aan het zwemmen of ze sliep.

Gelukkig had Maxine een nieuwe speelkameraad gevonden in Jasmine Jones. Jimmy was in Londen voor zaken en zodoende was ook Jasmine in haar eentje in Marbella. Naarmate de zomerdagen elkaar opvolgden, hadden de twee vrouwen er een aangename gewoonte van gemaakt met elkaar af te spreken om te lunchen op het strand, een beetje te winkelen of 's avonds een cocktail te drinken in Cruise. Jasmine was een schat. Ze hielp Maxi haar gedachten van Juan af te leiden (hoewel ze haar nieuwe beste vriendin uiteraard niets over Juan had verteld). Bovendien woonde ze naast Lila. Dat betekende dat Maxine haar kon uithoren.

'Heb je haar al gezien?' vroeg ze, toen ze zich op de zijden kussens van hun favoriete Marokkaanse dakcafé in de oude binnenstad installeerden om te lunchen.

Jasmine beet op haar lip en knikte. Ze keek bezorgd. 'Ja, ik zag haar gistermiddag en vanochtend weer. Ik bedoel, ik was niet aan het spioneren of zo, maar vanuit mijn slaapkamer kan ik hun huis goed zien...'

'Nee, natuurlijk is dat niet spioneren. We moeten toch een beetje op haar letten, nietwaar? Ze is onze vriendin. Dus wat deed ze?'

'Ze was aan het zwemmen,' antwoordde Jasmine. 'Zwemmen, zwemmen, zwemmen en meer niet. Het is eigenlijk een beetje griezelig. Ze zwemt zo ver de zee in.'

'Ze kan goed zwemmen,' zei Maxine, niet alleen om Jasmine gerust te stellen maar ook zichzelf. 'Hoe zag ze eruit?'

Jasmine haalde haar schouders op. 'Moeilijk te zeggen van zo'n afstand. Ze is afgevallen. En ze is bruin. Ik heb haar nog nooit bruin gezien.'

Maxine fronste haar voorhoofd. 'Nee, Lila doet meestal factor 50 op of zo. Dat is vast geen goed teken. Jemig, ik snap niet waarom ze me niet wil zien!'

'Waarschijnlijk wil ze zich gewoon voor iedereen verstoppen. Maar de journalisten zitten overal, dus voor hen kan ze zich niet verstoppen. Zelfs midden in de nacht kan ik ze horen. Er vliegen minstens twee helikopters rond. We hebben al een paar fotografen in onze tuin betrapt die over de muur wilden klimmen.'

'Wat afschuwelijk. Arme Lila. En arme jij. Ben je niet bang als ze door je tuin kruipen, nu Jimmy er niet is?'

Jasmine schudde haar hoofd. 'Blaine is weer terug,' legde ze uit. 'Ik bedoel, meestal kan ik het niet uitstaan als die vette kwal me voor mijn voeten loopt, maar soms heeft hij zijn nut. Hij kent de meeste fotografen, dus als hij zegt dat ze moeten ophoepelen, luisteren ze.'

'Volgens Peter doet ze amper haar mond open,' vervolgde Maxine. 'Dat is zo sinds al die jonge grietjes gingen rondbazuinen dat zij ook met Brett naar bed zijn geweest. Ik ben de tel kwijtgeraakt! Alisha, de visagiste in New York, drie Hollywoodactrices, een showgirl uit Vegas...'

'En de au pair,' verzuchtte Jasmine. 'Dat moet het ergste geweest zijn. Ik bedoel, Lila heeft haar in huis gehaald. Die meid heeft voor haar kinderen gezorgd!'

Maxine knikte ernstig. 'En dan al dat gezeur over seksverslaving. Hij zegt dat hij er niets aan kan doen, dat het een probleem is en dat hij hulp nodig heeft. Dat is toch belachelijk, of niet soms?'

Jasmine vertrok haar gezicht. 'Ik weet het. Wat een ontzettende hufter. Hij wil niet eens de verantwoordelijkheid aanvaarden voor wat hij heeft geflikt. Hij moet zo nodig beweren dat hij een medisch probleempje heeft waar hij geen controle over heeft. Wat een kutsmoes. Het probleem zit niet in zijn hoofd, maar in zijn boxershort!'

'Tja, typisch Hollywood,' zei Maxine. 'Het is die arme Lila die hulp nodig heeft, niet Brett. Ik weet niet of ze sterk genoeg is om dit aan te kunnen. Niet in haar eentje.'

37

Lila schoof haar bord opzij, ook al had ze maar een klein hapje van haar boterham genomen. Ze had gewoon geen honger. Eigenlijk voelde ze nauwelijks nog iets. Ze was voortdurend wazig in haar hoofd en ze hoorde niet goed. Alles was gedempt: de telefoon, de intercom, de helikopters die boven het huis rondjes vlogen. Als Peter of haar ouders iets tegen haar zeiden, was het alsof ze hen vanuit een goudviskom hoorde. Ze bleven maar zeuren dat ze iets moest eten. Keer op keer probeerde haar moeder haar te verleiden met haar lievelingshapjes. Ze hield champagnetruffels, stukjes mango of blokjes boerencheddar (overgevlogen van thuis) onder haar neus en smeekte haar zowat om een hapje te nemen, maar ze liet zich niet verlokken. Peter vond dat ze te mager werd en te veel afviel, maar waarom voelden haar benen dan zo zwaar als dat echt zo was?

Langzaam stond ze moeizaam van de keukentafel op. Drie bezorgde blikken volgden haar. Jezus, het leek wel of ze huisarrest had. Ze kromp in elkaar. Ze verging van de hoofdpijn. Het was alsof iemand haar tussen haar ogen had geschoten. Gelukkig zagen de kinderen haar niet zo. Het kindermeisje had hen snel meegenomen naar de boerderij van haar ouders in Cheshire totdat het ergste voorbij was. Lila voelde zich schuldig omdat ze hen zomaar had uitbesteed, maar ze leken het erg naar hun zin te hebben. Ze mochten kalfjes de fles geven, aten ijsjes en speelden op het strand. Het belangrijkste was dat ze zich volkomen onbewust waren van het schandaal dat hun gezin uiteen had gerukt.

'Voel je je wel goed, lieverd?' vroeg haar moeder.

Lila knikte, hoewel ze zich nog nooit zo rot had gevoeld.

'Ga toch zitten, wijfie,' drong haar vader zachtjes aan.

Lila schonk geen aandacht aan hen en liep op wankele benen naar de terrasdeuren en het daglicht erachter.

Ze hielden haar liever binnen, waar ze haar in de gaten konden houden. Hoewel Lila het begreep, maakte het haar domweg razend. Ze wilden niet dat ze nog meer gekwetst zou worden. Als ze haar maar niet naar buiten lieten gaan, zou niemand haar nog verdriet kunnen doen, dachten ze. Het was een leuk idee, maar in de praktijk werkte het niet. Ze had frisse lucht nodig.

'Wat ga je doen?' vroeg Peter. Hij sprong op en ging tussen Lila en de deur in staan.

Ze wist dat hij zich ernstige zorgen maakte over haar. De ongerustheid stond in de zorgrimpels op zijn voorhoofd gegrift. Ze wilde hem niet van zijn stuk brengen, maar wat moest ze anders? Ze kon deze hel alleen overleven op haar eigen manier.

'Zwemmen,' mompelde ze, terwijl ze Peter opzij duwde en naar de deur liep. Voor meer woorden had ze geen puf meer.

'Maar Lila, daarbuiten vliegen de helikopters rond. Ga alsjeblieft niet naar buiten.'

'Peter heeft gelijk, lieverd.' De stem van haar moeder was schor van emotie.

Ze sloeg geen acht op hen. Het deed er niet toe wat ze zeiden. Het zou toch niets uitmaken. Wat kon haar de pers schelen? Laten ze haar maar fotograferen. Wat kon dat nog voor kwaad na alles wat er al was gebeurd? Wat maakte het uit als ze foto's publiceerden waarop ze er afgrijselijk uitzag? Wat kon het haar schelen wat vreemden nu van haar vonden? Hoe kon haar dat nog meer kwetsen? Haar man leek genoeg van haar te hebben. Het was intussen wel duidelijk dat hij al een hele poos genoeg van haar had gehad. Dát deed nog de meeste pijn. Het kwaad zelf was al lang geleden geschied. Brett had de teerling geworpen. De rest, dit alles, was gewoon zoals het nu eenmaal moest zijn. Dit waren de gevolgen.

Ze hoorde dat Peter achter haar aankwam, via het bordes naar beneden tot op het strand. Hij riep dat ze beter in het zwembad kon gaan zwemmen, maar ze filterde zijn stem weg uit haar hoofd en luisterde naar de golven die haar riepen. Peter kwam niet achter haar aan de zee in. Hij was geen sterke zwemmer. Nee, ze zou alleen zijn in het koude water. Het zout prikte op haar huid en dat was prettig. Het was prettig om ergens anders pijn te voelen dan in haar hart. Haar zware ledematen werden gewichtloos toen ze begon te zwemmen. Het water was zo heerlijk ontspannen. Het enige wat ze hoorde was het water dat langs haar oren stroomde. Het enige wat ze voelde was de trekkracht van het tij dat haar meevoerde naar de oceaan. Ze keek niet achterom om te zien hoe ver ze van de kust af was. Ze ploeterde gewoon door met de inzet van al haar krachten totdat haar tranen zich vermengden met het zilte water en ze te moe was om zich Bretts gezicht nog voor de geest te halen. Toen ze uiteindelijk zo uitgeput was dat ze niet wist of ze de kust nog zou halen en het haar ook niet kon schelen, draaide ze zich om en spoelde op de een of andere manier langzaam weer op het strand aan.

Daar bleef ze plat op haar rug in het zand liggen en liet de middagzon op haar huid branden. Opeens stond Peter boven haar. Hij wierp een schaduw over haar gezicht en zei iets. Ze zag zijn lippen bewegen, maar ze begreep zijn woorden niet. Toen gaf hij het op en liet zich naast haar op het zand zakken. Hij pakte haar hand en gaf er een kneepje in. Lila was dankbaar voor dat gebaar. Ze stelde Peters trouw op prijs. Dat hoopte ze hem ooit te kunnen vertellen, maar voorlopig vergde praten te veel inspanning. Haar hoofd zat nog te vol met beelden om aan woorden te kunnen denken. Uren had ze naar hun foto's in de krant getuurd, naar Bretts veroveringen. De gezichten van die meiden achtervolgden haar. Zo mooi, zo jong, zo godverdomde jong. Ze keek recht in de zon totdat ze verblind was door het licht en die mooie jonge gezichten naar de vergetelheid brandden. Soms was het goed om te branden.

Blaine keek door zijn lange lens naar Lila en kiekte erop los. Dit was kostelijk. Lila Rose, de grote Britse schoonheid, was er niet meer. De vrouw die hij gadesloeg was een wrak, zoals ze daar in het zand lag, met alleen die verwijfde assistent van haar om haar gezelschap te houden. Ze zag er meelijwekkend, zwak en krankzinnig uit. De afgelopen paar dagen had hij haar zien verbranden totdat haar huid zo rood was als een kreeft en ze vervelde. Nu was die bruin en leerachtig. Door zijn sterke lens zag hij duidelijk haar holle wangen en haar vermagerde lijf. In de laatste twee weken was ze tien jaar ouder geworden. Tenzij ze er onder haar make-up altijd zo uitzag. Met vrouwen wist je het nooit. Met zulke dingen konden ze je er makkelijk in laten luizen. Blaine wist niet hoe vaak hij al naar bed was gegaan met een beeldschone vrouw en de volgende morgen naast een lelijke heks wakker was geworden. Hm... Nou, vandaag was Lila Rose beslist geen schoonheid. Geen wonder dat Brett Rose zich in al die avontuurtjes had gestort. Met zo'n vrouw zou geen enkele rechtgeaarde man het hem kwalijk nemen.

Er hing vanavond een opgewonden sfeer in Cruise. Maxine had een hippe jonge band uit New York overgehaald om aan het eind van hun Europese tournee nog een extra set te spelen. Iedereen die ook maar iets te betekenen had aan de Costa del Sol was komen opdagen om ze op hun gitaren te zien beuken. Jasmine was eerder kwaad dan teleurgesteld dat Jimmy niet op tijd terug was. Wat dacht hij wel? Wat was er in vredesnaam in Londen aan de hand waardoor hij zo lang wegbleef? Ook vond ze het jammer dat Charlie geen zin had om vanavond te komen. De laatste tijd had ze hem nauwelijks gezien. Hij leek nog meer afgeleid te zijn dan Jimmy. Nou ja, ze had in elk geval Maxine om haar gezelschap te houden. En wat voor gezelschap! Jasmine was dol op haar nieuwe vriendin.

Maxi zat zo boordevol energie en enthousiasme. Logisch dat Cruise zo'n doorslaand succes was geworden. Het was dolle pret om iets met Maxine te doen. En pret kon Jasmine wel gebruiken in haar leven. Een paar keer na enkele cocktails te veel had ze Maxi bijna over de afperser verteld. Het zou een enorme opluchting zijn geweest om de last met iemand te delen en ze wist zeker dat Maxine haar mond zou houden. Maar hoe kon ze het hele verhaal aan iemand uitleggen? Ze was bang dat zelfs iemand die zo hartelijk was als Maxi geschokt zou zijn door de waarheid. Dat Jimmy haar had geslagen, had ze ook niet verteld. Maxi was zo'n sterke, onafhankelijke vrouw. Ze kon zich niet voorstellen dat haar vriendin het zou pikken als ze door een man werd mishandeld. Ze zou zich hebben geschaamd en zich zelfs belachelijk hebben gevoeld om te moeten toegeven dat Jimmy haar dat had aangedaan – en erger nog, dat ze het van hem slikte. Zodoende had ze haar geheimen voor zichzelf gehouden.

Toen de band klaar was met de set waren Jasmine en Maxine met de jongens naar de viproom gegaan om nog wat te drinken. De leadzanger – een jongen die Jamie heette, met sluik zwart haar en gevaarlijk zwoele ogen – leek een oogje op Jasmine te hebben. Achteloos had hij zijn arm om Jasmines schouder geslagen en nu deed hij zijn best om haar te versieren.

'Dus je bent getrouwd?' pruilde hij. 'Doodzonde dat een stuk als jij al bezet is.' Met zijn vinger gleed hij over haar blote arm. Het kietelde. Hij was een lekker ding, maar Jasmine liet zich niet verleiden. Lachend duwde ze zijn arm weg.

'Precies. Ik ben verboden terrein, dus het heeft geen enkele zin om je energie aan mij te verspillen. Kijk, daar zitten een heleboel beeldschone vrouwen en ik durf te wedden dat de meeste single zijn. Waarom ga je niet naar ze toe om een praatje te maken?'

Jamie schudde zijn hoofd en zei: 'Nee, ik hou wel van een uitdaging.'

'Ik ben geen uitdaging,' antwoordde Jasmine kordaat. 'Ik ben onbegonnen werk. Echt, het is verspilde moeite.'

Ze glimlachte beleefd en verontschuldigde zich om naar het toilet te gaan. Daar trof ze Maxine aan die haar make-up stond bij te werken.

'Hij is zooo gek op je,' giechelde Maxi. 'Eigenlijk is het best schattig.'

Jasmine vertrok haar gezicht. 'Eigenlijk is het best irritant,' zei ze. 'Jezus, wat is er nou zo moeilijk te begrijpen aan "getrouwd"?'

'Maar het is wel vleiend,' vond Maxine, terwijl ze haar lipgloss bijwerkte. 'Om door zo'n knappe jonge vent te worden versierd.'

'Dat kan wel wezen, maar voor mij is één vent genoeg. Ik zou nooit een slippertje kunnen maken. Dat is het ergste wat je kunt doen, vind je niet? Ik bedoel, moet je kijken wat het met Lila heeft gedaan.'

Langzaam en bedachtzaam stopte Maxine haar lipgloss in haar tas, maar ze zei niets.

Jasmine praatte gewoon door. 'Nee, voor ontrouw is geen enkel excuus. Je moet altijd eerst je oude relatie uitmaken voordat je aan een nieuwe begint.'

Maxine rechtte haar rug en fatsoeneerde haar haar. 'In een ideale wereld zou iedereen trouw zijn, zou niemand ooit gekwetst worden en zouden we allemaal nog lang en gelukkig leven,' zei ze.

'Precies!'

'Maar jammer genoeg leven we niet in een ideale wereld.' Maxi ving Jasmines blik op in de spiegel. De oudere vrouw zag er wijs uit en opeens voelde Jasmine zich een beetje dwaas en naïef.

'Soms is het leven ingewikkeld, onvolmaakt...' Maxines stem stierf weg en ze wendde haar blik af.

Even vroeg Jasmine zich af of ze uit ervaring sprak. Misschien zou ze het haar moeten vragen. Maar iets in de vastberaden trek op Maxi's gezicht maakte duidelijk dat ze er beter niet over kon beginnen.

'Zullen we nog ergens anders naartoe gaan?' vroeg Maxine plotseling. 'Ik wil weleens iets anders. Tegenwoordig ben ik haast altijd hier. En dan kun jij Jamies toenaderingspogingen ontlopen!'

'Ja, prima. Waar zullen we naartoe gaan?'

'O, gewoon ergens waar we rustig iets kunnen drinken.'

Zonder afscheid te nemen van de band slopen ze weg naar Maxines privé-auto. De chauffeur bracht hen naar de binnenstad en zette hen af bij een boetiekhotel waar Jasmine een paar keer was geweest. Het beschikte over een prachtig dakcafé en het personeel was erg kieskeurig bij het toelaten van gasten.

'Hier kunnen we rustig zitten,' beloofde Maxine. 'Geen irritante rocksterren die aan je willen zitten!'

In de bar was het gezellig druk maar niet overvol en er hing een intieme sfeer. Onder de sterrenhemel zaten verliefde paartjes en groepjes vrienden rustig met elkaar te babbelen. Het geluid van rinkelende glazen en gedempt gelach vermengde zich met zachte Spaanse gitaarmuziek. Jasmine keek om zich heen om te zien of ze iemand herkende. Ze zwaaide naar een paar modellen die ze kende en toen viel haar blik op een man die in zijn eentje in een hoek zat. Hij hing scheef in zijn stoel en staarde naar zijn flesje bier. Jasmine kon zijn gezicht niet goed zien, maar hij was onmiskenbaar dronken. Hij viel vreselijk uit de toon, vond ze. Dit was niet het soort bar waar mensen van hun kruk lazerden als ze een paar San Miguels te veel op hadden. Daar was het veel te chic voor.

De ober bracht Jasmine en Maxi naar een tafeltje vlak bij de man. Maxi bestelde een fles champagne en begon te babbelen over de bands die ze voor de rest van de zomer voor Cruise had geboekt, maar Jasmine kon haar ogen niet van de dronken man afhouden. Zijn donkere haar en zijn lange, magere gestalte kwamen haar bekend voor. Hij droeg dure kleren, maar zijn hemd was gekreukeld en hing uit zijn broek, die onder de biervlekken zat. Uit zijn mond hing een niet-aangestoken sigaret. Pas toen hij zijn bril van het tafeltje pakte en scheef op zijn neus zette, drong tot Jasmine door wie hij was.

'Is dat niet Peter? Lila's Peter.'

'Waar?' Maxi volgde haar blik. 'O god, ja! Ik heb hem nog nooit zonder Lila gezien. Ik dacht al dat ze met elkaar vergroeid waren. Jemig, hij ziet er niet uit, hè? Kom mee, laten we maar even naar hem gaan kijken.'

Jasmine knikte, maar de moed zonk haar in de schoenen. Ze wist dat Peter haar niet kon uitstaan. Op de luchthaven had ze gemerkt dat hij haar de schuld gaf van Alisha's gedrag. Bovendien was hij dronken. Ze was altijd op haar hoede voor dronken mannen, want ze wist waartoe ze in staat waren. Met tegenzin liep ze achter Maxine aan naar Peters tafeltje. Hij keek op, maar het kostte hem enige moeite om hen goed te zien.

'Maxine!' riep hij bijna opgewekt uit toen hij haar eindelijk herkende. Toen viel zijn blik op Jasmine. 'O,' zei hij, veel minder enthousiast. 'En de voetbal-babe.'

'Nou, je bent duidelijk ladderzat,' zei Maxine. Ze schoof naast hem. 'Wat is er? Ik had jou nooit voor een zuiplap versleten.'

Peter haalde zijn schouders op en nam nog een paar teugen. Het meeste bier miste zijn mond en droop langs zijn witte hemd omlaag. 'Nood breekt wet!' verklaarde hij op luide toon, terwijl hij zijn flesje bier met een knal op tafel zette. 'Ober! Ober! Nog een biertje!'

Jasmine ging met haar rug naar de bar zitten. Peter ging zo tekeer dat de mensen hem aanstaarden en ze geneerde zich om met hem in die toestand te worden gezien.

'Is dit soms je nieuwe vriendinnetje, Maxine?' lalde Peter. Hij wees beschuldigend met zijn vinger naar Jasmine. 'Lila telt zeker niet meer mee, hè? Je hebt het veel te druk, omdat je zo nodig met de vijand moet drinken!'

'Ach, klets niet,' zei Maxine op haar gebruikelijke opgewekte toon, terwijl ze Peters vinger uit Jasmines gezicht wegsloeg. 'Jasmine is niet de vijand en je weet best dat Lila me niet wil zien. Hoe gaat het trouwens met haar?'

Jasmines wangen gloeiden van schaamte. Ze kon wel door de grond zakken.

'Wat dacht je zelf?' riep hij. 'Haar leven is verwoest door tuig zoals dat zusje van jou!'

Hij wees weer naar Jasmine en nu had iedereen op het dakterras zich omgedraaid om te zien wat er aan de hand was.

'Nou moet je eens goed naar me luisteren, Peter,' zei Maxine streng. 'Hier help je Lila niet mee. Nu bied je eerst Jasmine je excuses aan omdat je zo onbeschoft bent geweest en daarna vertel je ons precies wat er met Lila aan de hand is, zodat we haar kunnen helpen. Begrepen?'

Peter knikte als een schooljongen die een standje had gekregen. Hij liet een boer, waardoor zijn sigaret uit zijn mond op tafel viel.

'Waar komt die nou vandaan?' vroeg hij afwezig.

'Peter,' waarschuwde Maxine. 'Bied Jasmine je verontschuldigingen aan.'

'Sorry, Jasmine,' lalde hij. 'Ik weet dat jij er niks aan kunt doen dat je zus satansgebroed is.'

'Het is al goed, hoor,' zei Jasmine zacht.

Ze voelde zich een indringer. Eigenlijk kende ze Lila nauwelijks. Misschien kon ze Maxine en Peter beter alleen laten om ongestoord te praten. Ze kwam half overeind en zei: 'Ik denk dat ik maar eens naar huis ga...' Maar Maxi wierp haar een waarschuwende blik toe en fluisterde dwingend in haar oor: 'Waag het niet om me met hem in deze toestand alleen te laten!' Met tegenzin ging Jasmine weer zitten.

'Lila gaat dood!' verklaarde Peter dramatisch. Hij zwaaide met zijn armen over tafel, waardoor zijn lege bierflesje kletterend op de tegelvloer aan diggelen viel. 'Ik denk echt dat ze dit niet overleeft.' Met een bons liet hij zijn hoofd op de tafel zakken.

Jasmine keek onderzoekend naar Maxine. Meende hij het? Of kwam het door de drank? Maxine beet fronsend op haar lip. Toen de ober aan kwam snellen om de glasscherven op te vegen, bestelde ze een kop zwarte koffie voor Peter.

'Oké Peter, ik wil dat je je beheerst en heel rustig...' Ze keek om zich heen. 'Want je weet nooit wie er allemaal meeluistert. Vertel nu maar rústig wat er met Lila aan de hand is.'

Ze liet hem een paar slokjes van zijn koffie drinken en stak zijn sigaret voor hem aan. Hij inhaleerde diep en begon eindelijk te praten.

'Lila wil niet meer eten,' legde hij nu kalm uit. 'Ze slaapt niet. Ik bedoel, ze ligt uren in bed, maar ik kan haar horen ijsberen, zelfs midden in de nacht. Ze huilt al niet eens meer. Ze lijkt wel een zombie. Er komt amper een woord uit. Het enige wat ze doet is zwemmen in zee, uren achter elkaar. Daarna ligt ze daar maar te liggen en voor zich uit te staren. Ze vertikt het om zonnebrand-crème op te doen, dus ze is helemaal verbrand. Ze heeft al twee weken lang haar haar niet gewassen en haar gezicht ziet er zo uit...'

Hij zoog zijn wangen naar binnen totdat hij er uitgemergeld uitzag.

'Ik weet niet wat ik moet doen, Maxine,' fluisterde hij. 'Ik ben echt bang. Ik weet niet hoe ik haar erdoorheen moet slepen.'

Jasmine luisterde met een bedrukt gezicht. Het was zo triest. Lila Rose had grote indruk op haar gemaakt toen ze haar had ontmoet. Ze had er zo elegant en statig uitgezien. Zo stijlvol zou ze er zelf nooit van haar leven kunnen uit-zien, wist Jasmine. Het was om te janken dat zo'n mooie vrouw er zo slecht aan toe was.

'Je moet ervoor zorgen dat ik haar kan zien, Peter,' zei Maxine. 'Ik kan haar helpen. Ik ken mensen met wie ze kan praten. Na de scheiding van mijn, nou ja, van al mijn exen had ik een geweldige counselor en dat hielp echt. Maar dan moet ze me wel binnenlaten. Als ik haar niet mag zien, kan ik niets voor haar doen.'

Peter dronk van zijn koffie en staarde voor zich uit over de daken. 'Maar ze luistert niet naar me. Het is net alsof iemand het licht heeft uitgedaan. En het enge is dat ze volgens mij nog niet eens haar dieptepunt heeft bereikt. Ik denk dat het eerst nog veel slechter moet gaan voordat het beter wordt.'

'Ik wou dat ik ergens mee kon helpen,' zei Jasmine.

'Ik bedoel het niet kwaad, Jasmine,' reageerde Peter mat. 'Maar wat zou jij in vredesnaam kunnen doen om Lila te helpen?'

38

Charlie werd wakker met een helder hoofd. Het was de eerste nacht sinds tij-den dat hij goed had geslapen. Toen hij opstond en zich uitrekte, merkte hij dat hij zich weer sterk voelde. Dat werd verdomme tijd! Eindelijk hoefde hij zich niet meer in deze ellendige hotelkamer op te sluiten en kon hij verdergaan met zijn leven. Daarom was hij toch hiernaartoe gekomen? Om opnieuw te beginnen en de demonen achter zich te laten? Goed, Nadia werd nog steeds vermist. Wat kon hij daaraan doen? Hij kon verdomme toch niet toveren? Hij was gewoon een vent die zijn best deed om goed te doen.

Vandaag zou hij op zoek gaan naar een appartement. Hij wilde zich hier vestigen. Die verdomde hotelkamer had hem duizenden euro's gekost en dat had een flink gat geslagen in zijn vermogen. Misschien moest hij een of ander baantje gaan nemen. Ach nee, hij had zijn buik vol van doen wat anderen zeiden. Hij kon een bedrijfje beginnen met het geld dat hij van McGregor had gekregen. Wie weet kon hij ergens een leuk kroegje kopen aan het strand. Hij wist genoeg van het beheren van clubs en pubs in Londen. Zo moeilijk kon het in Spanje toch niet zijn? In gedachten zag hij zichzelf op het strand, terwijl hij cocktails bereidde voor mooie vrouwen in bikini, ouwehoerde met de kerels van thuis die er op vakantie waren en grapjes maakte met zijn vaste klanten. Ja, dat zag hij zichzelf wel doen. Prima baan. Maar eerst zou hij Jasmine opzoeken. Hij had de schat nauwelijks gezien sinds ze uit Londen terug was en nu Jimmy er niet was, zou ze zich vast een beetje eenzaam voelen. In zijn ongerustheid over Nadia had hij zijn eigen meissie helemaal verwaarloosd.

Het was een prachtige, heldere ochtend. De wazigheid was opgetrokken, vanuit de zee blies er een briesje en de temperatuur was een paar graden gedaald, zodat het lekker warm en niet meer snikheet was. Toen Charlie langs de kustweg naar Jasmines huis reed, voelde hij de wind in zijn gezicht en de zon op zijn huid. Voor het eerst in lange tijd durfde hij weer te glimlachen. Zijn problemen waren niet onoverkomelijk, bedacht hij. Met Nadia zou alles in orde komen. Als iemand haar kon redden, was Dimitrov het wel. Ze had een machtige familie achter zich. Maar stel dat ze niet gevonden werd? Of erger, dat ze dood gevonden werd? Nee! Hij schudde die gedachte uit zijn hoofd. Dat zou Dimitrov nooit laten gebeuren met zijn geliefde dochter. Welke vader wel? Alles zou goed aflopen. Charlie had zich voorgenomen positief te zijn. Niets kon deze prachtige dag voor hem verpesten.

'Gisteravond heb ik Maxine gezien,' zei Peter. Hij zette wat toast voor Lila neer, hoewel hij al wist dat ze er niet van zou eten.

Lila knikte ongeïnteresseerd.

'Ze was samen met Jasmine Jones.'

Nog steeds geen reactie. Zuchtend schoof hij het bord dichter naar haar toe. 'Eet nou toch wat,' drong hij aan.

Lila staarde uit het raam naar het strand.

'Maxi maakt zich erg ongerust over je. Ze wil je dolgraag zien. Denk je dat je vandaag bezoek kunt ontvangen?'

Lila schudde haar hoofd en bleef maar naar de zee staren.

'Ach toe nou, Lila. Maxine is je vriendin. Je zult het vast fijn vinden om haar te zien.'

Ze reageerde niet. Peter was ten einde raad. Hij had alles gedaan wat hij kon om Lila van de rand van de afgrond terug te brengen, maar niets hielp. Haar ouders waren doodongerust. De kinderen belden elk avond, maar Lila wilde niet met hen praten. Hij wist dat ze hen niet overstuur wilde maken, maar daar was het al te laat voor. Louisa jammerde tegen Peter dat ze haar mama wilde en hoewel Seb zich volwassen probeerde te gedragen, was Peter geschokt door de boosaardige toon in de stem van het jongetje toen hij zei dat hij zijn papa wilde vermoorden.

Voorzichtig legde Peter zijn hand op Lila's wang en draaide haar gezicht naar zich toe. Haar blik was boven zijn hoofd gericht. Haar ogen stonden wezenloos en dof.

'Lila,' zei hij in een poging om tot haar door te dringen. 'Lila, je moet jezelf helpen. Laat je leven niet door Brett verwoesten. Dat is hij niet waard.'

Ze rukte haar hoofd los en stond op. De koude toast lag nog onaangeroerd op het bord.

'Ik ga zwemmen,' mompelde ze bijna onhoorbaar.

Peter was het zat om achter haar aan naar het strand te lopen. Deze keer liet hij haar de kamer uit gaan zonder haar terug te roepen. Hij kon nauwelijks de energie opbrengen om tegen die donkere wolk te vechten. Zijn hoofd deed pijn van al het bier dat hij de vorige avond had gedronken. Hij was Superman niet. Vandaag zou hij haar laten zwemmen zonder te protesteren.

Jasmine was opgetogen omdat ze Charlie helemaal voor zichzelf had. Het was zo'n heerlijke ochtend dat ze hun ontbijt hadden meegenomen naar het strand. Het dienstmeisje had een feestmaal klaargemaakt van fruitsla, zachte bolletjes, kaas, ham en jus d'orange. Jasmine had alle lekkernijen op een kleedje op het zand uitgestald.

'Je boft maar dat je dit strandje helemaal voor jezelf hebt,' zei Charlie terwijl hij op zijn ligstoel naar achteren leunde. 'Zonder die teringhelikopter zou het idyllisch zijn.'

Ze keken allebei naar de lucht, waar de pershelikopter als een hardnekkige bromvlieg boven hun hoofden bleef cirkelen.

'Ja,' beaamde Jasmine. 'Ik wou dat ze allemaal ophoepelden en Lila met rust lieten. Het lijkt hier wel een circus. Sjuutje?'

'Ja graag.' Hij knikte en deed zijn ogen dicht, genietend van de zon. Dit was pas leven.

'O, kijk. Lila is weer aan het zwemmen.'

'Hm?' Charlie sloeg zijn ogen open en volgde Jasmines blik. 'Jezus! Zwemt ze altijd zo ver van de kust af?'

Met een ruk ging hij overeind zitten. Hij schermde zijn ogen met zijn hand af om Lila beter te kunnen zien. Ze was nog maar stipje en leek te ver weg om nog veilig te zijn.

'Ze zwemt kilometers achter elkaar,' zei Jasmine. 'Elke dag.'

Moeizaam wendde hij zijn blik af van de zee. Lila wist vast wat ze deed en tenslotte ging het hem niets aan. Hij pakte een broodje kaas.

'Dit is heerlijk, Jazz,' zei hij.

Maar Jasmine luisterde niet. Ze keek nog altijd naar de golven. Haar mond viel open en het sap dat ze aan het inschenken was, droop in het zand.

'O god, Charlie. Ik geloof dat ze in moeilijkheden is! Charlie! Doe toch iets!'

Lila kon de energie niet meer opbrengen om te vechten. Ze had genoeg van de constante aandacht van de pers, van de krantenkoppen, de helikopters boven haar hoofd, de intercom die zoemde en de telefoon die maar bleef rinkelen. Ze kon niet meer tegen het medelijden van haar vriend, het begrip van haar ouders en de tranen van haar kinderen. Terwijl ze op haar rug lag en de golven rond haar wangen liet spoelen, besloot ze dat ze eigenlijk nergens nog de puf voor had. Zelfs niet om nog terug te zwemmen naar de kust, of om te watertrappelen. Deze keer niet. Deze keer liet ze de golven gewoon over haar neus en haar ogen spoelen.

Langzaam verdween ze onder de golven, maar het was niet beangstigend. Het leek de normaalste zaak van de wereld, want Lila had zich altijd op haar gemak gevoeld in het water. Water kon het verdriet wegspoelen. Toen de golven haar verzwolgen, was dat eigenlijk een enorme opluchting. Het verdriet werd minder en ze liet alle narigheid achter. Haar leven ging niet in een flits aan haar voorbij. Er was geen plotselinge openbaring. Er was alleen maar het heerlijk rustige gevoel dat nu alles in orde zou komen...

Opeens grepen sterke handen haar polsen vast en trokken haar mee naar het licht. Ze hoorde een stem schreeuwen: 'Nee!' maar ze wist niet of zij dat was of iemand anders. Toen zag ze zijn gezicht en ze herkende hem uit haar dromen. Hij kwam haar redden. Maar waar nam hij haar mee naartoe? Terug naar de echte wereld en al het verdriet? Of voorgoed naar hun droomwereld, waar niets haar ooit nog pijn kon doen?

<h1 style="text-align:center">39</h1>

In de wachtkamer zat Grace de brief te lezen en te herlezen. Misschien had ze Jasmine meteen moeten bellen om het haar te vertellen. Het voelde helemaal verkeerd om in het bezit te zijn van dergelijke informatie zonder dat de jonge vrouw er iets van wist. Maar Grace vertrouwde Cynthia Watts voor geen cent. De brief kon evengoed nep zijn en ze wilde Jasmine geen hoop geven zonder nog meer bewijzen. Bovendien stond er niet in wie Jasmines moeder was. Tenminste, niet met zoveel woorden, maar... Nou ja, ze ging op haar intuïtie af. Nee, ze moest eerst met Jasmines tante Julie praten. Julie vormde de sleutel tot het hele raadsel, daarvan was Grace overtuigd.

De ziekenhuisreceptie zag eruit als de lobby van een duur hotel, met zijn leren banken en stapels tijdschriften. Toch konden de vazen vol lelies de geur van bleekmiddel niet verhullen. Er heerste een kalme sfeer. Verpleegsters in smetteloos witte uniformen liepen geruisloos voorbij op hun schoenen met rubberzolen. Af en toe hoorde Grace een gedempte kreet van de afdeling komen, maar verder zat ze in stilte te wachten. Zenuwachtig friemelde ze aan de brief.

Ze wist dat dit een van de duurste particuliere psychiatrische ziekenhuizen van het land was, en ze twijfelde er niet aan dat de zorg er uitstekend was, maar toch voelde ze zich er onbehaaglijk. Hopelijk was Julie niet al te verward, dacht ze. Cynthia had het over een grote zenuwinzinking tijdens Jasmines bruiloft. Nou ja, zo had Cynthia het niet precies geformuleerd.

'De stoppen zijn doorgeslagen bij die stomme muts, weet je,' had Cynthia gezegd. 'Dat mens is nooit goed bij d'r hoofd geweest, maar in de kerk mankeerde ze nog niks, echt waar. Toen we aan tafel gingen voor het diner begon ze opeens als een halvegare te beven. En opeens zat ze te janken en te hyperventileren. Het was om je dood te schamen! We waren godverdomme op een sjieke bruiloft! Ze heeft ons mooi voor schut gezet, die muts. Ik geloof dat Charlie Palmer het verder heeft afgehandeld. Dat weet ik niet. Daarna hoor ik opeens dat Jasmine heeft betaald voor een behandeling in dat gekkenhuis waar ze rijke malloten naartoe sturen. Die is nooit goed bij d'r hoofd geweest. Als kind al niet.'

Tot haar verbazing merkte Grace dat het haar weinig moeite kostte om Cynthia over te halen haar te helpen. Heel toevallig had Cynthia de brief 'gevonden' zodra Grace haar een bedrag van vijf cijfers had beloofd.

'Waarom hebt u dit niet aan Jasmine gegeven toen ze voor het eerst naar haar biologische ouders vroeg?' had Grace verbijsterd gevraagd.

'Ik heb die stomme brief pas vorig jaar gevonden. Toen ik ben verhuisd. Hij zat in een oude doos vol met Kenny's rotzooi die op zolder stond in het oude huis. Ik had die hele doos nog nooit van mijn leven gezien. Jezus, die vent is al tien jaar dood.'

'Maar waarom hebt u hem dan niet aan Jasmine gegeven toen u hem vond?' had Grace gevraagd, vol ontzetting over het gebrek aan medelijden van het mens.

Cynthia had haar schouders opgehaald. 'Ach, er staat toch weinig in.'

'Er staat genoeg in...' had Grace uitgeroepen. Ze had de oudere vrouw met half toegeknepen ogen aangekeken, want ze wist best dat ze alleen maar had gewacht totdat iemand haar geld zou aanbieden in ruil voor de brief. 'Dit zou alles kunnen verklaren.'

Cynthia had smalend gelachen. 'Ik weet wat je denkt, schat, maar ik zou maar niet zo hard van stapel lopen als ik jou was. Dat Juju een kind heeft gehad, betekent niet dat het Jasmine is, hoor.'

'Maar dat zou u toch moeten weten? U moet toch hebben geweten waar Jasmine vandaan kwam toen u haar adopteerde?'

Cynthia had onverschillig haar schouders opgehaald. 'Ach, welnee. Het was allemaal Kenny's idee. Ik hoefde niet zo nodig kinderen. Ik wou alleen een grotere flat van de gemeente. Hij heeft het kind geregeld.'

'Maar heeft niemand u ondervraagd?' vroeg Grace onthutst. Zelfs vijfentwintig jaar geleden golden er strenge regels voor het adopteren van kinderen. 'Moest u niet een of andere officiële weg bewandelen om Jasmine te kunnen adopteren?'

'Nee,' had Cynthia verbaasd geantwoord. 'De sociale dienst zou me nooit een kind hebben toegewezen. Trouwens, op die manier duurt het toch jaren? Als ik me niet vergis, kwam Kenny gewoon op een dag thuis met het wurm. Zo simpel was het. Trouwens, het is nu al zo lang geleden. Nu maakt het toch geen moer meer uit?'

Grace had onraad bespeurd. Er klopte iets niet. Ze keek naar de brief. Na al die jaren was het papier zacht geworden en op de vouwen was het gescheurd, maar wat erin stond, was heel duidelijk: Julie Watts had in 1984 een kind gekregen. Het kind was een meisje.

'Ik wist niet eens dat Juju een baby heeft gehad,' had Cynthia gezegd. 'Toen ze jong was, ging ze rondreizen, een of andere maffe droom achterna. Ik heb haar nooit met een dikke buik gezien en ook nooit met een baby.'

'Wat is er dan met haar kind gebeurd?'

'Weet ik veel!' had Cynthia gesnauwd. Ze was het gesprek zat geworden. 'Doodgegaan waarschijnlijk. Juju kon geeneens voor een parkiet zorgen, laat staan voor een kind.'

Grace had zich gefrustreerd gevoeld. Het was alsof ze tegen een muur praatte. Zodra het mens haar cheque had geïncasseerd, had ze geen zin meer om nog iets te onthullen.

'En u zweert dat u geen idee hebt waar Kenny Jasmine vandaan had?' had Grace nog een laatste keer gevraagd. 'Uw man kwam op een dag zomaar thuis met een baby en het kwam niet bij u op om te vragen waar het kind vandaan kwam?'

'Ik heb geen flauw benul waar hij haar vandaan heeft gehaald,' had Cynthia gezegd en toen had ze zich omgedraaid met haar cheque stevig in haar hand. 'Een baby is een baby. Het stikt ervan. Toen ik nog in het leven zat, verkochten junks en hoertjes hun baby voor een paar honderd pond. Weet je hoeveel crackbaby's er met een bekakte achternaam in dure huizen in Holland Park worden opgevoed? Dacht je dat die koters "officieel" zijn geadopteerd? Je hebt geen idee wat er in de wereld te koop is, hè schat?' Met een cynisch lachje was ze weer haar afgrijselijke huis binnen gegaan.

Was Jasmine Julies kind? Daar hoopte Grace achter te komen.

Een jonge verpleegster kwam op haar stille schoenen op haar af en gebaarde dat ze haar moest volgen. Zwijgend liepen ze door een lange gang totdat ze bij kamer 108 kwamen. De verpleegster klopte aan.

'Binnen,' werd er geroepen. De stem klonk zwak.

De verpleegster gaf aan dat Grace naar binnen moest gaan. Met een diepe zucht duwde Grace de deur open.

Haar eerste gedachte was dat Julie Watts een adembenemende schoonheid moest zijn geweest in haar jeugd. Ze was een klassieke verlepte schoonheid met lang blond haar dat vroeg grijs was geworden en met de meest verfijnde trekken die Grace ooit had gezien. Ze had hoge jukbeenderen, een volmaakt wipneusje, rozerode lippen en grote, helderblauwe ogen. Julie zat gekleed in een wit ziekenhuishemd in een leunstoel bij het raam. Het zonlicht dat door het raam naar binnen stroomde, omlijstte haar met een engelachtige gloed.

'Goeiemiddag,' zei ze met een droevige glimlach. 'Jij bent vast Grace.'

Ze zag er vriendelijk maar triest uit. Ze wekte de indruk van iemand die door het leven gebroken was. Grace had haar rekensommetje gedaan en wist dat Julie pas drieënveertig was, al kon ze dat moeilijk geloven. Ze zag er zo frêle en bleek uit dat Grace haar rond de zestig zou hebben geschat.

'Dag Julie,' zei Grace. 'Ik hoop dat je het niet erg vindt dat ik op bezoek kom.'

'Jasmine zei dat je aardig bent,' zei Julie. Ze klopte op een stoel naast haar bij het raam. 'En ik krijg niet vaak bezoek, dus ik vind het fijn om voor de verandering gezelschap te hebben. Ik snap alleen niet waar je met me over wilt praten.'

Eromheen draaien had geen zin. Grace gaf de brief aan Julie en ging zitten. Haar hart klopte in haar keel. Ze had geen idee hoe het zou aflopen.

'Wat is dit?' vroeg Julie. Nerveus friemelde ze aan de brief.

'Het is iets wat Cynthia Watts me heeft gegeven. Ze zei dat ze het tussen de spullen van je broer had gevonden.'

Julie wilde de brief teruggeven zonder hem open te vouwen. 'Ik wil hem niet,' zei ze vastberaden. 'Cynthia is niet aardig. Van haar wil ik niks hebben.'

Grace ademde diep in, maar pakte de brief niet aan. Dit kon nog lastig worden. Julie Watts straalde iets heel kinderlijks uit en Grace was bang dat ze haar zou afschrikken. Het arme mens zag er niet alleen frêle uit, ze wás het ook. Ze hadden Grace verteld dat ze zware medicijnen gebruikte en gewaarschuwd dat ze haar niet mocht opwinden.

'Met Cynthia heeft het niets te maken, Julie. Het gaat over jou,' zei ze kalm. 'Kenny heeft het voor je bewaard. Lees maar.'

Julie keek Grace strak aan met haar grote blauwe ogen, zonder te knipperen. 'Waarom?'

'Voor Jasmine,' zei Grace op de gok.

Julies gezicht ontspande zich. 'Jasmine is zo'n lieve meid. Ze heeft het heel druk, maar ze komt me opzoeken wanneer ze maar kan en ze neemt altijd chocolaatjes voor me mee: truffels, die vind ik het lekkerst.'

'Kijk alsjeblieft naar de brief,' drong Grace aan.

Met trillende handen draaide Julie de brief om. Grace had de indruk dat Julie diep vanbinnen begreep hoe belangrijk de brief was. Het was alsof ze moest besluiten of ze al dan niet de deur naar een lang vergeten kamer zou opendoen. Uiteindelijk vouwde ze de brief open en keek naar de woorden die erop getypt waren. Eerst vertoonde haar gezicht geen enkele emotie. Grace vroeg zich af of Julie eigenlijk wel begreep wat erin stond. Opeens ontstond er in haar ooghoek een traan. Grace zag hem over haar wang omlaag biggelen, trillend op het puntje van haar kin belanden en toen op haar hemd druppen. Grace kreeg een brok in haar keel. Dit was moeilijker dan welk interview ook.

'Je hebt een kindje gekregen,' zei Grace vriendelijk.

Julie knikte en bleef naar de brief staren. 'Het was zo lang geleden dat het soms lijkt alsof het helemaal nooit is gebeurd,' fluisterde ze. 'Ik probeer er niet aan te denken. Ik ben niet zo lekker, zie je. Ik raak vreselijk overstuur door dit soort dingen.'

'Dat weet ik,' zei Grace, en ze legde haar hand op Julies knie. 'Maar misschien wordt het tijd dat je er nu aan denkt. We zouden erover kunnen praten. Misschien helpt dat.'

Julie keek op en zag haar bezorgde blik. Ze keek als een verschrikt hert in de koplampen en Grace voelde zich onmiddellijk schuldig omdat ze dit allemaal had opgehaald.

'Ik kan mezelf niet toestaan dat ik daaraan denk,' zei Julie langzaam maar gedecideerd. 'Het spijt me, maar ik vind dat je nu weg moet gaan.'

Grace zuchtte. Ze wilde niet weggaan. Ze wilde dieper graven om de waarheid te achterhalen. Maar ze kon niet riskeren dat ze Julie te veel zou opwinden. Zij was haar enige hoop – en ook Jasmines enige hoop. Ze stond op en legde haar visitekaartje op de vensterbank.

'Voor het geval je nog een keer met me wilt praten.' Toen ademde ze diep in en stelde nog een laatste vraag. 'Julie, was Jasmine jouw baby?'

Op wankele benen ging Julie staan. Er vloog een schaduw over haar gezicht en plotseling leek ze meer op een heks dan op een engel. Ze smeet de brief naar Grace toe en gilde: 'Neem mee! Je weet helemaal niets van me! Ga weg! Ga weg! Ga weg!'

Grace greep de waardevolle brief stevig vast en wilde achteruit naar de deur toe gaan, maar Julie kwam achter haar aan. Met haar vuisten bewerkte ze haar borst, terwijl ze maar bleef gillen: 'Ga weg! Ga weg! Ga weg!' Julie was veel sterker dan ze eruitzag.

Een verpleegster kwam de kamer binnen hollen, op de voet gevolgd door een tweede, en Grace keek hulpeloos toe toen ze Julie probeerden te overmeesteren. Hoe meer ze haar wilden dwingen op bed te gaan liggen, hoe hysterischer ze werd. Ze jankte als een wild dier en haalde met maaiende armen naar de verpleegsters uit. Als aan de grond genageld stond Grace in de deuropening. Met afschuw keek ze toe terwijl Julie aan het bed werd vastgebonden. Ze voelde zich volledig verantwoordelijk.

'U kunt nu beter gaan,' riep een van de verpleegsters haar toe. 'Julie heeft haar medicijnen nodig.'

Grace knikte en pinkte tranen van schaamte weg. Ze rende door de gang, weg van kamer 108, maar toen ze al bij de receptie was, hoorde ze Julie nog steeds gillen: 'Ga weg! Ga weg! Laat me met rust! Ga weg!'

Op de parkeerplaats bleef ze een hele poos in haar auto zitten om alles wat ze had meegemaakt op een rijtje te zetten. Het was duidelijk dat dit haar boven haar pet ging. Ze was journaliste, geen psychiater. Ze had alleen Jasmine willen helpen, maar het was alsof ze een soort doos van Pandora had opengemaakt. In plaats van antwoorden had ze alleen maar nog meer vragen gevonden. Wat moest ze nu doen?

40

Ze zweefde door de wolken, gewichtloos en zonder zorgen. Niets zat haar nog dwars. Hij hield haar hand vast, leidde haar, en ze wist dat ze veilig was.

'Lila,' riep iemand van heel ver weg. 'Lila.'

Ze kon niet besluiten of ze zou antwoorden. Het was juist zo heerlijk om gewoon rond te zweven door de lucht. Zo rustig en kalm had ze zich al heel lang niet meer gevoeld, en het was zonde om zich door iemand te laten storen. Ze kneep in zijn hand en hij gaf een kneepje terug. Lila glimlachte. Ze kon zijn gezicht niet zien, maar in haar dromen was hij altijd bij haar.

'Ze kneep in mijn hand,' zei de stem opgewonden. 'Ze heeft er duidelijk in geknepen. En kijk: ze glimlacht!'

Lila zuchtte. De stem irriteerde haar. Hij leek haar uit de lucht naar beneden te trekken. Ze voelde zich in een vrije val naar de aarde tuimelen, telkens sneller, totdat de wind in haar oren huilde en ze plotseling met een enorme bons neerkwam.

'O god! Ze bewoog!' krijste de stem. 'Zag je dat?'

Lila sloeg haar ogen open. Het was erg licht in de kamer. Er zwom een gezicht boven haar dat op haar neerkeek. Het had donker haar, een bril en een belachelijke grijns om de mond.

'Peter,' fluisterde ze schor.

'O Lila! Je leeft nog!' riep hij, en toen omhelsde hij haar zo stevig dat ze bang was te zullen stikken.

'Geef haar lucht,' beval een kordate vrouwenstem. Toen verscheen er een glimlachend gezicht dat onberispelijk was opgemaakt en door een bos weelderig blond haar werd omlijst.

'Maxine,' fluisterde Lila.

'Jemig, dit lijkt wel een film,' grinnikte Maxi. 'Nee, probeer maar niet te praten. Voordat je het vraagt: je bent in het ziekenhuis in Málaga. Je was bijna verdronken – gek mens – maar gelukkig had Jasmine Jones het in de gaten, die heel toevallig haar stoere peetoom bij zich had die in zee sprong om je te redden.' Ze moest even ademhalen. 'Jezus, Lila, wat ben ik blij dat je nog leeft!'

'Waar heb je het over?' Lila snapte er niets van. Verdronken? Blij dat ik nog leef? Ze herinnerde zich niets van verdrinken en eigenlijk herinnerde ze zich alleen maar dat ze in leven was. Ze herinnerde zich dat ze ging zwemmen en heel erg moe werd en daarna... niets meer. En wat hadden Jasmine Jones en haar peetoom ermee te maken?

Peters nog altijd grijnzende gezicht verscheen weer. 'Nu heb je echt je eigen beschermengel, Lila. Charlie Palmer is de stoerste, gespierdste spetter die ik ooit heb gezien, en als hij niet zo schandalig hetero was, zou ik onmiddellijk verliefd op hem worden.'

'Ik mag hem wel bedanken,' zei Lila zwakjes.

Charlie Palmer. Dat was de aardige man die haar had geholpen op de bruiloft toen ze Brett zocht. Brett. O jezus, Brett. Haar hoofd werd overspoeld door beelden van krantenkoppen en foto's van mooie jonge meisjes. Wat een klootzak. Een misselijkmakende knoop van woede vormde zich in haar maag. Van nature werd ze niet gauw kwaad, en het was een vreemd gevoel, maar op de een of andere manier ook aangenaam. Het maakte haar sterker.

'Nou, je zult Charlie nog veel vaker zien,' verkondigde Maxine opgewekt. 'Peter heeft hem namelijk aangenomen als je lijfwacht.'

'Mijn wat?' Lila probeerde rechtop te gaan zitten, maar juist op dat moment verscheen de dokter, die Peter en Maxine wegstuurde.

'Mevrouw Rose moet nu rusten,' beval de dokter.

Lila deed haar ogen weer dicht. Om haar lippen speelde een lachje. Het verbaasde haar dat ze zo blij was dat ze leefde.

Grace had geaarzeld om Jasmine te bellen en haar op de hoogte te brengen.

Hoe kon ze uitleggen wat er aan de hand was als ze er zelf niets van snapte? Goed, ze was er vrij zeker van dat Jasmines adoptie niet door de beugel kon. Nergens had ze ook maar één officieel document kunnen vinden. Daar kwam bij dat haar tante Julie heel opvallend precies in de periode dat Jasmine geboren werd een onwettig dochtertje had gekregen dat ze had laten adopteren. Toeval? Grace dacht het niet. Verder was er natuurlijk nog het onbenullige feitje dat Julie helemaal door het lint was gegaan tijdens Grace' bezoek. Ze wist ook niet hoe Jasmine dat bericht zou opvatten. Het had zo'n geweldig idee geleken om Jasmines voorstel aan te nemen om haar biologische ouders op te sporen. Grace had wel oren gehad naar een beetje speurwerk. Ze dacht dat speurneusje spelen precies in haar straatje paste. Maar opeens leek de journalistiek toch niet zo'n slechte beroepskeuze. Wat had ze zichzelf in vredesnaam op de hals gehaald?

Ze kon niet goed slapen, dus toen midden in de nacht de telefoon ging, was ze klaarwakker en nam ze meteen op.

'Hallo?' zei Grace.

Niets.

'Hallo? Is daar iemand?'

Stilte.

'Hallo? Wie is dat?' vroeg ze dringend.

'Met Julie,' klonk het zachtjes. 'Julie Watts. Ik wou zeggen dat het me spijt.'

Met een ruk ging Grace rechtop zitten. 'Julie!'

'Ja, ik ben het. Jasmines, eh, tante,' zei Julie bedeesd. 'Ik heb me laatst vreselijk gedragen. Ik ben niet lekker, weet je.'

'Dat geeft niet, Julie,' reageerde Grace. Haar hoofd tolde. 'Voel je je nu weer beter?'

'Veel beter, ja. Maar ik slaap slecht. Dat komt door de pillen. Daar word ik nerveus van. Ik hoop dat ik je niet te laat bel.'

Grace keek op de wekker op haar nachtkastje. Het was halfdrie. 'Nee, hoor. Het geeft niet. Ik was toch al wakker.'

'Ik wil praten over die brief die je me liet zien. Dus ik dacht dat je volgend weekend misschien op de thee zou willen komen,' zei Julie zo zachtjes dat Grace zich moest inspannen om het te verstaan.

'Dat zou ik enig vinden. Wanneer? Hoe laat?'

'Zondag. Drie uur. Er is iets wat je moet weten over Jasmine.' Daarna werd er opgehangen.

Lila zat rechtop in bed een salade van rivierkreeft en rucola te eten, terwijl ze ingespannen luisterde naar haar kinderen die honderduit babbelden over wat ze tijdens hun verblijf op de boerderij allemaal hadden meegemaakt. Peter liep af en aan om Lila's waterglas bij te vullen, een tijdschrift van de vloer op te rapen, Louisa's haar te strelen en de lakens recht te trekken waar de kinderen eroverheen waren geklommen. Hij had nog altijd een bespottelijk blije grijns op zijn gezicht.

Vanuit zijn stoel bij de deur keek Charlie toe. Inwendig grijnsde hij ook. Dit was nog eens een toffe baan, zeg. Privélijfwacht van Lila Rose. Goed, eigenlijk was hij niet van plan geweest om weer de beschermingsbusiness in te gaan maar, jezus christus, dit was een heel ander soort bescherming dan hij thuis had gedaan. Deze keer mocht hij de mooiste vrouw van de wereld bewaken – en hij werd er nog flink voor betaald ook. Als dat geen luizenbaantje was. Bovendien hoefde hij deze keer niemand dood te schieten. Hij hoefde alleen maar de pers uit de buurt te houden. Dat was een makkie. Na de smeerlappen die hij in zijn tijd uit de weg had geruimd, draaide hij voor de paparazzi zijn hand niet om. Hij zou er zelfs plezier aan beleven. Tuig van de richel!

Het mediacircus was nog hysterischer geworden sinds Lila Rose bijna was verdronken. Uiteraard was het hele gedoe door de pers gefotografeerd, dus nu zat de hele wereld met ingehouden adem te wachten hoe het met 'die arme' Lila Rose zou aflopen. Intussen hadden ze zich met honderden tegelijk op het parkeerterrein van het ziekenhuis geïnstalleerd. Zelfs televisieploegen. Charlie snapte niet hoe ze het uithield. Een paar journalisten hadden geprobeerd hem iets te laten zeggen over het feit dat hij Lila had gered, maar Charlie had hen snel aan het verstand gebracht dat hij niet zo 'mededeelzaam' was. Ze hadden het begrepen en waren afgedropen. Het laatste waar hij behoefte aan had was een stelletje broodschrijvers die zich op zijn achtergrond stortten. Hij zou waarschijnlijk moeten betalen voor de camera die hij kapot had geslagen, maar iemand moest die parasieten toch op hun nummer zetten?

Het leken wel mieren zoals ze overal ronddraafden, door de kleinste openingen kropen en iedereen voor de voeten liepen. Charlie had al een paar under-cover-verslaggevers moeten wegsturen die langs de ziekenhuisbewaking waren geglipt. Een ventje van de *News of the World* had zich als bloemenjongen voorgedaan en een grietje van een serieuze krant had zich uitgegeven als arts. Stommelingen! Charlie had ze op een kilometer afstand al in de smiezen gehad. Die geintjes zouden ze niet meer flikken, zeker weten. Maar het was allemaal prima, want het gaf hem het gevoel dat hij waar gaf voor zijn geld en

Peter leek tevreden over hem te zijn. En Lila? Nou, hij had er alle vertrouwen in dat ze weer helemaal zou opknappen. Natuurlijk kende hij haar niet zo goed, maar in de afgelopen twee dagen had hij gemerkt dat haar ogen weer waren gaan stralen.

De laatste tijd stonden de kranten vol met verhalen over Lila die haar beroemde schoonheid kwijt was geraakt, maar in zijn ogen zag ze er nog even betoverend uit als altijd. Een beetje aan de magere kant, dat wel, maar ze ging zonder meer vooruit. Ze at weer regelmatig, kletste met haar familie en met de kids (die ze voor het weekend hadden laten overvliegen) en de dokters zeiden zelfs dat ze morgen misschien al naar huis mocht. Peter had geregeld dat Charlie in een appartementje bij de villa van haar ouders kon intrekken, dus hoefde hij niet eens zelf naar onderdak te zoeken. Het zag er allemaal goed uit.

'Komt Maxine vandaag?' vroeg Lila aan Peter.

'Nee, het arme kind voelt zich niet zo lekker. Ze is naar de dokter,' legde Peter uit. 'Maar ze zei dat ze morgen misschien even langskomt. Als ze zich beter voelt.'

'Wat jammer. Ik had haar willen bedanken voor de bloemen.'

De privékamer stond vol met patserige extraatjes zoals exotische bloemen. Charlie had de verleiding niet kunnen weerstaan om even te gluren naar de kaartjes die erbij zaten. Er waren boeketten van Brad Pitt en Angelina Jolie en van Catherine Zeta Jones en Michael Douglas. Jezus, zelfs Madonna had bloemen gestuurd!

Charlie had zo'n idee dat hij zijn baantje niet lang meer zou hebben. Lila werd elke dag sterker en uiteindelijk zou de pers er wel genoeg van krijgen om achter haar aan te lopen. Dan zouden ze achter een andere showbizzstumper aan gaan die het moeilijk had en dan zou Lila's leven weer min of meer gewoon worden. Ze zou teruggaan naar Londen en daar kon hij zijn gezicht niet laten zien. Nee, het zou niet lang duren, maar voorlopig genoot hij nog met volle teugen van zijn werk. Lila Rose beschermen was stukken beter dan het vuile werk opknappen voor lui als McGregor en Angelis.

Maxine zag de dokter terugkomen met een klembord en probeerde de uitdrukking op haar gezicht te doorgronden. Ze was doodsbenauwd dat ze iets dodelijks had opgelopen in LA. Hoe kwam ze er verdorie bij om een joint met die zwerver te delen? Ze herinnerde zich het bloed op zijn zakdoek en kromp inwendig in elkaar. Zou hij tb hebben? Of hiv? Ze was ervan overtuigd dat het iets ernstigs was. Gisteravond had ze hoge koorts gehad en een blafhoest die zo erg was dat ze ervan had moeten kokhalzen. Nu zat ze rillend in een licht-groen ziekenhuishemd in de onderzoekskamer te wachten op de jonge dokter die haar lot in haar handen had.

Maxi was nooit ziek. Echt nooit. Ze had een ijzersterk gestel. Ondanks hun koele verstandhouding van de afgelopen tijd was ook Carlos geschrokken toen ze zich plotseling niet lekker had gevoeld. Vanochtend had hij haar meteen naar zijn privéklinkiek gestuurd, waar ze van top tot teen was onderzocht, minstens een halve liter bloed had moeten afstaan en in een plastic flesje had moeten piesen. Nu had de dokter een paar uitslagen en Maxine keek er niet naar uit die te horen. Ze wist gewoon dat er iets goed mis was. Ze was hele-maal niet zichzelf.

'U hebt een nare longontsteking,' zei de dokter zakelijk, terwijl ze Maxine over haar stalen brilmontuur aankeek. 'Ik zal u wat antibiotica geven. Nor-maal geef ik die niet graag aan een vrouw in uw toestand, maar u hebt het flink te pakken en ik vind het noodzakelijk.'

Maxine fronste haar voorhoofd. Haar toestand? Welke toestand? O god, ze wíst dat het iets dodelijks was...

De dokter gaf haar een flesje tabletten. 'Deze kunnen geen kwaad. Hoeveel weken bent u?'

Maxine krabde zich op haar hoofd. 'Weken?' vroeg ze verbijsterd.

'Zwanger,' antwoordde de dokter een tikkeltje ongeduldig. Ze praatte tegen Maxine alsof ze achterlijk was in plaats van gewoon een buitenlandse. 'U weet toch wel dat u zwanger bent?'

Maxine merkte dat haar mond openviel. Zwanger. Langzaam sijpelde het woord in haar brein door.

'Ben ik zwanger?' hoorde ze zichzelf vragen. 'Weet u dat zeker?'

'Heel zeker,' antwoordde de dokter. 'Het spijt me. Ik nam aan dat u van dat feit op de hoogte was.'

'Nee,' zei Maxine geschokt. 'Nee. Ik had geen flauw idee.'

'Nou, mag ik dan de eerste zijn om u geluk te wensen?' vroeg de dokter, op dezelfde vlakke toon. 'Ik neem aan dat señor Russo ook blij zal zijn. U kunt zich nu weer aankleden.' En met die woorden verdween ze.

Versuft trok Maxine haar jurk weer aan. Zwanger? Ze was zwánger! Onwil-lekeurig gleed haar hand naar haar buik. Die was nog even plat en afgetraind als altijd. Van een bol buikje was nog niets te zien. Hoe had ze het moeten weten? Carlos en zij hadden elkaar de afgelopen tijd nauwelijks gezien, laat staan met elkaar gevreeën. Heel even dacht ze met paniek aan haar nacht vol passie met Juan, maar toen herinnerde ze zich met een opgeluchte zucht duidelijk dat ze een condoomverpakking op de grond had zien slingeren. Ze hadden zonder twijfel een voorbehoedmiddel gebruikt. Goed, dan moest het gebeurd zijn toen ze pas uit LA terug was. In haar hoofd maakte ze een rekensommetje. Ja, dat kon kloppen. Ze moest ongeveer drie weken in verwachting zijn. Het was helemaal niet tot haar doorgedrongen dat ze deze week ongesteld had moeten worden. Ze had zich zo ongerust gemaakt over Lila dat ze niet aan zichzelf had gedacht. Op haar gezicht verscheen een brede glimlach en ondanks haar akelige hoest en haar hoge koorts werd ze opeens overspoeld door een warme, gelukzalige gloed. Ik word moeder, dacht ze. In haar buik groeide een klein mensje. Het was een wonder.

Op de terugweg in de auto, bestuurd door de chauffeur, staarde ze naar buiten en dagdroomde ze over de toekomst. Een kindje was precies wat Carlos en zij nodig hadden om hun relatie weer op de rails te krijgen. Wat was ze dom geweest om zich door Juan het hoofd op hol te laten brengen. Hij had niet eens geprobeerd contact met haar op te nemen sinds het was gebeurd. Ze was vast zijn zoveelste avontuurtje. Supermodel. Check. Filmster. Check. Vaders vriendin. Check. Ja, hij was een lekker ding en ze was smoorverliefd op hem en een poosje had ze misschien gedacht dat er iets moois was ontstaan, maar nee, het was niet echt. Dat kon gewoon niet. Nee, zoals die zwerver had gezegd: wat er in LA was gebeurd, kon in LA blijven. Het was alleen maar een droom en op den duur zou het helemaal weggevaagd zijn.

Nu was het tijd voor de toekomst. En de toekomst behoorde aan Maxine, Carlos en hun kindje. O, hoe moest ze het hem vertellen, de aanstaande vader? Zou ze het er gewoon uit flappen zodra ze thuis was of kon ze beter wachten en de mededeling een beetje feestelijker brengen? Ja, dat zou leuk zijn. Ze zou voor hem gaan koken en deze keer zou ze het niet verpesten. Ze zou hem laten zien wat voor een geweldige echtgenote er in haar stak en dan zou ze hem over dit prachtige, heerlijke kindje vertellen. Ze zag zijn gezicht al voor zich. Carlos was dol op kinderen. Hij zou verguld zijn. Verguld genoeg om van Esther te scheiden en met haar te trouwen? Ze dacht van wel. Onwillekeurig stelde ze zich het gezicht voor van Esther Russo als ze over dit kindje hoorde. Ze wreef beschermend over haar buik en dankte stilletjes het kleine wonder dat in haar groeide: dankzij deze baby zouden al haar dromen werkelijkheid worden.

41

Jimmy was terug. Hij was tien dagen te laat, maar eindelijk was hij dan toch thuisgekomen. Jasmine informeerde niet naar zijn 'zaken'. Op de Seychellen had ze haar lesje geleerd en die fout zou ze niet nog een keer maken. Ogenschijnlijk was alles koek en ei tussen de jonggehuwden. Jimmy was lief en attent. Misschien zelfs té attent. Vanochtend had hij haar meegenomen naar Muelle Ribera om te shoppen en haar aangemoedigd zich uit te leven in Gucci, Lanvin en Jimmy Choo, ook al had ze volgehouden dat ze niets nodig had. Goedmakertjes, dacht ze. In Sinatra's Bar werden ze betrapt door de paparazzi toen ze een fles champagne dronken. Voor de buitenwereld moesten ze er als een romantisch koppeltje hebben uitgezien. Toch was er iets mis. Ze voelde zich niet meer op haar gemak bij haar man. Hij was heel lief voor haar, maar ze vertrouwde hem niet. Telkens wanneer ze naar zijn aantrekkelijke gezicht keek, zag ze het monster dat onder zijn huid op de loer lag.

Jimmy leek haar wantrouwen te bespeuren en reageerde erop door haar met genegenheid te overladen. Hij liet haar hand niet meer los, kuste haar om de haverklap en zei keer op keer dat hij van haar hield. Het was erg vermoeiend. Ze kon zich amper nog vooroverbuigen om haar handtas te pakken zonder dat hij zich tegen haar kont aan schuurde. Ieuw! Ze ging haast over haar nek. Het was fijn om begeerd te worden, maar deze mate van wanhoop had niets aantrekkelijks meer. Hoe meer hij aan haar zat, hoe meer ze van zijn aanraking begon te walgen. Lichamelijke aantrekkingskracht was altijd zo belangrijk geweest in hun relatie, en als dat er niet meer was... Jezus, als dat er niet meer was, wat bleef er dan nog over?

Dan zou Jimmy voor haar niet meer zijn dan een middel om aan haar verleden te ontsnappen. Ze was niet met hem getrouwd als opstapje naar een beter leven, maar... maar als ze niet meer naar hem verlangde, wat zou hij dan anders zijn? Toen ze gisteravond hadden gevreeën, klopte er iets niet. Haar lichaam had niet op zijn aanraking gereageerd en ze merkte dat ze eigenlijk hoopte dat het snel voorbij zou zijn. Ze was alleen met hem naar bed gegaan om hem een plezier te doen, want dat hoorde een echtgenote te doen. Ze had hem gegeven wat hij wilde en nu kocht hij schoenen voor haar. Wat was zij dan? In het gunstigste geval een golddigger, en in het ongunstigste geval? Wat een ellende, dacht ze. In het ongunstigste geval was ze niet veel beter dan Cynthia: een ordinaire hoer.

Nu waren ze op weg naar de jachthaven om het nieuwe jacht van Luke Park te bewonderen.

'Ruim een miljoen euro heeft hij ervoor neergeteld,' had Jimmy haar opgewonden verteld toen ze hand in hand naar de steiger liepen. 'Het moet een fantastische boot zijn.' Hij verheugde zich duidelijk op de party. Jasmine niet. Ze had Madeleine sinds de bruiloft niet meer gezien. Het mens deed altijd zo vals tegen haar.

Het jacht lag in Puerto Banus aangemeerd en de persmuskieten verdrongen zich al. Jasmine glimlachte beleefd toen ze haar naam riepen, maar gaf niet haar gebruikelijke show weg. Het ging allemaal niet meer van harte. De laatste tijd werd ze geplaagd door de gedachte dat er meer moest zijn in het leven dan dit: shoppen, de clubs, de fotoshoots voor de bladen, de paparazzi. Wat had het allemaal voor nut? Wat was het nut van Jasmine Jones? Waar had ze haar bekendheid eigenlijk aan te danken? Aan haar tieten? De echtgenoot die ze had gekozen? Het stelde allemaal zo weinig voor. Ze moest gauw iets aan haar zangcarrière gaan doen.

Misschien was ze alleen maar zo emo vanwege de zoektocht naar haar biologische ouders. Grace had nog niets van zich laten horen en ze begon zenuwachtig te worden. Het was ook zoiets enorms. Het zat er dik in dat Grace niets zou kunnen opduikelen, maar toch was er een glimpje hoop dat ze op een dag zou weten waar ze vandaan kwam. Alleen al bij de gedachte kreeg ze de zenuwen.

Jasmine ging aan boord en nam een glas champagne aan van de serveerster die hen verwelkomde.

Jimmy floot bewonderend tussen zijn tanden. 'Voor zo'n bootje zou ik heel wat overhebben,' zei hij. 'Echt, Jazz, van de zomer koop ik er voor ons ook een.'

'Kunnen we ons dat wel veroorloven?' Jimmy verdiende geld als water, maar ze hadden dit jaar al de villa gekocht en zelfs voor hen was een miljoen euro een flink bedrag.

'Nog niet, schat, maar daar wordt aan gewerkt.' Jimmy gaf haar een vette knipoog. 'Ik heb plannen, liefje. Grote plannen.'

Weer maakte Jasmine zich zorgen om de 'zaken' waarbij Jimmy was betrokken. Ze hoopte dat het niets verdachts was. Ze had al meer dan genoeg verdachte zaken om zich heen gezien. Tenslotte was dat de enige manier waarop haar familie de kost wist te verdienen. Het laatste wat ze kon gebruiken was dat Jimmy tot zijn nek in de problemen zat. Maar ze wist wel dat ze er niet over door moest gaan. Trouwens, daar was het nu niet het juiste moment voor.

'Jimmy! Jasmine! Wat geweldig dat jullie er zijn,' zei Luke Parks. Hij droeg een witlinnen pak en een zelfvoldane grijns. 'Is ze niet beeldschoon? Ze heet uiteraard Madeleine. Vrouwlief zou me hebben vermoord als ik haar anders had genoemd.'

Hij zwaaide breed met zijn hand om het weelderige jacht aan te geven. Beeldschoon inderdaad, moest Jasmine toegeven. Het zou in een Bondfilm niet hebben misstaan. En het was reusachtig.

'Kom, ik zal jullie een rondleiding geven,' bood Luke aan. 'Dit is vanzelfsprekend het dek. Uiteraard massief mahonie. Met een zonneterras, bubbelbad, de bar en al die toestellen waar de bemanning zich mee bemoeit. Hier...' Ze volgden hem naar binnen. 'De salon. Thuisbioscoop, speakers met *surround sound*, functionerende open haard. Alles bestuurd door één afstandsbediening.'

Jasmine bekeek de luxe beige leren banken, het plasmascherm en de kleden van schapenvacht.

'... en de keuken. We hebben een chef-kok.'

Glanzende kasten, ultramoderne apparaten en corianwerkbladen.

'Hier beneden zijn de slaapvertrekken,' vervolgde Luke, terwijl hij hen voorging via een wenteltrap. 'De hoofdslaapkamer beschikt over een waterbed, een plasmascherm, surround sound-speakers en natuurlijk een badkamer en suite. Dan hebben we hier de tweede slaapkamer die iets minder luxe is, maar nog altijd vrij chic, en hier, een eindje verderop, hebben we de hutten van de bemanning. Ze hebben stapelbedden, maar ik geloof niet dat ze dat erg vinden.'

'Het is echt he-le-maal geweldig, man,' kwijlde Jimmy verlekkerd. 'Je hebt een goede smaak, man. Een heel goede smaak.'

'Weet ik,' zei Luke zelfvoldaan.

Jasmine kon het niet uitstaan dat alle kerels tegen Luke Parks stonden te slijmen alsof hij een of andere superheld was. Zelf vond ze hem een sukkel.

Ze gingen weer naar boven, waar het dek intussen was volgestroomd met hun vrienden. Jasmine kuste Crystal hartelijk en gaf een klopje op Cookies aanzienlijk bollere buikje. Opeens leek de temperatuur een paar graden te dalen, toen Madeleine Parks op het toneel verscheen in een Pucci-doorkijk-kaftan over haar bikini. Ze trapte met de sleehak van haar sandaal op Jasmines teen, maar deed net alsof ze het niet had gemerkt.

'Meisjes,' zei ze snerend. 'Fijn dat jullie er zijn. Is ze niet beeldschoon, onze Madeleine?'

'Het is een prachtige boot,' zei Cookie bedeesd. 'Wat ben je toch een geluksvogel.'

'Het is geen boot, Cookie,' verbeterde Madeleine haar snibbig. 'Het is een jacht. En geluk heeft er niets mee te maken. Luke en ik hebben keihard gewerkt om onze levensstandaard te bereiken. Jullie kunnen een voorbeeld aan ons nemen, meisjes. Goed om je heen kijken, daar kun je van leren.'

Ze zweeg en nam Jasmine onderzoekend op. 'Jij bent toch niet ook zwanger, Jasmine?' vroeg ze met gespeelde onschuld.

'Nee,' antwoordde Jasmine blozend. 'Hoe kom je daar nou bij?'

'O, ik weet niet. Je ziet er nog steviger uit dan anders. Ach, ik zal me vergist hebben. Je zult gewoon wat zijn aangekomen. Enfin, ik moet ervandoor. We verwachten vandaag een aantal bijzonder belángrijke gasten.' En in een wolk van turkooizen Pucci verdween ze.

'Grr! Ze maakt me zo kwaad!' zei Crystal. 'Waarom doet ze dat toch altijd?'

Chrissie wendde zich tot Jasmine. 'Je ziet er net zo beeldschoon uit als anders, hoor Jazz. Je bent geen grammetje aangekomen en zij is gewoon een jaloerse ouwe teef.'

Jasmine grinnikte. 'Weet ik wel, Chrissie. Eerlijk gezegd begin ik eraan te wennen. Als ze niet de behoefte had om me te beledigen, zou ik me zorgen gaan maken. O kijk, daar zijn Maxi en Carlos. Ik ga even gedag zeggen.'

'Ja,' reageerde Crystal met een stalen gezicht. 'Ga jij maar fijn praten met de belángrijke gasten. Wij kennen onze plaats, hè Cookie.'

Cookie knikte grijnzend.

'O, maar zo bedoelde ik het niet! Ik ben zo terug.'

'Ja ja,' reageerde Crystal sarcastisch. 'We weten heus wel dat je ons hebt laten vallen voor Maxine de la Fallaise. We hebben gehoord dat jullie tegenwoordig met elkaar vergroeid zijn.'

Jasmine merkte dat ze weer een kleur kreeg. Waren haar vriendinnen echt gekwetst door haar nieuwe vriendschap? 'Het spijt me, meiden, ik wilde jullie niet...'

Chrissie viel haar in de rede. 'Jazz, ik neem je alleen maar in de maling, gekkie. Ga maar gauw gedag zeggen tegen je vrienden. Wij blijven hier voorlopig nog wel.'

Maxine had zich voor de gelegenheid gekleed in marineblauwe shorts met gouden knopen, een rood-wit gestreept vest en een zware, gouden ketting.

Echt in zeemansstijl, maar heel leuk. Ze zag er altijd onberispelijk uit. Maxine stond te praten met (althans, te luisteren naar) Luke Parks, terwijl Carlos zijn hand teder in het holletje van haar rug had gelegd. Ze dronk verse jus d'orange. Ze was vast aan het ontslakken, dacht Jasmine. Ze had Maxi nog nooit een glas bubbels zien afwijzen.

Maxine zag haar vriendin aankomen en deed een stapje naar achteren, zodat die arme Carlos in zijn eentje naar Luke Parks moest luisteren.

'Hoi meis,' zei Maxine, en ze kuste haar hartelijk. 'Jezus, wat is die man saai, zeg. Hij heeft me net in geuren en kleuren verteld over zijn liesoperatie. Eerlijk waar, ik heb er beelden van in mijn hoofd die me voor eeuwig zullen achtervolgen!'

Jasmine giechelde. 'Drink je niet?' vroeg ze, met haar hoofd wijzend naar de jus d'orange.

'Nee, ik ben op de gezondheidstoer. Het leek me verstandig om mijn lever een poosje te ontzien.' Toen zweeg ze even en grijnsde. 'Ach, wat maakt het ook uit! Als ik het niet gauw aan iemand vertel, ontplof ik.' Ze boog zich naar Jasmine toe en fluisterde in haar oor. 'Ik ben zwanger.'

Jasmine liet bijna haar glas vallen. 'O, wat fantastisch, Maxine. Gefeliciteerd!'

'Sst! Zachtjes. Het is een groot geheim. Niemand weet het nog, zelfs Carlos niet.'

'Heb je het nog niet aan Carlos verteld?' fluisterde Jasmine. 'Waarom niet?'

'Ik wil het morgen onder het eten vertellen,' grinnikte Maxi. 'Ik kan haast niet wachten. Hij zal zooo blij zijn.'

De middag ging over in de avond. Terwijl de zon bloedrood onderging, werden er canapés geknabbeld en eindeloos glazen champagne gedronken. Later speelde een plaatselijke Spaanse band flamenomuziek onder de sterren. De enige wanklank ontstond toen Luke en Madeleine hun fles champagne tegen de boeg van het jacht stuksloegen en plechtig verkondigden: 'Wij dopen u Lady Madeleine en wensen u en uw bemanning een behouden vaart!' Iedereen applaudisseerde beleefd en Crystal mompelde iets te hard: 'Lady? Kakmadam, zul je bedoelen.' Dat veroorzaakte veel gelach dat zich als een golf over het dek verspreidde, totdat Madeleine vroeg: 'Wat is er zo grappig?'

'Jij, schat!' fluisterde Chrissie.

'Sst, Chrissie. Als ze je hoort, gooit ze je overboord,' waarschuwde Jasmine. Maar Crystal was te dronken om zich er iets van aan te trekken.

Jasmine merkte dat de beschaafde sfeer begon om te slaan in platvloersheid. Zodra de band klaar was, namen Jimmy, Calvin, Paul en Luke de microfoon over en begonnen aan een afgrijselijke vertolking van 'Born to be Wild'. Jasmine en Maxi schoten in de lach totdat ze bijna dubbel lagen en de tranen over hun wangen biggelden. 'Het is maar goed dat ze beter zijn in voetballen,' proestte Maxi. 'Want voor rocksterren zijn ze echt niet in de wieg gelegd.

Plotseling greep een wankele Crystal de microfoon en brulde: 'Kom op, meiden! Hier komen! Cookie! Jasmine! Hé, jij daar, Maxine! Waar blijf je nou? Kom hier!'

'O, leuk!' gilde Maxine. 'Ik ben dol op karaoke.'

Voordat Jasmine haar kon tegenhouden, vloog ze naar voren om zich bij Chrissie op het podium te voegen. En ze had niet eens gedronken! Nu sleepte Chrissie ook die arme Cookie erbij, ondanks haar protesten.

'Jasmine Jones, blijf nou niet op je luie kont zitten, maar kom hier!' beval Crystal. Ze was altijd al luid, maar met een microfoon in haar handen was ze oorverdovend. Het hele gezelschap was verstomd en had zich naar Jasmine omgedraaid.

'Toe maar, schat! Laat ze eens wat zien!' schreeuwde Jimmy bemoedigend.

Jasmine voelde dat ze een kleur kreeg. Ze was dol op zingen en ze was er goed in, maar tot dat ogenblik was het haar geheim geweest. In het openbaar had ze nog nooit gezongen. Stel dat ze zichzelf voor de gek hield? Stel dat iedereen haar uitlachte?

'Nou, ik ga mezelf niet voor schut zetten,' zei Madeleine minachtend.

'Dat verlangt ook niemand van je,' reageerde Chrissie, die vergat dat ze een microfoon voor haar mond had.

'Stelletje lellebellen,' hoorde Jasmine Madeleine mompelen.

De mensen staarden haar nog steeds vol verwachting aan. Jasmine had geen keus. Ze zette haar champagneglas neer en liep nerveus het podium op. 'Wat gaan we zingen?' fluisterde ze tegen Chrissie, die blijkbaar de leiding op zich had genomen.

'De Spice Girls natuurlijk,' hikte Crystal. 'Ik was als kind hun allergrootste fan.'

Jasmine zuchtte vertwijfeld. Niet het soort muziek waar ze van hield. 'Oké, welke song?'

'"Wannabe"!' kondigde Chrissie door de microfoon aan.

'Wat toepasselijk!' riep Madeleine vals.

Aanvankelijk ging het rampzalig. Geen van de andere drie kon wijs houden en Jasmine had moeite zich de woorden te herinneren (ze was dertien toen ze voor het laatst naar een nummer van de Spice Girls had geluisterd). Terwijl

Chrissie krijste, zong Cookie geluidloos mee als een verlegen brugklasser tijdens een schoolopvoering. Maxine had het intussen veel te druk met rondhuppelen alsof ze Geri Halliwell was om zich ook maar iets van de tekst of de melodie aan te trekken. Maar toen Jasmine naar de zee van glimlachende gezichten keek, merkte ze dat ze van het ogenblik genoot. De bandleden pakten hun gitaren op en tokkelden mee met de muziek. Jasmine ontspande zich en begon blij te zingen. Het duurde even voordat ze besefte dat de anderen waren opgehouden met zingen en haar met open mond aanstaarden. Crystal gaf haar de microfoon en het publiek begon enthousiast mee te klappen. Met hoogrode wangen van gêne zong Jasmine verder. Onwillekeurig begon ze met haar heupen te wiegen en opeens stond ze midden op het podium te dansen en te zingen voor een publiek. Het was heerlijk! Ze voelde zich helemaal thuis.

'*I really, really, really, wanna zig-a-zig-ah...*'

Aan het eind van haar optreden wiebelde ze uitdagend met haar heupen. Het publiek ging uit zijn dak en Chrissie, Cookie en Maxi dromden om haar heen.

'Ik had geen idee dat je zo kon zingen, Jazz,' zei Crystal opgetogen.

'Dat was helemaal geweldig,' zei Cookie.

'Ik ga je boeken voor Cruise,' voegde Maxi eraan toe.

Zodra ze van het podium af stapte en weer naar haar tafeltje terugliep, werd ze van alle kanten gefeliciteerd en op haar rug geklopt. En toen Carlos Russo naar haar toe kwam en haar vertelde dat ze een prachtig 'instrument' had, dacht ze dat ze zou barsten van trots. 'We moeten eens afspreken,' stelde hij voor. 'Ik ken mensen die je kunnen helpen. Ik denk dat je een echte ster kunt worden.' Misschien zou ze haar droom van zangeres worden eindelijk kunnen verwezenlijken.

'Je was retegoed, prinses,' lalde Jimmy. Hij gaf haar een natte zoen op haar lippen, kneep in haar rechterborst en zakte toen als een zoutzak in elkaar. Ze stapte over hem heen en nam een slokje champagne. Dit moment wilde ze niet laten verpesten, zelfs niet door Jimmy.

Met een tevreden zucht leunde ze tegen de reling en keek naar de sterrenhemel. Achter haar stond Carlos op het podium met zijn fluwelen stem een van zijn dromerige ballads te zingen. Ze glimlachte bij zichzelf en voelde zich gelukkiger dan in de afgelopen weken. Ze pakte haar tas en keek op haar mobieltje om te zien of Grace had gebeld. Ze was in de stemming voor goed nieuws. Er was geen bericht van Grace, maar wel een sms'je van een geheim nummer.

Er stond enkel: *Half miljoen euro voor maandag. Anders wordt het openbaar. Geen smoesjes. Bijzonderheden volgen.*

Jasmines handen begonnen te trillen. Het bloed trok weg uit haar gezicht en ondanks de milde Spaanse avondlucht rilde ze opeens. Dus hij was er weer. Op de een of andere manier wist ze dat hij zou terugkomen. Ze had erop gewacht, want ergens wist ze dat het spelletje nog lang niet afgelopen was. En nu wilde hij een half miljoen euro! Hoe moest ze daar verdomme aan komen?

Achter haar krabbelde Jimmy overeind.

'Alles goed, schat?' lalde hij.

'Ik wil naar huis, Jimmy' zei ze vastberaden. 'Ik ben niet meer in feeststemming.'

'Is het lekker?' vroeg Maxine hoopvol. Ze keek toe terwijl Carlos een hap van zijn biefstuk nam.

Het slikken leek hem moeite te kosten en hij moest een grote slok water nemen voordat hij een woord kon uitbrengen.

'Het is heerlijk, *chica*,' zei hij. 'Iets te gaar misschien, maar erg lekker.'

Ze zag dat hij met zijn mes het vlees probeerde door te zagen. Hm, misschien hadden de biefstukjes toch ietsje te lang op de houtskoolgrill gelegen. Nou ja, het gaf niet. Een salade kon zelfs zij niet verbranden en het belangrijkste was dat ze haar best had gedaan. Gelukkig was de ovenpatat tenminste een succes.

'Waar heb ik dit aan te danken?' vroeg Carlos toen hij eindelijk zijn volgende mondvol had doorgeslikt. 'Ik dacht dat we hadden besloten dat je niet meer zou koken.'

Maxine haalde diep adem. Ze stond op het punt hem het nieuws te vertellen, maar ze was een beetje nerveus. Het was ook niet niks om een man te vertellen dat hij vader zou worden. Zelfs als de betreffende man al vier keer eerder vader was geworden. Ach, wat kon het haar ook schelen. Het was nu of nooit.

'Ik heb een opwindend nieuwtje,' verkondigde ze.

Met een geduldige glimlach keek Carlos haar aan.

'We krijgen een kindje! Is dat niet het heerlijkste nieuws dat er is?'

Afwachtend keek ze hem aan. Eerst begon Carlos te sputteren, toen verslikte hij zich en daarna graaide hij met een verbijsterde blik op zijn gezicht naar zijn glas.

'Is een vergissing!' bulderde hij, toen hij over zijn verslikking heen was. 'Je kunt niet zwanger zijn, Maxine!'

Maxine was teleurgesteld. Dit was niet de reactie waarop ze had gehoopt.

'Nee, schat, het is geen vergissing,' reageerde ze. 'Ik ben bij de dokter geweest.'

Carlos werd heel bleek en heel stil. Een tijdlang staarde hij naar zijn bord.

'Nou, zeg dan toch iets, Carlos,' smeekte Maxine. 'Zeg dat je blij bent.'

Carlos' gezicht verkleurde van doodsbleek naar vuurrood. Hij brulde als een wild beest, ging plotseling staan en schoof de borden zo woest van tafel dat ze op de grond aan diggelen vielen en het eten tegen de muren spatte. 'Je bent een hoer!' tierde hij. 'Gewoon een goedkope hoer!'

Maxine snapte er niets van. Waarom schreeuwde hij tegen haar? Waarom was hij zo kwaad? Ze wilde haar hand op zijn arm leggen, maar hij sloeg hem weg. Hij weigerde haar aan te kijken.

'Met wie ben je naar bed geweest?' vroeg hij op hoge toon. 'Met wie heb je achter mijn rug om aangepapt?'

'Ik weet niet waar je het over hebt, Carlos,' antwoordde Maxi. De tranen prikten in haar ogen en biggelden langs haar wangen. Ze was bang. Zo had ze Carlos nog nooit meegemaakt. 'Liefje, het is jouw baby. Ons kindje,' zei ze snikkend.

'Dat is mijn kind niet,' beet Carlos haar toe. 'Ik ben gesteriliseerd. Vijftien jaar geleden. Nadat mijn Federico werd geboren. Ik kan geen kinderen meer krijgen, stomme teef!'

Nu keek hij haar strak aan en Maxine had in haar hele leven nog nooit zo'n diepe haat gezien. 'Ik hield van je, Maxine,' snauwde hij. 'Ik behandel je als een prinses. Ik neem je in mijn huis. En dit is je dank? Je slaapt met een andere man achter mijn rug. Je wordt zwanger van zijn kind. Wie is hij, huh? Zeg op. Wie is die man?'

Maxine kon geen woord uitbrengen. Ze begreep nauwelijks wat er aan de hand was. Carlos was gesteriliseerd. Waarom had hij haar dat nooit verteld? En hoe kon ze in verwachting zijn van een ander? Ze zag opeens Juans gezicht voor zich, maar nee, ze waren voorzichtig geweest. Ze had de condoomverpakking gezien.

'Carlos, ik begrijp niet hoe dit kan...' Ze probeerde de juiste dingen te zeggen, maar hoe kon dat? Wat hoorde je op zo'n moment te zeggen?

'O, onbevlekte ontvangenis?' smaalde Carlos.

'Nee, het is... O god... Ik kan het niet verklaren... Het spijt me, ik...'

Maxine zag dat Carlos zijn schouders liet hangen. Alle kleur was weer uit zijn gezicht weggetrokken toen hij zich met een smak in zijn stoel liet zakken. Plotseling zag hij er oud en moe uit.

'Het maakt niet uit wie de man was,' zei hij. 'Het is voorbij Maxine. Je moet weg.'

'Maar Carlos, misschien is er sprake van een vergissing. Misschien is je sterilisatie mislukt. Je hoort weleens dat zoiets gebeurt.'

'Het heeft vijftien jaar gewerkt. Ga maar weg. Ik wil je niet meer zien.'

'Toe nou. Laten we er alsjeblieft over praten.'

'Er valt niets te praten. Je hebt me verraden. Dat is dat. Het is voorbij. Uit.'

Hij haalde zijn schouders op en schudde zijn hoofd. 'Jammer, Maxine. Ik dacht dat je stijl had. Maar nee, je bent gewoon een hoer zoals zoveel anderen.' Hij stond op en draaide zich naar de deur zonder haar een blik waardig te keuren. 'Ik ga nu naar bed,' zei hij toen hij vertrok. 'Wanneer ik morgen opsta, ben je er niet meer. Begrepen? Weg.'

Hij trok de deur achter zich dicht en liet Maxine op de grond in elkaar gedoken snikkend achter. Wat was er zojuist gebeurd? Hoe kon de baby niet van hem zijn? Ze moest telkens denken aan Juan en de nacht die ze samen hadden doorgebracht, maar ze begreep er niets van. Ze waren voorzichtig geweest. Ze was zo dronken geweest dat de details een beetje vaag waren. Uit alle macht probeerde ze zich te herinneren wat er precies was voorgevallen. Ze hadden gekust in de auto op de terugweg naar zijn appartement en toen in de lift. Ze herinnerde zich dat ze daarna staande tegen de muur in de gang hadden gevreeën. En veel later had ze met Juan in bed gelegen toen ze nog een keer hadden gevreeën, maar die keer veel langzamer... O god, ze had het twee keer gedaan. Pas nu drong haar afschuwelijke vergissing tot haar door. Ze hadden twee keer gevreeën, maar ze had maar één condoomverpakking op de grond zien liggen. Jezusmina! Ze was niet in verwachting van Carlos' kind, ze was in verwachting van zijn kleinkind!

42

'Zo, miss Jasmine, heb ik me daar even groot nieuws voor je,' verkondigde Blaine toen hij de woonkamer binnen stapte. Vergenoegd likte hij zijn lippen.

Jasmine lag na het eten opgekruld op de bank een boek te lezen om haar problemen even van zich af te zetten. Blaine plofte met zijn kolossale lijf naast haar neer en nam het boek uit haar handen.

'Daar was ik net in verdiept, Blaine,' klaagde ze, hoewel dat niet helemaal waar was. Vanavond kon ze zich eigenlijk nergens goed op concentreren. Haar gedachten bleven afdwalen naar de vraag hoe ze in vredesnaam voor maandag aan een half miljoen euro moest komen.

'Luister, Jazz, dit is de moeite waard,' zei hij nadrukkelijk. 'We hebben een aanbod van *Playboy* gehad. Een geweldig aanbod. Ze willen dat je naakt gaat poseren.'

Geïnteresseerd keek ze op. *Playboy*? De *Playboy* had ze nog nooit gedaan. *Playboy* betaalde goed. Heel erg goed. Allerlei gedachten schoten door haar heen.

'Ze doet het niet,' verklaarde Jimmy bot vanuit zijn stoel voor de tv, waar hij naar een oude Clint Eastwoodfilm zat te kijken.

'Jim, ik heb het tegen je vrouw,' zei Blaine. 'Ik heb het over háár carrière. Heeft zij iets te zeggen over het team waarvoor jij een contract tekent? Ik dacht het niet. Dus hou je erbuiten.'

'Nou, je verspilt je tijd, want ze doet het godverdomme niet, hoor je?' zei Jimmy koppig. 'Hè, Jazz?'

Het was meer een waarschuwing dan een vraag. Jasmine dacht hard na. Ze had eigenlijk besloten minder glamourwerk aan te nemen, omdat ze zich liever op haar zangcarrière wilde richten. Dat wilde Jimmy ook, dat had hij heel duidelijk gemaakt. Maar de omstandigheden waren veranderd. Ze had geld nodig, en snel.

'Hoeveel betalen ze?' vroeg ze aarzelend.

'Het maakt geen reet uit hoeveel ze betalen,' riep Jimmy, terwijl hij ging staan. 'Je doet het niet.'

'Ze hebben een half miljoen geboden, maar ik denk dat ik er wel meer uit kan slepen. Het is alleen maar een openingsbod,' zei Blaine, zonder zich ook maar iets van Jimmy's uitbarsting aan te trekken.

'Pond?' vroeg Jasmine. Haar belangstelling was nu gewekt.

'Ja, pond. Ik kan makkelijk tot zevenhonderdvijftig gaan.'

Met zijn handen op zijn heupen ging Jimmy voor hen staan. 'Dit hele gesprek is verspilde moeite. Mijn vrouw poseert niet naakt, oké?'

Jasmine zag zijn aders weer kloppen, maar met Blaine naast zich voelde ze zich veilig. Jimmy zou zijn zelfbeheersing niet verliezen waar hun manager bij zat.

'Stel dat ik niet frontaal ga?' vroeg ze. 'Stel dat het artistiekerig wordt?'

Blaine knikte. 'Dat behoort zeker tot de mogelijkheden. Er valt nog veel te bepraten. Het enige wat ik weet is dat ze je hier in Spanje op het strand willen hebben.'

'Luistert er dan niemand naar me?' vroeg Jimmy stampvoetend. 'Ze doet het niet. Punt uit!'

'Jimmy,' zei Jasmine kalm. 'Er zijn zat grote namen die voor de *Playboy* hebben geposeerd. Ze doen best stijlvolle dingen, nietwaar Blaine?'

'Klopt.'

Maar Jimmy wilde er niets van weten. 'Je poseert alleen over mijn lijk, hoor je, Jasmine? Over mijn lijk!'

'Dat kan geregeld worden,' zei Blaine meesmuilend.

Jimmy stormde de kamer uit en knalde de deur achter zich dicht.

'Een kater,' zei Blaine op onverschillige toon. 'Die knul kan gewoon niet tegen de drank.'

'Geef me een minuutje,' zei Jasmine. 'Ik praat wel even met hem.'

Ze vond Jimmy mokkend in de keuken, terwijl hij een flesje bier opentrok. 'Om mijn kater weg te spoelen,' mompelde hij.

Ze haalde diep adem. Ze had besloten om Jimmy om geld te vragen. Dat was de enige manier om van de afperser af te komen. Het *Playboy*-aanbod was geweldig, maar ze had het geld al maandag nodig. Ze had maar een paar dagen.

'Jimmy,' zei ze een beetje nerveus. 'Eigenlijk wil ik die *Playboy*-shoot helemaal niet doen, maar het probleem is...'

O god, hoe moest ze het aanpakken? De waarheid kon ze hem niet vertellen en liegen ging haar slecht af.

'Het probleem is dat ik het geld hard nodig heb.'

Ziezo. Het was eruit.

'Hoe bedoel je: dat je het geld hard nodig hebt?' vroeg Jimmy. 'Je hebt toch jouw aandeel van de bruiloftpoen gehad, of niet? En gisteren heb ik schoenen en jurken voor je gekocht waar je de rest van het jaar genoeg aan hebt.'

'Weet ik, schat, maar ik wil een platencontract proberen te krijgen en daarvoor heb ik een zangcoach en een producer nodig, en ik zal een studio moeten huren. Dat kost allemaal geld.'

Jimmy fronste zijn voorhoofd. 'Zo veel kan het toch niet kosten?' vroeg hij.

Jasmine haalde haar schouders op. 'Dat hangt ervan af. Als je het goed doet wel. Ik wil de beste mensen om me heen, schat. Als ik ga zingen, wil ik een stijlvolle zangeres worden en stijl is nu eenmaal niet goedkoop, Jim, dat weet je zelf ook wel.'

'Hoeveel wil je dan hebben?' vroeg hij. Tot zover had ze het goed gespeeld. Jimmy zou er alles voor overhebben om een einde te maken aan haar modellenwerk.

'Vijfhonderdduizend euro,' antwoordde ze zo nonchalant mogelijk.

'Wát?!' Hij keek haar aan alsof hij dacht dat ze gek was geworden. 'Ik kan je geen vijfhonderdduizend euro geven.'

'Hè, toe nou. Als je het niet geeft, zal ik de *Playboy*-shoot moeten doen.'

'Probeer je me te chanteren?' vroeg hij, zichtbaar geschokt. Hij lachte en fronste zijn wenkbrauwen tegelijk, alsof hij niet wist hoe hij het moest opvatten.

'Welnee, doe niet zo mal. Ik heb alleen dringend je hulp nodig, meer niet.'

Hij schudde zijn hoofd. 'Ik kan het je niet geven, omdat ik het niet heb,' hield hij vol.

'Hoezo heb je het niet?' Ze geloofde hem geen seconde. Jimmy bulkte van het geld.

'Het staat allemaal vast,' antwoordde hij. 'In investeringen.'

'Investeringen?' Nu wist ze zeker dat hij loog. Jimmy had meer verstand van astrofysica dan van aandelen en effecten.

'Het is mijn eigen geld dat ik zelf heb verdiend. Ik mag ermee doen wat ik wil,' zei hij verdedigend. 'En dat soort bedragen heb ik echt niet rondslingeren. Als ik het had, zou ik het je geven, maar ik heb het niet.'

'En daar blijf je bij?' Jasmine was er nog altijd van overtuigd dat hij loog. 'Want in dat geval zal ik die shoot voor *Playboy* moeten doen.'

Ze speelde het keihard. Er zat niets anders op. Als Jimmy haar het geld niet gaf, kwam ze in de problemen.

Jimmy keek haar woest aan. 'Nee,' zei hij. 'Ik blijf erbij dat als je die *Playboy*-shoot doet, ik zal zorgen dat je er spijt van krijgt.'

Jasmine voelde dat de broze wapenstilstand tussen hen was gebroken. Hij kwam een stapje dichterbij en hield zijn bierflesje tegen haar keel. Het deed geen pijn, maar het gebaar was genoeg om haar eraan te herinneren waartoe haar man in staat was.

'Hoor je me, Jasmine? Als je nog één keer uit de kleren gaat, zul je wensen dat je nooit was geboren.'

Hij stapte opzij en nam een teug van zijn bier. Jasmine keek hem met half toegeknepen ogen aan. Jezus, af en toe kon ze hem echt niet uitstaan.

'Ik hoor je,' antwoordde ze. 'Luid en duidelijk.'

Ze draaide zich om en liep weg.

'Is dat het enige waar je me voor nodig hebt?' riep hij achter haar aan. 'Mijn geld, hè? Daar is een woord voor, Jasmine.'

Ze negeerde hem. Nu moest ze het zelf redden. Jimmy wilde haar niet helpen, dus wist ze wat haar te doen stond. Ze vond Blaine languit op de bank liggend, terwijl hij langs de kanalen zapte en een zakje chips deelde met de hond.

'Alles koek en ei tussen jullie torteltjes?' vroeg hij opgewekt. Hij had ongetwijfeld weer voor luistervink gespeeld.

'Prima,' snauwde ze. Op dat moment was ze echt niet in de stemming voor Blaines verwrongen gevoel voor humor. Ze moest spijkers met koppen slaan. 'Oké, dat *Playboy*-klusje. Wanneer kunnen ze het doen? Deze week?'

Blaine ging zo snel rechtop zitten dat de chips over de vloer vlogen. 'Dus je doet het? Zelfs na wat Jimmy zei?'

Ze knikte. 'Ik doe het op voorwaarde dat de shoot nog deze week plaatsvindt en ik wil de helft van het geld als voorschot zodra het contract is getekend. O, en ik wil het contract morgen getekend hebben.'

Sissend zoog Blaine zijn adem door zijn tanden naar binnen. 'Jeetje, Jasmine, het lijkt wel of je het van mij hebt afgekeken. Je wordt nog eens een pittig zakenvrouwtje.'

'Nou, begin er maar vast aan te wennen,' antwoordde ze. Eigenlijk genoot ze er stiekem van. Het gaf haar een gevoel van macht dat ze nog nooit had gekend.

'Begrijp me goed, Jazz. Het bevalt me prima. Ik word er heet van,' grijnsde hij.

'Hou je kop, Blaine,' zei ze. 'En er is nog een voorwaarde aan verbonden: als je tegen Jimmy zegt dat ik die shoot toch ga doen, vlieg je er meteen uit, begrepen?

'Luid en duidelijk, lekker ding van me, luid en duidelijk.' Hij wreef in zijn handen van opwinding.

'O, en dan zeg ik ook tegen Lila Rose dat jij die foto's van Alisha en Brett hebt genomen. Dan zal haar pr-team zorgen dat je nooit meer aan de slag komt.'

Blaine deed alsof hij diep geschokt was. 'Wie? Ik?' vroeg hij. 'Waarom zou ik zoiets doen?'

'Lul niet, Blaine,' zei Jasmine. 'Ik weet dat jij het was. Jij was de enige die op de bruiloft rondsloop in de hoop celebrity's met hun broek omlaag te kunnen betrappen.'

Toen Blaine zijn mond opendeed om zich te verdedigen, werd hij onderbroken door de zoemer van de intercom. Jasmine keek op haar horloge. Het was bijna middernacht.

'Wie zou dat nou kunnen zijn?' vroeg ze.

Blaine liep naar het raam en keek naar buiten.

'Zo te zien een witte limo,' zei hij.

Het dienstmeisje klopte aan. 'Is miss Maxine,' zei ze. 'Zal ik haar binnenlaten?'

'Ja, natuurlijk,' antwoordde Jasmine verward. Wat deed Maxi hier op dit tijdstip?

Ze liep over de oprijlaan naar Maxines limo. Toen de chauffeur het portier opendeed, zag ze haar huilende vriendin met verschillende Louis Vuitton-koffers om zich heen. Haar hondje Britney zat op haar schoot zielig te trillen.

'Maxi, wat is er aan de hand?'

'O Jasmine! Ik heb alles verknald. Ik ben zwanger en dakloos en alles is afschuwelijk misgegaan!'

De chauffeur laadde de koffers uit en hielp Maxi met uitstappen. Hij boog zijn hoofd en zei: 'Ik zal u missen, señorita De la Fallaise. Zonder u is alles heel anders.'

Maxine schudde de chauffeur de hand en schonk hem een triest glimlachje. Daarna stapte de man weer in en reed weg. Omringd door haar koffers en met Britney stevig in haar armen stond Maxi op Jasmines oprijlaan.

'Carlos heeft me op straat geschopt en ik wist niet waar ik anders naartoe moest,' zei ze, terwijl ze een traan wegpinkte. 'Mag ik vannacht bij jou blijven?'

'Tuurlijk mag dat, Maxi,' verzekerde Jasmine haar. 'Jij bent hier altijd welkom. Maar ik snap het niet. Wat is er gebeurd? Waarom heeft Carlos je op straat geschopt?'

'Het is een lang verhaal,' zei Maxine: 'Als je me met deze koffers helpt en me een kop thee geeft, zal ik je alles vertellen.'

Lila keek toe terwijl Charlie haar moeder in de keuken 'hielp'. Het was een bizar gezicht: zo'n forse kerel die zich door haar kleine moeder liet commanderen. Ze had hem een schort omgedaan en nu stond hij uien fijn te snijden. Het was om je te bescheuren. Lila wist zeker dat koken niet tot Charlies taken behoorde, maar de arme man had geen keus. Haar moeder vond hem aardig en dat betekende dat hij voortaan bij de familie hoorde, of hij het nou leuk vond of niet. De tranen biggelden over zijn wangen van de uien, maar hij deed opgewekt en beleefd alles wat haar moeder vroeg. Dat haar moeder dol op hem was, was duidelijk en zelfs haar vader had zich laten ontvallen dat Charlie 'een verdomd aardige vent' was.

'Hij is een hele aanwinst,' zei Lila tegen Peter, die met haar aan de keukentafel zat bij een glas rode wijn. 'Bedankt dat je dat hebt geregeld. Ik voel me een stuk veiliger met Charlie in de buurt.'

Peter grinnikte ondeugend. 'Ik vind het ook prettig dat hij in de buurt is. Heb je die spierballen gezien? En toen hij zich daarnet tot op zijn zwembroek uitkleedde... Hemeltje, ik wist gewoon niet waar ik moest kijken!'

'Peter, wat ben je toch een slet.' Ze gaf hem speels een tik op zijn arm.

Peter hield zijn hoofd een beetje scheef en grinnikte. 'Het is fijn om je te zien lachen. Je voelt je stukken beter, geloof ik.'

Lila dacht er even over na. Ze voelde zich in elk geval beter dan de afgelopen tijd, dat was waar. Maar echt gelukkig was ze nog lang niet. Er zat nog altijd een enorm Brettvormig gat in haar hart. Als ze 's ochtends wakker werd, voelde ze zich heel even net als anders totdat ze opeens weer wist wat er was gebeurd. Dan had ze het er weer net zo moeilijk mee als in het begin.

Brett had haar een brief geschreven vol verontschuldigingen, smoesjes en beloftes voor een niet-bestaande toekomst die hij voor zich zag. Hij zei dat hij in behandeling was voor zijn seksverslaving en dat ze medelijden met hem moest hebben, alsof hij een drugsverslaafde of een alcoholist was. Maar ze had helemaal geen medelijden met hem. Ze verachtte hem. Hij had zelfs het lef gehad haar te vragen of ze hem terug wilde zodra hij 'herstellende' was. De brutaliteit van die man! Met veel genoegen had ze de brief verbrand. Het was louterend geweest, alsof ze zichzelf van een kwaadaardige invloed had gezuiverd. Maar of ze zich beter voelde?

'Het gaat erg langzaam, Peter,' antwoordde ze naar waarheid. 'Maar het gaat in elk geval de goeie kant op.'

'Heb je over die arme Maxi gehoord?' vroeg Peter met een opgetrokken wenkbrauw.

Lila knikte. 'Ze heeft me gebeld en me alles verteld. Het arme kind. Ze heeft zichzelf goed in de nesten gewerkt.'

'Zeg dat wel!' vond Peter. 'Zei ze wie de vader is?'

Lila schudde haar hoofd. 'Maar het moet iemand zijn geweest die ze heel graag mag. Maxi heeft nog nooit overspel gepleegd. Ze is juist zo loyaal. Het is helemaal niets voor haar.'

'Ontrouw is een smerige zaak,' zei Peter bedachtzaam.

'Zeg dat wel,' reageerde Lila met een spottend lachje.

'Een ogenblik van liefde, een leven lang in het advocatenkantoor,' zei hij. 'Nu we het er toch over hebben: ik hoop dat je die smeerlap Brett tot op het hemd gaat uitkleden.'

'Natuurlijk,' reageerde Lila zoetjes. 'Ik wil zijn leven tot een hel maken.'

'Ik zou dolgraag willen weten met wie Maxine een slippertje heeft gemaakt. Denk je dat ze het ons zal vertellen?'

'Het gaat ons toch niets aan? En waag het niet om haar aan de tand te voelen als ze morgen langskomt. Wees voorzichtig.'

Peter deed alsof hij verontwaardigd was. 'Fluwelen handschoenen, Lila,' zei hij, terwijl hij zijn handen ophief. 'Fluwelen handschoenen.'

'En Jasmine komt ook, dus gedraag je een beetje. Ik weet dat je haar niet kan uitstaan.'

'Nee hoor, je hebt het helemaal mis,' zei hij luchtigjes. 'Ik heb mijn mening over haar herzien. Ik ben nu weer helemaal verliefd op haar. Ik bedoel, ze heeft geholpen om jouw leven te redden, dus hoe kan ik dan kwaad op haar zijn?'

'Wat ben je weer wispelturig.'

'Bovendien is ze Charlies peetdochter en ik kan hem toch niet tot vijand maken?' Hij huiverde van gespeelde ontzetting. 'Dat beest zou me verscheuren.'

'Dat had je gedroomd,' lachte Lila.

Ze leunde naar achteren in haar stoel en bekeek het tafereel. Peter trok nog een fles rode wijn open. Haar vader sneed vlees voor en haar moeder haalde juist een bakblik met perfecte Yorkshire puddings uit de oven. Maar het was Charlie naar wie ze het langst keek. Hij deed niets bijzonders: hij goot alleen jus over in een kannetje, veegde zijn handen aan zijn schort af, pakte het hete bakblik van haar moeder aan en gaf haar vader een scherper mes. Ze vond het zo fijn om hem in de buurt te hebben. Door zijn aanwezigheid voelde ze zich heel veilig. Dat kwam niet alleen door zijn omvang en zijn kracht, maar door nog iets anders wat ze niet goed onder woorden kon brengen. Charlie keek op en ving haar blik op. Hij glimlachte haar vriendelijk toe. Zijn lach had iets eigenaardig vertrouwds en onwillekeurig vroeg ze zich af of ze hem misschien al ergens had ontmoet, jaren geleden. Heel even had ze het gevoel dat ze op het punt stond zich iets te herinneren – hetzelfde gevoel dat ze vaak had bij het wakker worden als ze zich haar droom van de afgelopen nacht probeerde te herinneren – maar toen glipte de gedachte weg, buiten haar bereik en verdween.

43

Maxine voelde zich shit en toen ze in de spiegel keek, zag ze dat ze er ook zo uitzag. Er ging niets boven twee dagen lang aan één stuk door janken om een vrouw opgezwollen ogen en een vlekkerige huid te bezorgen. En het zwangerschapsbraken maakte het er niet beter op. Door al dat kokhalzen had ze gesprongen adertjes in haar wangen gekregen. Dit kon gewoon niet. Dit kon gewoon echt niet.

'Wees toch flink, mens!' sprak ze haar spiegelbeeld vermanend toe.

Carlos was weg. Het had geen zin om te proberen hem terug te winnen. Hij was ouder en meer vastgeroest in zijn gewoonten dan zij. Bovendien was hij koppig. Ze kende hem goed genoeg om te weten dat hij nooit op een besluit terugkwam. Zelf ging ze een gevecht nooit uit de weg, maar het was zinloos om te proberen Carlos op andere gedachten te brengen. Die strijd zou ze zeker verliezen.

Trouwens, wilde ze hem eigenlijk wel terug? De waarheid was dat ze diep vanbinnen een beetje opgelucht was dat hun relatie voorbij was. Ze dacht dat ze dolgelukkig was, maar waarom had ze dan zulke heftige gevoelens voor Juan? Sinds die nacht in LA knaagde de twijfel. Nee, het was beter dat het zo was gelopen. Ze zou gewoon in haar eentje verder moeten.

Voorzichtig legde ze haar hand op haar buik. Ze zou dit kindje graag hebben willen houden, maar ze had besloten dat het onmogelijk was. Het was allemaal veel te ingewikkeld. Het had geen zin om Juan over de zwangerschap te vertellen. Wat kon hij doen? Hij was nog jong en ze kenden elkaar amper. Misschien zou hij hebben aangeboden om haar te steunen, maar dat vond ze niet eerlijk. Als hij serieuze bedoelingen had gehad, zou hij weken geleden contact met haar hebben opgenomen. Het zou gewoon wreed zijn als ze hem over de baby zou vertellen. Dan zou ze hem voor het blok zetten, en dat was niet goed.

Maar het zou nog veel erger zijn als ze het kind zou houden zonder hem in te lichten. Dat zou ronduit kwaadaardig zijn. Wat zou er over achttien jaar gebeuren als Junior wilde weten wie zijn vader was? Op een gegeven moment zou de waarheid toch boven tafel komen en dan zou het leven van iedereen in het honderd lopen. En hoe zou Carlos zich voelen als hij erachter kwam dat Juan haar zwanger had gemaakt? Er was maar één oplossing. Dit was haar probleem en ze zou het zelf oplossen. Ze had de voorbereidingen al getroffen.

Maxi nam een uitgebreide, warme douche en verwende zichzelf met schoonheidsproducten. Ze droogde en stylde haar haar en maakte zich nog zorgvuldiger op dan anders. Daarna trok ze haar favoriete Roberto Cavalli-bikini met tijgerprint en een bijpassende kaftan aan. Om haar outfit helemaal af te maken trok ze muiltjes aan met de allerhoogste hakken die ze kon vinden. Ziezo, Maxine was er weer en stond klaar om de wereld tegemoet te treden – wat er ook op haar afkwam.

'Wow!' riep Blaine Edwards toen ze op het terras verscheen. 'Je ziet er beeldschoon uit vandaag, Maxine.'

Ze glimlachte vriendelijk naar hem, ook al vond ze hem de walgelijkste vent die ze ooit had gezien. Jimmy lette niet op haar. Zo was hij nu eenmaal, had ze de afgelopen dagen geconstateerd. Een onbeschofte klootzak. De manier waarop hij tegen Jasmine sprak, beviel haar ook niet.

'Je ziet er inderdaad schitterend uit,' beaamde Jasmine. 'Voel je je vandaag wat beter?'

'O, ik voel me piekfijn, schat,' verkondigde ze opgewekt. 'Zullen we bij Lila langsgaan?'

'Goed, ik ben klaar,' antwoordde Jasmine terwijl ze haar tas pakte.

'Niet vergeten dat je straks nog die, eh, afspraak hebt, Jazz,' zei Blaine. 'Zorg dat je op tijd bent. We vertrekken om één uur.'

'Welke afspraak?' Met een stuurse blik keek Jimmy op van zijn krant.

'Ik heb een interview voor haar geregeld voor vanmiddag,' antwoordde Blaine. 'Iets zwijmeligs voor een of ander vrouwenblad. "Waarom ik van mijn Jimmy hou, door Jasmine Jones" of dat soort flauwekul.'

'O,' zei Jimmy. Hij boog zich weer over het sportkatern. 'Dan is het goed.'

Maxine zag dat Jasmine en Blaine een blik van verstandhouding wisselden en vermoedde dat ze iets aan het bekokstoven waren achter Jimmy's rug. Het was interessant om te merken dat ze niet de enige was die er geheimen op nahield.

'Dit is belachelijk,' zei Maxine toen ze in Jimmy's sportwagen stapten. 'We gaan alleen maar naar hiernaast.'

'Weet ik,' zei Jasmine. 'Maar stel je eens voor wat er zou gebeuren als we langs die meute probeerden te lopen.'

Ze reed door het hek en moest toeteren om de paparazzi, die nog altijd buiten Lila's huis bivakkeerden, opzij te laten gaan.

'Je zou denken dat ze er onderhand wel genoeg van zouden hebben,' zei Maxi. 'Hebben ze niets beters te doen?'

'Met een beetje geluk is het volgende week iemand anders.' Heel langzaam reed Jasmine de twintig meter naar het buurhuis.

'Het geeft niet als je over hun tenen rijdt,' schamperde Maxine. 'Dat is dan hun eigen schuld.'

'Het is erg verleidelijk, maar ik kan me geen rechtszaak veroorloven,' lachte Jasmine.

Charlie stond bij het hek op hen te wachten. Hij gebaarde dat de auto door kon rijden en bewaakte de ingang tegen de pers, terwijl het elektronische hek dicht zwaaide. Dreigend keek hij naar de paparazzi.

Maxine liet eerst Jasmine haar peetoom omhelzen en gaf hem toen zelf een kus als begroeting. Jeetje, wat een lekker ding. Onder zijn dunne T-shirt kon ze zijn stevige spieren voelen. Met deze kerel op wacht moest Lila zich vast veel veiliger voelen, alsof ze Russell Crowe als Gladiator op de loonlijst had staan.

'Lila is bij het zwembad,' zei hij. 'Ik kom zo, zodra ik een hartig woordje met die lui heb gesproken. Daarnet betrapte ik er weer een die over de muur heen wilde klimmen, dus ik wil ze eraan herinneren wat er gebeurt als ik een van hen nog een keer op zulke geintjes betrap.' Hij knakte met zijn knokkels en stapte vastberaden op het hek af.

Ze troffen Lila aan in een zwarte bikini luierend in de schaduw van een parasol. Na alles wat Lila had doorstaan had Maxine er moeite mee het voor zichzelf toe te geven, maar haar vriendin zag er fantastisch uit. Er ging niets boven het verdriet om een uitgemaakte relatie om dan een paar extra pondjes kwijt te raken. Door al dat zwemmen had ze een behoorlijk afgetraind lichaam gekregen. Het bruine kleurtje stond haar ook goed.

'Goeiemorgen, dames,' begroette Lila hen met een glimlach. 'Leuk dat jullie even langskomen.'

'Goh, je ziet er veel beter uit dan toen ik je de vorige keer zag,' verklaarde Maxine. Ze plofte naast Lila op een ligstoel neer.

'De vorige keer dat je me zag was ik net uit een coma ontwaakt,' merkte Lila droogjes op. 'Maar genoeg over mij. Hou jij het een beetje vol, Maxi?'

'Ik?' Maxi haalde haar schouders zo onverschillig mogelijk op. 'Met mij gaat het prima. Carlos was toch niet de juiste man voor me. Het is beter zo.'

'Neemt ze de boel in de maling?' vroeg Lila aan Jasmine, alsof Maxine er niet bij was.

Jasmine haalde haar schouders op. 'Vanochtend werd ze met dit zonnige humeur wakker.'

'Ik zeg toch dat het met mij prima gaat?' hield Maxine vol. Hoe vaker ze het hardop zei, hoe eerder het misschien echt zo zou worden.

'En de baby?' Lila keek haar bezorgd aan.

Alsjeblieft geen medelijden, dacht Maxine. Ze kon de situatie nog net aan zolang haar vriendinnen geen medelijden met haar hadden. Zodra ze medelijden in hun ogen zag, zou ze in janken uitbarsten. Jasmine keek haar ook onderzoekend aan en wachtte op een reactie.

'Is allemaal geregeld,' antwoordde ze.

Ze wist dat ze barstten van nieuwsgierigheid naar de sappige details van haar avontuurtje, maar Maxine zou voor geen goud uit de school klappen. Niemand mocht ooit over Juan weten. En zodoende sneed ze een ander onderwerp aan.

'Zeg Lila, ik zat te denken dat je eens naar mijn therapeute zou moeten gaan om die toestand met Brett door te praten. Die vrouw is geniaal. Je zou haar voor een paar sessies uit Londen kunnen laten overvliegen.'

'Ja, misschien,' zei Lila. 'En het zou jou waarschijnlijk ook goeddoen om met haar te praten.'

Tot Maxines opluchting kwam Peter naar buiten met een dienblad vol drankjes. Ze wilde niet over haar problemen praten. Het was veel makkelijker om zich op de sores van een ander te concentreren.

'Hé hallo, beeldschone meiden!' riep Peter. Zwierig zette hij het dienblad op tafel.

Hij gaf Maxi en Jasmine een luchtkus en deed toen een stapje naar achteren. Met zijn hoofd schuin keek hij ingespannen naar Maxine.

'Wat is er?' vroeg ze.

'Nee, nee, niets,' antwoordde hij.

'Wat is er?' wilde ze weten.

'O, ik weet niet. Het is alleen dat je er zo, tja, zo stralend uitziet. Het zal wel dat aanstaandemoederblosje zijn. Toe nou, Maxine, vertel ons alsjeblieft wie de vader is. We staan allemaal te popelen van nieuwsgierigheid, maar Lila en Jasmine zijn te beleefd om het te vragen.'

'Het is niemand die jullie kennen,' zei Maxine resoluut. 'Kunnen we het nu alsjeblieft over iets anders hebben?'

Even heerste er een ongemakkelijke stilte, totdat Maxi opnieuw een ander onderwerp aansneed.

'Ik ga morgen een paar behandelingen laten doen, mocht iemand zin hebben om mee te gaan,' zei ze luchtig.

'Wat voor soort behandelingen?' informeerde Lila.

'O, gewoon een beetje botox en een paar vullers,' antwoordde ze.

Maxine dankte de god van de cosmetische ingrepen dagelijks voor de uitvinding van botox. Zonder dat had ze nooit zo lang over haar leeftijd kunnen blijven liegen. Ze dacht al een poosje dat Lila ook wel wat 'hulp' kon gebruiken en ze hoopte dat ze haar voorstel van een meidenuitstapje naar de schoonheidskliniek zou aannemen.

'Vind je dat ik iets aan mezelf moet laten doen?' vroeg Jasmine met grote schrikogen.

Maxine bekeek Jasmines volmaakte, rimpelloze gezicht en schaterde het uit.

'Nee!' zeiden Lila, Peter en zij in koor.

'Nou, ik weet niet eens of ik erachter sta,' zei Lila. 'Ik vind het net vals spelen.'

'Vals spelen? Doe niet zo belachelijk!' smaalde Maxi. 'Het is gewoon een kwestie van de natuur een handje helpen. Bovendien heb je wel een opknapbeurt verdiend na alles wat je hebt meegemaakt.'

'Nou, ik laat me niet inspuiten met botox, maar eventueel wil ik me wel laten overhalen tot een paar gezichtsbehandelingen.' Lila leek warm te lopen voor het idee. 'Aan die foto's in de krant heb ik nou niet bepaald een prettig gevoel over mezelf overgehouden.'

Maxine greep het idee met beide handen aan. Dit was een project om haar aandacht van haar problemen af te leiden. Ja, ze zou Lila helpen zich te veranderen en als een feniks uit de as te herrijzen. Het zou helemaal geweldig worden. Lila zou zich een nieuw kapsel, een nieuwe garderobe en misschien zelfs een nieuw gezicht kunnen aanmeten. Ze was ervan overtuigd dat ze Lila kon overhalen een paar prikjes te nemen. En zodra de metamorfose compleet was, zou Maxi een geweldig 'val dood, Brett Rose'-feest geven in Cruise. Het was een briljant idee. In gedachten zag ze al de reportage in de *Marie Claire*: DE VERBLUFFENDE METAMORFOSE VAN LILA ROSE.

'Vind je dat ik wel een opknapbeurt kan gebruiken?' vroeg Peter. Hij trok de huid van zijn gezicht zo strak dat hij eruitzag als catwoman Jocelyn Wildenstein. 'Zeg eens eerlijk: heb ik mezelf laten verlopen? Is dat de reden waarom ik geen man kan krijgen?'

'Je kan geen man krijgen omdat je al getrouwd bent,' zei Maxine lachend. 'Je gedraagt je al jaren als echtgenote van Lila.'

'Dat is zo,' verzuchtte Peter. 'Zeg Lila, liefje, als jij je toch laat botoxen, zou je de dokter meteen even kunnen vragen of hij een ombouwoperatie tussendoor kan doen? Dan zijn we allebei gelukkig.'

Lila sloeg hem met een opgerolde handdoek op zijn hoofd. 'Ik wil geen botox,' verzekerde ze hem. 'En ook geen operatie!'

Charlie controleerde of de vrouwen en Peter veilig bij het zwembad zaten te kletsen voordat hij aan zijn ronde begon. Hij zwaaide naar Eve en Brian, die op het terras zaten, en liep toen naar het privéstrand. Het was een fijn gevoel om weer een doel in zijn leven te hebben. Deze baan maakte hem trots. Hij verdiende goed, eerlijk geld en deed iets nuttigs door op Lila Rose te passen. Jezus, wat een vrouw. Hoe beter hij haar leerde kennen, hoe meer bewondering hij voor haar kreeg. Ze was slim, grappig en aardig. Eigenlijk was hij smoorverliefd op haar. 's Nachts droomde hij over haar en zelfs overdag betrapte hij zich erop dat hij over haar fantaseerde. Hij zag haar zonnebaden en stelde zich voor hoe het zou zijn om die gebronsde huid te strelen, met zijn vingers door dat donkere haar te woelen of die roze lippen te kussen. Dat moest hij snel afleren. Stel dat ze hem zag kijken? Dan zou ze zich het leplaze-rus schrikken en dan vloog hij eruit. En hij wilde beslist niet zijn baan kwijt-raken. Eerlijk gezegd had hij Lila harder nodig dan zij hem.

Charlie probeerde niet te denken aan wat er thuis aan de hand was. Sinds hij zijn mobieltje kapot had getrapt, had hij Gary een paar keer vanuit een tele-fooncel gebeld. Er was nog steeds geen nieuws over Nadia, maar in elk geval kon Frankie Angelis hem niet meer lastigvallen. Hij had gemerkt dat hij al begon te zwichten. Bijna was hij in de verleiding gekomen om toch maar die klus voor de oude vent te doen. Nee, het was goed dat hij ertussenuit was geknepen. Het gekke was dat Lila hem net zozeer beschermde als hij haar. Dit huis was een veilig onderkomen voor hem. Over zeven dagen zou de termijn van de Rus verstrijken, maar hier zou zelfs Dimitrov hem vast niets aan kun-nen doen. Op zijn gemak liep hij over het verlaten strand en controleerde de zee op zwemmers. Soms waagden de fotografen een poging om naar de kust te zwemmen. Ook toeristen probeerden het. Laatst had hij nog een paar Japanse jongeren in een rubberbootje moeten terugsturen.

Vandaag was de zee kalm en waren er geen indringers te bekennen. Hij klom de trap naar het huis weer op en genoot van de middagzon in zijn nek. Nu ging hij de achterkant van het huis controleren, uit het zicht van het zwembad en het terras. Aan zijn rechterkant was een hoge muur, dichtbegroeid met klimop, die het huis van de buren afschermde. Er waren struiken en palmbomen naast geplant om de privacy te verhogen. In het voorbijgaan hoorde hij een takje kraken. Als dat weer die verdomde fotografen waren...

Baf! Charlie werd door een stevige arm rond zijn hals gegrepen en de struiken in getrokken. Wild met zijn armen om zich heen maaiend probeerde hij zijn hoofd te draaien om te zien wie hem vastgreep, maar de aanvaller was nog groter en sterker dan hijzelf. Hij hield Charlies hoofd in een ijzeren greep. Plotseling voelde Charlie het koude staal van een pistool op zijn achterhoofd. Wat was er verdomme aan de hand? Hoe had hij dit kunnen laten gebeuren? Hij voelde het bloed uit zijn gezicht wegtrekken.

'Boodschap van mijn baas,' snauwde de man met een zwaar Russisch accent in zijn oor. 'Je hebt nog één week om Nadia op te sporen. Of anders is niemand veilig, begrepen? Jij niet, je dierbare Jasmine niet en Lila Rose ook niet. Oog om oog, vrouw om vrouw.'

De man verstevigde zijn greep om Charlies hals totdat hij haast geen lucht meer kon krijgen. Hij hoorde gorgelgeluidjes uit zijn mond komen en zag sterretjes voor zijn ogen. Het pistool drukte tegen zijn schedel.

'Eén week, Charlie Palmer,' gromde de Rus. 'Eén week en dan...'

Charlie hoorde de veiligheidspal van het pistool klikken.

'Dan is het uit met de pret,' waarschuwde de Rus.

Hij was volkomen duidelijk geweest. De reus smeet Charlie als een lappenpop op de grond en gaf hem nog even een trap in zijn nieren na. Op zijn handen en knieën kroop Charlie rond terwijl alles om hem heen draaide. Tegen de tijd dat hij op adem was gekomen en moeizaam overeind was gekrabbeld, was de man verdwenen.

44

Juan kuste zijn moeder op beide wangen en gaf haar het boeket dat hij voor haar had gekocht.

'Oriëntaalse lelies, mijn lievelingsbloemen! Wat knap van je dat je dat nog weet, Juan,' riep ze uit, alsof het een grote verrassing was.

In feite bracht hij elke week dezelfde bloemen van dezelfde bloemist voor haar mee, en elke week volgde dit ritueel. Zijn moeder was geschift. Na al die jaren in LA was ze helemaal doorgedraaid. Volgens zijn vader was ze helemaal op de Amerikaanse toer gegaan. In tegenstelling tot zijn vader, die nog steeds

met een zware Spaanse tongval sprak, was Esther haar accent vrijwel kwijtgeraakt. Ze was nu Amerikaanse en daar was ze heel trots op. Esther Russo kon
dinertjes geven, lunchen, roddelen en zeuren als een rasechte Hollywoodvrouw. Ze zag er ook zo uit in haar beige sportbroek, een bloes van ivoorkleurige zijde en dure diamanten. Haar weelderige donkere haar was naar achteren gekamd in een wrong. Ze zag er goed uit. Juan vroeg zich af of ze weer
onder het mes was geweest zonder dat ze het hem had verteld.

'Wat heb jij nou aan, Juan?' zei zijn moeder afkeurend, terwijl ze zijn zwarte T-shirt in zijn lage spijkerbroek wilde stoppen. 'In mijn tijd droegen mannen een pak en poetsten ze hun schoenen. Ze keek misprijzend naar zijn afgetrapte sneakers alsof ze een belediging waren voor haar glanzende marmeren
vloer. 'En is dat een nieuwe tatoeage?' riep ze ontzet. Ze rolde zijn mouw op en
onthulde de welgeschapen gestalte van een naakte vrouw.

De tatoeage was een eerbewijs aan de liefallige Maxine. Hij had hem laten
zetten als aandenken aan hun liefdesnacht.

'Werkelijk, Juan, en dan te bedenken dat je vroeger koorknaap bent geweest.
Wat zou pater Gonzales zeggen? Hij zou zich omdraaien in zijn graf!'

Juan grinnikte ondeugend en kuste haar op haar wang. 'Het is maar goed
dat ik jou heb, mam, om me op het rechte pad te houden.'

Hij zag dat Esther onwillekeurig glimlachte. Met een zoentje en een complimentje kon hij zijn moeder altijd paaien.

'Kom eens kijken,' zei ze. 'Ik heb wat aan de tuin laten doen. Loop maar even
met me mee.'

Juan gaf zijn moeder een arm en samen liepen ze naar de achtertuin.
Gearmd wandelden ze door de weelderige tropische tuin, langs de *infinity pool*
en via een trap naar het prieeltje. Het dienstmeisje had ijsthee voor hen op
tafel neergezet op een smetteloos witlinnen tafellaken. Juan moest erom glimlachen. Zijn moeder wilde alles altijd precies doen zoals het hoorde. Haar hele
leven had ze geploeterd om ervoor te zorgen dat de buitenwereld niets op haar
kleren, haar huis en haar manier van leven kon aanmerken. Ze moest er sta-
pelgek van worden dat haar kinderen niet zo keurig netjes waren, dacht hij.

'Ik neem aan dat je het nieuwtje van je vader hebt gehoord?' vroeg Esther,
waarbij ze een iets te heftig geëpileerde wenkbrauw optrok.

Juan schudde zijn hoofd. 'Ik heb vader in geen weken gesproken,' antwoordde hij. 'Hij heeft het druk, ik heb het druk, je weet hoe het gaat.'

In werkelijkheid had hij zijn vader steeds niet teruggebeld. Hoe kon hij ook?
Wat moest hij tegen hem zeggen nu hij met Maxine naar bed was geweest?

'Tss,' zei Esther misprijzend. 'Een man mag het nooit te druk hebben om met zijn zoon te spreken. Maar ach, wat kun je ook verwachten van een man zonder familienormen.'

'Wat is zijn nieuws?' vroeg Juan, die graag over iets anders begon. Hij had jarenlang haar klachten over zijn vader moeten aanhoren en intussen verveelde het hem stierlijk. Ze waren allebei beste mensen op hun eigen manier.

'Nou.' Esthers gezicht klaarde op en Juan kon merken dat ze ervan genoot om het hem te vertellen, wat het ook was. 'Weet je dat jonge sletje van hem?'

Juan kromp in elkaar toen hij zijn moeder zo over Maxine hoorde praten. 'Maxine,' zei hij geduldig. 'Ze heet Maxine.'

'Dat doet er niet toe.' Esther wapperde met haar hand alsof dat volkomen irrelevant was. 'Ze is zwanger! Kun je je dat voorstellen?'

'Zwanger?!' Juan hoopte dat zijn moeder zijn blik van ontzetting niet had opgemerkt. Maxine was zwanger. Ze verwachtte een kind van zijn vader. Dat was verschrikkelijk. Het was alsof iemand hem een stomp in zijn maag had gegeven.

'Ja, het is me nogal wat, hè?' Esthers ogen glommen. 'Want weet je, je vader is vijftien jaar geleden gesteriliseerd. Ik stond erop dat hij het zou laten doen nadat Federico was geboren. Dus dat kind is niet van hem. Die Maxine van hem is gewoon een ordinaire slettenbak! Carlos heeft haar uiteraard op straat gezet. Dus van haar zullen we ongetwijfeld niets meer vernemen. Opgeruimd staat netjes, wat mij betreft.'

Ze wachtte op een reactie. Juan deed zijn mond open om iets te zeggen, maar hij kon de woorden niet vinden. Koortsachtig dacht hij na.

'Dus knoop dat maar goed in je oren, Juan. Natuurlijk mag je best lol hebben als je jong bent, maar als je je wilde haren kwijt bent en het moment komt waarop je een vrouw moet kiezen, kies dan verstandig, jongen. Zoek een aardige katholieke meid met een hoge moraal. Daar heeft je vader zich lelijk in vergist. Hij wist niet hoe goed hij het met mij had getroffen. Als hij bij mij was gebleven...'

Esther was nog steeds aan het woord, maar Juan luisterde niet meer. Hij was met zijn gedachten heel ergens anders.

'Hoe zie ik eruit?' vroeg Lila. Nerveus keek ze Maxine aan.

'Een beetje rood, maar afgezien daarvan prima,' antwoordde Maxine. 'Het duurt een paar dagen, maar daarna heb je ook de huid van een tienjarige. Dat is het mooie van een chemische peeling. Ik snap niet dat je niet aan de botox wilde. De volgende keer zal ik je zover krijgen, dat beloof ik je. Maar die pee-ling is geweldig en vóór je feest is die roodheid allang weer weggezakt.'

'Welk feest?' vroeg Lila. Ze wist niets van een feest.

'Het feest dat ik voor dinsdagavond in Cruise voor je heb georganiseerd,' antwoordde Maxine onschuldig.

'Maxine, dit is de eerste keer sinds weken dat ik het huis heb verlaten. Ik kom nog maar net uit het ziekenhuis. Ik kan 's ochtends nauwelijks de moed opbrengen om me aan te kleden. Ik ben helemaal niet klaar voor een feest,' zei Lila wanhopig. Haar vriendin was gek geworden.

'Onzin,' vond Maxi. 'Het is precies wat je nodig hebt. En Brett ook: jou stra-lend, gelukkig en beeldschoon in de krant te zien. Je moet hem onder zijn neus wrijven wat hij kwijt is. Dat hoort zo. Misschien moet je een openhartig inter-view geven bij de foto's...'

'Maar Maxi...'

'Niks te maren, alles is al geregeld. De uitnodigingen zijn vanochtend ver-stuurd. Iedereen die iets te betekenen heeft zal komen opdagen en jij bent de eregast.'

Lila betwijfelde of ze daar al klaar voor was. Het was lief van Maxi dat ze zich zo inspande voor haar herstel, vooral omdat ze haar eigen problemen had, maar het ging Lila allemaal een beetje te snel. Ze voelde zich alleen veilig in de villa van haar ouders. Of ze al sterk genoeg was om de wereld tegemoet te tre-den, wist ze niet. Het was al een grote stap geweest om naar de schoonheids-kliniek gaan.

De vrouwen wachtten nog totdat hun nagellak was opgedroogd na hun pedicure, maar afgezien daarvan waren ze klaar. Hun lichaam was gescrubd, met olie ingewreven en gemasseerd, hun gezicht was ingespoten of gepeeld en hun nagels waren gevijld en gelakt.

'Ziezo, mijn nagels zijn droog. Die van jou vast ook. We moeten opschieten, anders zijn we te laat bij de kapper,' verklaarde Maxine.

'De kapper?' vroeg Lila. 'Ga je je haar laten knippen?'

'Nee, ik niet. Jij.'

Automatisch beroerde Lila haar schouderlange haar. Ze wist niet of ze haar haar eigenlijk wel wilde laten knippen.

'Maar ik draag mijn haar al jaren zo,' sputterde ze.

'Precies,' zei Maxine. 'Het wordt tijd voor iets anders.'

Lila betwijfelde of ze nog meer veranderingen kon verdragen. Jezus, een maand geleden was ze een keurig getrouwde vrouw geweest met een huwelijk van tien jaar achter de rug. Nu was ze opeens single, chemisch gepeeld en zou ze haar haar laten kortwieken.

'Zondagavond is er ook een feest in Cruise, als je zin hebt,' zei Maxine toen ze in Lila's auto met chauffeur stapten. 'Jasmine komt ook.'

'Nee, ik denk dat ik mijn energie beter kan sparen voor dinsdag,' zei Lila. 'Dus van Carlos mag je de nachtclub houden?'

Lila was bang geweest dat Maxi na de breuk met Carlos ook Cruise zou kwijtraken. Dat zou een ramp zijn geweest. Ze had de afgelopen zomer zo'n succes gemaakt van die tent.

'Ja, zijn advocaten hebben gebeld om te zeggen dat hij de hele papierwinkel op mijn naam heeft laten overzetten. Dat is eigenlijk hartstikke aardig van hem na wat ik hem heb aangedaan. Hij heeft ervoor betaald, dus hij had alle recht om de hele tent te verkopen. Het is best een geschikte vent,' zei Maxine.

'Zul je hem missen?' vroeg Lila. Onderzoekend keek ze haar vriendin aan. Maxine hield zich goed, maar vanbinnen moest ze zich ellendig voelen, dacht Lila.

Maxine haalde haar schouders op en staarde naar buiten. 'We pasten niet bij elkaar. Anders zou ik dit toch niet hebben laten gebeuren?'

Lila zag dat Maxines hand naar haar buik gleed.

'En is er geen hoop dat het goed komt met de vader van het kind?' vroeg Lila zachtjes.

Ze wilde dolgraag weten wie de vader was, maar Maxine had duidelijk laten weten dat ze dat niet wilde vertellen. Maxi schudde haar hoofd. Een poosje zaten ze zwijgend in de auto, ieder in haar eigen gedachten verdiept, totdat Maxine zich met een glimlach naar Lila wendde.

'Het is weer net zoals vroeger, hè?' zei ze. 'Jij en ik, jonge single meiden die aan de zwier gaan!'

Lila glimlachte. 'Ja, je hebt gelijk. Maar deze keer zijn we niet meer zo jong. Deze keer hebben we rimpels.'

'Ik niet,' zei Maxine spottend. 'Ik heb ze net laten opvullen.'

45

Telkens opnieuw telde Jasmine het geld, terwijl ze af en toe naar de slaapkamerdeur keek om te controleren of ze niet werd gestoord. Het klopte precies: vijfhonderdduizend euro. Ze raapte de stapeltjes bankbiljetten op en legde ze netjes in een schoenendoos. Daarna stopte ze de doos in een kluis die ze in de inloopkast achter haar jurken had verstopt. Ze was klaar voor maandag. De afperser had nog geen contact opgenomen, maar hij zou haar gauw genoeg laten weten wat ze moest doen. Daarvan was ze overtuigd.

Het belangrijkste was dat ze het geld had weten te versieren. Als Jimmy erachter kwam dat ze voor *Playboy* had geposeerd, zwaaide er wat, maar dat was van later zorg. De foto's waren gemaakt op een strand dat honderd kilometer verderop lag en voorlopig wist Jimmy van niets. Op dat ogenblik was ze alleen maar opgelucht dat het geld in de kluis lag. Dit zou vast de laatste keer zijn dat ze van de afperser zou horen. Een half miljoen was toch zeker genoeg om van hem af te komen? Ze had zichzelf beloofd dat ze haar laatste glamourshoot had gedaan. Voor de *Playboy* was ze nog een keer uit de kleren gegaan, maar vanaf nu zou ze zich concentreren op haar echte passie: zingen. Ja, voortaan zou alles beter gaan.

In de woonkamer zat Jimmy glazig naar de televisie te staren.

'Alles goed, schat?' vroeg ze.

Hij leek haar niet te horen. Hij was helemaal in beslag genomen. Jasmine keek naar het scherm. Hij keek naar het nieuws op Sky Sports. De verslaggever had het over geruchten dat Jimmy's voetbalclub zou worden overgenomen. Er was een foto te zien van de zilverharige Rus met wie Jasmine Jimmy op de bruiloft had zien praten.

'Gaat die man de club overnemen?' vroeg ze.

'Shit, ik hoop het niet,' mompelde Jimmy, terwijl hij zich langs haar wurmde.

'Waar ga jij zo opeens naartoe?'

'Ik moet nodig iemand bellen. Het is belangrijk,' riep hij. 'En privé!'

De deur knalde achter hem dicht. Jemig! Het was alsof ze een overjarige tiener in huis had.

Charlie kon de slaap niet vatten. De zenuwen gierden door zijn lijf. Zijn hart bonsde in zijn keel, het zweet droop langs zijn gezicht en allerlei nachtmerriescenario's van martelingen en moordpartijen spookten als fragmenten uit horrorfilms door zijn hoofd. Bij elk blad dat ruiste in de wind schrok hij op. Wat had hij verdomme voor een stomme streek uitgehaald? Hij moest Lila beschermen, maar in plaats daarvan had hij haar in de vuurlinie gezet. En Jasmine ook. Hij had nog vier dagen om Nadia op te sporen en daarna was het spelletje afgelopen...

Hoe kwam hij er in godsnaam bij dat hij zijn oude leventje achter zich kon laten? Hij was in een wereld van misdaad geboren. Hij kon toch niet zomaar het vliegtuig pakken en ontsnappen? Charlie 'de Klusjesman' Palmer, die altijd zo goed was in het opknappen van alle rotklussen. Wat een giller, verdomme. Hij kon zijn eigen rotklus niet eens opknappen! Hij wist niet eens waar hij moest beginnen.

Het had geen zin om in zijn nest te blijven liggen piekeren. Hij móést iets doen. Zuchtend stond hij op en pakte het nieuwe mobieltje dat hij die dag had gekocht. Hij belde Gary.

'Zeg me dat je Nadia hebt gevonden,' blafte hij.

'Dat kan ik niet, baas.' Gary klonk verslagen. 'Ze is spoorloos verdwenen.'

Het had geen zin om weer naar bed te gaan en alleen maar naar het plafond te liggen staren met het angstzweet in zijn handen. Hij pakte een zaklamp, sloop stilletjes zijn appartement uit en liep de tuin in. Hij controleerde het hek. Dat zat stevig op slot en de meeste paparazzi waren weer afgedropen naar hun hotel. Hij scheen met zijn zaklamp de straat in en zag dat zelfs de taaie volhouders in hun auto lagen te pitten. Daarna liep hij om het huis heen. Nergens brandde nog licht. Hij dacht aan Lila, die rustig in haar bed lag te slapen, en rilde bij de gedachte aan het gevaar waaraan hij haar had blootgesteld. Jezus, als er door zijn toedoen iets met die vrouw gebeurde... Het bloed stolde hem in de aderen bij die gedachte.

Langzaam liep hij naar het strand, waar hij de duisternis in tuurde. Het was een ruwe zee vannacht, en de golven sloegen woest tegen de kust. Hij scheen met zijn zaklamp van links naar rechts over het strand. Vanuit zijn ooghoek zag hij iets bewegen uit de richting van Jasmines huis. Hij dacht dat hij een schaduw zag wegglippen achter het hek tussen dit privéstrand en dat van de buren. Hoewel hij altijd prat ging op zijn stalen zenuwen, was hij vannacht behoorlijk gespannen. Het bezoek van de Russische reus had hem de stuipen op het lijf gejaagd. Eerlijk gezegd scheet hij bagger!

Door het geraas van de golven was het niet mogelijk iets te horen, maar Charlie was ervan overtuigd dat hij niet alleen was. Hij deed zijn zaklamp uit en liet zich op zijn buik vallen. Er was beslist nog iemand op het strand, dat voelde hij gewoon. Charlie tijgerde door het zand naar het hek en luisterde ingespannen. Nee, de zee ging vanavond te veel tekeer. De lucht was donker en stormachtig, en de sterren gingen schuil achter de zware bewolking. Hij had amper een halve meter zicht. Jezus, had hij zijn pistool maar bij zich.

Eindelijk bereikte hij de afscheiding. Hij duwde zijn gezicht tegen het hek aan en kneep zijn ogen tot spleetjes om door de duisternis te turen. En toen gebeurde het: een nauwelijks waarneembare beweging ongeveer vijf meter aan de andere kant van het hek. Shit, hij had gelijk: er was echt iemand. Charlie vergat zijn angst toen de adrenaline door zijn aderen joeg. Vechten of vluchten? Charlie was altijd een vechter. Er was geen enkele geldige reden waarom iemand hier midden in de nacht iets te zoeken zou hebben. Wie was er in gevaar? Was het Jasmine? Of Lila? Wie dan ook, hij moest haar beschermen. Hij hield van Jasmine alsof ze zijn eigen dochter was. Als iemand haar ook maar een haar op haar hoofd zou krenken, zou hij hem met het grootste plezier de nek omdraaien. En Lila? Nou, op haar was hij eerlijk gezegd net zo dol, maar op een heel andere manier.

Het hek was te hoog om ongemerkt overheen te klimmen, maar Charlie kende het terrein als zijn broekzak. Tijdens het patrouilleren had hij een kapotte plank in het hek geconstateerd en zich voorgenomen die te repareren. Nu kwam het goed uit dat hij er nog niet aan toe was gekomen. Hij kroop langs het hek om de kapotte plank te vinden. Toen hij hem had gevonden, haalde hij diep adem en duwde er hard tegenaan met zijn schouder. Het hout brak doormidden, waarna hij zich door het gat kon wurmen. Op zijn buik kroop hij weer terug naar het strand in de richting van de indringer. Op dat moment was hij blij met het geraas van de golven. Dan kon hij de klootzak overrompelen. Hij zag hem al in het zand naar de zee zitten staren. Zat hij soms te wachten? Waarop? Op een partner? Waren ze met een groepje?

Een poosje bleef Charlie roerloos liggen om zijn prooi te beloeren. Toen hij zich ervan had verzekerd dat de man in zijn eentje was, besprong hij hem van achteren. Met zijn ene arm greep hij de vent bij zijn nek en met zijn andere draaide hij zijn arm achter zijn rug om.

'Wat kom je hier doen, klootzak?' snauwde hij de indringer toe.

'W-w-wat is er g-g-godverdomme!' sputterde de man. 'W-w-wat is er aan de hand?'

De man was kleiner van postuur dan Charlie dacht en hij rook naar aftershave.

'Laat me los!' piepte het ventje, terwijl hij zich aan Charlies greep probeerde te ontworstelen.

De indringer was helemaal geen Rus, zoals Charlie had verwacht. Nee, deze gast had een onmiskenbaar Schots accent. Charlie voelde de adrenaline wegzakken en hij liet de man los. Het was Jimmy. Gewoon Jimmy.

'Jimmy, godverdomme man, wat doe jij hier midden in de nacht?' gromde hij. 'Ik dacht dat je een...'

'Een wat, Charlie?' vroeg Jimmy verontwaardigd, terwijl hij over zijn nek wreef. 'Wat dacht je dan dat ik was?'

'Ik dacht dat je een inbreker was of zo,' antwoordde Charlie. Hij was opgelucht, maar voelde zich ook een beetje belachelijk.

'Je bent verdomme paranoïde, man,' zei Jimmy kwaad. 'Je hoort niet eens op mijn terrein te zijn. Je werkt voor Lila.'

'Ik wil alleen zorgen dat iedereen veilig is. Wat doe jij hier trouwens?'

'Nadenken,' antwoordde Jimmy. 'Tenminste, ik zat na te denken totdat je me haast wurgde, klootzak.'

'Sorry, man,' zei Charlie. 'Alles weer in orde?'

Jimmy bleef over zijn nek wrijven. 'Nee, alles is verdomme niet in orde. Wat een mafkees ben je ook, Char. Je hebt zowat mijn nek gebroken. Jezus! Ik had al een kutdag voordat jij het nog erger maakte.'

Bij wijze van verontschuldiging klopte Charlie hem zachtjes op zijn rug. Hij kon de knul eigenlijk niet uitstaan, maar echt pijn wilde hij hem ook niet doen.

'Zit je in moeilijkheden?' Charlie vroeg zich af wat Jimmy zich op de hals had gehaald en waarom hij in het donker op het strand zat.

'Ja, nee, ach, ik weet niet...' brabbelde Jimmy. Hij leek niet erg spraakzaam te zijn.

'Kan ik ergens mee helpen?' bood Charlie aan. Hij voelde zich schuldig na wat hij Jimmy zojuist had aangedaan. Bovendien, als Jimmy problemen had, zou Jasmine die ook hebben, en dat pikte Charlie niet.

'Nee,' zei Jimmy zacht. 'Het zijn mijn zaken.'

Erg overtuigd klonk hij niet. Charlie kon merken dat Jimmy ergens zwaar over in zat.

Plotseling klonk er een oorverdovende donderslag boven hen. Jimmy schrok zich te pletter en greep Charlies arm vast als een tienermeid die naar een enge film kijkt.

'Wat ben je nerveus,' zei Charlie. 'Vertel me maar liever wat er aan de hand is. Je schijt zeven kleuren bagger, man.'

Er vielen grote regeldruppels op hun hoofd en de donder ratelde maar door. Toen verlichtte een bliksemflits de hemel, en Charlie kon voor het eerst Jimmy's gezicht goed zien. De knul zag eruit alsof hij had gehuild.

'Het is niks,' mompelde hij, bijna in zichzelf.

'Lulkoek. Kom op, voor de dag ermee.'

Jimmy zuchtte en verborg zijn hoofd in zijn handen. Intussen was het flink gaan regenen en de kleren van de mannen plakten aan hun lichaam.

'Ik heb schulden gemaakt,' zei Jimmy ten slotte. 'Het gaat om een heleboel geld.'

'Hoe kan dat?' vroeg Charlie verbijsterd. Jimmy was een topvoetballer die per week meer verdiende dan de meeste mensen in een jaar.

'Ik ben gaan gokken,' zei hij. 'Dat deden we allemaal, de jongens en ik. Het begon voor de gein. Nadat we een wedstrijd gewonnen hadden, gingen we weleens naar een casino in Mayfair en dan vergokten we gewoon een paar mille. Maar daarna werd het serieus en ging ik in mijn eentje, zelfs als we hadden verloren. Ik kon niet ophouden, Charlie. Nu ben ik zwaar de lul.'

'Hoeveel ben je schuldig?' vroeg Charlie. 'Duizenden? Tienduizenden? Honderdduizenden?'

'Eerder een miljoen,' mompelde Jimmy.

'Jezus! Hoe heb je dat godverdomme voor elkaar gekregen?'

'Hoe meer schuld ik had, hoe meer risico's ik nam. Ik dacht steeds dat mijn geluk zou omslaan en dat ik alles zou terugwinnen, misschien zelfs met winst.'

'Ik heb je altijd al een stomme idioot gevonden, Jimmy, maar dit is waanzin. Iedereen weet dat gokken onbegonnen werk is. En je smijt nog steeds met geld. Van de week kwam Jasmine met een zooi nieuwe spullen terug van het shoppen. Ze zei dat jij die voor haar had gekocht. En die ring die je haar hebt gegeven is het grootste stuk blingbling dat ik ooit heb gezien...'

'Ik weet het, ik weet het,' jammerde Jimmy. 'Maar ik kan Jasmine toch niet laten weten dat er iets aan de hand is? Ik heb alles met plastic betaald.'

Charlie zuchtte. 'Zíj is niet achterlijk, Jimmy. Ze weet heus wel dat er iets niet goed zit. Ze zegt de hele tijd dat je zo'n chagrijnig stuk vreten bent geweest.'

'Heeft ze dat gezegd?' vroeg Jimmy. Hij klonk gekwetst.

'Nou, niet met zoveel woorden, maar daar kwam het op neer.'

Een tijdlang zwegen ze, terwijl ze kleddernat werden, totdat Jimmy op fluistertoon zei: 'Het is nog erger.'

'Wat? Moet je van het casino alles ophoesten?' vroeg Charlie met een cynisch lachje.

Jimmy knikte.

'Ja, wat dacht jij dan, hufter die je bent? Een casino is godverdomme geen liefdadigheidsinstelling voor voetballers met een geestelijke uitdaging!' Hoe kon Jimmy zo achterlijk zijn?

'De eigenaar is nogal een zware jongen,' zei Jimmy. 'Hij belt me steeds op en zegt dat hij zijn geld wil hebben. Zelfs op mijn huwelijksreis liet hij me niet met rust en toen werd Jasmine kwaad op me en toen kregen we ruzie en... Jezus, Charlie, ik word er niet goed van.'

Charlie wist alles van casino's en de mannen die de boel runden. Dat waren niet het soort mannen met wie je ruzie moest krijgen. Voor een paar van die lui had hij vroeger zelfs gemoord. Hij was zich er maar al te goed van bewust hoe ver ze zouden gaan om hun geld terug te krijgen.

'Wie is het?' vroeg Charlie. Misschien kon hij iets doen om te helpen. Niet vanwege Jimmy natuurlijk, maar vanwege Jasmine.

'Toevallig iemand die je kent,' stamelde Jimmy. 'Het is Vladimir Dimitrov.'

Charlie deed zijn ogen dicht. De moed zonk hem in de schoenen. Van alle mensen op de hele wereld moest Jimmy precies die ene man op stang jagen voor wie Charlie doodsbenauwd was. De regen striemde op hen neer, overal donderde het en af en toe werd de baai hel verlicht door de bliksem.

'Stomme zak die je bent,' zei Charlie kil. 'Stomme, achterlijke klootzak.'

'Ja, ik weet het,' zei Jimmy. 'Die vent kan een einde maken aan mijn carrière. Ik zag het vanavond op de tv. Hij gaat verdomme mijn voetbalclub overnemen. Dan zal hij me vast naar een of ander kutclubje laten overplaatsen.'

Vertwijfeld schudde Charlie zijn hoofd. Jimmy was nog naïever dan hij dacht.

'Die kutcarrière van jou is helemaal niet belangrijk, Jimmy,' waarschuwde hij somber. 'Als je hem zijn geld niet geeft, zal hij je pijn doen. Echt serieus pijn doen. Of erger: iemand die je dierbaar is, zoals Jasmine. Zo werken kerels als Dimitrov nu eenmaal.'

Jimmy barstte in tranen uit. 'Ik dacht niet dat het zo erg was,' jammerde hij. 'Ik dacht dat dit soort gedoe alleen in gangsterfilms gebeurt. Ik dacht dat het een geintje was.'

'Dat wat een geintje was?'

'De brief,' fluisterde Jimmy.

'Welke brief?' Charlie greep Jimmy bij zijn T-shirt en trok het ventje naar zich toe. 'Welke brief, verdomme?'

'De brief die ik vandaag kreeg, waarin stond dat er iets naars zou gebeuren als ik niet betaalde.' Jimmy snoof zielig.

Charlie liet Jimmy's T-shirt los en smeet hem op het zand. Hij werd kotsmisselijk van die knul. Hij had een waarschuwing van Dimitrov gehad en het enige waar hij zich druk om maakte was zijn teringcarrière. Snapte hij dan niet wat zo'n brief betekende? Alsof Charlie niet al genoeg zorgen had zonder dat Jimmy het nog een graadje erger maakte. Het was alsof hij steeds meer werd ingesloten totdat hij geen lucht meer kon krijgen. Hij kon geen kant meer op zonder tegen Dimitrov aan te lopen, die naar hem grijnsde, hem tergde en alles waar hij om gaf dreigde te vermorzelen.

'Betaal hem terug. Het kan me niet schelen hoe je aan het geld komt. Bedel, steel het of leen het van je vrienden, maar zorg dat je hem terugbetaalt.'

'Ik wil niet dat mijn vrienden erachter komen dat ik blut ben,' zei Jimmy klagend. 'Ik schaam me.'

'Dit is niet de tijd om trots te zijn!' brulde Charlie. Hij ging staan en torende boven Jimmy uit. 'Dit is de tijd om je huid te redden, jongen. Die van jou en Jasmine!'

46

Jimmy's wereld stortte in elkaar. Zo leek het tenminste, toen hij aan boord ging voor Maxines zoveelste feest. Ze zouden er allemaal zijn, de hele club, maar Jimmy was niet in de stemming om te feesten. Zijn leven was naar de kloten. Niet alleen had hij die Rus achter zich aan, die geld wilde hebben dat hij domweg niet had, maar nu werd hij ook nog eens bedreigd door die verdomde Charlie Palmer. Waar moest hij verdomme het geld vandaan halen? Jezus! Hij had geen flauw idee. Wat hij nodig had, was drank. Dit was een avond waarop een kerel zich nodig moest bezuipen. Problemen konden wel tot morgen wachten, sommige tenminste. Maar in feite was Dimitrov niet zijn grootste probleem. Wat hem pas goed dwarszat, was het knagende gevoel dat hij de enige kwijtraakte om wie hij werkelijk gaf: Jasmine.

Jimmy was altijd goed geweest in sport, dus hij wist wanneer de wedstrijd was afgelopen. Het was alsof elk moment het laatste fluitsignaal kon klinken en hij niets meer in huis had om nog net dat winnende doelpunt te scoren. Ach, misschien was het niet eens zo belangrijk. Het enige wat ze deed was zijn hand loslaten, maar voor Jimmy was het even pijnlijk als een dolksteek in zijn hart. Haar vingers gleden uit zijn greep toen ze naar voren rende en hem achterliet. Het was alsof hij haar voorgoed kwijtraakte. Ze zag er vanavond beeldschoon uit in haar mooie witte jurk met haar haar in krulletjes die op haar rug op en neer wipten. Hij keek toe terwijl ze verder Cruise in liep. Op het laatst moest hij zijn hals uitrekken om haar nog te kunnen zien. Ze kuste al haar

vrienden gedag, lachte om een of ander grapje waar hij geen deel van uit-
maakte, glimlachte om wat ze zeiden, greep hen bij hun arm... Overal waar
Jasmine binnenkwam, was het alsof de zon begon te schijnen. Iedereen wilde
iets van haar, maar Jimmy hield niet van samen delen.

Zonder zijn blik van zijn vrouw af te wenden, sloeg hij een glas champagne
achterover. Daarna nam hij er nog een en nog een. O jezus, nu kon Louis haar
weer niet met rust laten. Die stomme Portugese zak viel haar altijd lastig met
praatjes over geschiedenis en cultuur en dat soort slap geouwehoer. Ze zei dat
ze het niet erg vond, maar ze verveelde zich vast te pletter.

Jimmy bestelde een kopstoot van een biertje met whisky aan de bar. Hij ging
op een barkruk zitten drinken en keek toe. Zijn vrouw was diep in gesprek met
Louis, hun hoofden raakten elkaar bijna. Jimmy kneep zijn ogen tot spleetjes
en gluurde woest naar zijn teamgenoot. Opeens kwam er een vreselijke
gedachte bij hem op. Stel dat Louis geen homo was? Stel dat ze het allemaal
mis hadden? Hij had nooit toegegeven dat hij een flikker was en ze hadden
hem nooit met een vriendje gezien. Jimmy raakte in paniek. Stel dat al dat verwijfde, intellectuele gedoe alleen maar een excuus was om met grietjes te rotzooien? Stel dat hij met Jasmine probeerde te rotzooien?

Hij leegde zijn glas en griste nog een glas champagne mee van een voorbij-
lopende serveerster. Vanavond ging hij het op een comazuipen zetten. Zijn
leven ging naar de kloten en hij wilde zich zo bezatten dat hij dat hele gezeik
van zich af kon zetten. Hij was blut, er zat een Russische malloot achter hem
aan en Charlie Palmer zeurde aan zijn kop. En nu hield Jasmine niet meer van
hem. Ze had zijn hand losgelaten. Zulke dingen vielen hem op. Als hij niet
oppaste, zou ze met die Portugese klootzak de koffer in duiken.

Jimmy gleed van de barkruk af en waggelde naar zijn vrouw toe. Louis keek
op en zag hem aankomen. De laffe boerenlul fluisterde iets in Jasmines oor en
verdween in het gedrang.

'Viel Louis je lastig, lieveling?' vroeg Jimmy toen hij bij het groepje kwam
staan.

'Nee, hoezo?' vroeg Jasmine, met grote onschuldige ogen. 'Hij is even naar
de bar om een mojito voor me te halen. Wist je trouwens dat hij gaat trouwen?'

Jimmy fronste zijn wenkbrauwen. 'Wie?'

'Louis natuurlijk. Hij gaat trouwen met een meisje dat hij al sinds zijn dertiende kent. Schattig, hè?'

Daar had hij niet van terug. Shit, dat had hij niet zien aankomen.

'Zie je wel,' giechelde Jasmine. 'Ik zei toch dat hij geen homo is. Ik wist altijd al dat hij hetero is... Zoiets weet een vrouw gewoon, als je begrijpt wat ik bedoel.'

Smerige hitsige... Aha! Dus ze had wel een oogje op hem! Hoe wist ze anders dat hij hetero was? Jimmy merkte dat hij met zijn nagels in zijn handpalmen boorde. Hij was kwaad. Kwaad op iedereen. Iedereen had toch zo'n lol – Calvin, Cookie, Crystal, Paul, Blaine en die teef Maxine. Zij kon hem niet uitstaan, dat voelde hij. Die stomme muts had het lef om de hele week in hun huis te bivakkeren. Nou, ze was alleen maar een goedkope slettenbak die zwanger was van een vent die niet haar eigen kerel was. Het stond hem helemaal niet aan dat Jazz met haar omging. Ze had een slechte invloed. Hoe moest hij zorgen dat Jasmine niet te ver ging als haar vriendinnen zich als slettenbakken gedroegen?

Nu zaten ze allemaal te lachen en grappen te maken. Blaine vertelde zijn verhalen over alle celebrity's die hij had 'gecreëerd' en zeurde over zijn vriendschappen met de A-sterren. Wat een hufter. Hij dacht zeker dat hij God was, zoals hij de baas speelde, maar eigenlijk mocht niemand hem. Besefte hij dat dan niet?

'En toen zei ik tegen haar: "Kylie, schatje, als je behoefte hebt aan een man, hoef je niet verder te zoeken. Een leuke aussie vent om je 's nachts warm te houden!" Eigenlijk wilde ze zich best laten verleiden door die goeie ouwe Blaine, dat kon ik merken...'

Die vette kwal was midden in het groepje neergeploft en had zijn armen om Cookie en Crystal heen geslagen. Hij droeg zijn schreeuwerigste groene hawaïhemd, dat met moeite over zijn puddingbuik spande. Getver! Jimmy sloeg nog een glas bubbels achterover.

'Maar Kylie mag wel oppassen, hè Jazz?' Blaine bleef maar ouwehoeren. 'Wanneer we jouw zangcarrière op de rails zetten, kan de rest het wel schudden.'

'Ja, je was geweldig laatst, Jazz,' zei Cookie.

Jimmy moest toegeven dat zijn vrouw beslist kon zingen. En alles was beter dan dat ze haar tieten liet zien om aan de kost te komen.

'Dus je modellenwerk is verleden tijd?' vroeg Paul.

Jimmy keek woest naar zijn vriend. Hij klonk haast teleurgesteld. Vuile teringlijer, alleen omdat zijn eigen mokkel zwanger was, hoefde hij zich niet aan Jimmy's vrouw op te geilen.

'Ja, maar we hebben in elk geval de *Playboy* gehad voordat je je string aan de wilgen hebt gehangen, hè Jazz?' schreeuwde Blaine boven de muziek uit.

'Blaine! Kop dicht!' gilde Jasmine.

'Oei... Ja, ik moest mijn mond houden, hè?' stamelde Blaine. Nerveus gluurde hij naar Jimmy.

Vol ongeloof keek Jimmy van Jasmine naar Blaine. Iedereen was opgehouden met praten. Ze konden merken dat er iets mis was. Blaine haalde zijn schouders op alsof hij wilde zeggen: nou en, zo belangrijk is het toch niet? Maar het was wel belangrijk. Ontzettend belangrijk zelfs. Jasmine had hem voorgelogen en was achter zijn rug om gegaan. Jimmy voelde de woede in zich opwellen. Hij keek naar zijn vrouw en dwong haar in gedachten te zeggen dat het niet waar was, maar Jasmine keek hem niet aan. Ze stond op van tafel en holde weg.

'Waar gaat Jasmine naartoe?' vroeg Louis, die juist terugkwam. 'Ik heb een cocktail voor haar.'

Jimmy ontplofte.

'De enige die drankjes koopt voor mijn vrouw ben ik!' brieste hij. 'Heb je dat gesnopen, vieze gore smeerlap die je bent?'

Toen pakte hij het glas uit Louis' hand, goot de inhoud over zijn hoofd en rende achter Jasmine aan.

Met bonzend hart holde Jasmine naar het damestoilet. De tijd leek stil te staan toen de woorden uit die grote, praatzieke bek van Blaine waren gekomen. Zodra hij zijn aan zijn zin was begonnen, wist ze dat hij haar in een lastig parket zou brengen, maar ze kon niets doen om het te voorkomen. Het was hetzelfde gevoel dat je krijgt als je de voordeur achter je dicht knalt en beseft dat de sleutels nog binnen liggen. Te laat. Daarna kon ze alleen maar denken dat Jimmy haar deze keer zou vermoorden. En toen was ze weggevlucht. Nu stormde ze het toilet binnen, sloot zichzelf in het verste hokje op en probeerde op adem te komen. Toen ze de deur met een knal open hoorde gaan, wist ze meteen dat het Jimmy was.

'Jasmine!' brulde hij. Zijn stem was helemaal verkeerd. Die klonk gespannen en zo verschrikkelijk woest. Ze trilde van angst. 'Waar zit je?' vroeg hij op kille toon.

Ze hoorde hem alle deuren opentrappen en steeds dichterbij komen.

'Je kunt niet ontsnappen, Jazz. Ik weet dat je hier zit.'

In paniek drukte ze zich sidderend tegen de muur, hopend dat hij weg zou gaan. Ze huilde onbedaarlijk, haar hele lichaam beefde. En toen probeerde hij haar deur open te maken.

'Opendoen!' blafte hij. 'Kom tevoorschijn, smerige achterbakse teef!'

Hij trapte tegen de deur. Het hout versplinterde, maar brak niet. Jasmine schrok zich dood. Daarna trapte hij nog een keer, maar harder, en die keer sprong het slot open. Een ogenblik stonden ze elkaar aan te kijken, man en vrouw.

'Het spijt me, Jimmy,' snikte ze.

Maar het was al te laat. Hij greep haar bij haar haren en trok haar de wc uit. Met bruut geweld smakte hij haar hoofd tegen de tegelmuur en stompte haar in haar buik, haar ribben en haar rug. Daarna sjorde hij haar opnieuw bij haar haren overeind en begon met zijn vuisten op haar gezicht te timmeren. Zijn gezicht was verwrongen van woede. Ze voelde haar jukbeen kraken. Over haar voorhoofd drupte bloed in haar ogen totdat ze zijn weerzinwekkende, woedende gezicht nauwelijks meer kon onderscheiden.

Ze hoorde een vrouwenstem schreeuwen: 'Jimmy, hou in jezusnaam op!' Het was Maxine.

En toen brak de hel los. Het damestoilet stroomde vol met mensen. Vrouwen gilden, mannen schreeuwden en handen probeerde Jimmy van haar af te trekken. Maar hij bleef maar op haar inbeuken, telkens weer.

'Laat haar met rust, schoft!' hoorde ze Louis brullen.

Eindelijk werd Jimmy door sterke handen van haar af getrokken – door Louis. Ze zag dat Jimmy zich op Louis stortte en hem begon te slaan. Het enige wat Jasmine kon doen, was wegvluchten.

Ze drong langs de mensen in de club en morste hun drankjes toen ze voorbijraasde. Op hun gezichten zag ze een blik van afschuw toen ze haar opgezette gezicht en bebloede kleren opmerkten. Ze bleef maar doorrennen, de club uit, langs de paparazzi die met hun camera's in haar gezicht flitsten, totdat ze in een klaarstaande taxi kon springen. De Spaanse chauffeur keek haar bevreemd aan, maar hij vroeg niets. Toen de taxi snel wegreed, keek ze achterom en zag Louis achter de auto aan rennen. Heel even wilde ze de chauffeur vragen om te stoppen, zodat Louis kon instappen, maar iets hield haar tegen. Nee, hij hoefde er niet bij betrokken te raken. Hij was een aardige vent en bovendien zou hij binnenkort gaan trouwen. Het laatste wat hij nodig had was dat hij met haar verwikkeld raakte. Nee, ze wist wat haar te doen stond en dat moest ze alleen doen.

Zodra Jasmine in Casa Amoura terug was, haastte ze zich naar de slaapkamer. Ze voelde zich ziek, zwak en misselijk. Haar hoofd deed zeer en haar wang gloeide op de plek waar Jimmy het bot had gebroken. Toch was er iets wat haar dwong vol te houden. Ze wist nu wat haar te doen stond.

Er was iets wat ze moest ophalen, maar ze moest snel zijn. Ze kon niet het risico lopen dat Jimmy thuiskwam en haar hier aantrof. Ze wilde die schoft nooit meer zien. Wanhopig rukte ze haar designerkleren van de hangertjes en smeet ze in een slordige hoop op de grond totdat ze had gevonden wat ze zocht. Haar handen beefden zo hevig dat het haar moeite kostte om de kluis open te krijgen. Zorgvuldig stopte ze de schoenendoos vol geld in een sporttas van Jimmy. Daarna trok ze haar elegante witte jurk uit, schopte haar hoge hakken uit en kleedde zich om in een spijkerbroek, een oud T-shirt en teenslippers. Ze ging naar de badkamer om haar haar in een paardenstaart te doen, voordat ze het bloed en de uitgelopen make-up wegwaste. Bij de aanblik van haar opgezwollen gezicht in de spiegel kromp ze ineen. Haar neus zag eruit alsof die gebroken was, maar gelukkig had ze nog al haar tanden. Ten slotte deed ze haar trouwring, haar verlovingsring en haar eeuwigheidsring af en legde ze op de keukentafel, waar Jimmy ze zou vinden. Ze waren precies een maand getrouwd geweest. Toch had ze geen spijt. Eigenlijk was het zelfs een bevrijdend gevoel om alles los te laten.

Ze griste Jimmy's autosleutels mee, pakte de sporttas en haar dierbare Chanel-tas (de rest zou ze achterlaten, maar die tas was het enige wat ze niet kon missen) en riep Annie. De puppy dribbelde blij met haar mee het huis uit en sprong naast haar voorin in Jimmy's rode auto. Toen Jasmine over de oprijlaan en door het hek stoof, keek ze niet achterom.

47

'Waar is hij?' brulde Charlie Palmer.

Hij stond in zijn boxershort in Lila's tuin. Toen Maxine was gekomen om hem te vertellen wat er in Cruise was gebeurd, lag hij nog in bed.

'Hij is hiernaast,' legde Maxine uit. 'Blaine en Louis hebben hem naar huis gebracht om hem te kalmeren en te ontnuchteren en... Jezus, ik weet niet, hoor. Louis zag eruit alsof hij hem wilde vermoorden.'

'En Jasmine? Waar is Jasmine?'

Maxine haalde verdrietig haar schouders op. Ze wist het niet precies. Ze liep achter Charlie aan naar binnen en wachtte terwijl hij een broek en een T-shirt aanschoot.

'Was ze er erg aan toe?' vroeg hij bezorgd.

'Haar gezicht zag er niet uit. Haar ogen waren opgezet, haar neus bloedde en op haar wang had ze een enorme bult.'

Ze kromp in elkaar toen ze eraan dacht. Het was weerzinwekkend om van zoiets getuige te zijn. Jimmy Jones was een monster. Ze zag Charlies gezicht betrekken.

'Maar ze rende heel hard de club uit, dus moet ze wel in orde zijn geweest,' voegde Maxi eraan toe om Jasmines peetoom gerust te stellen.

'Wat is er aan de hand?' vroeg Lila, die achter hen in haar ochtendjas verscheen. 'Ik zag dat het licht aan was hierbeneden. Is er iets ergs gebeurd?'

'Vanavond heeft Jimmy Jasmine in de nachtclub in elkaar geslagen,' legde Maxine bijna schaapachtig uit. Ze schaamde zich ervoor dat het in Cruise was gebeurd, en voelde zich zelfs verantwoordelijk. Haar beveiligingsmensen hadden het moeten verhinderen, maar ze had hen opgedragen om bij de ingang te gaan staan. Voor ongenode gasten had ze niet bang hoeven te zijn. Die schoft had ze zelf uitgenodigd.

Lila keek ontzet. 'Is ze in orde? Is ze hier? Kan ik iets doen?'

'We weten niet waar Jasmine is,' antwoordde Charlie onheilspellend. 'Gaan jullie maar weer naar binnen. Doe de deur op slot en blijf zitten waar je zit. Als er gebeld wordt, moeten jullie niet reageren.'

'Waar ga je naartoe?' vroeg Lila. Nu zag ze er heel bezorgd uit.

'De boel regelen,' antwoordde hij.

'Ik zou op dit moment niet graag in Jimmy's schoenen willen staan,' zei Maxine tegen Lila toen ze Charlie vastberaden naar het hek zag lopen.

Grace' hoofd tolde toen ze bij het ziekenhuis wegreed. Ze had zojuist een paar uur met Julie Watts doorgebracht en wat de vrouw haar had verteld was ongelofelijk – alleen móést ze het wel geloven, omdat het waar was. Het was maar al te waar. Julie had haar oude foto's laten zien die het bevestigden. Pf, de werkelijkheid was vaak vreemder dan de verbeelding!

Nu was Grace blij met de lange rit naar huis, want dat gaf haar de gelegenheid om alles op een rijtje te zetten. Toch bleef ze haar hoofd schudden van verbazing. De waarheid over Jasmines afkomst was echt verbijsterend.

'Waarom vertel je me dit allemaal?' had Grace haar verwonderd gevraagd. 'Waarom juist aan mij? Waarom nu?'

'Ik heb een keuze gemaakt,' had Julie uitgelegd. 'Een simpele keuze. Nadat je laatst was vertrokken, hebben ze me platgespoten. Urenlang lag ik versuft in bed, terwijl er allerlei gedachten en herinneringen door mijn hoofd zweefden. Als ik op dat moment de moed had opgegeven en dood had willen gaan, had ik dat zonder meer kunnen doen. Het was alsof ik moest kiezen tussen het leven en de dood.'

'En je hebt voor het leven gekozen,' had Grace zachtjes gezegd.

Julie had geknikt en geglimlacht. 'Ik heb voor het leven gekozen, maar op één voorwaarde: geen leugens meer. Geen geheimen meer. Ik heb al te veel jaren verspild met het verdringen van het verleden. Het wordt tijd om een paar geesten te bezweren en daarna kan ik de toekomst onder ogen zien, wat die ook mag brengen.'

Het was donker en al laat, en op de snelweg was weinig verkeer. Vlak voor middernacht was Grace weer terug in Highgate. Was het te laat om Jasmine te bellen? Ze draaide het nummer, maar er werd niet opgenomen. Vreemd, dacht ze. Nou ja, ze was moe. Ze zou naar bed gaan, proberen te slapen en Jasmine morgen nog eens bellen.

Charlie liep vastberaden langs de fotografen, die hij als kegels opzijduwde, en drukte op de zoemer van de intercom op het hek van de buren. Blaine Edwards liet hem binnen.

'Waar is hij?' brulde Charlie. Hij rende bijna de oprijlaan op. 'Waar zit die hufter?'

Zwijgend wees Blaine naar het terras.

Charlie holde om het huis heen totdat hij Jimmy zielig in elkaar gedoken met zijn rug tegen de muur zag zitten. Louis Ricardo ijsbeerde handenwringend over het terras, terwijl hij Jimmy vuile blikken toewierp. Charlie schudde Louis de hand. Hij zag dat de voetballer een blauw oog had.

'Hij is een smeerlap,' zei Louis, met zijn hoofd naar Jimmy gebarend. 'Wat hij met Jasmine heeft gedaan, is walgelijk.'

Charlie knikte, maar zei niets. Zijn instinct zei hem dat hij de jongen de nek moest omdraaien, maar zijn verstand hield hem tegen. Het had geen zin om wegens moord te worden opgepakt en de rest van zijn dagen in een Spaanse gevangenis te moeten slijten. In de nor had Jasmine niets aan hem.

Toen Jimmy hem zag aankomen, stak hij zijn handen omhoog en drukte zich angstig tegen de muur aan.

'Doe me geen pijn, Charlie,' smeekte hij. 'Het spijt me. Het was een vlaag van verstandsverbijstering. Het kwam door de drank. Het was...'

Charlie boog zich voorover en greep Jimmy bij zijn nek. Hij tilde het ventje van de grond totdat zijn ogen op gelijke hoogte waren als die van Charlie.

'Waar is Jasmine?' vroeg hij langzaam.

'D-d-d-dat w-w-weet ik niet,' hakkelde Jimmy. 'Ze is weg, Charlie. Ze is bij me weg.'

'Natuurlijk is ze bij je weg, etterbak die je bent,' snauwde Charlie hem toe. Hij greep Jimmy's hemd steviger vast. 'Wat ik wil weten is waar ze naartoe is gegaan.'

'Ik-ik-ik w-w-weet het e-e-echt niet.'

Jimmy's adem stonk naar drank. Charlie voelde de jongen kronkelen onder zijn greep. Het zou heel eenvoudig zijn om hem zomaar zijn strot dicht te knijpen, dacht hij. Hij had al heel wat betere mannen om zeep geholpen in zijn tijd. Een ogenblik lang werd hij door zo'n hevige razernij overspoeld dat hij zich bijna niet kon beheersen. Hij verstevigde zijn greep nog meer, waarop Jimmy's gezicht afwisselend wit en blauw aanliep. De hele tijd keek Charlie hem strak aan. De jongen was zichtbaar panisch van angst. Hij dacht dat hij er was geweest, dat was hem aan te zien. Charlie hield hem lang genoeg vast om hem goed de stuipen op het lijf te jagen. Daarna liet hij hem los en smeet hem op de grond. Snakkend naar adem maaide Jimmy wild met zijn armen om zich heen.

'Ik dacht dat je hem zou vermoorden,' zei Louis tegen Charlie.

'Dat is hij niet waard,' reageerde Charlie.

Louis schudde zijn hoofd. 'Nee, beslist niet.'

Charlie gaf Louis een klopje op de schouder. Hij was een geschikte vent, die duidelijk om Jasmine gaf. In zijn ogen zag Charlie nog steeds de ontzetting over wat hij had gezien.

'Dus Jasmine is thuis geweest?' vroeg Charlie.

Louis knikte.

'Heeft ze een briefje achtergelaten?'

Louis schudde zijn hoofd. 'Maar ze heeft zich omgekleed, heeft de hond meegenomen en haar trouwring achtergelaten...'

Charlie knikte nadenkend. Toen Jasmine wegging, had ze kennelijk logisch nagedacht. Niettemin was het onverstandig dat ze in haar eentje ergens rond-zwierf. Juist vandaag was het niet veilig. Hij keek op zijn horloge. Het was na middernacht. Zijn deadline was verstreken.

'Wat een goeie zet van haar,' zei Charlie. 'Hij zal zijn auto waarschijnlijk meer missen dan zijn vrouw. Oké, ik ga Jasmine zoeken. Bel jij de politie maar. Laat hem oppakken wegens vrouwenmishandeling. Dat is wel het minste wat hij verdient.'

Charlie ging terug om zijn jeep op te halen en ging door de straten van Puerto Banus rijden. Hij had geen idee waar hij moest beginnen. Waar zou Jasmine naartoe gaan? Bij Maxine was ze niet, dus misschien was ze naar Crystal gegaan. Met gierende remmen kwam hij bij de villa van Crystal en Calvin tot stilstand en bonkte op de deur. Calvin deed open. In de gang zag hij Chrissie staan met haar mobieltje tussen haar schouder en haar oor geklemd. Ze haalde haar schouders op naar Charlie en schudde haar hoofd.

'Ze probeert al een uur om Jazz te bereiken, maar er wordt niet opgenomen,' legde Calvin uit.

Charlie knikte alleen maar en sprong weer in de auto. Dit was niet het juiste moment voor een kletspraatje. Het was hetzelfde liedje bij het hotel van Cookie en Paul; ze hadden Jasmines nummer gebeld, maar kregen geen gehoor. Urenlang reed Charlie rond, door lege straten, wanhopig op zoek naar Jimmy's knalrode auto en in de hoop een glimp op te vangen van Jasmines lange donkere haar. Het was zondagnacht – of eigenlijk heel vroeg maandagochtend. De bars en clubs waren al gesloten. Afgezien van een paar dronken gasten die wankelend naar hun hotel liepen, waren de straten van Puerto Banus uitgestorven. Charlie controleerde elk hotel in de stad, maar Jasmine had nergens een kamer genomen. Daarna reed hij naar het centrum van Marbella. Hij doorkruiste de oude binnenstad, maar Jasmine was in geen enkel hotel te vinden, haar favoriete bars waren allemaal al dicht en er was nergens een spoor van haar te bekennen.

Tegen de tijd dat Charlie zijn zoektocht opgaf, was het al een paar uur licht en trokken de Duitse toeristen al naar het strand. Lila en Maxine zaten aan de keukentafel, en aan hun bloeddoorlopen ogen kon Charlie zien dat ook zij de hele nacht waren opgebleven.

'Geen spoor?' vroeg Lila.

Met haar grote blauwe ogen keek ze hem smekend aan, maar Charlie kon haar niet geruststellen. Hij schudde bedroefd zijn hoofd en liet zich in een stoel neerploffen. Maxine bracht hem een kop sterke koffie en forceerde een glimlach.

'Ze komt wel weer terecht,' zei ze. 'Jasmine kan wel tegen een stootje.'

Met zijn duim en wijsvinger kneep Charlie in zijn neusbrug. Zijn hoofd bonkte van pijn. Alleen al het idee dat Jasmine in haar eentje daarbuiten was, joeg hem de stuipen op het lijf. Hij wilde weten dat ze in veiligheid was. Hij wilde haar in de buurt hebben, waar hij haar in de gaten kon houden en beschermen. Vooral vandaag.

'We hebben alle ziekenhuizen gebeld, voor het geval ze daarnaartoe is gegaan om zich te laten behandelen, maar...' Lila schudde haar hoofd ten teken dat ook dat niets had opgeleverd.

'En Blaine schakelt de pers in,' voegde Maxi eraan toe. 'Hij heeft hen getipt dat Jazz is verdwenen, zodat ze allemaal naar haar gaan zoeken. Ik bedoel, ze doen het uiteraard uit eigenbelang, maar als íémand een vermiste celebrity kan opsporen, zijn het die aasgieren wel. Ik had nooit kunnen denken dat we ze ooit nog eens om hulp zouden vragen.'

'Ik vond het buiten al zo rustig,' zei Charlie. Het drong nu pas tot hem door dat er bijna geen fotografen op straat waren.

'Je kunt beter even gaan slapen,' stelde Lila zachtjes voor. 'Je ziet er uitgeput uit.' Ze stond op en begon Charlies gespannen schouders te kneden. Het was de eerste keer dat ze hem aanraakte, en ondanks de vreselijke omstandigheden merkte hij dat hij wegsmolt onder haar aanraking.

'Ik weet zeker dat ze gewoon ergens naartoe is gegaan om na te denken,' zei Maxine. 'Ze komt wel weer tevoorschijn als ze er klaar voor is. Ik bedoel, morgen is het Lila's feest, en dat zou Jasmine voor geen goud willen missen!'

Bijna had Charlie haar in haar gezicht uitgelachen. O, ze bedoelden het goed, dat wist hij best. Maar Maxine en Lila hadden geen flauw idee wat er vlak onder hun neus, onder de heldere, blauwe, Spaanse hemel, allemaal aan de hand was. Hoe konden ze zelfs maar vermoeden waar Charlie bij betrokken was? Ze wisten niets van zijn verleden, van Dimitrovs bedreigingen of Jimmy's schulden. Ze hadden geen enkel benul van de wereld waarin Jasmine en hij waren opgegroeid. Ze wisten waarschijnlijk wel dat Jasmine arm was geweest en ze zouden zich ongetwijfeld hebben voorgesteld wat ze voor een jeugd moest hebben gehad, maar het enige wat ze zouden zien, was wat de rest van de wereld zag: een glamoursekspoes, met eindeloos veel designerjurken die aan haar lot was ontsnapt en het gemaakt had. Charlie wist dat Jasmine niet zo makkelijk aan haar verleden kon ontkomen. Oude spoken uit het verleden hadden er een handje van om van achteren naar je toe te sluipen en je te bespringen wanneer je er het minst op bedacht was. Dat wist hij beter dan wie ook. Hoe moest hij aan Maxine en Lila uitleggen dat Jasmine misschien in groot gevaar verkeerde door iets wat hij had gedaan? Wraak nemen betekende in hun wereld hatelijkheden uitwisselen bij een cocktail, of een vernietigend interview aan de pers geven, maar in Charlies wereld betekende het dat er doden vielen.

Het was intussen maandagochtend. Dimitrovs deadline was verstreken en

Charlie had nog altijd geen idee waar Nadia was. Van alle dagen waarop Jasmine overstuur en helemaal alleen had kunnen weglopen, was dit de ergste. De Rus had hem 'vrouw om vrouw' beloofd. Lila was hier, haar kon Charlie beschermen, maar Jasmine? Waar Jasmine ook was, ze zou een weerloos slachtoffer zijn. Even overwoog hij om Dimitrov te bellen, maar toen bedacht hij zich. Dat was het slechtste wat hij kon doen. Waarschijnlijk was Jasmine gewoon ergens naartoe gegaan om haar wonden te likken. Als hij de Rus zou bellen, zou hij hem laten weten dat ze in haar eentje was, en dat was gevaarlijk. Nee, meer kon hij niet doen. Charlie stond machteloos.

48

'Het spijt me, Maxi, maar dit zit me echt niet lekker,' zei Lila. 'Zonder Jasmine.'

De styliste die Maxine had laten komen, zocht in een rek met jurken en koos er een aantal waaruit Lila kon kiezen die ze vanavond op haar feest zou aantrekken.

'Niet zo somber,' zei Maxi, terwijl ze haar vriendin een glas bubbels gaf. 'Jasmine komt heus wel op tijd terug voor het feest. Dat weet ik zeker.'

Lila keek niet erg overtuigd, en eerlijk gezegd was Maxine dat zelf ook niet. Eigenlijk maakte ze zich ernstig zorgen om Jasmine, maar nu was het te laat om het feest af te zeggen. De gastenlijst was vol, de pers was gewaarschuwd en Lila's metamorfose was bijna compleet. Lila verdiende dit feest. Jasmine wist hoe belangrijk het was. Ze zou zeker haar best doen om erbij te zijn of in elk geval te bellen om te zeggen dat alles goed was.

'Denk je dat ze terug is gegaan naar Londen?' vroeg Lila.

'Dat denk ik niet,' zei Maxine. 'Charlie heeft het bij de familie nagevraagd. Ze heeft geen nauwe band met ze, dus heeft ze geen reden om naar hen toe te gaan.'

'Er is toch een tante met wie ze goed kan opschieten?' vroeg Lila hoopvol.

'Die ligt in het ziekenhuis,' legde Maxine uit. 'Charlie heeft haar ook al geprobeerd.'

'O...' Lila's stem stierf even weg. 'Ik wou dat we iets konden doen. Je hebt vast gelijk, er is waarschijnlijk niets aan de hand met Jasmine, maar die arme Charlie is doodongerust. Hij heeft al twee dagen niet geslapen.'

Het was Maxine opgevallen dat Lila vertederd keek als ze het over Charlie Palmer had.

'Je vindt hem aardig, hè?' plaagde ze.

Lila fronste haar wenkbrauwen. 'De man heeft mijn leven gered, hij zorgt voor me, natuurlijk vind ik hem aardig,' antwoordde ze spottend. 'Maar niet zoals jij het bedoelt. Het is nog niet eens goed tot me doorgedrongen wat er met Brett is gebeurd. Ik ben heus niet van plan om meteen in de armen van mijn lijfwacht te vallen. Je hebt echt te veel fantasie, Maxine. Je leest te veel romannetjes. Bovendien is hij helemaal niet mijn type.'

'Volgens mij leg je het er een beetje te dik bovenop,' giechelde Maxine, terwijl ze snel opzijsprong toen Lila met een borstel naar haar uithaalde. 'Trouwens, Charlie is een grote jongen. Ik weet zeker dat hij op zichzelf kan passen zonder dat jij erover in hoeft te zitten of hij wel genoeg slaap krijgt. Jeetje, Lila, je moet echt eens ophouden met de moederkloek spelen en je innerlijke verleidster wakker schudden. Zo zie je eruit, gedraag je er dan eindelijk naar!'

Het was waar. Lila zag er fantastisch uit. De veranderingen die ze had ondergaan waren heel subtiel. Ze zag er nog altijd uit als Lila Rose, maar als de Lila Rose van vijf jaar geleden in plaats van de vrouw die een paar weken geleden volkomen was ingestort. Maxine was heel trots op haar vakkundige make-over. Haar vriendin was een lekker ding en als de paparazzi haar vanavond zagen, zouden ze wildenthousiast worden! Lila Rose was terug: net single en aantrekkelijker dan ooit.

'Ik twijfel nog over mijn haar,' zei Lila. Ze friemelde onzeker aan haar sluike pagekop. 'Deze pony is een beetje streng, vind je niet?'

Maxine schudde vol overtuiging haar hoofd. 'Nee hoor, je ziet er echt helemaal fantastisch uit, schat. Precies die showgirl Louise Brooks uit de jaren twintig. Jeetje, ja, dat heeft me inspiratie gegeven. Dat is perfect!'

Maxine draaide zich om en greep de styliste bij haar elleboog. 'Heb ik jou niet met een jarentwintigjurk gezien, Daisy?' vroeg ze opgewonden. 'Ja, dat is hem. Perfect! Denk je niet dat dat geweldig zal staan bij dat kapsel?'

Daisy hield een met kraaltjes versierde oesterkleurige jurk omhoog die onmiskenbaar jaren twintig was. Het was een Dior en hij was een fortuin waard. Het was een kort jurkje met een lage taille, een laag uitgesneden rug, een lage, ronde hals en dunne spaghettibandjes. Hij schitterde als roze champagne in de middagzon.

'Twintigduizend kraaltjes van roze Swarovski-kristal,' verklaarde Daisy trots.

'Hij is magnifiek,' vond Lila. 'Maar vind je hem niet een beetje te bloot voor een vrouw van mijn leeftijd?'

Maxine en Daisy schudden allebei tegelijk hun hoofd. Vergeleken bij wat Maxi wilde aantrekken, was Lila's jurk zelfs uitgesproken zedig.

49

Alles is tot stilstand gekomen. De tijd lijkt in de ruimte te zweven en het meisje krijgt het gevoel dat ze naar zichzelf kijkt in een film. Het is een sterfscène. Op dat moment ademt ze nog. Haar borst gaat zo snel op en neer dat ze zichzelf kan horen hijgen als een hond. Is dit het einde? Is zijn ranzige adem het laatste wat ze zal ruiken? Dat kan toch niet?

Hij is nu klaar met haar en het pistool is op haar hoofd gericht. Ze kijkt letterlijk de dood in de ogen. Het is een afstotelijk gezicht. Het meisje weet dat ze niets te verliezen heeft. Ze wil hem laten weten dat hij haar niet heeft gebroken – dat hem dat nooit zal lukken. Ze spuugt hem in zijn gezicht, precies in die gemene grijze ogen van hem.

De man veegt zijn gezicht af en grijnst. Het pistool maakt een luid klikgeluid en dan duwt hij het koude metaal tegen haar slaap. Ze walgt van hem. Zij is beter dan hij. Ergens diep in haar ziel is haar vechtlust nog springlevend en ongebroken. Ze gaat niet lijdzaam ten onder.

Het meisje is veel kleiner dan haar ontvoerder en de vele aframmelingen die ze heeft moeten verduren, hebben haar verzwakt. Ze heeft al heel lang niets gegeten. Niet sinds... Nou, dat weet ze niet eens, maar in elk geval al heel lang niet. Ze kan hem niet overweldigen, maar ze is alert en slimmer dan hij. Even aarzelt hij, afgeleid door iets in de verte. Ze ziet hem fronsen. Hij kijkt verward. Het meisje grijpt haar enige kans. Terwijl hij over haar hoofd heen kijkt, vindt ze op de een of andere manier de kracht om het pistool van haar hoofd weg te duwen. Ze werpt zich op de man en probeert het pistool uit zijn hand te slaan. Nu rollen ze over de grond, vechtend, met hun armen maaiend als een stel vechtende honden. Zijn grijze ogen boren zich in de hare en ze haat hem zoals ze nog nooit iemand in haar hele leven heeft gehaat. En plotseling, zomaar vanuit het niets, klinkt er een oorverdovende knal.

Wankel komt het meisje overeind. Het pistool trilt in haar hand. Nietbegrijpend kijkt ze ernaar en dan naar het lichaam van de man. Zijn ogen zijn nog open en kijken haar strak aan, maar het leven is eruit verdwenen, als de ogen van een dode vis. In zijn voorhoofd zit een volmaakt rond gaatje. Ze ziet het bloed langs zijn rimpels sijpelen en op de grond druppelen, waar het een steeds groter plasje vormt. En dan hoort ze een geluid, van ver weg. Een ratelend geluid, zware voetstappen die almaar dichterbij komen. Als aan de grond genageld staat ze daar. Langzaam gaat de deur open. Het meisje kijkt op. Hij ligt dood aan haar voeten. Het pistool ligt in haar hand. Ze heeft een man gedood en nu is ze niet alleen.

50

Als een gekooide tijger liep Charlie door de gang heen en weer. Hij dacht dat hij gek werd. Hij was het niet gewend om zich zo machteloos te voelen en hij kon er helemaal niet tegen. De stretched limo die Maxine had besteld om hen naar het feest te brengen stond op de oprijlaan te wachten. Charlie was prachtig opgedoft in zijn beste pak, maar hij voelde zich een oplichter. In deze wereld van champagne en kaviaar hoorde hij niet thuis en hij was niet in de stemming om met de A-sterren te gaan feesten.

Peter en Lila's ouders hingen afwachtend rond bij de deur. Af en toe wierpen ze een blik naar boven om te zien of Lila en Maxine eindelijk klaar waren. Ze waren al een halfuur te laat. Charlie kon het niet schelen of ze op tijd op het feest aankwamen. Het enige wat hem kon schelen, was dat Jasmine nog steeds vermist werd.

Gisteren had hij Gary gebeld en gevraagd om uit te vissen wat Dimitrov in zijn schild voerde. Als Charlie dat wist, kon hij voorspellen wat Dimitrov van plan was. De knul had de Rus in zijn casino opgespoord. Dimitrov had een opgewekte indruk gemaakt. Charlie wist niet of dat een goed of een slecht teken was. Zelf had hij niets van de Rus vernomen, ook al was de deadline voor het opsporen van Nadia al verstreken. Hij had op zijn minst een bezoekje van een paar Russische krachtpatsers verwacht.

En een uur geleden had Gary gebeld met een verschrikkelijk bericht: die middag was Dimitrov aan boord gegaan van zijn privévliegtuig om naar de luchthaven van Málaga te vliegen. Hij was hier in Spanje, en naar de reden voor zijn reisje kon Charlie alleen maar raden. Hadden zijn zware jongens Jasmine soms? Was Dimitrov gekomen om de klus hoogstpersoonlijk af te maken? Of was Jasmine ergens anders, op een veilige plek zoals Maxine zei, waar ze gewoon haar wonden zat te likken? Misschien kwam de Rus voor Charlie. Of erger nog: voor Lila. Misschien had hij over het feest gehoord...

Shit, dit was een nachtmerrie! Charlie kon geen kant meer op. Hij was doodongerust om Jasmine, maar hij kon niet naar haar gaan zoeken en Lila alleen laten, want dan zou zij onbeschermd zijn. Nu stond hij te zweten in zijn stomme apenpak, terwijl er allerlei afschuwelijke gedachten door zijn verwarde, slaperige brein gonsden. Hij had een slecht voorgevoel over vanavond. Het zat hem niet lekker. Het zat hem helemaal niet lekker.

Charlie hoorde Peter, Eve en Brian een gezamenlijke kreet slaken. Hij schrok van het geluid en terwijl hij zich op een onwelkome verrassing instelde, struikelde hij bijna. Zijn hand gleed automatisch naar de zak met zijn wapen, maar uiteraard zat er geen wapen in. Hij volgde hun geschokte blikken naar boven aan de trap en zijn paniek zakte onmiddellijk weg. Daar stond Lila. Charlies mond viel open toen hij haar zag. De zon scheen door het raam achter haar, waardoor haar gezicht werd omlijst en ze door een hemelse gloed werd omringd. Zoiets moois had Charlie van zijn leven nog nooit gezien. Lila was een engel midden in zijn levende hel.

Charlie hoefde geen toneel te spelen toen hij Lila vertelde dat ze er vanavond beeldschoon uitzag, maar verder was alles komedie. Voor de vorm deed hij alsof genoot van het ritje in de limo naar Cruise, maar toen de anderen opgewonden over het feest praatten, staarde hij uit het raam. Tevergeefs hoopte hij nog steeds een glimp van Jasmine te zien.

Toen ze op hun bestemming aankwamen, moest de limo zich een weg banen door de menigte fotografen om bij de ingang van de nachtclub te kunnen stoppen. Zodra Lila uitstapte, werden de paparazzi helemaal wild en schreeuwden haar naam. Charlie stond naast haar naar het publiek te kijken of hij tussen de zee van gezichten iets verdachts zag. Maar hij werd verblind door de flitslichten van de camera's en zag meteen niets meer. De fotografen drongen naar voren, almaar dichter naar Lila toe, maar nog steeds kon Charlie door de flitslichten niet zien wat er vlak voor zijn neus gebeurde. Dit was niet veilig. Lila was niet veilig. Charlie ging tussen Lila en de paparazzi staan en duwde hen naar achteren om haar de ruimte te geven.

'Snel,' beval hij. 'Naar binnen.'

Hij keek hen woest aan en ging toen achter Lila aan naar binnen.

'Dat was allemaal erg macho,' zei Lila grijnzend. 'Maar je hoefde niet zo hardhandig op te treden, Charlie. Ze deden alleen maar hun werk. Het hoort er allemaal bij.'

'Sorry,' zei Charlie. 'Ik wilde je alleen beschermen.'

'Weet ik.' Ze gaf een kneepje in zijn arm. 'En dat waardeer ik ook, echt waar.'

Maar hoe kon ze waarderen wat hij probeerde te doen? Hij speelde een heel ander spel dan zij.

Lila moest de pijnlijke blik op zijn gezicht hebben gezien. 'Maak je maar niet druk om Jasmine,' fluisterde ze in zijn oor. 'Ik weet zeker dat alles goed afloopt.'

Charlie wou dat hij daar zo zeker van kon zijn.

'Ze heeft een heleboel meegemaakt,' vervolgde Lila. 'Misschien heeft ze even rust nodig. Ik weet zeker dat ze vanzelf wel weer komt opdagen als je het aan haar overlaat.'

Hij wilde haar graag geloven, maar waar had Dimitrov ook alweer mee gedreigd? Vrouw om vrouw. Nadia voor Jasmine. Het was een directe ruil.

De club stroomde al snel vol met de jetset. Overal waar hij keek zag hij vrouwen in elegante jurken dansen met het soort mannen dat naar geld rook. De champagne vloeide rijkelijk en een of andere trendy band, waarvan Charlie nog nooit had gehoord, speelde live. Loerend naar gevaar sloop hij over de dansvloer, door de bars en over het dek, maar hij trof alleen stelletjes aan die elkaar stiekem stonden te zoenen in het maanlicht. Het publiek leek te genieten van de luide muziek, maar de dreunende bas denderde door Charlies hoofd en maakte zijn somberheid alleen maar erger.

Af en toe ving hij een glimp op van Lila, die schitterde in haar fonkelende roze jurk, toen ze met Peter en Maxine over de dansvloer zwierde. Op haar wangen lag een blos en haar ogen straalden. Ze zag er levendiger uit dan ooit. Charlie bad tot elke God die misschien luisterde dat hij haar zo zou kunnen houden. Nu keek ze op en ving zijn blik. Ze glimlachte naar hem, fluisterde iets in Maxi's oor en kwam naar hem toe. Hij kon zijn ogen niet van haar afhouden. De nauwsluitende jurk liet weinig aan de verbeelding over. Haar heupen wiegden wulps heen en weer, haar borsten wipten op en neer als een stel enthousiaste puppy's en, jezus! Hij moest flink met zijn hoofd schudden om de vunzige gedachten weg te krijgen die bij hem opkwamen. Dit was niet de tijd om hitsige gevoelens voor zijn bazin te koesteren.

Ze greep hem bij zijn arm en trok hem naar zich toe. Hij kon haar zoete adem op zijn wang voelen.

'Ga maar!' zei ze in zijn oor. 'Je voelt je hier niet op je gemak. Ga maar gewoon om Jasmine te zoeken, als je je daar prettiger bij voelt. Dat is wat je eigenlijk wilt doen.'

'Dat kan niet,' zei Charlie kordaat. 'Ik moet hier blijven om op jou te passen.'

Lila schudde haar hoofd. 'Nee. Maxine heeft extra beveiligingsmensen ingehuurd. Hier zal me niets ergs overkomen. Ik zou kunnen struikelen en mijn enkel kunnen verstuiken op deze bespottelijke schoenen, maar afgezien daarvan ben ik volkomen veilig, dat beloof ik je. Ga jij maar gewoon op zoek naar Jasmine. Totdat je haar hebt gevonden, zul je je toch niet kunnen ontspannen.'

'Nou, misschien,' zei Charlie. 'Ik ga even naar buiten om nog een paar mensen te bellen. Hier heb ik geen bereik. Misschien heeft ze een bericht achtergelaten of misschien heeft iemand haar intussen gezien. Maar ik ben over een paar minuten weer terug.'

Lila knikte en duwde hem in de richting van de deur.

'Ik wil je alleen weer zien glimlachen,' riep ze hem achterna, en toen verdween ze in het gedrang van dansende lichamen.

Charlie sprak even met de beveiligingsmannen bij de deur en stapte toen de duisternis in. Buiten voor de club was net een zwarte limousine gestopt, waaruit een forse, zilverharige man in een zwart pak uitstapte. Zijn haar was naar achteren gekamd en hij had een donkere zonnebril op zijn neus, ook al was het tien uur 's avonds. Charlie dacht dat de lucht plotseling uit de avondhemel werd gezogen. Zijn hart klopte in zijn keel terwijl hij als aan de grond genageld stond van angst. Dimitrov was hier. Wanhopig keek Charlie om zich heen. Hij kon geen kant op. De ingang naar de club was smal, met tapijt bekleed en met touwen afgezet voor de pers. Zijn enige mogelijkheid was om weer terug naar binnen te gaan, maar dan zou hij met de Rus aan boord zitten. Hij kon overboord springen en naar de kust zwemmen, maar dan zou hij Lila met die vent alleen laten.

Het was trouwens al te laat. Dimitrov schoof zijn zonnebril boven op zijn hoofd en richtte zijn staalharde blik strak op Charlie. En toen gebeurde er iets eigenaardigs: Dimitrov glimlachte. Niet op een onheilspellende, dreigende manier, maar hartelijk en uitnodigend, alsof hij een verloren zoon begroette. Met uitgestrekte armen, omhoog wijzende palmen en een grote, vriendelijke grijns op zijn gezicht kwam hij op Charlie af.

Charlie wist van verwarring niet waar hij moest kijken. Wat was er verdomme aan de hand? Dimitrov nam hem in de houdgreep en omhelsde hem.

'Charlie! Charlie, jongen!' bulderde hij met zijn zware accent. 'Ik vind dat ik me moet verontschuldigen voor het gedrag van mijn Nadia.'

Over Dimitrovs schouder verscheen een blond hoofd. Om de lippen zweefde een bekende ondeugende glimlach.

'Dag Charlie,' giechelde Nadia. 'Is zo goed om je te zien, schatje. Ik mis je op mijn reizen.'

Niet-begrijpend keek Charlie van de vader naar de dochter. Het was alsof de grond onder zijn voeten verschoof. Hij snapte er niets van. Eén ding was wel duidelijk: Nadia was veilig. Hier stond ze, vlak voor hem, even blond en beeldschoon als altijd en onmiskenbaar in leven.

'Ik begrijp het niet,' zei hij, en hij schudde zijn hoofd. 'U wilde me vermoorden.'

Dimitrov wierp zijn hoofd in zijn nek en brulde van het lachen. 'O, is alleen mijn gevoel voor humor, Charlie. Je moet Vladimir niet al te serieus nemen.'

'Hij denkt ik ben dood.' Nadia grinnikte ondeugend. 'Maar ik vaar rond Griekse eilanden met Bulgaarse vriend. Eigenlijk is hij nu niet meer zo erg mijn vriend...'

'De zoon van een baron!' bulderde Dimitrov. 'Een waardeloos junkietype met te veel geld en te weinig verstand.'

Nadia knipoogde naar Charlie en rende daarna de club binnen. Dimitrov zuchtte vertwijfeld en haalde zijn brede schouders op.

'Jonge meiden, huh? Wat een problemen, Charlie.' Hij gaf Charlie zo'n stevige klap op zijn rug dat hij bijna omviel. 'Het spijt me dat ik boos op je werd, Charlie. Mijn jongens zijn een beetje ruw geweest. Nu sta ik bij je in het krijt. Als je hulp nodig hebt, vraag je maar naar Vladimir, *ya*?'

Charlie knikte, nog steeds geschokt.

'Kom, Charlie Palmer. Je krijgt drankje van me,' beval Dimitrov, terwijl hij Charlie weer aan boord van Cruise duwde.

Charlie liep achter de Rus aan naar de bar. Waar was hij eigenlijk mee bezig? Was dit wel in orde? Betekende het dat Jasmine veilig was? Langzaam liet Charlie zijn schouders ontspannen. Dimitrov had Jasmine niet. Niemand had Jasmine! Hij herinnerde zich wat Lila had gezegd. Misschien had ze alleen even behoefte aan rust. Jezus, wat was hij paranoïde geweest! Hij hoefde zich nergens druk om te maken. Jasmine zou vanzelf terugkomen als ze eraan toe was.

'Waar is Jimmy Jones?' vroeg Dimitrov. Hij sloeg zijn wodka achterover en nam de club door half dichtgeknepen ogen op.

Charlie schudde zijn hoofd. 'Hij is hier niet. Jimmy is niet zo populair op dit moment.'

'Is jammer,' mompelde Dimitrov. 'De lul heeft schulden bij me. Ik wil rustig met hem praten.' Toen lachte hij vrolijk en zei: 'Geen probleem. Ik heb net zijn voetbalclub gekocht. Hij krijgt geen salaris totdat hij me alles heeft terugbetaald. Maar goed, is toch alleen maar kleingeld.'

Hij klonk niet als een man die Jimmy's vrouw wilde vermoorden. Wat stelde een miljoen pond voor Vladimir Dimitrov voor? Bovendien, hoezeer het Charlie ook speet het te moeten toegeven, Jimmy was een voetbaltalent. De Rus zou wel gek zijn om die knul niet te vriend te houden. Oké, Dimitrov had Jimmy een dreigbrief gestuurd, maar dat was gewoon zijn manier van zakendoen, toch? Nee, hoe meer hij erover nadacht, hoe meer hij ervan overtuigd was dat Jasmine enkel was weggelopen om haar wonden te likken, zoals Lila had gezegd. Hij lachte bij zichzelf. Wat was hij een paranoïde stommeling geweest.

Het was alsof er een zware last van Charlies schouders was gevallen. Wie zou haar anders kwaad willen doen? Jezus, hij was er zo heilig van overtuigd geweest dat de Rus haar had, dat hij de andere mogelijkheden niet eens had overwogen. Ja, hij had Cynthia gebeld, die stomme ouwe teef, maar die leek zich niet druk te maken om haar dochter. Maar Jasmine had veel vrienden en die had hij nog niet allemaal geprobeerd. Misschien was ze bij een van de meisjes met wie ze vroeger bij de Exotica had gewerkt. Wie weet had ze zelfs een geheime minnaar. Of misschien was ze bij Juju. Hij had nog niet met Jasmines tante kunnen spreken. Hij had het psychiatrische ziekenhuis gebeld waar Juju was behandeld, maar hoorde dat ze was ontslagen. Thuis nam ze niet op. Misschien waren Jasmine en Juju samen ergens naartoe gegaan om te herstellen van hun beproevingen. Alles was mogelijk. Het gevoel van opluchting was bedwelmend. Wat een avond om te vieren! Jasmine was in orde. Alles zou in orde komen!

Nadia kwam naast Charlie staan en nestelde zich tegen hem aan.

'Is nu voorbij met Bulgaarse jongen.' Ze glimlachte naar hem. 'Ik ben vrij als een vogel, als je me nog wilt hebben, schat.'

Charlie woelde teder door haar haren. 'Ik denk dat we maar beter alleen vrienden moeten blijven, lieverd,' zei hij.

Jezus, hij was blij om haar heelhuids terug te zien, maar na alle problemen die ze had veroorzaakt... Hij peinsde er niet over. Nadia Dimitrova was de laatste vrouw op aarde met wie hij iets wilde beginnen. Bovendien behoorde zijn hart al aan iemand anders toe. Hij tuurde over Nadia's blonde hoofd heen en keek naar Lila op de dansvloer. Nee, hij kon nooit meer in een vrouw als Nadia geïnteresseerd zijn. Niet zolang er een vrouw als Lila bestond.

51

Maxine zag haar club volstromen met glamourtypes. Ze kusten haar allemaal op de wangen, lieten haar weten dat ze er beeldschoon uitzag en keken vol ontzag rond in haar club, waarna ze uitriepen dat ze er een groot succes van had gemaakt. Ze had haar beste feestbeestgezicht opgezet en zich speciaal voor de gelegenheid in een geschikt mini-jurkje gehesen. In haar automatische gastvrouwstand glimlachte en grinnikte ze met haar gasten, maar vanbinnen voelde ze zich geen succes. Eigenlijk had ze zich zelfs nog nooit zo rot gevoeld. Het ochtendbraken werd steeds erger en leek zich te hebben uitgebreid tot avondbraken. Alleen al bij de gedachte aan champagne moest ze kokhalzen. Voor de schijn had ze een flûte in haar hand, maar ze had zelfs nog geen slokje kunnen drinken.

Misschien sloegen haar emoties op hol onder invloed van de hormonen, maar ze moest zich inhouden om niet in tranen uit te barsten. Haar glimlach bevroor op haar gezicht. Over twee dagen zou ze naar een privékliniek in Londen gaan om van haar probleempje af te komen, maar de afspraak drukte zwaar op haar geweten. Het was alsof ze op het punt stond de grootste vergissing van haar leven te begaan, maar wat was het alternatief? Ze huiverde. Hoe had ze zich toch zo vreselijk in de nesten kunnen werken?

Ze keek om zich heen. Alles was in orde in de club. Lila zag er spectaculair uit en vermaakte zich duidelijk uitstekend. Daar danste ze met Charlie en Peter, haar twee bewonderende werknemers. Ze leken met elkaar te wedijveren om haar aandacht. Om beurten zwierden ze met haar rond en ze probeerden met hun beste pasjes en bewegingen indruk op haar te maken. Voor zo'n forse man was Charlie verrassend lichtvoetig. Maxine forceerde een flauwe glimlach. De laatste tijd had haar vriendin zoveel ellende meegemaakt dat ze haar haar geluk beslist niet misgunde. En ook Charlie leek plotseling een stuk rustiger te zijn. Misschien had hij iets van Jasmine gehoord.

Maar zelf kon Maxi de uitbundigheid van haar vrienden niet delen. Ze voelde zich futloos, lamlendig en uitgeput. De starre glimlach op haar gezicht begon te verslappen en ze kon de schijn niet meer ophouden. Ze had frisse lucht nodig.

Het was uitgestorven aan dek. Maxine leunde tegen de reling en staarde voor zich uit naar de baai. De lichtjes van Marbella fonkelden als de sterren in de hemel boven haar. Het was een volmaakte avond, maar op de een of andere manier werd haar verdriet daardoor juist erger. Hoe had het toch zover kunnen komen? Waarom vergingen haar dromen toch altijd tot stof?

Maxi liet haar gedachten afdwalen naar het verleden – het arme rijke meisje dat door haar ouders werd verwaarloosd, de liefdesaffaires met ongeschikte mannen in haar tienerjaren, de huwelijken, de teleurstellingen, het hartzeer en de scheidingen. Keer op keer was ze erbovenop gekomen, was ze flink geweest en stug doorgegaan met het blinde optimisme van de jeugd dat alles ooit, op een goede dag, op de een of andere manier beter zou worden. Maar die jaren waren vergleden en nu was ze ouder, maar wat had ze geleerd? Haar leven was een nog grotere puinzooi dan ooit tevoren. Het enige wat ze van het leven wilde was gelukkig zijn, maar ondanks haar succes was dat het enige wat ze nooit had bereikt.

Daar stond ze dan, de dertig gepasseerd, zwanger, alleen en onbemind, nog altijd onbemind, net als toen ze nog een kind was. Normaal gaf Maxi nooit toe aan zelfmedelijden, maar terwijl de tranen over haar gezicht biggelden, kreeg ze nu onwillekeurig medelijden met dat kleine meisje dat droomde van een betere wereld en werkelijk geloofde dat ze die zou vinden.

'Maxine?'

De stem klonk bekend, maar op dat moment kon Maxi hem niet plaatsen. Ze pinkte haar tranen weg en veegde haar gezicht af met haar hand. Zo kon ze zich niet vertonen.

'Maxine? Is alles goed met je?'

Het was een zware, fluwelen stem met een Amerikaans accent. Maxines hart maakte een sprongetje terwijl ze zich omdraaide. Daar stond hij, vlak voor haar, als een droomverschijning kwam hij vanuit de schaduw tevoorschijn.

'Juan,' zei ze met een stem die brak van ontroering. 'W-w-wat doe jij hier? Hoe? Waarom?'

'Ik kom een fatsoenlijke vrouw van je maken,' zei hij met dezelfde ondeugende fonkeling in zijn ogen die er de vorige keer voor had gezorgd dat ze nu in de problemen zat.

De vonken sloegen over tussen hen, en opeens lag ze in zijn sterke armen en zochten haar lippen begerig naar de zijne. Ze verloor zich in zijn mannelijke geur en liet zich meevoeren met haar droom die zomaar opeens weer tot leven was gewekt.

Charlie was dronken. Meestal had hij zichzelf goed in de hand, maar dit was zo'n krankzinnige avond dat hij er niets aan kon doen. Nadia leefde nog! Dimitrov was zijn vriend! Jasmine was veilig! Wat een avond om te vieren! Die serveersters bleven maar langskomen met glazen champagne en hij wist niet meer hoeveel hij er uiteindelijk op had. Nu zat hij in de limo die door de straten zoefde en een steeds grotere voorsprong kreeg op de paparazzi die hen achtervolgden. Zijn hoofd tolde en zijn hart ging tekeer als een gek, want op de een of andere manier had hij met dronkenmansmoed zijn arm om Lila's naakte schouder weten te slaan. Met zijn vingers streek hij langs haar borst en wat hem nog het meest verbijsterde, was dat ze het niet eens erg leek te vinden. Ze had hem niet weggeduwd en toen hij naar haar glimlachte, had ze teruggeglimlacht. Er flitste van alles door zijn hoofd. Zou ze hem ook leuk vinden? Op die manier? Ach kom, sukkel. Hoe kon dat nou? Waarom zou ze? Maar aan de andere kant... Misschien...

Charlie had nooit moeite hoeven doen bij de dames. Hij kon zich geen enkele vrouw herinneren op wie hij een oogje had gehad die hem had afgewezen. Maar dit was niet zomaar een blonde doos in een Londense nachtclub. Dit was Lila Rose, internationaal sekssymbool. Jezus, hij voelde zich weer als een vijftienjarige maagd, die achter in de bioscoop zat en zich afvroeg of Jackie Enfield, het meisje dat naast hem zat, het vervelend zou vinden als hij zijn tong in haar strot stak. Het bleek dat Jackie het helemaal niet erg vond, en aan het eind van de avond was Charlie geen maagd meer. Charlie zou altijd met genegenheid terugdenken aan Jackie, de schat, het meisje dat een man van hem had gemaakt, maar aan Lila kon ze niet tippen. Dat Jackie Enfield er wel zin in had gehad, wilde niet zeggen dat Lila Rose dat ook had. Die vrouwen leefden allebei in een totaal andere wereld. Het laatste wat hij over Jackie had gehoord, was dat ze een alleenstaande moeder van vijf kinderen was die een wasserette in een voorstad van Londen beheerde.

Charlie was elk gevoel van tijd verloren. Tot zijn verrassing merkte hij dat ze door het hek zoefden en op de oprijlaan tot stilstand kwamen. Lila glipte onder zijn arm vandaan.

'Zin in een slaapmutsje?' vroeg ze.

Haar ogen straalden op een manier die Charlie nog nooit had gezien. Het wond hem op om haar zo te zien. Hij proefde de smaak van wat er komen ging, die des te heerlijker was omdat het zo zelden voorkwam. Ze rende bijna naar het huis toe en haar jurk fonkelde in het maanlicht. Charlie kwam achter haar aan.

'Charlie!' schreeuwde een stem achter hem.

Hij aarzelde.

'Kom op!' riep Lila.

'Charlie!' De stem klonk wanhopig.

Charlie zuchtte. Wat was er nu weer aan de hand, verdomme? Hij draaide zich om en zag Jimmy's sneue gezicht tegen het hek staan. Hij zwaaide als een bezetene naar Charlie.

'Charlie! Kom hier! Alsjeblieft!' riep hij.

De paparazzi waren er en stopten in de straat. Ze kropen uit hun auto en begonnen foto's te nemen, maar het was alsof Jimmy hen niet kon zien. Hij bleef maar roepen dat Charlie snel moest komen.

Charlie had Jimmy niet meer gezien sinds de avond waarop hij Jasmine in elkaar had geslagen. Eigenlijk had hij gehoopt dat hij die smerige etterbak nooit meer onder ogen hoefde te komen. Maar nu stond hij daar en smeekte hem om hulp. Jimmy was de laatste man op aarde die hij wilde helpen, maar iets in de stem van de knul zei hem dat het menens was. Hij zag Lila de villa binnen gaan en zijn fantasieën smolten weg in de zwoele, donkere nacht. Plotseling was hij broodnuchter.

Hij liep door het hek naar buiten. 'We praten pas als we binnen zijn,' snauwde hij in Jimmy's oor.

Hij duwde de jongen voor zich uit, wendde zijn gezicht af van de camera's en volgde Jimmy Casa Amoura in. In het helle licht van de woonkamer zag Charlie pas goed hoe erg Jimmy er aan toe was. Hij zag eruit alsof hij al dagen niet had geslapen. Zijn gezicht was asgrauw en hij had donkere wallen onder zijn ogen. Zijn haar, dat anders altijd keurig verzorgd was, zag er ongewassen en ongekamd uit. Zijn kleren waren vuil en gekreukeld.

'Wat ben je toch een zakkenwasser, Jimmy,' snauwde Charlie. 'Je weet dat Jasmine is verdwenen sinds je haar als menselijk stootkussen hebt gebruikt, hè?'

Jimmy knikte ernstig. Charlie zag dat zijn handen trilden.

'Je hebt wel lef, zeg, om mij om hulp te vragen. Je boft dat ik een redelijke man ben, anders zou ik nu onmiddellijk die schriele kop van je nek rukken.'

Jimmy luisterde niet. Hij pakte een pakje op en gaf het met bevende handen aan Charlie.

'Wat is dit?' vroeg Charlie op ruwe toon.

'Maak maar open,' drong Jimmy aan. Hij zag er raar uit. Opgejaagd.

Hij nam het pakje aan en stopte er zijn hand in. Zijn vingers beroerden iets zachts en zijigs. Het voelde aan als een pruik. Verward haalde hij de inhoud eruit en keek niet-begrijpend naar de lange sliert glanzend, donkerbruin haar die uit zijn handen op de grond viel. Zijn mond viel open van afschuw.

'Shit!'

'Het lag op het kookeiland,' zei Jimmy met grote schrikogen. 'Ze zijn hier binnen geweest! Ze zijn verdomme mijn huis binnen geweest, Charlie!'

Het werd Charlie koud om het hart. Wanhopig liet hij zich op zijn knieën vallen en begon het haar bij elkaar te rapen. Hij begroef zijn gezicht erin en ademde de geur van Jasmines parfum in. Hij kon nauwelijks ademhalen, laat staan dat hij de woorden vond om Jimmy te vragen wat er godverdomme aan de hand was. Het enige wat hij er fluisterend uit kon krijgen was: 'Jasmine', keer op keer.

'Er zit nog iets in,' zei Jimmy grimmig. 'Een dvd. Ik zal hem laten zien.'

Charlie zag Jimmy naar de thuisbioscoop lopen. Eindelijk vond hij de kracht om te spreken.

'Maar ik heb Dimitrov vanavond nog gezien. Hij was vriendelijk. Ik snap het niet.'

'Ik geloof niet dat het iets met de Rus te maken heeft,' reageerde Jimmy. 'Kijk maar.'

Charlie keek naar het enorme plasmascherm, terwijl hij nog steeds Jasmines haar vasthield. De opnamen waren korrelig en in zwart-wit, en er was geen geluid, maar Charlie herkende Jasmine onmiddellijk. Het was een oude film. Jasmine was nog een kind. Ze had een schooluniform aan en er was een man die haar handen vastbond, een prop in haar mond stopte en haar voeten met touw vastbond. Het arme kind zag er doodsbang uit. Eerst kon Charlie het gezicht van de man niet duidelijk zien, maar toen hij opkeek zag Charlie een spook. Sean Hillman. Terry's broer. Jasmines 'oom'. De man was al zeven jaar dood. Charlie had de schoft zijn hele leven gekend en hem nooit gemogen, maar hier begreep hij niets van. Wat deed hij met Jasmine?

Nu lag Jasmine vastgebonden op een soort tafel en Sean klom boven op haar. Met zijn gore poten zat hij aan haar jonge lichaam. Op het enorme scherm was de wanhoop duidelijk in Jasmines ogen te zien. Charlie kreeg er een vieze smaak van in zijn mond. Hij kon niet langer naar de beelden kijken en rende kokhalzend naar de badkamer. Nog nooit van zijn leven was hij zo misselijk geweest. Het was weerzinwekkend dat hij Jasmine zoiets afgrijselijks had laten overkomen. Hoe was het in godsnaam mogelijk dat hij er niets van wist? Waarom had hij er geen einde aan gemaakt?

52

Het meisje staat te trillen met het pistool in haar hand en staart nog steeds naar haar oom die dood aan haar voeten ligt. Aarzelend schopt ze met haar tenen tegen het lijk, maar hij verroert zich niet. Dan laat ze het pistool vallen, zakt door haar knieën en begint hartverscheurend te snikken.

'Wat heb je gedaan, Jasmine?' zegt een stem vanuit de deuropening. 'Wat heb je godverdomme gedaan?'

53

'Er is nog meer,' zei Jimmy grimmig, toen Charlie terugkwam uit de badkamer.

'Ik heb al genoeg gezien,' reageerde Charlie. Voorzichtig raapte hij de haren bij elkaar die hij had laten vallen.

'Nee. Je moet zien wat er dan gebeurt. Daar draait het allemaal om.'

'Hoezo "allemaal"?'

Charlie begreep er helemaal niets van. Vanavond had hij zichzelf eindelijk toegestaan te geloven dat alles in orde was met Jasmine, en nu? Nu hield hij haar haren in zijn handen en had hij geen idee waar ze was of in welk gevaar ze zich bevond.

'Wat is er godverdomme aan de hand, Jimmy?' schreeuwde hij wanhopig.

'Kijk maar,' zei Jimmy met een trilstemmetje. 'Je ziet het wel.'

Hij spoelde de dvd door. Geen van beiden wilden ze de beelden zien van Sean Hillman die zijn nichtje verkrachtte. De film ging verder. Met open mond keek Charlie naar Sean, die op het scherm terugkwam en een pistool tegen Jasmines hoofd hield. Het was moeilijk te onderscheiden wat er precies gebeurde, maar opeens keek Sean op en keek kennelijk direct in de camera.

'Kijk, hij heeft nog maar net gemerkt dat hij gefilmd wordt,' zei Jimmy.

Charlie zag dat Jasmine haar enige kans op overleven greep. Ze duwde het pistool weg van haar hoofd terwijl Sean was afgeleid, en daarna ontstond er een worsteling waarbij ze over de grond rolden. De jonge Jasmine was tenger en klein vergeleken bij Sean Hillman, maar ze vocht als een wilde voor haar leven. Armen maaiden om zich heen en benen schopten van zich af, en heel even verloor Charlie het pistool uit het oog. Plotseling bleven de twee lichamen heel stil liggen. Langzaam stond Jasmine op. Ze had het pistool in haar hand en keek naar het lijk op de grond. Voorzichtig schopte ze ertegen met haar voet, maar hij bewoog niet. Toen liet ze het pistool vallen en zakte door haar knieën. Charlie zag dat Jasmine zich naar een opengaande deur draaide en daarna werd het beeld wazig en uiteindelijk zwart.

'Ze heeft iemand vermoord,' zei Jimmy, alsof hij nog steeds niet kon geloven wat hij had gezien. 'Jasmine heeft een man gedood.'

Charlie knikte grimmig. 'Sean Hillman,' reageerde hij. 'Terry's broer. Maar dat was het probleem niet. Ze moest hem verdomme wel vermoorden, anders had hij haar vermoord. Nee, het probleem is dat iemand haar heeft betrapt. Iemand heeft alles gefilmd. Zag je die deur opengaan? Er was nog iemand bij.'

Jimmy knikte. 'Lees het briefje maar,' zei hij dringend. Hij gaf Charlie een getypte brief. 'Ik word gechanteerd. Ik denk dat Jasmine die gast al een hele poos heeft betaald. Ik heb een bankafschrift gevonden. In de afgelopen paar weken heeft ze achthonderdduizend euro opgenomen.'

Vluchtig las Charlie het briefje. Degene die Jasmine te pakken had, was een inhalige schoft. Hij wilde dat Jimmy een miljoen euro zou ophoesten om Jasmine terug te krijgen. En dat geld wilde hij die avond al hebben, anders zou het filmpje waarop ze Sean Hillman doodschoot op internet worden gezet.

'Dat heb je toch wel?' vroeg Charlie. In gedachten dwong hij de jongen om ja te zeggen.

Maar Jimmy schudde zijn hoofd en begon te janken. 'Ik zei toch dat ik geen geld meer heb?' snikte hij. 'Ik heb het allemaal vergokt.'

'Maar je vrienden, Jimmy.' Charlie hoorde zelf hoe kwaad zijn stem klonk. 'Je kunt het toch zeker wel van je vrienden krijgen?'

Jimmy keek op zijn horloge. 'Wat? Nu? Om middernacht? Denk je dat ze dit soort bedragen zomaar hebben rondslingeren? Denk je dat ze bij zoiets betrokken moeten worden?'

Charlie moest zich inhouden om niet te ontploffen van woede. Hij greep Jimmy bij de schouders en schudde hem wild door elkaar. Eigenlijk zou hij die hufter met alle plezier kunnen vermoorden omdat hij zo slap was. Hij had Jasmine uit de puree moeten helpen, maar hij had zijn geld over de balk gegooid. Alsof het niet genoeg was dat hij het arme kind in elkaar had geslagen, liet hij nu zomaar toe dat ze helemaal kapotging. Maar eigenlijk was Charlie nog het kwaadst op zichzelf. Waarom had hij niet voorkomen dat Jasmine door Sean Hillman werd verkracht? Nadat Kenny was gestorven, was hij verantwoordelijk voor het meisje. Toch was dit vlak onder zijn neus gebeurd.

'Lila,' zei Jimmy opeens. 'Zij kan helpen.'

Charlie dacht aan Lila, aan hoe ze die avond had geschitterd, en schudde zijn hoofd. Het was niet nodig om Lila ermee lastig te vallen. Hij had een veel beter idee. Er was iemand die nog bij hem in het krijt stond.

'Weet je dat zeker?' vroeg Jimmy nerveus, toen Charlie het nummer draaide. 'Kan hij helpen?'

Charlie knikte vol vertrouwen. Hij was nog nooit in zijn leven zo zeker van iets geweest.

54

Dimitrov kwam Casa Amoura binnenvallen met het air van een man die elk probleem kon oplossen. Hij was per raceboot op het strand aangekomen om de pers te omzeilen. Bij elke deur had hij twee zware jongens neergezet. Alleen al door zijn aanwezigheid kon Charlie opgeluchter ademen. Dimitrov schonk geen aandacht aan Jimmy, maar sloeg Charlie stevig op zijn rug.

'We vinden haar wel, Charlie,' blafte hij nadrukkelijk. Hij knipte met zijn vingers naar Jimmy. 'Heb je video-opnamen van toen het pakje werd bezorgd, jongen?'

Jimmy knikte. 'In de bewakingskamer, boven de garage,' antwoordde hij.

De drie mannen tuurden naar het computerscherm in de bewakingskamer en bestudeerden de opnamen van het begin van de avond. De bewakingscamera's van Casa Amoura besloegen het hele terrein, zowel binnen als buiten. Om tien uur 's avonds, terwijl Jimmy in zijn eentje tv had gekeken, was een lange, blonde vrouw in een witte bikini naar Jimmy's privéstrand gezwommen. Ze had een in plastic gewikkeld pakje bij zich. Charlie, Jimmy en Dimitrov zagen de vrouw sierlijk het bordes naar de villa op klimmen, kalm door de openstaande patiodeuren naar binnen stappen en het pakje achteloos op het kookeiland leggen. Ze pakte een perzik van de fruitschaal en draaide zich om. Op haar gemak slenterde ze terug naar het strand, terwijl ze haar perzik opat. Toen gooide ze de pit op het strand, streek met haar vingers door haar natte haar en liep weer de golven in en het beeld uit.

'Ik ken die vrouw ergens van,' zei Charlie. Hij krabde zich op zijn hoofd. Waar had hij haar ook alweer gezien?

Dimitrov knikte. '*Yah*, is Yana!' verklaarde hij.

'Yana?' Charlie wist dat de naam hem bekend voorkwam.

'Yana!' bulderde Dimitrov. 'Frankies hoer! Ik ken haar heel goed. Vroeger werkte ze voor mij. Is Angelis die jouw Jasmine heeft, Charlie.'

Jasmine zat op het randje van de weelderige bank en keek woest naar de krankzinnige oude man tegenover haar.

'Drink je thee, schatje,' drong hij aan. 'Neem een van die heerlijke cakejes die Ekaterina voor je heeft gebakken. Of een komkommersandwich.'

Jasmine schudde haar hoofd. Als de situatie niet zo luguber was, zou ze erom hebben kunnen lachen. Frankie Angelis was een zielige, perverse oude vent die hier in zijn bespottelijke kamerjas in zijn stomme landhuis zat, omringd door Oost-Europese prostituees, van wie hij zich had ingebeeld dat ze verliefd op hem waren.

Angelis behandelde haar alsof ze bij hem op familiebezoek kwam. Hij genoot ervan de welwillende oom te spelen. Dat had hij altijd al gedaan, al sinds ze een jong meisje was. Hij deed alsof hij om haar gaf, alsof hij het beste met haar voorhad. Was het maar waar! Ze sliep in een hemelbed in de beste logeerkamer en kreeg roastbeef en Yorkshire pudding te eten. Een van de jonge vrouwen, van wie Frankie had verteld dat ze in Slovenië verpleegster was geweest, had haar wonden van Jimmy's afranseling verzorgd en haar pijnstillers gegeven. Zelfs de hond werd goed behandeld en kreeg biefstuk te eten. Maar het was allemaal komedie. Frankie had haar meer in zijn macht dan ooit. Ze wist dat ze niet vrij was om te vertrekken. Alle deuren zaten op slot en Frankies meiden volgden haar door het huis en hielden haar de hele tijd in de gaten. Ze mocht niet eens naar buiten naar het zwembad.

Nu hadden ze haar wakker gemaakt en gezegd dat ze in de salon met Frankie thee moest drinken. Het was krankzinnig. Het was verdorie midden in de nacht en het laatste waar ze trek in had, waren cakejes en komkommersandwiches, ook al waren de korstjes eraf gesneden! Frankie glimlachte naar haar.

'Je ziet er leuk uit met kort haar,' zei hij. 'Net een stout elfje. Maar we weten allebei wat een stoute meid jij kunt zijn, hè Jasmine?'

Ze negeerde hem. Het was Yana geweest – Frankies lieveling, de vrouw die Jasmine bij het aquarium en het museum had gezien – die het had afgeknipt. Met groot genoegen had ze Jasmines trots met een botte keukenschaar afgehakt. Jasmine was nog steeds niet gewend aan het kale gevoel in haar nek. Ze voelde zich naakt zonder haar haar, waar ze altijd troost uit had geput. Met haar vingers beroerde ze de afgehakte uiteinden. Ze voelden raar aan, alsof ze niet bij haar hoorden. Maar ach, het was maar haar. Zo erg was het nou ook weer niet. Niet in het licht van de eeuwigheid.

'Hoe lang hou je me hier vast?' vroeg ze aan Frankie.

'Totdat Jimmy komt opdagen met het geld,' antwoordde hij, nog altijd minzaam glimlachend om de schijn van een beschaafde theevisite op te houden.

'Hij komt niet,' reageerde Jasmine vol overtuiging. 'Hij heeft geen geld.'

'Doe niet zo mal, Jasmine. Natuurlijk heeft hij geld,' grinnikte Frankie. 'Hij maakt jou misschien wijs dat hij geen geld heeft, omdat hij niet wil dat je het allemaal aan mooie kleren uitgeeft, maar hij is een voetballer; hij heeft geld.'

Jasmine haalde haar schouders op. Zelf kon ze hem niet overtuigen, maar hoe zat het met haar kneuzingen? Die kon hij met eigen ogen zien.

'Hij houdt niet van me,' zei ze, wijzend op haar gehavende gezicht. 'Hij slaat me.'

Frankie knikte. 'Jimmy heeft zijn prinses flink toegetakeld, hè? Maar dat betekent dat hij echt van je houdt. Een man die zo kwaad op een vrouw wordt, moet haar wel aanbidden.'

'Je bent getikt,' zei Jasmine mat. 'Hij houdt niet van me en hij komt niet. Dit is tijdverspilling.'

'Hij komt,' zei Frankie kalm. 'Hier, neem een zoet broodje.'

Nadat Jimmy haar in elkaar had geslagen, was ze regelrecht naar Frankies huis gereden om de vijfhonderdduizend te overhandigen. Ze dacht dat ze daarmee voorgoed van die oude griezel af zou zijn. Dan hoefde ze nooit meer met zakken vol geld rond te sluipen. Ze zou persoonlijk een eind maken aan die onzin. Jimmy had haar tot moes geslagen, maar door de schok was ze tot bezinning gekomen. Ze had zich opeens dapper gevoeld. Het ergste was achter de rug. Waar moest ze nog bang voor zijn? Jimmy had het verknald en haar huwelijk was voorbij. Het enige wat ze wilde was weer zelf over haar eigen leven beslissen. Maar het was niet helemaal volgens plan verlopen.

Van het begin af aan wist ze dat Frankie de afperser was – wie kon het anders zijn? Hij was de enige die wist wat er met Sean Hillman was gebeurd. Hij was binnengekomen, had haar met het lijk gezien en op de een of andere manier had hij haar sindsdien in zijn macht gehad.

'Wat heb je gedaan, Jasmine?' Ze hoorde het hem nog zeggen. 'Je hebt hem vermoord.'

Ze probeerde hem ervan te overtuigen dat het pistool per ongeluk was afgegaan, dat ze Sean niet had willen doden, maar hij wilde nooit luisteren.

'Nee, Jasmine, jij hebt hem vermoord, heel eenvoudig. En nu is het aan mij om jouw rotzooi op te ruimen.'

Na verloop van tijd was ze hem gaan geloven, dat ze Sean misschien toch in koelen bloede had gedood. Ze was jong, bang en makkelijk te beïnvloeden. Door de jaren heen was ze uit angst voor ontdekking Frankies speelbal geworden. Ze had hem zelfs voor zijn hulp bedankt. Hij zei altijd dat ze hem op een dag kon terugbetalen. Nou, en hoe!

Sean en Terry Hillman hadden allebei voor Frank gewerkt. Zowat iedereen die ze als kind kende, leek voor de vent te werken. In hun wereld was hij de grote baas. Iedereen was doodsbenauwd voor hem. Toen Sean haar had ontvoerd, had hij haar meegenomen naar een van Frankies gebouwen: een oude vleesfabriek waar Angelis zijn vuile geld bewaarde en ongestoord zijn vijanden 'aanpakte'. Sean kon niets hebben geweten van de bewakingscamera die Frank had geïnstalleerd. Als hij had geweten dat hij werd gefilmd, zou hij nooit zijn nichtje hebben verkracht. Jasmine was zich in elk geval niet van de camera bewust geweest. Maar in die tijd wist ze nog niet zoveel. Ze was nog maar net zeventien.

Frankie had alles voor haar geregeld. Hij had haar schoongeboend en haar thuis afgezet voordat iemand zelfs maar in de gaten had dat ze er niet was. Al hield haar moeder haar niet echt nauwlettend in het oog. Misschien zou Charlie hebben gemerkt dat er iets mis was als hij er was geweest, maar Sean had het slim aangepakt. Hij was bang voor Charlie, dus had hij toegeslagen toen Charlie weg was voor zaken. Tegen de tijd dat Charlie terugkwam, was alles opgeruimd en had Jasmine zich zo geschaamd dat ze haar geliefde peetoom niet durfde te vertellen wat er was gebeurd.

Een paar dagen later was Seans lichaam in Epping Forest opgedoken, en niemand vermoedde iets. Hij was een gangster met een enkele schotwond in het hoofd. Iedereen nam aan dat hij gewoon zijn verdiende loon had gekregen: een kogel van een professionele huurmoordenaar. Zelfs de politie leek opgelucht dat ze van hem af waren en deed weinig moeite om zijn dood te onderzoeken. Frankie wist dat het zo zou gaan. Alleen Terry Hillman was van slag geweest. Jasmine herinnerde zich dat ze in elkaar gedoken in haar slaapkamer bleef zitten, terwijl Terry tegen haar moeder tekeerging over wat hij zou doen met de schoft die zijn broer had vermoord, als hij hem ooit te pakken kreeg.

Uiteraard had Frankie haar niet geholpen omdat hij zo aardig was. Meteen vanaf het begin had hij haar duidelijk gemaakt dat ze enorm bij hem in het krijt stond. Hij zei dat hij haar stiefvader zou vertellen wat er met zijn broer was gebeurd als ze ooit over de schreef ging. Dus toen Terry op een avond thuiskwam en zei dat Frankie Angelis wilde dat ze in een van zijn nachtclubs ging strippen, kon ze er niet onderuit. Eigenlijk had ze liever haar school afgemaakt en was ze daarna gaan studeren, maar... Nou ja, meisjes zoals Jasmine hadden geen keus. Vooral niet als ze bij iemand als Frankie Angelis onder de duim zaten.

In zekere zin had Frankie haar carrière op gang gebracht. Nu ze rijk en beroemd was, wilde hij zijn beloning opstrijken. Hij vond dat ze zijn eigendom was, net zoals de arme grietjes die hij hier in zijn landhuis opgesloten hield, en dat hij recht had op een aandeel van haar inkomsten. Maar het *Playboy*-geld was niet genoeg geweest. Frankie was inhalig en het was nooit genoeg voor hem. Hij wilde altijd meer. En daarom had hij het pakje naar Jimmy gestuurd.

Jeetje, hoe zou Jimmy op de film hebben gereageerd? Jasmine huiverde bij de gedachte. Hij was bepaald geen stoere bink. Hij zou vast een zenuwinzinking hebben gekregen. Ze vroeg zich af wat hij nu zou doen. Zou hij naar de politie zijn gestapt? Ze wist zeker dat hij niet hierheen zou komen. Daar was hij veel te laf voor.

En zodoende werd ze na al die jaren nog steeds door Frankie Angelis gevangen gehouden. Jasmine dronk van haar thee en wachtte. Waarop? Dat wist ze niet. En toch was het alsof alles anders was. Ze was ouder en sterker, en ze had niets te verliezen. De laatste tijd waren de nachtmerries heviger geworden en als ze sliep beleefde ze die vreselijke gebeurtenissen van vroeger opnieuw. Ze herinnerde zich wat er was gebeurd als de dag van gisteren. Ze had Sean niet expres doodgeschoten. Het pistool ging af toen ze vocht om zichzelf te redden. Nu wist ze de waarheid, en wat Frankie ook zei, ze zou nooit de schuld op zich nemen. Hij had haar weliswaar in zijn huis gevangengezet, maar in haar geest was ze nu van hem bevrijd. Hij had zijn macht over haar verloren. Ze geloofde niet meer wat die oude vent zei. Op de een of andere manier had Jasmine te midden van alle chaos de kracht gevonden om haar eigen mening te vormen.

Yana kwam binnen en fluisterde iets in Frankies oor. Jasmine zag een brede grijns op zijn gezicht verschijnen.

'Jimmy is er,' zei hij opgewekt. 'Zie je wel, je moet wat meer vertrouwen in je echtgenoot hebben.'

Jasmine begreep er niets van. Wat kwam Jimmy doen?

'En hij heeft een vriendje meegebracht,' grijnsde Frankie. 'Om zijn hand vast te houden. Wat ontroerend.'

'Een vriend?' Jasmine raakte in verwarring. Ze kon zich niet voorstellen dat Paul of Calvin naar zo'n plek ging.

'Ja,' zei Frankie. 'Charlie Palmer. Dat wordt leuk!'

55

Charlie kende het plan. Ze hadden het in de auto op weg hierheen besproken en zolang Jimmy het niet liet afweten, zou alles in orde komen. De adrenaline spoot door zijn aderen en hij voelde zich bijna bovenmenselijk. Als iemand Jasmine kon redden, was hij het wel. Nou ja, met een beetje hulp van zijn door de KGB getrainde vriend natuurlijk. Dimitrov zat ineengedoken achter Charlie en Jimmy toen het hek zoemend openging en schoot daarna achter een struik uit het zicht. Hij was een forse, sterke man, maar zo onopvallend als een Siberische tijger. De Rus zou zelf een manier vinden om het huis binnen te komen. Angelis zou niet vermoeden dat hij er was.

Charlie was degene die de tas vol opgerolde kranten droeg. Jimmy hoefde geen fluit te doen. Toch scheet de knul bagger. Hij was de hele avond al wat pips geweest, maar nu zag hij doodsbleek.

'Je moet volhouden,' waarschuwde Charlie. 'Flink zijn.'

'Denk je dat hij gewapend is?' vroeg Jimmy nerveus.

'Natuurlijk is hij gewapend, idioot. Wat dacht jij dan? Hij zit verdomme niet bij de padvinderij. Hij is een gangster. Weliswaar al een dagje ouder, maar nog altijd gevaarlijk.'

Hun voeten knerpten over het grindpad totdat ze het bordes naar de imposante entree hadden bereikt.

'Ik geloof niet dat ik het aankan,' fluisterde Jimmy, die plotseling was blijven stilstaan.

Charlie duwde zijn knokkels stevig in Jimmy's rug en zei: 'Als je dit godverdomme niet doet, dan vermoord ik je. Zeker weten.'

Met tegenzin liep Jimmy verder het bordes op, waar een jonge blonde vrouw hen bij de voordeur stond op te wachten. Ze keek hen stuurs aan en duwde hen haastig de hal in.

'Die kant op,' snauwde ze, wijzend naar een deur. Charlie herinnerde zich dat die naar een soort woonkamer leidde.

Charlie bereidde zich voor. Hij had Jasmine niet meer gezien sinds Jimmy haar in elkaar had geslagen en Frankie haar mooie haar had afgeknipt. Hij wilde niet dat ze hem geschokt zag reageren. Hij wilde alleen dat ze zich veilig zou voelen. Langzaam duwde hij de deur open en ging het enorme vertrek binnen. Zijn blik vloog rond. Frankie Angelis stond in zijn patserige rode kamerjas voor zijn imposante open haard met gezwollen borst en een trotse grijns een sigaar te paffen. Charlie moest er bijna om lachen. Dimitrov zou die grijns gauw van zijn gezicht vegen. Die ouwe had geen idee wat hem te wachten stond, maar het was zijn verdiende loon.

Eerst kon hij Jasmine nergens ontdekken in het enorme vertrek, maar toen zag hij haar bedeesd zitten op een antieke houten stoel in de hoek. Het zwerfhondje dat Jasmine had geadopteerd, zat in elkaar gedoken onder haar stoel, doodsbang maar loyaal tot het einde. Haar haar zag eruit alsof het door een chimpansee met mes en vork was afgesneden. Er waren grote plukken afgehakt. Sommige stukken waren overgeslagen en die waren nog lang, en hier en daar waren plekken kale schedel te zien. Haar gezicht was opgezwollen, gekneusd en pafferig. Met ontzetting zag Charlie hoe vreselijk Jimmy haar had toegetakeld. Hij wierp de kleine etterbak een dreigende blik toe, alleen om hem te laten weten dat hij het niet was vergeten, maar Jimmy wendde zich af. Stomme lafbek – te beschaamd om Jasmine of Charlie aan te kijken en te bang om Frankie Angelis aan te kijken. Jimmy kroop weg achter Charlie en staarde naar zijn voeten.

Charlie knipoogde naar Jasmine om haar te laten weten dat alles goed zou aflopen. Ze was gekneusd en mishandeld, maar haar ogen straalden naar hem. Hij kon merken dat de schoften die haar hadden gebruikt en misbruikt haar geest niet hadden gebroken. Sean Hillman was er niet in geslaagd, Jimmy ook niet en nu lukte het Frankie Angelis evenmin. Wat een moordmeid, die Jasmine.

'Goedenavond, heren,' zei Frankie, nog steeds grijnzend. 'Ik geloof dat jullie iets voor me hebben meegebracht.' Begerig viel zijn blik op de tas die Charlie vasthield.

Charlie stapte naar voren. 'Eerst Jasmine vrijlaten,' zei hij resoluut.

Angelis lachte. 'Nee, ik dacht het niet, Charlie, mijn jongen. Alles op zijn tijd. We moeten alle bewijsmateriaal vernietigen. Heb je jouw kopie van de video bij je?'

Charlie smeet de dvd op het oosterse tapijt. Frankie gooide een oude video-band ernaast.

'Verbrand ze,' blafte hij tegen Ekaterina. Het jonge blondje raapte ze op en holde ermee de kamer uit. 'Zo. Jij geeft mij wat ik wil hebben, dan geef ik jou wat jij wilt hebben.'

'Had je gedacht,' zei Charlie. 'Maak haar los, seniele ouwe zak. Anders kun je fluiten naar je geld.'

'Je hoeft niet zo onbeschoft te zijn, Char. Ik weet zeker dat die ouwe van je je netjes heeft opgevoed.'

Charlie kromp in elkaar. Hoe durfde Angelis zijn vader erbij te slepen. Hij dacht aan de jaren dat zijn ouwe voor Frankie in de bak had gezeten, en zijn venijn nam toe. Hij haalde diep adem. Dit was niet het juiste moment om razend te worden. Hij moest zijn woede kanaliseren en verstandig gebruiken. Totdat Dimitrov kwam opdagen moest hij kalm blijven en tijd rekken. Geld of wapens had hij niet. Hij leefde enkel op zijn verstand – net als Jasmine.

'Laat haar gaan en dan gooi ik de tas naar je toe,' zei Charlie.

Frankie haalde zijn schouders op. 'Oké, dat lijkt me redelijk.'

Charlie wist dat Frankie een inhalige schoft was. Hij dacht alleen aan het geld waarvan hij geloofde dat het in de tas zat. Als hij besefte dat hij erin geluisd was, zou hij dat niet fijn vinden. Zodra Yana Jasmine had losgemaakt, vloog ze door de kamer en in Charlies armen. Hij omhelsde haar stevig en streelde haar korte haar.

'Charlie is er. Nu komt alles in orde, schatje,' fluisterde hij in haar oor.

Hij herinnerde zich dat hij dat ook tegen haar had gezegd toen haar vader was gestorven. Daar had ze geen moer aan gehad. Hij had haar in de steek gelaten. Maar dat zou hem deze keer niet gebeuren. Deze keer kon ze Charlie op zijn woord vertrouwen.

'Heel ontroerend, hoor,' zei Frankie. 'Geef me nu het geld.'

Charlie gooide de tas voor Frankies voeten en liep achteruit naar de deur, nog altijd met Jasmine aan de hand. Hij gebaarde met zijn hoofd naar Jimmy ten teken dat hij hetzelfde moest doen. Charlies blik schoot van de deur naar Frankie. Het was alsof alles in slow motion gebeurde. De oude man raapte de tas op en zijn vinger lag op de ritssluiting. Charlie bereikte de deur en zijn hand greep naar de deurknop. Intussen had Frankie de rits opengetrokken en fronste, terwijl hij de opgerolde stukken kranten uit de tas haalde en ze op de grond smeet. Charlie draaide aan de deurknop en trok de deur beetje bij beetje open. Nu was de tas leeg en Frankies gezicht paars aangelopen.

'Waar is het geld, godverdomme Charlie?' brulde hij.

Frankie liet zijn hand in zijn zak glijden en Charlie wist wat er ging gebeuren. Hij kon nog net de deur opentrekken en schreeuwen: 'Rennen, Jasmine!' voordat Angelis zijn pistool trok. Jasmine deed een paar passen in de richting van de deur, weg van Charlie, maar kreeg niet de kans om te ontsnappen. Als bevroren bleef ze in de deuropening staan met Frankies pistool tegen haar hoofd.

'Eén stap en ze gaat eraan,' zei hij dreigend tegen Charlie en daarna richtte hij zich tot Jimmy. 'Vooruit, ga jij eens even snel mijn geld halen, Jimmy. Anders schiet ik je mooie vrouwtje dood.'

Charlie hield Jimmy goed in de gaten. De jongen kon geen woord uitbrengen, laat staan dat hij zich kon verroeren. Zijn spijkerbroek was donkerblauw geworden rond de lies en bij zijn voeten vormde zich een plasje urine.

'Hij heeft helemaal geen geld, Frankie,' zei Charlie. 'Hij is een sukkel.'

'En wat gebeurt er nu?' vroeg Frankie. De woede vlamde uit zijn ogen. 'We hadden het reuze gezellig met één logee, nietwaar Yana?'

Yana knikte.

'Maar ik denk niet dat we jullie alle drie kunnen hebben.'

Hij deed een stap dichter naar Jasmine.

'Want weet je, zelfs een huis van deze omvang is wat benauwd met te veel gasten. Dus misschien moet ik jullie kwijt,' dreigde hij. 'Een voor een.'

Met een luide klik ontgrendelde Frankie de veiligheidspal. Charlie zag Jasmine opschrikken, bespeurde de angst in haar ogen en kon er niet meer tegen. De vrouw had genoeg doorstaan en het werd hoog tijd dat iemand een eind maakte aan deze marteling. Het was riskant, maar Charlie was altijd op zijn instinct afgegaan en hij ging ervan uit dat zijn reactievermogen sneller was dan dat van de oude man. Met een grote sprong wierp hij zich tussen Jasmine en het pistool.

'Oké, oké, jij mag eerst als je dat zo graag wilt, Charlie,' zei Frankie, die weer kon grijnzen. 'Maar jouw lieve Jasmine gaat er hoe dan ook aan. Dan mag ze eerst toekijken terwijl jij crepeert.'

Frankie zag niet dat de terrasdeuren achter hem opengingen en had ook niet in de gaten dat de potige Rus in zijn dure pak naar binnen sloop, maar Charlie wel. Hij zag dat Yana Dimitrov ook had opgemerkt. Ze herkende hem en zag er doodsbenauwd uit. Met belangstelling zag hij dat ze haar baas niet voor de gewapende indringer waarschuwde. Hij kwam precies op tijd. Frankie stond al met zijn vinger aan de trekker toen Dimitrov hem geruisloos van

345

achteren besloop en zijn eigen pistool tegen het hoofd van de oude man hield.

'Zdravstvoej, Frankie,' zei Dimitrov met zo'n zware stem dat de kamer ervan dreunde. 'Dat is lang geleden.'

Charlie zag de grijns om Frankies mond verstarren en alle kleur uit zijn gezicht wegtrekken. Nu was het Charlies beurt om te glimlachen.

'Ik vind jij moet je wapen laten vallen, Frankie, hè?' stelde Dimitrov voor.

Met een klap viel het pistool op de grond. Charlie schopte het opzij.

'Ga jij maar,' bulderde Dimitrov tegen Charlie. 'Meneer Angelis en ik hebben privézaken te bespreken.'

'Weet je dat zeker?' vroeg Charlie.

'Heel zeker,' antwoordde hij. 'En Jasmine moet eerst haar geld pakken. Ik weet zeker dat Yana weet waar het is.'

Yana knikte onderdanig naar Dimitrov.

'Dag Frankie,' riep Charlie over zijn schouder. 'Ik zou bijna zeggen dat het me een genoegen was, maar we weten allebei dat dat gelogen zou zijn.'

Hij sloeg zijn arm beschermend om Jasmines schouder en voerde haar mee de gang door. Hij was ervan overtuigd dat ze van Frankie Angelis geen last meer zouden hebben.

'Zo makkelijk kom je niet van me af, Charlie Palmer,' schreeuwde Frankie achter hen aan. 'Ik heb dat bandje al naar Terry Hillman gestuurd. Niet alles natuurlijk, alleen het fragment waarin Jasmine zijn broer doodschiet. Beschouw het maar als mijn verzekeringspolis. De verkrachting ziet hij niet en hij zal nooit geloven dat Sean een pedo was. Jullie krijgen allebei je verdiende loon!'

'Gemene schoft,' mompelde Charlie. 'Waarom moest hij dat nou doen? Maak je niet druk, schat, ik reken wel met Terry af.'

Maar Jasmine schudde haar hoofd.

'Laat maar,' zei ze. 'Ik ga naar de politie.'

Charlie was geschokt. 'Wát zeg je?'

Jasmine knikte. 'Je hoort het goed. Ik ga naar de politie. Ik ga alles vertellen. Ik heb de hele video op mijn computer staan, want die heeft Frankie me gemaild. En in het appartement in Londen heb ik een kopie verborgen. Het was noodweer. Ik heb alle bewijzen die ik nodig heb.'

Aan de kordate trek om haar mond wist Charlie dat haar besluit vaststond.

'Ik heb niks misdaan,' zei ze. 'Ik was nog maar een kind. Bovendien wil ik eindelijk open kaart spelen. Geen geheimen meer.'

Yana verscheen met Charlies tas. De rits was open en ze liet de inhoud zien. 'Achthonderdduizend euro in contanten,' zei ze. 'Van jou.'

Ze gaf de tas aan Jasmine.

'En het spijt me,' riep ze hen achterna toen Charlie de deur opendeed. 'Van je mooie haar.'

Buiten begon het al licht te worden. Boven de bergen kwam de zon op, waardoor de slaperige stad in een oranje gloed werd gehuld.

'En wat doen we nu?' vroeg Jimmy zacht.

Met een ruk draaide Charlie zich om en keek hem aan. 'Neem je ons soms in de maling?' vroeg hij en daarna wendde hij zich hoofdschuddend tot Jasmine.

Verbijsterd keek Jasmine haar man aan. 'Jimmy,' zei ze, kalm maar kordaat. 'Er is geen sprake meer van "we". Jij mag doen wat je zelf wilt, maar je gaat niet met ons mee.'

'Jasmine, liefje, ga niet bij me weg,' smeekte Jimmy. Hij zag er zielig en verfomfaaid uit. Zijn spijkerbroek was doorweekt van de urine.

Charlie hielp Jasmine met instappen en stapte daarna zelf in de jeep. Toen hij wegreed, keek hij in zijn zijspiegel en zag Jimmy. Hij lag op zijn knieën op de stoep te janken als een klein kind. In de deftige woonstraat viel hij volkomen uit de toon in zijn smerige kleren en met zijn ongekamde haar. Zonder de uiterlijke blijken van zijn rijkdom bleef er van Jimmy Jones niets over. Hij was alleen nog maar een jongen met een moeilijk verleden en een kort lontje die zijn woede op de wereld wilde afreageren. Hij was niets speciaals. Thuis gingen er van zulke lefgozertjes dertien in een dozijn. Heel even kreeg Charlie bijna medelijden met het ventje. Maar het was een vluchtige gedachte. Jimmy Jones was waar hij thuishoorde: in de goot.

56

Toen Lila wakker werd, was Charlie nergens te bekennen. Het tuinappartement lag er netjes bij, het bed was opgemaakt en al zijn kleren en spullen waren verdwenen. Het was alsof hij er helemaal nooit was geweest. Gisteravond was ze duizelig geweest van de champagne en van opwinding. Eindelijk had ze zich gelukkig gevoeld – ja, écht gelukkig, voor het eerst sinds... Jeetje, hoe lang was het al geleden? Weken? Maanden? Jaren? In de limousine op de terugweg, toen Charlie zijn arm om haar schouder had geslagen, had ze heel even iets vanbinnen gevoeld. Was het enkel de aanraking van blote huid op huid? Was het wellust? Begeerte? Het verlangen om te worden vastgehouden en begeerd? Ach, ze wist het niet. In het felle daglicht leek het allemaal een rare, warrige droom.

Charlie was verdwenen. Het ene moment was hij er nog, achter haar op de oprijlaan, en het volgende was hij foetsie. Ze had een whisky voor hem ingeschonken en gewacht. En gewacht en gewacht. Maar hij was niet teruggekomen. Nu was elk spoor van zijn aanwezigheid verdwenen. Ze liep door het appartement om te zoeken naar een aanwijzing of verklaring. En opeens zag ze het: een envelop op de vensterbank met haar naam erop. Ze ging op de rand van het bed zitten en las de brief in het keurige handschrift. Daarna las ze hem opnieuw, en nog een keer en nog eens...

Lieve Lila,

Het spijt me dat ik er zomaar vandoor ben gegaan. Op dit moment kan ik niet uitleggen wat er aan de hand is, maar op den duur zal alles duidelijk worden. Het goede nieuws is dat Jasmine ongedeerd is. Ze is bij mij en we zijn weer terug naar Engeland. Het is mogelijk dat de politie me zoekt. Maak je niet ongerust. Dit heeft allemaal niets met jou te maken en jij loopt geen gevaar. Misschien zul je iets schokkends over me horen, maar denk alsjeblieft niet al te slecht over me. De Charlie die jij hebt leren kennen, is de man die ik werkelijk ben.

Omdat ik misschien niet meer de kans krijg je nog te spreken, wil ik je laten weten dat ik jou de meest fantastische vrouw vind die ik ooit heb ontmoet. Je bent mooi, intelligent, edelmoedig en dapper. Zo, het is eruit. Ik weet dat een vrouw als jij nooit iets voor een man als ik zou kunnen voelen, maar voor het geval ik nooit meer de kans krijg wilde ik dat nu even kwijt. Lach me alsjeblieft niet uit!

Het was een voorrecht en een eer om je te mogen beschermen. Zorg goed voor jezelf. Ik zal je missen.

Charlie

Lila's hoofd tolde. Hoe vaak ze de brief ook herlas, ze snapte er niets van. Wat bedoelde hij met 'iets schokkends'? Waarom was hij met Jasmine midden in de nacht teruggevlogen naar Engeland? Waarom zou de politie erbij betrokken zijn? En waarom zou ze nooit iets voor een man als Charlie kunnen voelen? Daar was het al veel te laat voor. Ze had een sterk vermoeden dat ze allang iets voor hem voelde.

'Lila!' hoorde ze Peter vanbuiten roepen. 'Lila, de politie is er! Ze willen iets vragen over Charlie.'

Lila vouwde de brief op en stopte hem in haar beha. Ze wist al dat ze hem niet aan de politie zou laten zien. Wat Charlie zich op de hals had gehaald, wist ze niet, maar van één ding was ze overtuigd: Charlie Palmer was een goede man.

Toen ze knipperend in het ochtendlicht verscheen, trof ze Peter aan te midden van getaande Spaanse politieagenten in blauwe uniformen in militaire stijl. Hij zag er tegelijkertijd bang en opgewonden uit, waarschijnlijk omdat hij omringd werd door knappe jongemannen in uniform. Het waren geen agenten van de vriendelijke Policía Local die door de straten van Marbella kuierden en toeristen de weg naar hun hotel wezen en ook niet de Guardia Civil in hun groene uniformen, die ze op de snelweg was gepasseerd. Deze kerels waren van de Policía Nacional. Waar Charlie ook bij betrokken was geraakt, het moest ernstig genoeg zijn om de grote jongens erbij te halen.

Een oudere man in burger had blijkbaar de leiding. Hij stond op dringende, bijna intimiderende toon met Peter te praten.

'Wat zegt hij?' vroeg Lila. Haar Spaans was lang niet zo goed als dat van Peter.

'Ze zijn op zoek naar Charlie,' legde Peter uit. 'Ze willen hem spreken over de onverwachte dood van een Engelsman genaamd Frank Angelis.'

'Ik heb nog nooit van Frank Angelis gehoord,' zei Lila tegen de agent. 'En Charlie Palmer is een goede man. Een aardige man. Er is vast sprake van een vergissing.'

'U weet waar hij is?' vroeg de agent in gebroken Engels.

Lila schudde haar hoofd. 'Ik heb geen enkel idee,' loog ze.

Het leek wel een scène uit een actiefilm van Brett. Op de oprijlaan van haar ouders stonden twee politiewagens geparkeerd. Achter in een van de auto's zat Jimmy Jones met zijn hoofd voorovergebogen. Het zag eruit alsof hij was gearresteerd. Bij het hek waren de paparazzi nog verhitter dan anders. Ze waren met zijn honderden. Met hun camera's hoog boven hun hoofd drongen ze zich allemaal naar voren. Als de politie hen niet had tegengehouden, zouden ze beslist het hek hebben afgebroken, dacht Lila.

Ook de agent begon verhit te worden. Hij vuurde vragen af op Peter. 'Hij wil weten of Charlie iets heeft achtergelaten. Een briefje of iets dergelijks?'

Lila haalde onschuldig haar schouders op en schudde haar hoofd. De agent sloeg haar reactie nauwkeurig gade. Daarna glimlachte hij beleefd, knikte en liep weg. Zo goed had Lila al jaren niet meer geacteerd.

Inspecteur Joaquín García had een rotdag. Alsof het niet erg genoeg was dat de Britten per se hun bejaarde gangsters naar zijn mooie stad lieten verkassen, kwamen nu ook nog hun overbetaalde, slecht opgeleide voetballers zijn stad onveilig maken. En ze zorgden voor problemen. García had al snel door dat Jimmy Jones een debiel was. Zelfs met een tolk erbij had hij geen touw kunnen vastknopen aan wat de jongen te zeggen had. En zo'n geweldige spits was hij ook niet, vond García.

Dit waren de feiten: Jasmine Jones (vermist) was door Frank Angelis ontvoerd met opeising van losgeld. Charlie Palmer (eveneens vermist) en Jimmy Jones (die momenteel in zijn cel zat te huilen) hadden haar in de vroege ochtenduren bevrijd, hoewel nog onduidelijk was hoe ze dat hadden klaargespeeld. Volgens Jimmy hadden ze meneer Angelis gezond en wel achtergelaten. Hij beweerde ook dat Angelis een harem van blonde seksslavinnen in zijn huis opgesloten hield. Dat was bespottelijk.

Om zes uur vanochtend was er op het politiebureau een anoniem telefoontje binnengekomen waarin werd gemeld dat meneer Angelis dood was. De beller noemde haar naam niet, maar het schijnt dat ze een Oost-Europees accent had. Toen de politie bij het huis van meneer Angelis aankwam, was hij inderdaad overleden, maar hij was in zijn eentje. In het pand werden geen vrouwen, al dan niet seksslavinnen, aangetroffen. Op het lichaam werden geen sporen van letsel gevonden.

Vandaag kon Joaquín García dit echt niet gebruiken. Die lui zouden zijn probleem niet moeten zijn. Zijn telefoon ging. Het was de lijkschouwer met de uitslag van de autopsie van Angelis.

'Weet je dat zeker?' vroeg García verbluft.

Maar de lijkschouwer was ervan overtuigd: Frank Angelis was een natuurlijke dood gestorven. Hartstilstand om precies te zijn. Hij had zijn hele leven lang zwaar gerookt en zijn hart was ernstig aangetast. De hartkleppen waren zwak en de slagaders waren verstopt. De lijkschouwer had ook kankertumoren in zijn longen geconstateerd. Frank Angelis was een wandelend lijk geweest. Niemand had hem vermoord. Op den duur had hij het zichzelf aangedaan.

Joaquín García legde zijn papieren op een keurig stapeltje en gaf dat aan zijn secretaresse om op te bergen. Hij gaf de dienstdoende agent opdracht Jimmy Jones uit zijn cel te halen. De debiel was vrij om te vertrekken. García was uiteraard niet dom, en hij wist heus wel dat er meer bij kwam kijken dan een oude man met hartproblemen. Waarom was Jasmine Jones überhaupt ontvoerd? Waar was Charlie Palmer nu? En hoe kon een harem van mooie blonde meisjes spoorloos verdwijnen? García zuchtte. Het was zinloos om zich nog druk te maken over die lui. Er waren nog zoveel andere zaken die moesten worden opgelost, met slachtoffers die zijn volle aandacht verdienden. Voor die nieuwkomers had hij geen tijd. Marbella was beter af zonder Frank Angelis. Dat was één Britse gangster minder waar García zich voortaan druk om hoefde te maken.

Vladimir Dimitrov leunde achteruit in de comfortabele leren stoel aan boord van zijn privévliegtuig en glimlachte vergenoegd. Het leven was goed. Hij had zijn Nadia gezond en wel terug. In Londen had hij de nachtclub Exotica gekocht en deze week zou ook de voetbalclub van hem zijn. Zijn advocaten waren juist bezig met het afronden van de contracten. Het allerbeste was nog dat hij voorgoed van die schoft Angelis af was. De politie zou denken dat de oude man een hartaanval had gehad. Ha! Stelletje idioten! Dimitrov kende manieren om problemen uit de weg te ruimen waar zelfs de FBI niet van terughad.

Hoewel Vladimir er niet in was geslaagd het geld terug te krijgen dat Angelis hem schuldig was, had hij wel een aantal waardevolle gestolen eigendommen teruggenomen. De meisjes waren in een uitbundige stemming. Achter hem in het vliegtuig zaten ze vrolijk te giechelen en te roddelen. Alleen Yana was in een rotbui. Ha! Misschien had het domme gansje werkelijk geloofd dat Angelis haar paspoort naar de vrijheid was. Ze moesten zich hebben doodverveeld toen ze al die tijd opgesloten hadden gezeten in dat huis. Bij hem zouden ze tenminste vrij zijn om in zijn nieuwe club te dansen. Nou ja, niet helemaal vrij natuurlijk...

Dimitrov maakte zich geen zorgen om de politie. Niemand zou zijn naam durven noemen. Charlie Palmer hield zijn mond wel. Dat was een slimme vent. En hoewel Jimmy Jones een stommeling was, was hij veel te bang om iets te zeggen. Hij had de blik van ontzetting op zijn gezicht gezien toen hij gisteravond het pistool had bemerkt. En bovendien was de jongen hem nog een flink bedrag schuldig. Haha! Wat zou hij een lol hebben met het tiranniseren van die knul op de voetbalclub!

Het deed Charlie plezier dat McGregor Jasmine met fluwelen handschoenen aanpakte. De rechercheur had hen die ochtend van het vliegtuig afgehaald. Op de landingsbaan had hij hen opgewacht met zijn golfparaplu om hen tegen de regen te beschermen toen ze naar de gereedstaande onopvallende politieauto holden. Achter in de auto had hij Jasmine onmiddellijk gearresteerd. Hij had vriendelijk uitgelegd dat hij niet anders kon: Terry Hillman had de video van de schietpartij al aan een journalist gegeven, die direct de politie had ingelicht. Maar McGregor deed haar geen handboeien om en behandelde haar ook niet als een misdadiger.

Ze waren meteen naar het bureau gereden. Nu zat Jasmine in een verhoorkamer met McGregor, een lager geplaatste rechercheur en een nogal stijlvolle advocate van in de vijftig. De advocate was slechts enkele minuten na Jasmine en Charlie op het politiebureau verschenen in een Armani-mantelpak en een wolk van Chanel No. 5. Eerst had Charlie er niets van begrepen. Wie was ze? Hoezo was ze zo goed op de hoogte? En waarom was ze er zo op gebrand om Jasmine te vertegenwoordigen? In een bekakt accent stelde ze zich voor als Judith Smythe-Williams van de firma Williams, Wardour and White, wat Charlie totaal niets zei. McGregor wist kennelijk wie ze was, want toen ze binnenkwam stond hij zowat voor haar te buigen. Maar toen had mevrouw Smythe-Williams in zijn oor gefluisterd: 'De groeten van Vladimir,' en toen was alles op zijn plaats gevallen. Als Dimitrov haar had gestuurd, moest ze wel de beste zijn. En Jasmine verdiende het allerbeste.

Nu werd de arme meid verhoord over de moord op Sean Hillman zeven jaar geleden. Charlie was ervan overtuigd dat het een duidelijk geval van noodweer was. Het openbaar ministerie zou het vast niet tot een rechtszaak laten komen met het videobewijs van de verkrachting? En McGregor zou Charlie toch niet op stang willen jagen? Niet na alles wat Charlie in de loop der jaren voor hem had gedaan. Niettemin zou het niet meevallen voor Jazz om die vreselijke gebeurtenissen opnieuw te moeten beleven nadat ze het al die jaren allemaal had opgekropt.

Charlie voelde zich van nature niet thuis op een politiebureau. Terwijl hij bij de receptie onder de waakzame blik van de brigadier zat te wachten had hij zich in feite niet onbehaaglijker kunnen voelen als wanneer hij in een bak piranha's was gegooid. Ze zaten er wel drie uur voordat mevrouw Smythe-Williams weer verscheen.

'We gaan even koffiedrinken,' beval ze, terwijl ze door de draaideur naar buiten liep.

Charlie sprong overeind en ging op een holletje achter haar aan om haar in te halen. Zwaaiend met haar glimmende zwarte aktetas klikklakte ze op haar pumps met hoge hakken door de straat.

'Maar mevrouw Smythe-Williams, en Jasmine dan?' vroeg hij buiten adem toen hij haar had ingehaald.

'Met haar gaat het prima,' antwoordde ze kordaat. 'En noem me alsjeblieft Judith.'

Judith liep de dichtstbijzijnde koffietent binnen en bestelde een caffè latte met magere melk.

'En jij?' vroeg ze ongeduldig aan Charlie.

'Thee graag,' antwoordde Charlie.

Ze blafte de bestelling naar de arme jongeman achter de toonbank en zei: 'En schiet in vredesnaam een beetje op!' toen hij haar melk wilde opkloppen. Het mens was gewoon eng. Charlie stelde zich voor dat hij haar als tegenstander had in de rechtszaal en begreep onmiddellijk waarom Dimitrov een hoge pet van haar ophad. Hij liep achter haar aan naar een tafeltje in de hoek. Ze nam een slokje van haar koffie en huiverde.

'Getver! Dit is smerig,' zei ze.

'Zijn ze klaar met het verhoren van Jasmine?' vroeg Charlie.

Judith schudde haar hoofd en keek op haar horloge.

'Nee. Dit is alleen een korte onderbreking. Ze zullen haar iets te eten geven en een kop koffie, die ongetwijfeld beter smaakt dan deze.' Ze schoof haar kopje opzij en keek Charlie recht in zijn ogen. 'Ze gaan er een rechtszaak van maken,' zei ze.

Charlie verslikte zich in zijn thee. 'Wát! Maar het was noodweer. Ik heb de band gezien. Hij heeft haar ontvoerd, verkracht en daarna geprobeerd haar te vermoorden. Jasmine zegt dat ze niet eens op hem wilde schieten. Het pistool ging gewoon zomaar af in haar hand.'

Judith knikte. 'Ja,' zei ze. 'Jasmine heeft me verteld wat er is gebeurd en ik geloof haar, maar we hebben nu eenmaal geen kopie van de hele videoband. Het enige wat we hebben is wat Terry Hillman aan de pers heeft gegeven, waaruit blijkt dat Jasmine Sean Hillman heeft doodgeschoten.'

'Maar Jasmine heeft alles op haar computer en nog een kopie in haar...' zei Charlie, maar Judith hief haar hand op om hem te onderbreken.

'Die zijn er niet meer. Op de laptop staan geen e-mails van Frank Angelis en de dvd ligt niet waar Jasmine hem in het appartement heeft achtergelaten.'

'Maar... ik snap het niet. Iemand moet haar computer hebben gehackt, in haar flat hebben ingebroken. Yana! Ik durf te wedden dat het Yana was.'

Judith haalde haar schouders op. 'Het punt is dat we een verkrachting niet kunnen bewijzen. Het enige wat we hebben is Jasmines woord tegen het video-bewijs. En eerlijk gezegd ziet het er niet best uit. Jasmine heeft geen aangifte gedaan van het voorval. Evenmin heeft ze een ambulance gebeld of gepro-beerd het slachtoffer ter plekke te helpen.'

'Sean Hillman was helemaal geen slachtoffer,' zei Charlie kwaad. Wat man-keerde dat mens? Het was toch de bedoeling dat ze aan hun kant stond?

Judith Smythe-Williams negeerde hem. 'Het overlijden werd verzwegen en het lijk werd in Epping Forest gedumpt. Jasmine zegt dat ze door die Frank Angelis werd geholpen, maar hij is dood en dus niet in staat het verhaal te bevestigen.'

'Angelis is dóód?' Charlie krabde zich op zijn hoofd. 'Maar gisteravond heb ik hem nog gezien.'

'Hij heeft een hartaanval gehad. McGregor kreeg vanochtend een telefoon-tje van de Spaanse politie.'

Een hartaanval? Dat geloofde Charlie geen moment. Wat had Dimitrov uit-gespookt toen ze weg waren? Hoe dan ook was het prettig te weten dat ze van Angelis geen last meer zouden hebben.

'Dus zullen ze haar willen pakken wegens moord, het achterhouden van bewijsmateriaal, belemmering van de rechtsgang, zich ontdoen van een lichaam enzovoort...' vervolgde Judith, terwijl Charlie koortsachtig nadacht om de ontwikkelingen te kunnen bevatten.

'Maar ze heeft zich alleen maar uit de klauwen van een monster gered. Angelis heeft de rest gedaan,' wierp hij tegen.

'Ze willen ons overhalen om een deal te sluiten. Als Jasmine schuld bekent, zullen ze de beschuldiging omzetten in doodslag,' zei Judith. 'Ze krijgt hoog-uit zes jaar.'

'Maar ze heeft helemaal niets gedaan!' brulde Charlie.

'Rustig maar, meneer Palmer,' zei Judith. 'Dat ben ik met je eens. Daarom laten we het ook op een rechtszaak aankomen. Er is geen jury die Jasmine schuldig zal verklaren. Het is duidelijk dat ze de waarheid spreekt. Haar familie is tuig. Haar oom was een bekende misdadiger. Zij was maar een meisje. Ze wordt vrijgesproken, dat garandeer ik.'

'Waarom neemt de politie dan nog de moeite om dit door te zetten?' vroeg Charlie verbijsterd.

'De moord op Sean Hillman is een opzienbarende onopgeloste moord. Jasmine Jones is een celebrity. Ze willen niet de indruk wekken dat ze haar soepel behandelen alleen omdat ze in de publieke belangstelling staat. Bovendien is het goed voor hun scorelijst om een resultaat te boeken.'

'Maar die arme Jasmine...' Charlie schudde wanhopig zijn hoofd. Dit is wel het laatste wat ze kan gebruiken.'

'Jasmine is bereid om voor de rechter te verschijnen. Ze weet dat ze niets te verbergen heeft. Toen ik het aan haar voorstelde, zei ze zelfs letterlijk: "Erop los", zei Judith kordaat. 'Ze krijgt geen voorarrest, maar wordt op borgtocht vrijgelaten. Ik zal erop aandringen dat ze volledige politiebescherming krijgt en een veilig onderduikadres waar ze kan blijven zolang we op de rechtszaak wachten. Ik zal er ook op aandringen dat de rechtszaak zo snel mogelijk plaatsvindt. Goed, laten we nu maar teruggaan.'

Ze stond op en haastte zich naar buiten, terwijl Charlie moeite had om haar bij te houden. Hij had pas één slokje van zijn thee gedronken.

Later wachtte hij aan de achterkant van het politiebureau op McGregor. Zodra de schoft naar buiten kwam, greep Charlie hem bij zijn kraag.

'Hoe kun je dit nou op een rechtszaak laten aankomen?' vroeg hij op hoge toon. 'Dat heeft ze niet verdiend.'

'Laat me los, Charlie,' waarschuwde McGregor kalm. 'Vlak boven je hoofd hangt een videocamera en als je me niet onmiddellijk loslaat, zal een van mijn agenten je komen arresteren!'

Charlie duwde McGregor van zich af. Het laatste waar hij behoefte aan had, was om zelf te worden opgepakt. Maar dit was klote. Dit was echt klote.

'Ik hou nog iets van je te goed, McGregor,' brieste hij. 'Ik weet het een en ander van je...'

'Geen dreigementen, Charlie. Ik weet ook het een en ander over jou. Moet je eens goed luisteren, Charlie. Er komt een rechtszaak. Ik sta machteloos wat dat betreft. Ik heb erop aangedrongen om de zaak te seponeren, maar er komen bevelen van hogerhand. De hoofdcommissaris wil een rechtszaak en wat de hoofdcommissaris wil, gebeurt, oké?'

'Maar het was noodweer,' hield Charlie vol. 'En ze was nog maar een kind.'

'Ze was zeventien,' zei McGregor. 'Dat is oud genoeg om als volwassene terecht te staan.'

McGregor stak een sigaret op en leunde tegen de muur. Hij zuchtte en schudde zijn hoofd.

'Ik heb er zo genoeg van, Charlie,' zei hij. 'Dacht je nou heus dat ik Jasmine voor de rechter wil brengen en haar privéleven over alle voorpagina's uitgesmeerd wil zien? Ik wil echte misdadigers achter de tralies zetten, niet de krantenkoppen halen.'

'Is dat waar het allemaal om draait?' vroeg Charlie. 'Is het omdat Jasmine beroemd is?'

McGregor knikte. 'De grote heren beginnen al te kwijlen bij de gedachten aan de krantenkoppen die ze zullen krijgen wanneer dit voor de rechter komt. Ze denken dat ze met hun foto in de krant komen. Echt waar, ik zie het al voor me. Mijn baas die na een dag in de rechtszaal in de rij gaat staan voor een handtekening van Luke Parks voor zijn zoontje.'

Lachend schudde McGregor zijn hoofd.

'Ik heb er genoeg van,' zei hij. 'Ik zit erover te denken om met pensioen te gaan. Spanje lijkt me wel wat. We zouden samen een bedrijfje kunnen opzetten. Jij en ik. Een onoverwinnelijk team. Wat vind je ervan, Char?'

Charlie keek naar McGregor, die zijn sigaret tegen de muur uitdrukte. 'Volgens mij ben je eindelijk helemaal doorgedraaid, McGregor,' zei hij. 'Maar ik voel me gevleid.' Hij klopte de smeris op zijn rug en liep weg.

'Charlie,' riep McGregor hem achterna. 'Je weet dat jouw naam genoemd gaat worden in die rechtszaak?'

Charlie knikte, maar keek niet om.

'Ik zal het ergste erbuiten houden. Dat beloof ik.'

Charlie stak zijn hand op en zwaaide. Wat was een belofte van McGregor waard? Tja, daar zou hij vanzelf wel achter komen, dacht hij.

57

Jasmine had van dit landschap leren houden, met zijn grillige bergen en woeste kusten. Ze kon mijlenver langs het strand lopen en dan zouden alleen haar eigen voetstappen in het volmaakt witte zand te zien zijn. Annie was nu uit quarantaine en vond het heerlijk om in de branding te spelen die rond haar pootjes schuimde. De zomer was hier koel en winderig geweest, maar ze had de hitte van Spanje niet gemist. Ze moest er even helemaal tussenuit. In de afzondering van deze plek was ze weer tot zichzelf gekomen.

De kneuzingen en verwondingen van Jimmy's afranseling waren allang genezen en afgezien van een bultje op haar neusbrug was niet te zien dat hij haar ooit had aangeraakt. Haar haar begon weer te groeien en na een bezoekje aan een kapper in Inverness was ze eigenlijk best tevreden met haar korte koppie. Haar hart begon ook te genezen. Het was een vergissing geweest om met Jimmy te trouwen. Dat zag ze nu wel in, vanaf deze grote afstand. Achteraf wist ze niet eens of ze ooit van hem had gehouden. Ze was meer verliefd geweest op het idee mevrouw Jimmy Jones te zijn dan op de man zelf. Haar huwelijk was een middel geweest om aan haar verleden te ontsnappen. In de afgelopen maanden had ze veel nagedacht en nu besefte ze dat ze nooit kon ontsnappen aan wat er was gebeurd. Goede en slechte herinneringen, vergissingen en successen maakten allemaal deel uit van haar persoonlijkheid en zouden voor eeuwig bij haar horen.

Het was nu oktober en de winter was vroeg ingetreden in de Hooglanden. Op de stranden van Marbella lagen ze nog te zonnebaden, maar hier in de Moray Firth was Jasmine blij met de koude wind op haar gezicht. Dan voelde ze dat ze leefde. In Charlies oude gewatteerde jack was ze trouwens goed beschermd tegen de elementen en haar stiletto's had ze allang voor een paar rubberlaarzen verruild.

In deze omgeving kon ze zich verschuilen voor de 'echte' wereld. Hoe langer ze hier was, hoe echter de Hooglanden leken en de rest op de achtergrond leek te raken. Wat was er nu echter dan bergen en rivieren, watervallen en wilde herten? En wat was er eigenlijk zo echt aan haar oude wereld? De waarheid was dat Jasmine zich bevrijd voelde: geen paparazzi, geen fotoshoots, geen feesten, geen druk. En nu de rechtszaak steeds dichterbij kwam, zag ze er vreselijk tegen op om uit dit prachtige landschap te moeten vertrekken. In haar vroegere leven hadden onbenulligheden altijd zo belangrijk geleken: welke jurk ze aantrok naar een feest of naast welke celebrity ze stond bij een fotoshoot. Nu kon ze aan de voet van een berg staan en zich even klein en onbeduidend voelen als een mier. Het was een heerlijk gevoel dat niets wat ze deed er eigenlijk toe deed.

Het werd al donker. Als ze niet gauw terugging naar de cottage zou Charlie ongerust worden. Ze riep Annie en keerde terug naar huis, over het strand, door de duinen en langs het zandpad dat naar het afgelegen vissershuisje voerde. Naast Charlies Range Rover stond een onbekende auto. De knalrode mini viel volkomen uit de toon hier in deze woeste omgeving. Hij was veel te sportief, veel te stads en zat niet onder de modder!

Niet ver van de voordeur bleef ze staan. Soms kwam McGregor hen opzoeken in zijn donkerblauwe Saab en vorige week was Judith Smythe-Williams langs geweest in haar zilveren Audi TT om de rechtszaak te bespreken, maar de meeste tijd werden ze met rust gelaten. Eenmaal per week begaf Charlie zich naar Inverness om boodschappen te doen, maar Jasmine was nog maar een paar keer in de stad geweest. Ze hadden een tv en natuurlijk internet, en daardoor was het onvermijdelijk dat de buitenwereld af en toe binnendrong. Jasmine wist dat de pers al in grote opwinding verkeerde vanwege de rechtszaak. Ze had zich vast voorbereid op volgende week, maar van deze laatste dagen eenzaamheid wilde ze nog volop genieten. Gewoon Jasmine, Charlie en Annie. Dus wie kwam er nu hun rust verstoren?

Voordat ze de deur opendeed, haalde ze diep adem en daarna nam ze de tijd om haar rubberlaarzen uit te trekken en de hond droog te wrijven met een handdoek. In de voorkamer hoorde ze stemmen. Charlie lachte. Wie het ook was, het was dus blijkbaar een bondgenoot. Langzaam duwde ze de deur open en stak haar hoofd om de hoek. Eerst zag ze Grace Melrose, die onberispelijk gekleed op het puntje van de bank zat met een kop thee in haar handen. En toen ontdekte ze tante Juju, die naast haar zat.

'Tante Juju!' gilde ze, terwijl ze de kamer binnen vloog en haar tante omhelsde. 'Wat ben ik blij om je te zien. Voel je je beter? Ben je voorgoed uit het ziekenhuis ontslagen?'

'Veel beter, lieverd,' zei Julie. 'En nog beter nu ik jou zo blakend van gezondheid zie.'

Jasmine grijnsde naar haar tante. Jemig, wat was ze dol op die vrouw. De rest van de familie beschouwde haar als niet goed wijs, maar Julie Watts was de enige vrouw die onvoorwaardelijk van Jasmine had gehouden toen ze nog een kind was. Nee, Jasmine wilde geen kwaad woord over haar horen. Ze had haar al sinds de bruiloft niet meer gezien en miste haar ontzettend. Wat lief van Grace om haar hierheen te brengen. Toen aarzelde ze. Waarom had Grace haar eigenlijk hierheen gebracht? Het was een vreemd stel. Had het soms te maken met haar biologische ouders? Er was zoveel gebeurd sinds ze Grace had gevraagd om in haar achtergrond te spitten dat ze het uit haar gedachten had gezet.

'Dag Grace,' zei Jasmine. Ze boog zich naar Grace toe en gaf haar een zoen op haar wang. 'Wat een verrassing.'

Grace glimlachte, maar zag er een beetje nerveus uit.

'Je ziet er gezond uit, Jasmine. De frisse lucht doet je blijkbaar goed,' zei Grace, maar ze ontweek haar blik.

'Wat is er aan de hand?' vroeg Jasmine. 'Is er iets gebeurd?'

Ze zag dat Grace en Julie elkaar nerveus aankeken. De twee vrouwen hielden elkaars hand vast alsof ze dikke vriendinnen waren. Hoe kenden ze elkaar eigenlijk?

'Jasmine,' begon Grace aarzelend. 'Je hebt me gevraagd om je achtergrond te onderzoeken.'

Jasmine knikte.

'En nu weet ik wie je echte ouders zijn.'

Jasmines mond viel open.

'Allejezus,' zei Charlie. 'Krijg nou wat.'

'Ik zal het uitleggen,' zei Grace. 'Ik ben er al een poosje geleden achter gekomen wie je moeder is, maar Julie wilde het graag zelf vertellen, dus hebben we gewacht totdat ze zich sterk genoeg voelde.'

'Jij wíst het?' vroeg Jasmine. Vol ongeloof keek ze haar tante aan. 'De hele tijd wist jij wie mijn moeder is, maar dat heb je me nooit verteld?'

Jasmine merkte dat ze stond te trillen op haar benen. Op dit nieuws had ze al haar hele leven gewacht, maar nu het zover was, wist ze niet of ze er al aan toe was. Ze was bang dat haar benen het zouden begeven.

'Ga maar zitten, schat,' zei Charlie. 'Laat hen het uitleggen.'

'Ik wilde het je al zo vaak vertellen, maar het lukte niet,' zei Julie met gebroken stem. 'Ik kon het gewoon niet.'

Nu huilde ze, en bij het zien van haar tranen moest Jasmine ook huilen.

'Wie is het?' vroeg Jasmine in tranen. 'Is het iemand die ik ken?'

Julie knikte, maar ze snikte zo hevig dat ze amper een woord kon uitbrengen.

'Ik ben het,' fluisterde ze ten slotte. 'Jasmine, ik ben het. Ik ben je moeder.'

Heel even leek het alsof de wereld ophield met draaien, terwijl de woorden tot haar doordrongen. Met knipperende ogen staarde Jasmine naar de vrouw die ze altijd als haar tante had beschouwd. Ze probeerde te begrijpen wat ze zojuist had gehoord.

'Jij bent mijn moeder?' vroeg ze verbijsterd.

Julie knikte. Grace knikte. Charlie schudde zijn hoofd.

'Dit is krankjorum,' zei hij. 'Juju, hoe kun jij nou Jasmines moeder zijn?'

'Ik was nog heel jong,' zei ze. 'Ongetrouwd. Ik was bang. Kenny wilde een kind, maar hij kon zelf geen kinderen krijgen en dus heb ik hem het mijne gegeven.'

'Je hebt me aan Cynthia gegeven!' zei Jasmine. Allerlei onbeantwoorde vragen schoten door haar hoofd. Dit leek zo onwezenlijk. Het was alsof ze naar een scène uit een soap zat te kijken.

'Nee, ik heb je aan Kenny gegeven,' riep Julie uit. 'Hij hield net zoveel van je als ik. Ik wist dat je in veilige handen was.'

Jasmine voelde hete tranen langs haar wangen biggelen terwijl beelden uit haar kinderjaren weer naar boven kwamen.

'Maar ik was helemaal niet in veilige handen,' snikte ze. 'Cynthia sloeg me altijd. Kenny was ziek. En toen ging hij dood en had ik niemand meer.'

'Behalve Charlie,' zei Julie zachtjes. 'En mij. Je had altijd mij.'

'Maar waarom heb je het me nooit verteld? Waarom heb je me niet teruggenomen?' vroeg Jasmine wanhopig. 'Als je eens wist hoezeer ik ernaar verlangde dat ik een moeder had als jij in plaats van Cynthia?'

'Jasmine, lieverd, ik wilde je dolgraag terughebben. Ik werd er helemaal gek van. Ik zag hoe Cynthia je behandelde – míjn kind, mijn lieve kindje – en het brak mijn hart!' Julie stond op en kwam naar haar toe. Ze liet zich op haar knieën vallen en omvatte Jasmines handen.

'Er was niets wat ik kon doen. Nadat Kenny was gestorven ben ik naar Cynthia gegaan om te zeggen dat ik jou de waarheid zou vertellen,' legde Julie wanhopig uit. 'Je moet me geloven, Jasmine. Maar Terry en Sean Hillman hebben me bedreigd. Ze zeiden dat ze jou liever zouden vermoorden dan dat je de waarheid wist, en dat risico kon ik niet lopen. Je weet waartoe die kerels in staat waren. Ik kon ze jou geen kwaad laten doen.'

'Maar ze hébben me toch kwaad gedaan!' schreeuwde Jasmine. 'Je had me moeten houden. Je had me helemaal nooit weg mogen geven!'

Julie knikte en greep Jasmines handen nog steviger vast. 'Dat weet ik nu ook, lieverd, maar toen was ik nog maar een meisje. Ik had helemaal niets. Geen werk, geen geld, geen eigen woning. Ik dacht dat Kenny je een beter leven zou kunnen geven dan ik. Hij was een goede man, Jasmine. Hij hield van je als van zijn eigen kind.'

Jasmine beet op haar lip en probeerde haar tranen in te houden. Wat een afschuwelijke toestand. Wat een afschuwelijke klerezooi. Al die verspilde jaren dat ze zich onbemind en ongewenst voelde, terwijl haar eigen moeder de hele tijd in de buurt zat.

'We zouden het samen wel hebben gered,' zei Jasmine, nog steeds niet in staat haar tante, of eigenlijk haar moeder of wie die vrouw ook was, in de ogen te kijken. 'Als je me had gehouden, zouden we ons er wel doorheen hebben geslagen, want we hielden van elkaar en dat was het enige wat ertoe deed.' Julie knikte weer. 'Je hebt groot gelijk. Natuurlijk heb je gelijk. Dat zie ik nu zelf ook wel in, en eigenlijk wist ik het al een hele poos, maar een vergissing kun je nu eenmaal niet meer ongedaan maken. Je kunt niet de klok terugdraaien en alles overdoen, maar dan beter. Was het maar waar, Jasmine. Ik zou zo dolgraag willen dat ik alles nog eens kon overdoen, maar dat gaat niet, lieverd. Dat kan ik niet. Het enige wat ik kan doen is vragen of je me kunt vergeven dat ik zo'n afgrijselijke vergissing heb gemaakt.'

De woorden sijpelden langzaam in Jasmines brein door en raakten haar hart. Wie was zij om te oordelen? Had ze zelf nooit een vergissing gemaakt? Wat zou ze zelf in Julies situatie hebben gedaan? Voor het eerst keek ze Julie recht aan. In haar lichtblauwe ogen zag ze zoveel liefde, verdriet en pijn dat ze haar hart voelde smelten. Ze viel Julie in de armen.

'Het is goed, hoor,' fluisterde ze in haar moeders oor. 'Ik begrijp het.'

Een hele poos bleven ze innig omstrengeld op de grond geknield zitten.

'Ik kan het niet geloven,' zei Jasmine ten slotte. 'Wist jij het, Charlie?'

Charlie schudde zijn hoofd. Jasmine zag dat zelfs hij had moeten huilen.

Grace maakte plaats op de bank, waarna Jasmine en Julie erbij kwamen zitten. Om de paar seconden betrapte Jasmine zich erop dat ze even naar Julie keek. Ze probeerde de waarheid te bevatten. Tante Juju was haar moeder!

'En wie was mijn vader?' vroeg ze ten slotte, toen ze zich dapper genoeg voelde.

Jasmine leek helemaal niet op Julie. Haar tante, of eigenlijk haar moeder, had blond haar, een lichte huid en blauwe ogen. Jasmine had donker haar, bruine ogen en zelfs in de winter een gebronsde huid.

Ze zag dat Julie aarzelend naar Grace keek, die haar toeknikte alsof ze wilde zeggen: toe maar.

Julie graaide in haar tas en haalde een oud rood fotoalbum tevoorschijn. Ze legde het open op haar knieën en wees naar de eerste foto.

'Ik was danseres,' zei ze. 'Best een behoorlijke danseres eigenlijk. Op mijn zestiende ging ik professioneel dansen.'

Jasmine keek naar de foto van Julie: een echte jarentachtigbabe in een lichtblauwe lycra catsuit met geblondeerde permanent. Ze stond op het podium met enkele andere knappe jonge vrouwen. Julie bladerde verder.

'Ik werd als danseres aangenomen om met een paar grote sterren op tournee te gaan,' vertelde ze.

Nog een foto, deze keer van Julie in een rood-witte cheerleaderoutfit met pompons.

'Ik heb in het Wembleystadion en in de Royal Albert Hall gedanst en in Amerika...' Ze aarzelde.

'Was mijn vader een danser?'

'Nee, schat. Hij was zanger.'

'Aha! Daarom ben ik zo dol op zingen,' zei Jasmine. Ze begon opgewonden te raken. 'Was hij goed?'

'Jasmine, hij was een ster,' legde Julie uit terwijl ze het fotoalbum stevig vastklemde.

'Beroemd, bedoel je?'

Julie knikte en sloeg langzaam de bladzijde om. De volgende foto was erg vergeeld. Er stond een aantrekkelijke jonge vent op, in een broek met wijde pijpen en een losgeknoopt hemd, met getoupeerd haar en een gouden medaillon. Achter hem in een roze jurk van chiffon stond Julie te dansen.

'Is dat hem?' Jasmine tuurde door haar wimpers naar de foto. Ze kon hem niet goed zien. 'Ik herken hem niet.'

'Hij was een van de grootste sterren van zijn tijd,' zei Julie. Ze klonk bijna trots. 'Hij was heel groot. Een megaster.'

'Wat? Dat is onzin.'

Jasmines wereld leek op zijn kop te staan. Hoe kon haar vader nou een internationale superster zijn? Juju was een werkloze veertigplusser uit Dagenham die het grootste gedeelte van haar volwassen leven in een psychiatrische inrichting had doorgebracht. Even vroeg ze zich af of Julie wel lekker was. Of dit allemaal echt waar was of dat Julie weer een van haar beruchte 'aanvallen' had. Maar Grace was erbij, een onderzoeksjournalist, en ze knikte hevig bij wat Julie zei.

'Het is echt waar,' hield Julie vol. 'Ik was danseres tijdens zijn Europese tournee in 1983. Hij was nogal een charmeur en hij viel meteen voor me. Ik weet niet waarom. Ik was bepaald niet de mooiste danseres of het flirterigste meisje. Eigenlijk was ik heel verlegen en ik had zelfs nog nooit een echt vriendje gehad. Maar goed, hij kwam me na het concert altijd opzoeken en gaf me dan drankjes en complimentjes. Ik wist dat hij getrouwd was, maar hij zei dat het thuis niet goed ging en dat zijn vrouw hem niet begreep... Ach, ik was nog heel erg jong. Pas zeventien. Hij zei dat hij me mooi vond en ik dacht dat hij verliefd op me werd.'

Jasmine zuchtte vertwijfeld. 'Jeetje, je was wel erg naïef, zeg!'

'Ja, ik was ook erg naïef. Hij vroeg of ik aan de pil was en ik zei ja, omdat ik dacht dat ik daardoor volwassener en wereldwijzer zou lijken. Maar in werkelijkheid was ik nog maagd, dus wat moest ik met de pil?' Julie sperde haar ogen nu heel wijd open, alsof de waarheid haar net zozeer schokte als de anderen.

'En die vent, die beroemde vent, is echt mijn vader?' vroeg Jasmine, alleen maar om te controleren of ze het goed had begrepen.

Julie knikte. 'Lieverd,' zei ze. 'Hij is de enige man met wie ik ooit naar bed ben geweest. Hij is de enige die je vader kan zijn.'

Jasmine slikte moeizaam. Wat een tragisch verhaal. Julie was bijna ontsnapt. Ze kon goed dansen, had een geweldige baan, reisde de hele wereld rond en zomaar opeens werd in één nacht haar wereld op zijn kop gezet. Ze was zwanger geraakt, had haar kind weggegeven en was krankzinnig geworden toen ze moest toezien dat haar kind door een vrouw als Cynthia Watts werd opgevoed.

'Dus wie is hij?' vroeg Jasmine. 'Ken ik hem?'

'Wacht nou even, lieverd. Laat me alles rustig uitleggen en dan vertel ik het je.'

'Wist hij het? Van mij?'

Julie schudde haar hoofd. 'Ik heb hem nooit verteld dat ik in verwachting was. Nadat we, nou ja, je weet wel, na die ene nacht heeft hij eigenlijk nooit meer met me gesproken, en een paar dagen later hoorde ik hem zeggen dat zijn vrouw was bevallen van hun eerste kind. Toen realiseerde ik me dat hij me had voorgelogen. Daarna kwam ik erachter dat ik zelf ook in verwachting was. Ik wist niet wat ik moest doen, dus ben ik maar naar huis gegaan.'

'O Juju, je had het hem moeten vertellen,' zei Jasmine treurig. 'Het was ook zijn verantwoordelijkheid.'

Julie schudde haar hoofd. 'Nee, hij dacht dat ik aan de pil was. Ik heb hem om de tuin geleid. Als ik hem dat had verteld, zou hij hebben gedacht dat ik hem er expres in had geluisd.'

'Dus je hebt hem nooit meer teruggezien?'

'Tot voor kort niet,' zei Julie. 'Eigenlijk op jouw bruiloft pas weer...'

Jasmine kon opeens geen lucht meer krijgen. Met open mond snakte ze naar adem. Op háár bruiloft? Wat had die man op haar bruiloft te zoeken?

'Daarom ben ik doorgedraaid. Ik zag hem zitten aan de tafel naast me en kreeg bijna een hartverzakking. Ik wist niet wat ik moest doen, dus ben ik maar weggevlucht. Charlie moest een taxi betalen om me naar huis te brengen. Het was zo'n schok. Sindsdien ben ik in het ziekenhuis geweest.'

'Juju, wie is mijn vader?' vroeg Jasmine wanhopig. Het sloeg nergens op. Hoe kon haar echte vader nou op haar eigen bruiloft aanwezig zijn geweest?

Julie sloeg weer een bladzijde om en liet het fotoalbum open op haar schoot liggen. Jasmine tuurde heel lang naar de foto. Dit was een close-up waarop haar vader heel duidelijk te zien was.

Plotseling vielen allerlei stukjes van Jasmines legpuzzel op hun plaats. Julies broze geestestoestand, Cynthia's wrok tegenover haar, Kenny's onvoorwaardelijke liefde. Jemig, zelfs haar bruine ogen en het feit dat ze zo dol op zingen was werden opeens heel logisch. Dat had ze allemaal van haar vader.

'Ik wil het hem vertellen,' zei Jasmine vastberaden. 'Na de rechtszaak wil ik hem laten weten dat hij mijn vader is.'

Julie knikte. 'Dat snap ik,' zei ze.

'Jeetje, er is zoveel tijd verspild!' riep Jasmine. Met haar gebalde vuist sloeg ze op haar knie. 'Het zou allemaal zo anders hebben kunnen lopen!'

'Het spijt me dat ik je zo in de steek heb gelaten. Ik beloof dat ik dat nooit meer zal doen. Ik zal sterk zijn, echt waar, en ik zal elke dag naar de rechtszaal komen en ik zal je nooit ofte nimmer meer in de steek laten, schat.'

Julie streelde Jasmines korte haar en daarna veegde ze met haar zachte handen de tranen van haar dochter weg. 'Ik wil dat je weet dat ik zielsveel van je heb gehouden. Ik heb mijn uiterste best gedaan om te zorgen dat je gelukkig en veilig was. Dat was niet genoeg, dat weet ik wel, maar je bent altijd mijn kind gebleven. Ik was degene die je Jasmine heeft genoemd. Ik heb negen maanden lang met jou in mijn buik rondgelopen. Ik heb je gebaard. Ik heb je zien opgroeien tot een mooie, lieve, talentvolle jonge vrouw en ik dacht dat ik zou barsten van trots. Maar ik kon het aan niemand vertellen. Ik moest het allemaal voor mezelf houden. '

Jasmine sloeg haar armen om Julies frêle schouders en begroef haar gezicht in haar haar. Pas nu besefte ze hoe gelukkig ze was. Ze had een moeder die van haar hield, die altijd van haar had gehouden. Die liefde zou haar erdoorheen slepen. Die zou haar helpen om de rechtszaak heelhuids te doorstaan. Daarna zou ze alles goedmaken – voor zichzelf en voor Julie, haar moeder. En wat haar vader betreft? Die kon wel wachten. Voorlopig...

58

Peter had haar gesmeekt om niet naar de rechtszaal te komen en drie weken lang had ze gedaan wat hij vroeg, maar de laatste dag van het proces wilde ze voor geen goud missen. Ze wilde erbij zijn voor haar vriendin wanneer er uitspraak werd gedaan. Jasmines moordproces in de rechtbank de Old Bailey was de meest geruchtmakende, meest choquerende, door de meeste celebrity's bijgewoonde gebeurtenis die Engeland ooit had gekend. Het was alsof er geen ander nieuws was. De roddelbladen stonden vol met foto's en artikelen over de rechtszaak. Als de Derde Wereldoorlog die week was uitgebroken, zou zelfs dat bericht naar de achterpagina zijn verdwenen. In alle nieuwsprogramma's was het proces het openingsitem. Lila kon haar televisie niet aanzetten zonder een foto te zien van de mooie, vastberaden Jasmine in de beklaagdenbank. Zelfs de moderubrieken stonden vol met wat de beklaagde en de getuigen droegen. Jasmines nieuwe korte kapsel (het 'Joppie' – oftewel het Jasminekoppie – zoals de pers het noemde) was nu de meest gevraagde haarstijl in alle kapsalons door heel Engeland.

Tot nu toe was Lila er niet zelf bij geweest. Ze had in Los Angeles auditie gedaan voor een nieuwe filmrol, maar op afstand had ze alles nauwlettend gevolgd. Nog nooit in de geschiedenis was er een rechtszaak geweest waarbij zoveel celebrity's waren betrokken. Voetballers, modellen, journalisten en gangsters werden allemaal opgeroepen als getuigen. Elke dag zat de publieke tribune vol met A-sterren, en buiten hadden televisieploegen letterlijk gevochten om een plaatsje op de stoep. Natuurlijk waren er allerlei smerige feiten boven water gekomen. Eerst had het er niet best uitgezien voor Jasmine. Het was haar woord tegen het harde bewijs van een videoband geweest, waarin te zien was dat ze haar oom had doodgeschoten.

Lila had gerild toen ze Jasmines verklaring had gelezen over de ziekelijke obsessie van Sean Hillman met zijn jonge nicht, en ze had gehuild om de details van de verkrachting. Vanzelfsprekend had ze Jasmine op haar woord geloofd en ze hoopte dat de jury dat ook zou doen. Het probleem was dat er geen bewijs was geweest. Tenminste, niet totdat een Russische prostituee genaamd Yana Urovski zich had gemeld en voor een omslag had gezorgd. Eind vorige week had ze de hele videoband aan Jasmines advocate overhandigd en toen had iedereen kunnen zien wat er al die jaren geleden werkelijk was gebeurd. Lila ging niet zo ver dat ze Jasmines 'verkrachtingsvideo' op internet wilde bekijken, maar Peter zei dat hij nog nooit zoiets weerzinwekkends had gezien. Nu twijfelde niemand er meer aan dat Jasmine uit noodweer had gehandeld.

Nu wist Lila ook wie Frank Angelis was. Hij was een smerige vrouwenhandelaar die Jasmine met het pistool in haar hand had betrapt en haar sindsdien had gechanteerd. Inmiddels was hij trouwens dood. Overleden aan een natuurlijke oorzaak. Charlie had daar helemaal niets mee te maken.

Jimmy Jones was in het openbaar door Jasmines advocate vernederd. Lila vond het jammer dat ze die dag niet in de rechtszaal was geweest om te zien hoe die sneue sukkel werd ontmaskerd als een vuile schoft die zijn vrouw mishandelde. Met de onthullingen over Charlie Palmer tijdens de rechtszaak had Lila nog de meeste moeite. Het bleek dat haar held – de man die haar het leven had gered – in werkelijkheid een of andere onderwereldfiguur was, die voor Frank Angelis had gewerkt. Hij had toegegeven gewelddadig te zijn geweest, wapens te hebben bezeten en betrokken te zijn geweest bij afpersingsbendes in Soho en East End. Lila kon zich nauwelijks voorstellen dat Charlie – haar lieve, aardige Charlie – alle dingen had gedaan waarvan hij werd beschuldigd. Maar hij had het onder ede in de getuigenbank toegegeven, dus moest het wel waar zijn. Nu moest ze alleen bij zichzelf nagaan wat ze precies van al die onthullingen vond.

Peter hielp Lila door de rumoerige meute buiten de Old Bailey heen te dringen. Zelfs met haar donkerste zonnebril op deed het geflits van de camera's nog zeer aan haar ogen.

'Lila!' riepen ze. 'Lila!'

Ze hield zich doof en bleef zich door de menigte naar voren worstelen.

'Lila, vind je dat Jasmine Jones onschuldig moet worden verklaard?' riep een journalist.

'Ga je haar in de gevangenis opzoeken als ze schuldig wordt verklaard?' vroeg een ander.

'Wat vind je van haar haar?' riep een derde.

Lila hield haar hoofd gebogen en sloot zich aan bij de rij voor de publieke tribune. Voor haar stonden Luke en Madeleine Parks, achter haar stond Juan Russo.

'Juan,' zei ze, blij om een vriendelijk gezicht te zien. 'Hoe gaat het met Maxine?'

'Ze wordt groot,' grinnikte Juan. Met zijn hand gaf hij Maxines uitdijende buik aan. 'En ze heeft altijd honger. Man, wat kan die meid stouwen! Gisteravond heeft ze een hele bak Ben & Jerry's in haar eentje naar binnen gewerkt.'

Hij schudde zijn hoofd, maar aan zijn grijns was duidelijk te zien dat hij zo trots als een aap was op Maxine en hun baby.

'Ze heeft een hoge bloeddruk, dus van de dokter mocht ze vandaag niet hierheen komen,' legde hij uit. 'Ze heeft mij als haar vertegenwoordiger gestuurd om Jasmine te steunen.'

Lila glimlachte. Hij was jong, maar leek veel om Maxine te geven. Misschien kreeg haar vriendin deze keer de happy ending die ze verdiende.

'Gaat het al wat beter met je vader?' vroeg Lila. 'Maxine zei dat hij je heeft verstoten.'

Juan haalde zijn schouders op. 'Hij is gekwetst, maar hij draait wel weer bij. Ik ken mijn ouweheer. In wezen is hij een schatje. Meestal blijft hij niet zo lang kwaad. Maar mijn moeder is een heel ander verhaal. Zij is nooit dol op Maxine geweest, en nu is ze door ons opeens oma geworden voordat ze eraan toe was, dus je kunt je wel voorstellen hoe de verhouding met haar is.'

Lila kromp in elkaar. 'Oei,' zei ze.

De rij schoot naar voren en Lila werd naar binnen geduwd. Peter greep haar hand en trok haar achter zich aan de trap op. Ze drongen tussen de supermodellen en voetballers door, duwden soapies met hun ellebogen opzij en Lila trapte zelfs (per ongeluk expres) op de tenen van een realitysoapster totdat ze een plaatsje voorin op het balkon hadden bemachtigd.

'Dit is vet gaaf! Beter dan toen ik een backstagepasje voor een optreden van Justin Timberlake had,' hoorde Lila achter zich een lid van een bekende meidenband tegen een andere fluisteren. 'Sst, kijk, daar is ze.'

De rechtszaal viel stil toen alle blikken zich richtten op Jasmine Jones die de zaal binnen kwam en naast haar advocate ging zitten. Vanaf haar plaats op de tribune vond Lila haar vriendin er heel klein en kwetsbaar uitzien. Ze was eenvoudig gekleed in een marineblauwe hemdjurk met bijpassende pumps. Haar korte haar verleende haar gezicht een elfachtige uitstraling die Lila nog niet eerder was opgevallen. Jasmine zag er even mooi uit als altijd, maar er was iets veranderd. Verdwenen was het zorgeloze meisje dat stormenderhand Marbella had veroverd met haar weelderige bos donkere krullen en haar wulpse rondingen. In plaats daarvan zat er nu een ernstige jonge vrouw die het gewicht van de wereld op haar schouders droeg. Lila wilde het liefst van haar stoel opspringen, Jasmine in haar armen nemen en haar in de zonneschijn neerzetten, waar ze thuishoorde. Maar uiteraard kon ze alleen maar rustig blijven zitten en wachten totdat er over Jasmines lot was beslist.

Terwijl de advocaten hun pleidooi hielden, liet Lila haar blik door de rechtszaal dwalen. Aan het eind van een rij zag ze Louis Ricardo zitten. Zijn krukken stonden scheef tegen zijn stoel. Lila had gelezen dat hij een paar weken geleden tijdens een wedstrijd zijn been had gebroken en dat zijn carrière voorbij zou zijn. Zijn liefdesleven was ook in opspraak. Slechts een paar weken voor de bruiloft had hij het uitgemaakt met zijn jeugdliefde, waarop de kranten hem als schoft hadden bestempeld. Lila was er niet van overtuigd. Louis kwam op haar over als een aardige, gevoelige man, en ze wist zeker dat hij goede redenen had om de bruiloft af te zeggen. Ja, Louis had beslist zijn eigen problemen, maar toch was hij elke dag komen opdagen om Jasmine te steunen. Lila had hem in de krant en op de televisie gezien in zijn beste pak en met een ernstig gezicht. Vandaag had hij een bos zonnebloemen bij zich.

Jimmy Jones schitterde door zijn afwezigheid. Blaine Edwards was er wel. Hem kon je niet missen, met zijn knalblauwe hanenkam. Hij hing lui in zijn stoel, kauwde kauwgum en staarde naar het plafond. Hij zag er ongelofelijk verveeld uit. Op een gegeven moment keek hij achter zich, ving haar blik op en knipoogde. Ieuw! Wat een weerzinwekkende Australische kwal! Een paar stoelen verderop zat Madeleine Parks onrustig te wiebelen in haar veel te strakke zwarte jurk. Dat mens was nog veel erger. Ze was meer gekleed voor een cocktailparty dan voor de rechtszaal en ze had kennelijk besloten haar zonnebril stevig op haar neus te houden. Madeleine fluisterde telkens iets tegen haar man en giechelde op de meest ongepaste momenten. Het maakte Lila laaiend om te merken hoe weinig respect die lui voor Jasmine hadden. Vandaag stond het leven van een jonge vrouw op het spel, en zij gedroegen zich alsof het om een publiciteitsstunt ging.

Verlangend bestudeerde Lila de rijen in de hoop een bepaald gezicht te zien. Opeens ontdekte ze hem: Charlie, háár Charlie. Op de voorste rij uiterst rechts zat hij in een strak pak. Hij was nog knapper dan ze zich hem herinnerde. Het verbaasde haar dat hij er zo anders uitzag nu zijn haar langer was. Zonder zijn skinhead zag hij er zachter, minder agressief uit en leek hij meer op een teddybeer. Zijn haar was donkerder dan ze had verwacht – bijna zwart. Hij was een kop groter dan de vrouwen die naast hem zaten. Zijn schouders waren heel breed en even sterk als altijd, maar stonden een beetje krom, terwijl de openbare aanklager uiteenzette waarom hij vond dat Jasmine schuldig moest worden verklaard. Zorgvuldig bestudeerde ze Charlies profiel. Ze zag zijn stevige kaken en de rimpels in zijn voorhoofd boven zijn blauwe ogen. Ingespannen luisterde hij naar elk woord dat de advocaat zei, en af en toe vormde hij met zijn lippen het woord: 'Nee!' of streek hij met zijn vingers wanhopig door zijn haar.

Rechts van hem zat een kleine vrouw van middelbare leeftijd met grijzend blond haar. Als een verlegen kind greep ze Charlies arm vast. Lila vermoedde dat het Jasmines dierbare tante Julie was. Links van hem zat Grace Melrose. Eerst dacht ze dat het toeval was, maar tijdens de pauzes in de pleidooien merkte ze dat Charlie iets in haar oor fluisterde en aandachtig knikkend naar haar reactie luisterde. Lila vroeg zich af wat hun relatie was. Grace was een zeer aantrekkelijke vrouw. En nog slim ook. Zouden ze iets met elkaar hebben? Ze vormden zonder meer een leuk stel, maar bij het idee dat Charlie verliefd was op Grace kon Lila wel janken.

Het is vreemd dat verwarde gevoelens plotseling glashelder kunnen worden als er sprake lijkt te zijn van een andere vrouw. Terwijl Lila Charlie in gezelschap van Grace zag, waren alle twijfels die ze over hem had gehad opeens verdwenen. Ze besefte dat het er niet toe deed wat hij in het verleden had gedaan. Het was irrelevant. Ze wilde Charlie. Ze verlangde naar hem en hoopte alleen dat ze nog niet te laat was.

Zodra de pleidooien waren afgerond, stuurde de rechter de jury weg om over het vonnis te beraadslagen. De menigte stroomde de rechtszaal uit en vulde de gangen en lobby's, opgewonden babbelend en gissend naar wat er verder zou gebeuren. Lila hoorde Madeleine Parks over haar schouder naar Luke roepen: 'Ik ga even shoppen. Sms me wanneer de jury terugkomt!' Daarna verdween ze geflankeerd door twee potige bewakers naar de uitgang.

'Oppervlakkige teef,' sneerde Peter. 'Goed, en nu?'

'Wacht hier,' zei Lila. 'Ik ben zo terug.'

Peter deed zijn mond open om te protesteren, maar Lila wurmde zich door de menigte en verdween voordat hij haar kon tegenhouden. Het duurde even voordat de drukte was opgelost en eerst dacht ze dat ze hem had gemist. Juist toen ze weer terug wilde gaan naar Peter, zag ze Charlie. Hij stond met zijn arm om Julies schouders en was diep in gesprek met Grace. Stokstijf bleef Lila naar hem staan staren, terwijl ze probeerde haar moed bijeen te rapen om hem aan te spreken. Hij had haar niet gezien en als ze zich op dat moment had omgedraaid, zou ze hem misschien nooit meer hebben gezien. Dat risico wilde ze niet nemen.

Op wankele benen liep ze naar hem toe totdat ze vlakbij was. Zachtjes tikte ze hem op zijn arm en zei nerveus: '*Hello, stranger.*'

Hij draaide zich om als reactie op haar aanraking. Ze zag zijn mond openvallen van verbazing. 'Lila!' Hij zag er verbijsterd uit. 'Ik... ik... ik had je hier niet verwacht.'

Snel haalde hij zijn hand weg van Julies middel en deed een stap naar voren alsof hij Lila wilde omhelzen. Toen leek hij zich te bedenken en stapte hij weer naar achteren, terwijl hij zijn handen in zijn broekzak stopte. Nerveus schuifelde hij heen en weer.

Grace had in de gaten dat Charlie zich onbehaaglijk voelde. 'Dag Lila,' zei ze beleefd.

'Hallo,' zei Lila.

'Ik ga even met Julie naar het toilet,' zei Grace, en ze voerde de oudere vrouw mee. 'We zijn zo terug.'

In een ongemakkelijke stilte bleven Lila en Charlie achter.

'Over wat er in Spanje is gebeurd,' mompelde Charlie met zijn blik naar de grond gericht. 'Dat ik zomaar wegliep en zo. Het spijt me. Dat was heel onprofessioneel.'

Lila knikte. 'Ja, nou, je bent ontslagen,' zei ze.

Zichtbaar gegeneerd wist Charlie niet waar hij moest kijken. Hij ontweek Lila's blik en keek daarom maar Grace en Julie na, die uit het zicht verdwenen.

'Ik wist niet dat je Grace Melrose kent.' Lila probeerde onverschillig te klinken en elk zweempje jaloezie uit haar stem te weren.

'O, niet echt,' reageerde hij, iets te vlot. 'Ik bedoel, niet goed in elk geval. Ze helpt Jasmine met... van alles.'

'Dus jullie tweeën zijn niet... eh, je weet wel... jullie zijn niet toevallig een item of zo?' vroeg Lila.

Blozend schudde Charlie zijn hoofd. 'Nee, nee, niet op die manier. Ik heb op dit moment niemand. Ik bedoel, ik ben helemaal single en beschikbaar en...' bazelde hij, terwijl hij naar een punt boven Lila's hoofd staarde.

'Goed zo,' zei Lila.

'Ja, zeg dat wel,' beaamde Charlie.

Weer stilte. Nog meer gestaar naar de grond. Nog steeds een onbehaaglijke stilte.

'En die brief,' zei Charlie snel. 'Die dingen had ik niet over je moeten zeggen. Het was stom en ik weet dat ik mezelf voor schut heb gezet en het spijt me als ik je ermee in verlegenheid heb gebracht.'

'Wat? Deze brief soms?' vroeg Lila. Ze graaide in haar handtas en haalde er het keurig opgevouwen briefje uit. 'Deze brief waar ik sindsdien elke dag mee heb rondgesjouwd?'

Eindelijk ontmoette Charlie haar blik. Lila's hart maakte een sprongetje toen zijn felle blauwe ogen zich in de hare boorden.

'Je hebt hem bewaard,' zei hij ongelovig.

Lila knikte en glimlachte. 'Natuurlijk heb ik hem bewaard.'

'Heb je hem niet aan de politie gegeven?' Hij stond duidelijk versteld.

'Tuurlijk niet. Je bent heus niet de enige met een duister misdadig verleden.' Ze grinnikte naar hem.

'O shit, ik heb je op het slechte pad gebracht,' reageerde hij, ook grinnikend.

'Dus wat ga je eraan doen?' vroeg ze.

'Weet ik niet,' antwoordde hij. 'Mijn verontschuldigingen aanbieden?'

Lila schudde haar hoofd.

'Door het stof kruipen?'

Lila schudde haar hoofd iets heviger.

'Nou, wat dan?'

Met haar wijsvinger wees Lila naar haar lippen.

'Jou kussen?' Zijn ogen vielen zowat uit zijn kop. 'Wil je dat ik je kus? Hier? Nu?'

Lila knikte vastberaden.

'En dat moet mijn straf voorstellen?' vroeg hij met pretlichtjes in zijn ogen.

'Jazeker,' beaamde ze.

'Dat is me een straf,' mompelde Charlie, toen hij haar achter een stenen zuil uit het zicht trok.

Meteen drukte hij zijn lippen op de hare, terwijl zijn sterke armen om haar middel gleden en hij haar zomaar van de grond tilde. Charlie was een beer van een vent, maar dit was de zachtste, tederste kus die ze zich kon voorstellen. Terwijl ze haar ogen sloot en zich overgaf aan zijn geur, zijn aanraking en zijn smaak wist ze dat ze zich thuis voelde bij hem. Met tegenzin haalde ze haar lippen weg van de zijne en keek recht in zijn fonkelende blauwe ogen. Met een schok besefte ze waar ze hem van had herkend. Charlie Palmer was de man op wie ze had gewacht. Een herinnering flitste door haar hoofd van sterke armen die haar uit de golven trokken en een aantrekkelijk gezicht dat op haar neer keek. Op dat moment, toen ze voor het leven had gekozen, had ze geweten dat Charlie de hare was, maar op de een of andere manier was de herinnering zoekgeraakt tot nu. Lila had in de roos geschoten – ze had de man van haar dromen gevonden.

Voorzichtig zette hij haar weer op de grond en kuste haar boven op haar kruin. 'Je hebt geen idee hoe lang ik daarop al heb gewacht,' fluisterde hij.

Glimlachend keek ze naar hem op en ze wreef met haar handen over zijn brede borst.

'Nou, de volgende keer hoef je niet zo lang te wachten,' beloofde ze. 'Vanavond nemen we Jasmine mee uit om haar vrijheid te vieren en daarna ga jij met mij mee naar huis, grote jongen.'

'O ja?' vroeg Charlie grijnzend.

'Nou en of. Ik heb namelijk een nieuwe klus voor je.'

'O ja?'

'Inderdaad. Een nieuwe positie, zeg maar,' plaagde ze.

'Een nieuwe positie. Nou, dat klinkt zeker interessant.'

'Als je daar genoegen mee neemt, zou het voor vast kunnen zijn,' vervolgde ze.

'Daar neem ik zeker genoegen mee,' antwoordde hij.

Grace en Julie kwamen op hetzelfde moment terug als Peter naar Lila kwam zoeken. Het stel strompelde achter de zuil vandaan en ging snel uiteen. Grace en Julie liepen te praten en waren zich nergens van bewust, maar Peter keek hen achterdochtig aan.

'Dag Charlie,' zei hij, en hij kneep zijn ogen tot spleetjes. 'Hebben jullie even gezellig bijgepraat?'

'Ja, dank je Peter,' antwoordde Charlie beleefd. 'Goed, we moesten maar eens gaan en voor Julie een kop thee halen. Het was leuk om je weer te zien, Lila. Dag Peter.'

Lila knikte en deed haar best om niet voortdurend te glimlachen. 'Ik bel je nog wel over die positie waar ik het over had,' riep ze hem achterna.

'Moet je beslist doen,' antwoordde Charlie. Over zijn schouder gaf hij haar een vette knipoog. 'Het klonk zeer aanlokkelijk. Ik sta te popelen om te beginnen.'

Lila keek hem na en zuchtte. Ze snakte er nu al naar om hem weer te kussen, zijn aanraking op haar naakte huid te voelen, elke stukje van zijn heerlijke lichaam te ontdekken... Jeetje, ze kon daar maar beter niet aan denken. Daar was dit niet de juiste omgeving voor.

'Lila, heb je met een bekende crimineel in de Old Bailey staan vrijen?' vroeg Peter verontwaardigd, met zijn handen in zijn zij.

Lila grinnikte alleen maar.

'Jeetje, nee toch? Ik weet zeker dat dat verboden is. Dat is vast belediging van de rechtbank of iets dergelijks,' pruilde hij. 'Bovendien is Charlie mijn vlam en jij hebt hem zomaar ingepikt.'

'Sorry,' zei Lila luchtig.

'Geeft niet. Ik vergeef het je. Hij valt trouwens niet op mannen. Maar hoe zit het met die arme Jasmine? Vind je het gepast gedrag, nu het lot van die arme meid op het spel staat? Nou?' zei hij bestraffend.

'Met Jasmine komt alles in orde,' zei Lila.

'Hoe weet je dat?' wilde hij weten.

'Dat voel ik gewoon,' antwoordde Lila. 'Vandaag wordt het een mooie dag.'

Jasmine was nog nooit van haar leven zo zenuwachtig geweest. Van het begin af aan had mevrouw Smythe-Williams haar beloofd dat ze niet schuldig zou worden verklaard en sinds Yana zich had gemeld met de hele video was ze het zelf gaan geloven. Maar nu ze hier stond te wachten op het vonnis, leek alles mogelijk. Haar hoofd gonsde van de 'stel datten'. Stel dat de jury haar schuldig verklaarde? Stel dat ze naar de gevangenis moest? Stel dat ze er niet tegen kon? Stel dat ze Julies psychiatrische genen had geërfd? Stel dat ze waanzinnig werd? Stel dat ze voor de rest van haar leven werd opgesloten?

Het proces was erger geweest dan ze zich ooit had kunnen voorstellen. Ze was er niet op voorbereid dat de openbare aanklager zo de vloer met haar zou aanvegen. Hij had haar afgeschilderd als een soort jonge verleidster die alle mannen in haar leven had gemanipuleerd. Zelfs nadat de hele videoband in de rechtszaal was afgespeeld, had hij geïnsinueerd dat ze Sean Hillman zelf had uitgelokt. Hij had gesuggereerd dat ze een verhouding hadden gehad en dat de verkrachting alleen maar een soort seksspelletje was geweest waarbij iets was misgegaan. Hij beweerde dat ze hem in koelen bloede had gedood en daarna Frank Angelis had overgehaald zich van het lijk te ontdoen. En natuurlijk was Frankie er niet om haar verhaal te bevestigen.

In de eerste week hadden Cynthia en Terry op de publieke tribune gezeten. Terry had schunnigheden naar haar hoofd geslingerd. Hij had haar een moordzuchtige slettenbak genoemd en geschreeuwd dat hij haar zou vermoorden om wat ze met zijn broer had gedaan als ze vrij zou komen. Schoppend en vloekend was hij uit de zaal verwijderd, met Cynthia erachteraan die schreeuwde: 'Jij bent mijn dochter niet!' Dat riep de vrouw die de enige moeder was geweest die ze bijna vijfentwintig jaar lang had gekend. Ze waren het woord familie niet waard. Maar ze waren de enige familie geweest die ze had gekend, en daarom kwam het toch hard aan dat ze in het openbaar door hen werd afgewezen.

En dan was er nog Jimmy. Dat wilde zeggen, en dan was er géén Jimmy. Want afgezien van de dag waarop hij zelf als getuige moest verschijnen, was de laffe hufter helemaal niet komen opdagen. Ach, wat had ze dan verwacht? Steun? Ha! Wat een giller. Op papier waren ze nog getrouwd, maar voor haar was Jimmy Jones al even dood als Sean Hillman. Wat haar betreft, kon hij oprotten.

Nu stond ze in de beklaagdenbank en keek naar de zee van gezichten voor haar. De meeste toeschouwers herkende ze, maar er waren er maar een paar die ze echt goed kende. Van sommige mensen wenste ze dat ze niet waren gekomen, van andere vond ze het juist fijn dat ze er waren. Maar er waren drie gezichten op de voorste rij die eruit sprongen: Julie, Charlie en Louis Ricardo. Zij waren drie weken lang elke dag gekomen. Ze hadden naar haar geglimlacht als ze zich onzeker voelde en om haar gehuild als ze de gruwelijke dingen moest herbeleven die jaren geleden waren gebeurd. De hele tijd waren ze er voor haar geweest, niet vanwege de camera's of het schandaal en ook niet om te kijken of te worden bekeken, maar gewoon omdat ze om haar gaven. Die drie mensen hadden haar meer kracht gegeven dan ze ooit konden vermoeden. Van Julie had ze het wel verwacht. Tenslotte was ze haar moeder! En Charlie? Tja, Charlie had haar nog nooit in de steek gelaten en daarom zou hij dat nu ook niet doen. Maar Louis had haar verrast. Hoewel ze bevriend waren, kenden ze elkaar nog niet zo heel lang en ook niet zo heel goed. Ze kreeg het idee dat hij haar misschien als meer dan alleen een goede vriendin beschouwde, en het gekke was dat ze dat eigenlijk wel leuk vond.

Vanachter zijn bril ving hij nu haar blik op. Op zijn ernstige, maar geruststellende manier knikte hij haar toe om te zeggen dat alles in orde zou komen, dat deze nachtmerrie eindelijk voorbij zou zijn. De rechter vroeg aan de voorzitter van de jury of ze tot een oordeel waren gekomen waarmee ze het allemaal eens waren. Hij antwoordde bevestigend. Jasmines benen werden slap, alsof ze het elk moment konden begeven. Boem, boem, boem. Haar hart ging zo hard tekeer dat ze ervan overtuigd was dat de hele rechtszaal het moest horen. De rechter vroeg naar het vonnis. De zaal begon te draaien. Jasmine richtte haar ogen krampachtig op die van Louis. Met zijn steun kon ze het aan. Hij gaf haar kracht.

'Niet schuldig,' zei de voorzitter van de jury.

Het was alsof iemand een pauzeknop had ingedrukt, zo voelde Jasmine zich. Niet schuldig. De woorden deden er heel lang over om tot haar brein door te dringen en een ogenblik leek het alsof de tijd stilstond in de rechtszaal. Opeens barstte er ergens op de tribune een vreugdekreet los, en daarna nog een en nog een. De mensen gingen staan en staken hun vuisten in de lucht. Een golf van opwinding spoelde door de zaal, maar nog altijd hield Jasmine haar blik strak op Louis gericht. Ze zag hem opstaan en applaudisseren. Hij hield een bos zonnebloemen vast en gele blaadjes dwarrelden als confetti door de zaal. Daarna ging Charlie staan en begon mee te klappen. Lila en Peter volgden hun voorbeeld op het balkon, en ook Cookie en Crystal. Algauw stond de hele zaal te applaudisseren. Ze kreeg een staande ovatie.

Verbijsterd keek Jasmine toe. Tranen van blijdschap en opluchting stroomden over haar gezicht.

'Orde! Orde in de zaal!' schreeuwde de rechter, maar niemand luisterde.

Ten slotte werd Jasmine snel weggevoerd door haar team van advocaten.

'Wat gebeurt er nu?' vroeg ze aan mevrouw Smythe-Williams.

'Nu mag je je spullen bij elkaar zoeken en naar huis,' antwoordde de advocate.

Naar huis? Dat was fijn. Maar waar was thuis eigenlijk? Dat wist Jasmine echt niet.

De zon was ondergegaan toen ze lagen te vrijen, en nu werd de slaapkamer enkel verlicht door de lampen op straat. Charlie kon zijn ogen niet van Lila afhouden, zoals ze daar naakt in het halfduister naast hem lag. Hij was bang dat ze weg zou zijn als hij zijn blik afwendde, nog steeds een illusie, gewoon maar een droom. Teder streelde hij haar wang, die nog warm en rood was van hun vrijpartij.

'Je bent perfect,' zei hij.

Ze schudde haar hoofd. 'Ik ben niet perfect,' zei ze. 'Kijk, zwangerschapsstriemen.'

'Nou, je bent perfect voor mij,' antwoordde hij, terwijl hij de smalle witte strepen op haar dijen streelde.

'Misschien,' reageerde ze. 'Dat hoop ik dan maar.'

Ze nestelde zich tegen hem aan en zo bleven ze een hele poos zwijgend liggen. Met haar hand streelde ze zachtjes zijn rug. Ergens in een andere kamer was er op een radio een oud jazzfunkdeuntje. Eindelijk sprak Lila.

'Charlie, heb je weleens een man gedood?' vroeg ze.

Charlie deed zijn ogen dicht en vervloekte het leven dat hij had geleid. Wat moest hij nu doen? Moest hij liegen, zoals Brett tegen haar had gelogen, en hun relatie onder valse voorwendsels beginnen? Of moest hij haar de waarheid vertellen en riskeren dat ze opstapte? Moest ze echt álles van hem weten? Moest een relatie honderd procent eerlijk zijn om echt te zijn? Charlie vermoedde van wel. Hij moest weten dat Lila van hem kon houden zoals hij was, met al zijn gebreken. Het was een toets. De beslissende toets.

'Ja,' antwoordde hij eenvoudig. 'Ja, ik heb een man gedood.'

'Dat dacht ik al,' zei Lila. 'Ik bedoel, dat zeiden ze niet tijdens de rechtszaak, of tenminste niet in zoveel woorden, maar er waren hints.'

Een poosje zweeg ze weer, maar opeens vroeg ze: 'Heb je weleens een goede man gedood?'

In gedachten zag Charlie Donohue's gezicht voor zich, vlak voordat hij stierf, verwrongen en met een mengeling van haat, bitterheid en angst.

'Nee,' zei hij vol overtuiging. 'Ik heb nog nooit een goede man gedood.'

'Daar ben ik blij om,' antwoordde ze. 'Dat wilde ik alleen even weten.'

Ze liet zich niet van haar stuk brengen en leek niet eens verbaasd te zijn. Ze stond niet op en liep niet weg. Ze omhelsde hem gewoon, net zoals ze daarvoor had gedaan. Het was alsof er een zware last van zijn schouders viel, alsof al zijn problemen door het open raam naar buiten vlogen, over de daken van Londen zweefden en in de donkere hemel daarachter verdwenen. De waarheid was altijd zijn grootste vijand geweest. Die had hem achtervolgd, hem vanuit de schaduw beloerd en gedreigd tevoorschijn te springen en alles wat goed was in zijn leven te verwoesten. Maar nu waren er geen geheimen meer en de waarheid kon hem niet meer kwetsen. De spoken waren verdwenen. Het enige wat zich voor Charlie uitstrekte was een schoon wit blad. De toekomst moest nog geschreven worden. Die was perfect. Onbevlekt. Puur.

Nawoord

De volgende zomer...

De bruid zag er zonder meer beeldschoon uit. De witte flamencojurk met tierelantijntjes zou niet Grace' eerste keus zijn geweest, maar bij Maxine de la Fallaise stond het... Nou ja, bij haar paste het tenminste. Alleen een vrouw met wulpse rondingen, benen tot aan haar oksels en een tandpastaglimlach kon met zoveel ruches wegkomen. Maxine zou nooit boven aan de *Vogue*-lijst van best geklede vrouwen staan, maar zoals ze parmantig naar het altaar stapte, was ze het stralendste bruidje dat Grace ooit had gezien.

Juan Russo grinnikte naar zijn aanstaande vrouw. Hij droeg een witte smoking en een zwart hemd, maar geen das. Aan zijn voeten droeg hij een paar ongerepte Converse All Stars. Hij schoof zijn gouden Aviator-zonnebril omhoog en floot bewonderend toen Maxi zich even ronddraaide voor het publiek. Niets aan deze bruiloft was traditioneel. Inez, het schattige dochtertje van het bruidspaar droeg een piepklein rood flamencojurkje en kirde blij in de armen van haar tante Jasmine op de eerste rij. De vader van de bruid – een voormalige autocoureur en een notoire rokkenjager die nog steeds zijn haar blondeerde – knipoogde in het voorbijgaan naar alle mooie meisjes onder de aanwezigen. In plaats van op de muziek van 'De Bruidsmars' naar het altaar te schrijden, had de bruid gekozen voor een r&b-band die 'Crazysexycool' van TLC zong, terwijl ze half dansend door het gangpad naar voren ging. Zelfs de priester was funky. Grace had nog nooit zo'n blingblingkruisbeeld gezien.

De Spaanse zon zorgde voor een bloedhete dag en de prachtige tuin van het paleis Alhambra in Granada vormde de perfecte omlijsting voor zo'n glamourevenement. Alle grote namen waren er: Jasmine Watts, vanzelfsprekend, die haar nichtje knuffelde, en haar bloedmooie vriend Louis Ricardo. Lila Brown (die sinds haar scheiding van Brett haar meisjesnaam weer had aangenomen) en haar nieuwe man Charlie Palmer. Ze waren zo verliefd dat het haast gênant was om in hun gezelschap te verkeren. Grace vond dat Lila er mooier uitzag dan ooit. Het was alsof ze herboren was: gelukkig, gezond en succesvol, nu ze pas een rol in de nieuwe Bondfilm had gekregen. Juans moeder was de enige gast die chagrijnig keek, maar het was algemeen bekend dat

Maxine en zij niet zo best met elkaar overweg konden.

Juans vader Carlos Russo (op wie Grace al sinds haar zevende smoorverliefd was) had zich uiteindelijk door zijn dochter Jasmine laten overhalen om te komen, ondanks het feit dat zijn zoon met zijn ex-vriendin ging trouwen. Nee, niets aan deze bruiloft was traditioneel. Helemaal niets. Maar het was allemaal goede inspiratie voor de roman waar Grace intussen aan was begonnen nu ze Jasmines officiële biografie had geschreven. De werkelijkheid was inderdaad vreemder dan de verbeelding. Ondanks de onconventionele bruiloft was dit een van de gelukkigste dagen die Grace ooit had meegemaakt. Toen het bruidspaar man en vrouw waren geworden en de bruid haar bruidegom te pletter zoende, moest zelfs de cynische oude Grace een traantje wegpinken.

Die avond werd er een uitbundige receptie gehouden aan de kust in Charlies Bar, de coolste nieuwe tent aan de Costa del Sol. De eigenaar was Lila Rose' nieuwe echtgenoot Charlie Palmer en zijn partner, een dikke oud-politieagent van middelbare leeftijd die McGregor heette. Het was een eigenaardig stel – de oud-politieman en de ex-gedetineerde – maar het leek goed te klikken. Zelfs de barman Gary, een slungelachtige knul met rood haar, deed het goed bij de dames.

Nu keek Grace bewonderend toe terwijl Juan zijn nieuwe vrouw toezong met zijn nieuwste latino liefdeslied.

'Deze heb ik voor jou geschreven, liefje,' zei hij vanaf het podium. Vervolgens barstte hij los in de oprechtste, zwoelste liefdesverklaring die Grace ooit had gehoord.

Die Maxine Russo was toch maar een geluksvogel. Grace kon er alleen maar van dromen hoe het moest zijn om een man te hebben die zo waanzinnig verliefd op je was. Zoals gebruikelijk was ze in haar eentje naar de bruiloft gekomen. Nu ging Carlos Russo het podium op om een aantal van zijn grootste hits uit de jaren tachtig te zingen. Grace snakte ernaar om op te staan en te gaan dansen, maar ze bleek de enige single vrouw te zijn en er waren geen mannen beschikbaar om mee te dansen.

Toen Carlos klaar was met zijn set, deed hij een aankondiging. 'Nu wil ik mijn beeldschone dochter Jasmine Russo op het podium vragen. Ze wordt een grote ster! Groter dan haar broer!'

'Bedankt, pa!' riep Juan vanaf de dansvloer. Maar hij lachte erbij en was zichtbaar trots op de nieuwe zus die hij had ontdekt.

Carlos haalde zijn schouders op. 'Is waar!' zei hij vol overtuiging.

Jasmine had de microfoon gepakt en haar krachtige, fluwelen stem streelde hun oren toen ze het lievelingslied van de bruid zong: 'Somewhere Over the Rainbow'. Grace keek toe, terwijl de paartjes de dansvloer op stroomden. Hun lichamen versmolten en zwierden onder de sterren. Overal fonkelden feestlichtjes. Grace zuchtte. Het was allemaal zo romantisch. Waar was haar partner?

'Somewhere over the rainbow
Skies are blue
And the dreams that you dare to dream
Really do come true,' zong Jasmine.

Grace zag Carlos Russo zich tussen de danspaartjes begeven. Dat was nog eens een aantrekkelijke man. Wat ze met zo'n man graag zou willen doen... Hij leek te merken dat ze naar hem keek, want hij bleef staan, keek op en ving haar blik. Hij glimlachte, streek zijn donkere haar uit zijn chocoladebruine ogen en liep doelbewust naar haar tafeltje. Haar hart maakte een sprongetje. Jemig, die man was precies haar type: rijk, machtig, ouder, getrouwd...

'If happy little bluebirds fly
Beyond the rainbow
Why, oh why can't I? zong Jasmine.

'Mag ik deze dans van u?' vroeg Carlos Russo. Zijn ogen fonkelden toen hij haar zijn hand toestak.

'Heel graag,' antwoordde Grace met een lachje. Ze nam zijn hand en liet zich naar de dansvloer leiden.

De muziek speelde tot diep in de nacht. Grace voelde haar lichaam versmelten met dat van haar partner. Op haar wangen lag een blosje van blijdschap en haar hart bonsde bij het zoete vooruitzicht van een nieuwe minnaar. De lucht leek vervuld van liefde en vrolijkheid. Broers, zussen, echtgenoten, minnaars, vrouwen en vriendinnen dansten samen onder de zwoele Spaanse sterrenhemel. En op dat moment was alles goed met de wereld.

EEN ONTHUTSENDE ROMAN
OVER LEUGENS EN LIEFDE

Leslie is een succesvol fotomodel, reist de hele wereld over
en behoort tot de happy few van Amsterdam.
De mannen staan in de rij, maar langer dan een nacht
kunnen ze Leslie niet boeien. Dan ontmoet ze Laurens,
een geslaagd zakenman. In korte tijd worden Leslie en Laurens
een droomkoppel. Maar in de aanloop naar hun huwelijksdag
begint Leslie te twijfelen aan haar aanstaande man...

Liefdesles is losjes gebaseerd op Renées eigen,
bijna onwerkelijke verhaal.

'Een boeiend verhaal dat je door de manier van
schrijven achter elkaar uitleest.' – NBD / Biblion

'Een indringende roman.' – *Flair*

ISBN 978 90 499 9879 0   € 18,95

DAVEREND SPANNENDE CHICKLIT OVER
ALCOHOL, LIEFDE EN GEHEIMEN

Faith Zanetti is als journalist tijdelijk in Moskou gestationeerd.
Ze woonde er al eerder tijdens de grimmige sovjetdagen.
Toch blijkt er niet veel veranderd te zijn.
Dan wordt ze gearresteerd voor een moord die ze
als negentienjarige zou hebben gepleegd. De enige die er
meer van weet is haar ex, de mysterieuze Dimitri.
Hij zit momenteel opgesloten in een zwaarbeveiligde
psychiatrische gevangenis. Maar als ze hem bezoekt,
blijkt het heel iemand anders te zijn.
Faith moet een moord oplossen, Dimitri zien te vinden én een
moordenaar voor zijn. Maar Faith zou Faith niet zijn als ze zich
niet supercool uit dit bizarre avontuur weet te redden!

'Faith Zanetti heeft lef... *Vodka puur* raast in
sneltreinvaart aan je voorbij' – *Time Out*

'Lekker om te lezen, intrigerend, interessant en ontroerend...
Ik heb er enorm van genoten.' – Marian Keyes

ISBN 978 90 499 9865 3   € 7,95

ONTROERENDE ROMAN OVER DROMEN EN
VERWACHTINGEN VAN EEN ZWANGERE SINGLE

Het leven lacht Niki toe: ze is een veertigjarige single, heeft
een fijn huis in Amsterdam, lieve ouders, voor elke stemming
minstens één vriendin, en een interessante baan in de marketing.
Er ontbreekt nog maar één ding: de gedroomde soulmate.
Wanneer ze onverwacht zwanger wordt, staat Niki voor de
bijna onmogelijke beslissing om het kind wel of niet te houden.
De verwachtingen die Niki had van het leven, de liefde en het
moederschap moet ze drastisch bijstellen. En op het moment
dat Niki haar keuze heeft gemaakt, zet een ingrijpende gebeurtenis
opnieuw haar leven op zijn kop...

ISBN 978 90 499 9868 4   € 17,95

VOOR LIEFHEBBERS VAN KLUUN, NICK HORNBY & HUGH GRANT

Liefde voor het leven is een dubbeldikke feelgood over
ware liefde en bevat de twee prachtige romans
Leven na Hailey en *Het boek van Joe*.

Leven na Hailey is het hilarische en pijnlijk eerlijke
verhaal van Doug Parker. Hij brengt zijn dagen door
met het gooien van stenen naar wilde konijnen in zijn tuin
en treurt over het verlies van zijn grote liefde. Zijn familie
vindt dat het hoog tijd wordt om het gewone leven weer
op te pakken. En dan staat zijn stiefzoon Russ voor de deur…

Het boek van Joe is een meeslepend verhaal van Joe en
zijn terugkeer naar Bush Falls. Eigenlijk had hij zich
voorgenomen om nooit meer naar zijn geboorteplaats
terug te gaan. Maar als zijn vader in coma raakt, beseft hij
dat hij toch moet. Er wacht hem helaas geen warme ontvangst,
want de inwoners zinnen op wraak sinds Joe een boek én een
film over Bush Falls heeft gemaakt waarin de dorpsbewoners
er niet zo best vanaf komen…

ISBN 978 90 499 9859 2   € 15,–